D1198607

Les années du silence

– 1 –

La tourmente
La délivrance

Guy Saint-Jean Éditeur
3440, boul. Industriel
Laval (Québec) Canada H7L 4R9
450 663-1777
info@saint-jeanediteur.com
www.saint-jeanediteur.com

. . . .

Catalogage avant publication de Bibliothèque et Archives nationales du Québec et Bibliothèque et Archives Canada

Tremblay-D'Essiambre, Louise, 1953-
Les années du silence
Édition originale : 1995-2002.
Sommaire : t. 1. La tourmente ; La délivrance — t. 2. La sérénité ; La destinée — t. 3. Les bourrasques ; L'oasis.
ISBN 978-2-89455-788-4 (vol. 1)
ISBN 978-2-89455-789-1 (vol. 2)
ISBN 978-2-89455-790-7 (vol. 3)
I. Tremblay-D'Essiambre, Louise, 1953-   . Tourmente. II. Tremblay-D'Essiambre, Louise, 1953-   . Délivrance.
III. Tremblay-D'Essiambre, Louise, 1953-   . Sérénité. IV. Tremblay-D'Essiambre, Louise, 1953-   . Destinée.
V. Tremblay-D'Essiambre, Louise, 1953-   . Bourrasques. VI. Tremblay-D'Essiambre, Louise, 1953-   . Oasis.
VII. Titre : La tourmente. VIII. Titre : La délivrance. IX. Titre : La sérénité. X. Titre : La destinée. XI. Titre :
Les bourrasques. XII. Titre : L'oasis. XIII. Titre.

PS8589.R476A75 2014   C843'.54   C2014-940794-7
PS9589.R476A75 2014

. . . .

Nous reconnaissons l'aide financière du gouvernement du Canada par l'entremise du Fonds du livre du Canada (FLC) ainsi que celle de la SODEC pour nos activités d'édition. Nous remercions le Conseil des Arts du Canada de l'aide accordée à notre programme de publication.

Canada   ●+● Patrimoine Canadian   SODEC   Conseil des Arts ⬤ Canada Council
               canadien   Heritage   Québec   du Canada   for the Arts

Gouvernement du Québec — Programme de crédit d'impôt pour l'édition de livres — Gestion SODEC

Cette édition est une compilation intégrale des ouvrages suivants :
Les années du silence tome 1 : La tourmente (© Guy Saint-Jean Éditeur inc. pour l'édition originale, 1995) et
Les années du silence tome 2 : La délivrance (© Guy Saint-Jean Éditeur inc. pour l'édition originale 1995).

© Guy Saint-Jean Éditeur inc. pour cette édition spéciale, 2014

Conception graphique : Christiane Séguin
Page couverture : Toile de Louise Tremblay-D'Essiambre, *Tempête sur Limoilou*, inspirée d'une toile de Henry Gasser, *Newark in winter*.

Dépôt légal — Bibliothèque et Archives nationales du Québec, Bibliothèque et Archives Canada, 2014
ISBN : 978-2-89455-788-4

Distribution et diffusion
Amérique : Prologue
France : Dilisco S.A./Distribution du Nouveau Monde (pour la littérature)
Belgique : La Caravelle S.A.
Suisse : Transat S.A.

Imprimé et relié au Canada
3e impression, janvier 2015

 Guy Saint-Jean Éditeur est membre de
l'Association nationale des éditeurs de livres (ANEL).

LOUISE TREMBLAY D'ESSIAMBRE

Les années du silence

– 1 –

La tourmente
La délivrance

Guy Saint-Jean
ÉDITEUR

DU MÊME AUTEUR CHEZ LE MÊME ÉDITEUR :

Les héritiers du fleuve, tome 1 : *1887–1893*, 2013
Les héritiers du fleuve, tome 2 : *1898–1914*, 2013
Les héritiers du fleuve, tome 3 : *1918–1929*, 2014
Mémoires d'un quartier, tome 1 : *Laura*, 2008
Mémoires d'un quartier, tome 2 : *Antoine*, 2008
Mémoires d'un quartier, tome 3 : *Évangéline*, 2009
Mémoires d'un quartier, tome 4 : *Bernadette*, 2009
Mémoires d'un quartier, tome 5 : *Adrien*, 2010
Mémoires d'un quartier, tome 6 : *Francine*, 2010
Mémoires d'un quartier, tome 7 : *Marcel*, 2010
Mémoires d'un quartier, tome 8 : *Laura, la suite*, 2011
Mémoires d'un quartier, tome 9 : *Antoine, la suite*, 2011
Mémoires d'un quartier, tome 10 : *Évangéline, la suite*, 2011
Mémoires d'un quartier, tome 11 : *Bernadette, la suite*, 2012
Mémoires d'un quartier, tome 12 : *Adrien, la suite*, 2012
La dernière saison, tome 1 : *Jeanne*, 2006
La dernière saison, tome 2 : *Thomas*, 2007
La dernière saison, tome 3 : *Les enfants de Jeanne*, 2012
Les sœurs Deblois, tome 1 : *Charlotte*, 2003
Les sœurs Deblois, tome 2 : *Émilie*, 2004
Les sœurs Deblois, tome 3 : *Anne*, 2005
Les sœurs Deblois, tome 4 : *Le demi-frère*, 2005
Les années du silence, tome 1 : *La tourmente*, 1995
Les années du silence, tome 2 : *La délivrance*, 1995
Les années du silence, tome 3 : *La sérénité*, 1998
Les années du silence, tome 4 : *La destinée*, 2000
Les années du silence, tome 5 : *Les bourrasques*, 2001
Les années du silence, tome 6 : *L'oasis*, 2002
Les demoiselles du quartier, nouvelles, 2003
De l'autre côté du mur, récit-témoignage, 2001
Au-delà des mots, roman autobiographique, 1999
Boomerang, roman en collaboration avec Loui Sansfaçon, 1998
« Queen Size », 1997
L'infiltrateur, roman basé sur des faits vécus, 1996
La fille de Joseph, roman, 1994, 2006 (réédition du *Tournesol*, 1984)
Entre l'eau douce et la mer, 1994

Visitez le site web de l'auteur :
www.louisetremblaydessiambre.com

La tourmente

*À toutes les femmes
qui ont un cœur de mère...*

*À celle, entre toutes, qui m'a appris
à aimer la vie...*

NOTE DE L'AUTEUR

Au moment de remettre ce troisième roman à mon éditeur, monte en moi une curieuse appréhension. Mon cœur bat au rythme de mon inquiétude. Si les gens n'aimaient pas ce que je viens d'écrire ? Et si tous ceux qui me sont fidèles depuis quelques années ne partageaient pas les émotions que j'ai voulu livrer avec tout l'amour que je ressens, à chaque fois, pour mes personnages ? Mais de savoir que quelques-uns d'entre vous attendent ce livre avec impatience rend mon détachement à son égard à la fois joyeux et fébrile. Oui, je le confesse, publier un troisième livre m'est beaucoup plus difficile que le premier.

Mais, je vous fais confiance et souhaite, du plus profond de mon cœur, que vous aimerez, vous aussi, Cécile et Rolande tour à tour. Leur histoire est tellement proche de la nôtre, finalement.

Même si, parfois, on peut avoir l'impression qu'elles vivent sur une autre planète, tellement les choses et les gens ont évolué depuis. Bien que, parfois...

« Autre temps, autres mœurs », spécifie le proverbe. Et c'est ce que j'ai constaté en me préparant à écrire ce livre, parcourant la ville de Québec et la Beauce, à l'affût de toute émotion que le passé était prêt à me confier. À l'écoute de ce que les témoins de ces années acceptaient de me révéler. Autres habitudes, oui, mais autre langage aussi... Et j'ai essayé de m'y conformer. Peut-être serez-vous

surpris, à certains moments, de passer du langage popu-
laire au joual. Il est vrai que, pour certains, cela peut
accrocher l'oreille. Mais, dites-vous bien que c'est par
souci d'authenticité et de fidélité pour l'époque que je les
emploie. Et, afin de rendre la musicalité des différents
milieux sociaux rencontrés au Québec dans les années
quarante, j'ai souvent usé de la forme phonétique et sonore
du langage pour reproduire le plus fidèlement possible ces
parcelles de vie de deux jeunes filles de chez nous...

*Je ne connais qu'un seul
devoir et c'est celui d'aimer.*

ALBERT CAMUS

Quelque part en Beauce
dans les années quarante,
et ailleurs, aussi…

1

C'est la première fois que le clair de lune réveille Cécile. D'habitude, elle dort d'un sommeil de plomb. Il n'y a que le soleil qui, parfois en été, bondit, audacieux, sur le coup de cinq heures et barbouille de brillance le mur de la chambre. Il y a aussi, peut-être, le coq des Vachon, encore plus matinal, agaçant de radotage criard, qui trouble à l'occasion la quiétude des nuits de ses dix-huit ans. Jamais rien d'autre. Ni le souffle régulier et profond de sa sœur Louisa qui partage son lit. Ni les bruits de succion et les gémissements de chaton qui accompagnent le sommeil de ses deux plus jeunes sœurs, Béatrice et Marion. Non, à vrai dire, jamais rien jusqu'ici n'a troublé la vie paisible de Cécile Veilleux. À tout le moins, rien d'important. Sinon les agaceries normales d'une vie au sein d'une famille nombreuse. Que les sautes d'humeur d'un père autoritaire, les soupirs d'une mère fatiguée, les pleurs des bébés qui se suivent, à chaque année, régulièrement ou presque. Oui, une vie toute simple, banale, quotidienne, répétitive, mais que Cécile aime bien, finalement. Justement à cause de cette tranquillité rassurante, prévisible, indiscutable. Une seule déception, en fait : avoir été contrainte de laisser l'école à la fin de sa neuvième année pour aider sa mère. Et là encore, le mot déception est peut-être un peu fort. Plutôt un soupir accablé devant l'énormité de la tâche à accomplir. Rien de plus. Mais Cécile juge que c'est déjà bien assez.

Et voilà que pour une deuxième nuit d'affilée la pleine lune vient l'éveiller. Une pleine lune qu'elle attendait avec anxiété, une peur viscérale au creux du ventre, comme là, maintenant. Assez forte pour se contenter de la lumière blafarde de la lune pour la tirer du sommeil. Une angoisse incontrôlable qui la fait se recroqueviller, pliée en deux dans son lit, comme un fœtus lové sur lui-même. Et ce creux dans l'estomac qui lui donne la nausée... La figure congestionnée de son père s'impose à sa pensée, son gros poing de cultivateur, aussi, qu'elle voit s'abattre sur la table. Sans même se forcer, elle arrive à entendre le grondement d'ours qu'il va pousser. Oui, elle l'entend ce bruit de gorge qu'il a quand il est en colère. Alors, elle replie encore plus les genoux contre sa poitrine dans un immense besoin de se sentir à l'abri, et enfouit sa figure dans le pli de son coude. Comme les enfants se cachant le visage, certains qu'on ne les voit pas puisqu'eux ne nous voient plus.

Il fait une nuit de chaleur humide, inusitée pour un mois de mai. En cette année 1942, l'été s'est installé tout d'un coup, bousculant le printemps, pressant les lilas qui offrent déjà, lamentablement, des grappes de fleurs brunies par le soleil trop chaud et le manque d'eau. Une atmosphère de canicule surprenante, à l'image de tout le reste, d'ailleurs. En quelques jours, la vie de Cécile s'est figée, incrédule, pareille au village écrasé sous la touffeur de l'air. Cette immobilité de décor de théâtre que déposent immanquablement les grandes chaleurs. Même si curieusement, en même temps, une bourrasque d'émotions la secoue, la remue jusqu'au fond de ses entrailles. C'est une gifle en plein visage qu'elle a reçue, Cécile. De celle que l'on n'attend pas, qui nous laisse hébété. Et la douleur fulgurante qui a suivi, qui la tenaille depuis deux semaines... « Pourquoi moi ? », pense-t-elle pour la nième fois en se retournant doucement sur le dos et en allongeant les jambes à la recherche d'un peu de fraîcheur sur les draps moites. Mais, aucune réponse. Rien qu'une immense sensation d'injustice. Le battement du cœur jusque dans la gorge à cause de la peur qui s'y mêle, l'enveloppe et finit par l'avaler... Et par-dessus tout, la certitude qu'elle va avoir mal. Très, très mal... Sachant que le sommeil continuera à la bouder, Cécile se soulève délicatement et repousse les couvertures lentement. Tout doucement, du bout des orteils, elle se lève en évitant de poser le pied sur la planche craquante juste à côté du lit. Un regard par-dessus son épaule pour vérifier que Louisa n'a pas bougé et elle sort silencieusement de la chambre. Courant d'air blanc et furtif qui longe le couloir, elle descend l'escalier (les deux marches gémissantes en moins), se faufile jusqu'au verger en respirant à fond l'air tiède de la nuit. Comme pour calmer son cœur fou brusquement libéré d'une oppression qui hanterait toute la maison.

Un fin tissu de brume glisse vaporeusement entre les arbres coltinant l'odeur tenace des fleurs de pommier. Parfum lourd et sucré qui lui donne un haut-le-cœur et la réconforte tout à la fois. Ce besoin qu'elle a, qu'elle a toujours eu, de connaître les choses pour être à l'aise. Cécile se laisse tomber au pied d'un arbre parfumé, appuie son front sur ses genoux relevés. Une autre nuit à épier son corps en compagnie de la lune qui grimace sa complicité. Une autre nuit à essayer de comprendre, anticiper, s'expliquer l'inexplicable avant d'avoir à le dire aux autres. Tous ces autres, bien trop nombreux à son goût... La réaction de Jérôme qu'elle voudrait connaître à l'avance et celle de ses parents qu'elle devine trop bien. Toute sa vie, toute son âme concentrées sur ce ventre qui refuse de saigner comme à tous les mois. Toutes les angoisses, les déchirements inévitables qu'elle anticipe. Jamais, au grand jamais, elle n'aurait cru qu'un jour elle regretterait ces deux heures passées dans les bras de Jérôme. Ces trop brèves minutes soustraites à l'omniprésence des parents en prétextant une longue promenade au tiède soleil d'avril... Non, jamais Cécile n'aurait pensé avoir le moindre petit remords de s'être donnée à Jérôme. Surtout qu'il lui avait juré avoir fait bien attention. En essuyant son ventre mouillé de leur amour, elle avait même été rassurée, s'était laissée aller à la douceur du creux de son épaule, émerveillée d'être une femme, sa femme. Et puis, quand on aime comme ils s'aiment, rien de terrible ne peut arriver. Que le meilleur pour eux, devant eux. Oui, que le meilleur... Et voilà que depuis deux semaines elle surveille son corps comme ce n'est pas permis. Ses plus petits frissonnements, ses plus infimes gargouillis. À la moindre humidité, elle se précipite à la salle de bain. Mais rien, toujours rien... Juste une grande déception qui peu à peu s'est transformée, défigurée en une peur démesurée mais portée, malgré tout, par un espoir insensé vissé au cœur. Peut-être simplement un retard, justement à cause de cette première et unique fois. Alors elle n'a rien dit, attendant jusqu'à la pleine lune pour être bien certaine. Maintenant, elle n'a plus aucun doute. Ses seins gonflés et douloureux lui rappellent insolemment son excellente santé et sa condition incontestable. D'instinct, en fille de la campagne, sans médecin ni qui que ce soit, elle sait l'enfant en elle. Alors, ce soir, après le chapelet du mois de Marie, elle parlera à Jérôme. À deux, la situation sera peut-être moins pénible, voire même tolérable. Au loin, sur sa droite, le cri rauque du coq des Vachon lui fait lever le front. Le chiffon de vapeur nocturne s'est volatilisé, laissant en gage, derrière lui, de fines traces de rosée. La ligne du jour qui s'élargit peu à peu au-dessus de la colline, se dispute avec la lune les honneurs de la clarté grandissante. Une autre journée de soleil qui s'annonce. Une autre journée marquée au fer de l'inquiétude. Mais, d'avoir décidé de parler à Jérôme allège le geste habituel de la tête qui repousse la longue mèche de cheveux blonds barrant fréquemment le visage de Cécile. Alors, c'est le cœur presque léger qu'elle se relève pour regagner la maison. Pour reprendre sa place dans la vie de la famille d'Eugène Veilleux. Oui, avec Jérôme, elle saura ce qu'il faut faire, ce qu'il faut dire et comment le dire. Et après, tout ira mieux. La vie reprendra probablement son cours normal. Différent, peut-être, mais paisible.

* * *

— T'es ben sûre de ça ?

Côte à côte, ils reviennent de l'église. Merveilleux mois de Marie qui leur a donné l'impression d'être libres et leur a permis de se voir tous les soirs. Cette année, pour la première fois dans la vie de Cécile, le chapelet quotidien était attendu comme une bénédiction. Pourtant, ce soir, le plaisir a un léger goût d'amertume. À ces mots, Cécile lève un regard sombre et triste.

— Qu'est-ce que tu penses ? Que je m'amuserais à te faire des accroires juste pour voir ? T'es pas fin, Jérôme.

Deux grosses larmes brillent au coin des paupières de la jeune fille. Toute l'inquiétude et la tension des derniers jours lui montent à la tête. Étourdie, elle s'accroche au bras de Jérôme comme à une bouée de sauvetage, accorde le rythme de ses pas au sien. Le soleil encore haut éclabousse le pré où le foin vert tendre ondule faiblement. Plus bas, dans la vallée, la rivière Chaudière pétille de mille feux, insouciante et libre. Indifférente à leur désarroi. Quelques grenouilles commencent à répéter leur sérénade et la route de sable qui remonte vers le deuxième rang craque d'aise sous leurs pas lents. Que la promenade serait belle, si seulement...

— Fais-toi z'en pas, murmure Jérôme en entourant les épaules de Cécile d'un bras protecteur. Je t'aime et ça, il y a personne qui peut nous l'enlever. Personne, tu m'entends! J'vas aller voir ton père, pis j'vas lui dire qu'on veut se marier. C'est toute... De toute façon, on en parlait déjà à cause de la conscription. Ça fait rien qu'avancer la noce d'un an. Ton père pourra toujours ben pas nous dire non. Il va comprendre. Qu'est-ce que t'en dis?

— Je dis juste que je t'aime Jérôme... Pis c'est vrai qu'avec la guerre, ça nous donne une bonne raison de se marier... Mais toi, Jérôme, t'es sûr que t'es pas fâché après moi?

Le jeune homme hausse les épaules en resserrant son étreinte.

— Fâché? Après toi? Mais pourquoi, bonyenne, que je serais fâché après toi? Tu l'as pas faite tu seule ce bébé-là. C'est sûr que ça dérange un peu, pis que les parents vont chialer. Mais c'est pas grave, ça. Ils peuvent toujours ben pas nous battre pour ça. Ils vont nous engueuler, c'est quasiment sûr. Pis après? On va s'arranger, tu vas voir. T'inquiète pas, ma Cécile. J'vas... J'vas prendre une journée pour penser comme il faut à ce que j'veux dire à ton père pis au mien. Demain, demain soir, juste avant de faire le train, j'vas leur parler, murmure-t-il pour lui-même en resserrant encore une fois son étreinte autour de Cécile. Je suis sûr que mon père va comprendre. Je l'ai jamais vu se choquer pour de bon. Ça fait que...

Il se veut rassurant, joue les forts, même si l'énormité de la nouvelle lui tord l'estomac. Pourtant René, son copain de toujours, lui avait bien dit qu'en se retirant à temps il n'y avait aucun problème. Lui-même et Françoise faisaient l'amour comme ça depuis un an déjà. Et rien de terrible ne leur était arrivé. Alors ? Pourquoi cela n'a-t-il pas fonctionné comme prévu avec eux ? Jérôme s'en veut terriblement d'avoir fait confiance aux dires d'un ami qui n'en savait pas plus que lui sur la question. Cécile ne méritait pas cela. Il la sent frémir contre lui et il se déteste. Comme il déteste la vie qui leur joue ce sale tour ! Il est malheureux tel un enfant qu'on vient de punir injustement et aurait envie de s'enfuir loin, très loin. Seul avec Cécile, là où personne ne les connaît. Là où il n'y a ni guerre, ni parents. Une brutale envie d'elle, aussi, pour se consoler de la vie, pour se prémunir des jugements. Un mariage obligé fait toujours jaser. La peur en lui, à son tour, fait trembler sa main sur l'épaule de Cécile. Seuls au monde, tous les deux, avec cette crainte en eux qui aurait pu être une si grande joie dans un an ou deux. Incapable de répondre à tant d'incertitude et se sentant impuissant devant une telle tension, il arrête de marcher et se penche vers Cécile. Dans le regard bleu nuit qui se lève vers lui à la recherche du sien, il reconnaît son propre désir... Immense, impétueux. Ce besoin du corps de l'autre pour se sentir aimé, compris, accepté tel qu'on est malgré les échecs, les déceptions. Un même sourire tremblant les unit. Et ce long vertige qui les emporte loin du doute pour un moment. Cet amour qu'ils savent l'un de l'autre.

Sans un mot, étroitement enlacés, ils reprennent leur

marche. Spontanément, leurs pas bifurquent vers le sentier qui mène vers la cabane à sucre du père Croteau. La vieille cabane, désertée depuis quelques années, témoin silencieux des amours encore interdites des jeunes du village. C'est en pleurant, en se jurant une fidélité par-delà temps et espace, qu'ils font l'amour lentement, tendrement. Pour se rassurer.

* * *

— Tu peux pas, Cécile, te marier comme ça. Ça s'adonne que ta mère a encore besoin de toi, parce que Louisa est trop jeune pour te remplacer. Ça fait que le mariage, on en parlera dans deux ans...

— Mais papa... Dans un an, Jérôme va être en âge d'être appelé à l'armée et...

— Beau dommage! Ça avec, Cécile, ça fait partie de la vie. Moi aussi j'ai fait la guerre, ma fille. Pis je l'ai jamais regretté. Ça forme le caractère d'un homme, faire l'armée. Pis, il y a rien qui nous dit que cette maudite guerre va encore durer ben longtemps. À date, ma fille, ta place est icitte à la maison. Faudrait pas que tu l'oublies. T'as toute la vie encore pour penser au mariage. Mais si Gaby pense comme son fils, pis qu'il veut garder Jérôme sur sa terre, peut-être ben qu'on pourra parler mariage dans un an. Mais pas avant... Ça c'est sûr.

Cécile et Jérôme sont restés debout, tout près l'un de l'autre, les doigts entremêlés. Jérôme a dû s'éclaircir la voix à deux reprises avant de réussir à faire sa demande. Que du mariage, finalement, dont il a parlé, avec une grande fièvre dans les yeux. Eugène Veilleux est un homme brusque, intransigeant. Et autoritaire, surtout, qui n'aime pas qu'on lui dise ce qu'il a à faire. Alors, c'est vers sa mère que Cécile se tourne en entendant les propos de son père, une supplication dans le visage. Jeanne Veilleux hausse les épaules en repoussant sa chaise et en se relevant. Son long soupir traverse la cuisine comme un vent qui tente de chasser la tempête. À tout prix.

— Laissez-nous jongler à tout ça, ma fille. Ça vous prend pas une réponse tusuite. On va en parler tous les deux, ton père pis moi. On vous donnera notre réponse après. Astheure, viens m'aider à faire la vaisselle, Cécile.

Eugène a un soupir de soulagement. Si Jeanne est du même avis que lui... Trop heureux de ne pas avoir à poursuivre la discussion, il étire ses longues jambes sous la table.

— C'est en plein ça, Cécile. Va aider ta mère à faire la vaisselle. Mais pour ce qui est de jaser ensemble, je pense pas que ça va changer grand-chose. Même si je suis pas contre... Comprends-moi ben, Cécile : Jérôme c'est un bon gars, mais il y a pas de presse... Bon, conclut Eugène Veilleux en se relevant bruyamment, je pense que j'vas aller voir ce que font mes gars dans la grange. Pis toi, Jérôme, tu serais mieux de retourner chez vous pour à soir. Pour le sûr que ton père doit t'espérer pour le train...

Avec détresse, Cécile fait signe à Jérôme qu'il est mieux de ne rien dire de plus pour le moment. Quand son père dit non, il vaut mieux s'en tenir à cela dans un premier temps. L'affronter ouvertement ne donne jamais rien de bon. En raccompagnant Jérôme à la porte, elle lui demande d'attendre avant de parler à son père à lui. Trop de choses sont encore dans l'ombre, trop d'incertitudes en eux pour faire face à la réalité. C'est en refoulant ses larmes qu'elle revient vers la table, prenant conscience, surprise, à quel point les épaules de sa mère sont voûtées.

Pourtant, c'est à cause d'elle que sa mère courbe le front et le buste. C'est l'incrédulité qui fait se pencher Jeanne Veilleux. Le poids du temps passé trop vite, à son insu. Elle, Jeanne, déjà mère d'une fille en âge de se marier. Elle n'est pas prête à voir partir sa fille, sa Cécile. La seule de ses douze enfants qu'elle ait vraiment voulue. Non qu'elle n'aime pas ses enfants... Mais le temps qui déboule ses journées ne lui laisse aucun répit pour se pencher sur la vie et ses émotions. Ne lui accorde pas même le loisir de bien regarder vivre tous les siens. Cécile a été le seul bébé fait par désir, par amour. Parce qu'elle l'a déjà aimé passionnément, son Eugène. Même si, aujourd'hui, il est un peu difficile de le comprendre, qu'elle-même doit se forcer pour se rappeler ce temps des amours folles. La petite Jeanne de dix-sept ans, un peu timide, avait été flattée qu'un homme comme Eugène Veilleux s'intéresse à elle. Un homme « faite » comme on disait de lui, de quinze ans son aîné, possédant du bien et ayant de l'influence au village. Lui, le beau blond dans son uniforme militaire, qui souriait à toutes les filles de la place, c'est elle, Jeanne Rhéaume, qu'il avait remarquée. Mais, très vite, oh ! à peine un mois de vie commune, Jeanne avait compris pourquoi Eugène l'avait choisie, elle, la gamine de dix-sept ans. C'est qu'il aimait prendre son plaisir, Eugène, et avait un faible pour les toutes jeunes femmes. Ses yeux égrillards qui détaillaient tout ce qui portait jupon et qui avait moins de vingt ans ne pouvaient mentir. Il avait le sexe dans la peau, le bel Eugène ! L'amour se faisait quand il le voulait et comme il le voulait. Encore éblouie par sa nouvelle condition de femme, Jeanne s'y pliait de bonne grâce, se découvrant même une espèce de sensualité hésitante, presque enfantine, qui ravissait son mari. Oui, dans la vie de Jeanne, il y avait eu ces dix mois de félicité. Mais un soir, à la toute fin de sa première grossesse, celle où elle portait Cécile, fatiguée et le corps meurtri, elle avait osé dire non à ses avances. Alors Eugène avait levé la main sur elle en disant que c'était son devoir d'épouse que de lui obéir. Que même le curé serait d'accord avec lui. Que le médecin leur avait bien affirmé qu'attendre un bébé n'était pas une maladie. Et, de toute manière, c'était bien connu, le sexe était une affaire d'hommes. Elle, Jeanne, n'avait pas à décider ni le quand ni le comment. La gifle retentissante d'Eugène, devant son refus persistant, l'avait même bousculée et elle en était tombée. Ensuite, malgré les crampes qu'elle commençait à ressentir, Eugène l'avait prise, là, à même le plancher de la chambre, le regard curieusement brillant de convoitise. C'est cette nuit-là, dans les douleurs de l'enfantement, que le désir était mort dans le corps de Jeanne. Mort, pour ne plus jamais revenir. En même temps, elle avait compris qu'en aucun temps elle n'oserait dire non à son mari. Elle avait trop peur de lui, maintenant. De cette violence dont il était capable. Même si le lendemain, en se penchant sur le berceau de la petite Cécile, Eugène avait eu ce mot pour elle : « Pardon ». Un seul mot, mais qui disait beaucoup dans la bouche d'Eugène. Parce qu'il l'aimait, sa femme, malgré les apparences. Maudissant son caractère bouillant, Eugène n'avait trouvé aucune autre façon pour exprimer son repentir. Sa gaucherie souffrait déjà bien assez de ne savoir dire les choses d'émotion. Pour ce qui était de s'emporter ou de lancer une remontrance, on pouvait compter sur Eugène. Il n'avait pas son pareil pour lancer une flèche bien aiguisée. Mais, dès qu'il était question de sentiments, il devenait plus timide qu'une pucelle. Alors pour la femme qu'il aimait, il avait eu ce mot : « Pardon ».

Le mot qui disait l'excuse autant que l'amour. Et il était sincère, de surcroît. Mais Jeanne avait fait la sourde oreille. Elle n'avait pas vraiment envie de pardonner. Pas envie non plus de voir la tendresse qui se cachait dans cette déclaration malhabile. La blessure au cœur était beaucoup trop douloureuse pour l'oublier aussi rapidement. Pourtant, à quelque temps de là, elle avait compris que si elle se montrait disponible aux envies de son mari, Eugène la regardait avec fierté et lui accordait une déférence un peu bourrue qui, à sa manière, disait l'amour. Oui! Eugène était fier de sa femme et voyait dans son abandon consentant aux plaisirs de la chair une façon de répondre à ses attentes. Une manière de partager. Et, pour cela, l'homme autoritaire qu'il était lui concédait volontiers un droit de parole sur les décisions touchant leur vie familiale. « Une fierté d'étalon », avait pensé Jeanne. Alors, elle avait accepté d'être violée (c'est le seul mot qui lui venait à l'esprit quand il la prenait) deux ou trois fois par semaine pour mériter ce respect. Pour acheter au moins la paix de l'esprit si elle ne pouvait avoir celle du corps. Comme une accommodation qui aurait pu être tolérable, voire même acceptable, s'il n'y avait pas eu les enfants. Malgré le dégoût qu'elle ressentait à chaque fois qu'il s'approchait d'elle. Mais, malheureusement, il y a eu les enfants... Il y a encore et toujours les enfants : Gilbert, Paul, Rosaire, Gérard, Louisa, Roger, Marcel, Béatrice, les jumeaux Marion et Michel, et Jean-Pierre. En plus de Cécile... Douze enfants en dix-huit ans, comme un rang d'oignons planté derrière elle. La grande fierté d'Eugène, tous ces enfants. La preuve irréfutable de sa virilité et de l'amour existant entre lui et sa femme. Le grand drame de Jeanne, ces onze grossesses qui l'ont grugée et ont sucé toute son énergie. À trente-six ans,

Jeanne est une femme usée qui appréhende les années à venir où encore trop d'enfants viendront la bousculer, la déchirer, la faire mourir à chaque fois un peu plus. Car, aux dires du curé, il n'est pas question d'empêcher la famille. Et, à cinquante ans passés, Eugène a toujours une grande envie de sa Jeanne. De plus, il est un fervent pratiquant. Et voilà qu'aujourd'hui, la seule qui arrive encore à la faire sourire, sa Cécile, lui annonce qu'elle veut partir. Jeanne aurait envie de crier de douleur, la supplier de ne pas l'abandonner. Mais elle aime sa fille et Jérôme est un bon parti. Alors Jeanne sait qu'elle taira sa peine, tentera de toutes ses forces de convaincre son mari de la laisser se marier tout de suite. Pendant que Cécile est jeune et belle, qu'elle peut encore sourire à la vie.

Silencieusement, coude à coude, les deux femmes font la vaisselle. La mère et la fille… Deux êtres d'un même sang qui s'aiment sans jamais se le dire, pressées qu'elles sont par les journées trop courtes et la besogne débordante. Le temps n'est pas à la confidence et Cécile sait que sa mère est une femme de silence. Les assiettes propres s'empilent. Les cris des petits qui courent dans le verger remplacent les mots qu'on n'arrive pas à dire. Lentement le soleil rejoint l'horizon, traverse la fenêtre de la cuisine dans un dernier flamboiement, flatte soyeusement le bois des armoires. Puis, alors que le rangement tire à sa fin, un vagissement venant de la chambre des parents fait sursauter Cécile et trembler ses mains. Jean-Pierre s'éveille. Au même instant, une intuition transperce le cœur de Jeanne. Prenant alors Cécile par les épaules, elle l'oblige à se retourner et à lui faire face, la fouillant du regard. L'intuition devient alors certitude.

— C'est pour quand, ma Cécile ?
— Pour janvier.

À peine un murmure, un soupir qui s'est échappé de Cécile. Ce besoin de se sentir aimée, comprise, qui la fait s'appuyer sur la poitrine ronde et accueillante de sa mère. Le besoin d'être encore une toute petite fille et de confier son mal, sa peur. De s'en débarrasser pour un moment, d'oser croire que Jeanne va régler tous les problèmes d'un coup de baguette. Alors le bras se fait maternel pour elle, la presque enfant, en lui entourant les épaules. La main de Jeanne, douce, si douce, s'attarde longuement dans ses cheveux.

* * *

— Qu'est-ce que tu dis ? Cécile ?... Cécile en famille ? Raison de plus pour qu'elle se marie pas tusuite. Viarge, Jeanot, qu'est-ce que tu penses ? Je serai sûrement pas la risée de tout le village à cause d'une petite dévergondée que t'as pas su élever dans le sens du monde... Je l'ai toujours dit que tu la gâtais trop... Elle fait rien que ce qu'elle veut dans cette maison-là.

Après avoir essayé, en pure perte, de faire comprendre à son mari qu'elle pouvait fort bien se passer de Cécile à la maison pendant l'année suivante et osant croire qu'Eugène plierait finalement à cet argument de poids, Jeanne a frappé un mur de pierres.

— Un mariage obligé ? Pis quoi encore ? Qu'est-ce que le monde va dire dans six mois quand Cécile va accoucher d'un gros tocson de huit livres ben sonnées ? Hein ? Ça s'est jamais vu chez les Veilleux, des affaires de même. Pis c'est pas avec moi que ça va commencer... M'as-tu ben compris, Jeanne ?

Nulle émotion apparente dans le raisonnement de son

mari, sinon la crainte qu'on se moque de lui. Sinon la colère devant sa fille qui n'a pas su garder les cuisses fermées. L'homme grisonnant s'arrête devant Jeanne, brandit un index accusateur vers celle qui machinalement rentre la tête dans les épaules. Il l'a toujours dit : « le sexe est une affaire d'hommes. Les femmes n'ont qu'à tenir leur place en attendant le mariage. » L'a-t-il déjà dit, oui ou non ? Craintivement, Jeanne approuve de la tête. Rassuré, Eugène reprend son monologue. « Que les catins qui ouvrent les jambes pour le plaisir... » Sa fille n'est donc qu'une catin qui a cédé à ses envies. Et maintenant, la tricheuse, elle parle de la guerre pour justifier son mariage. Elle a bon dos, la guerre ! « La petite salope, la guidoune... » Des grossièretés, des ordures qu'il crache sur Cécile la douce, oubliant commodément que Jérôme aussi a eu son mot à dire dans tout cela. Et Jeanne, qui craint ses colères plus que tout, ne dira rien d'autre à l'homme qui marche de long en large dans leur chambre, martelant le creux de sa main de son poing enragé. Même s'il ne l'a frappée qu'une seule fois et l'ayant amèrement regretté par la suite, les menaces ainsi que les cris ont souvent hanté leurs rapports et l'éducation de leurs enfants. C'est à grands coups d'engueulades et d'ordres qu'Eugène élève sa famille. Alors Jeanne pliera, n'argumentera surtout pas. Cette fois-ci, l'enjeu est trop grave pour oser lui tenir tête.

— Elle va partir chez ma sœur, à Québec. Pis vite à part de ça ! On va dire que Gisèle a besoin d'elle, c'est toute. Pas question qu'elle garde ce p'tit bâtard-là. S'ils s'aiment autant qu'ils le disent, elle pis Jérôme, ils se mettront en ménage après. Ils auront toute la vie pour en faire des bébés. Apparence qu'ils savent comment faire, anyway.

Pour Eugène il est hors de question qu'un enfant

illégitime vienne salir le nom des Veilleux. Cécile n'avait qu'à se tenir… Il n'a surtout pas envie de lui pardonner, ni même de l'excuser. Et Jeanne comprend que c'est uniquement son affection pour Cécile qui le retient. Qui l'empêche de se précipiter dans la chambre de sa fille pour la secouer, pour lui faire mal à la hauteur de sa déception à lui. Parce que, quoi qu'il puisse dire, Eugène a toujours eu un faible pour son aînée, la douce Cécile. Si calme et obéissante, si rieuse aussi… Oui, on va faire disparaître ce petit-là. Il n'est qu'une erreur, un simple accident. On va s'en débarrasser, le donner à qui veut bien de lui. Puis, après, quand elle aura vingt ans, ou même dans un an si ils y tiennent à tout prix, on va marier Cécile et Jérôme à l'église. Devant toute la paroisse, avec une belle robe blanche.

— Hein, Jeanne, tu vas lui faire la plus belle robe de mariée qu'on aura pas vue ? Les Veilleux, c'est une famille qui sait faire les choses. On a rien qu'à voir les mariages pis les funérailles dans la famille. Est-ce que c'est vrai, Jeanne, qu'on sait faire les choses chez les Veilleux du deuxième rang ?

En se couchant, Eugène Veilleux est même prêt à oublier l'erreur, à la condition que les choses se passent comme il l'entend. Ainsi, tout le monde sauve la face et c'est bien ainsi. N'est-il pas un bon mari, un père généreux ?

— Demain, tu causeras à ta fille, marmonne-t-il en se creusant un nid dans l'oreiller. Pis moi, j'vas aller voir Gisèle à Québec. J'vas même amener Gérard avec moi, tiens. Ça va lui faire plaisir.

Et, d'avoir pensé à son fils, lui permet d'oublier l'inconfort qui lui crispe l'estomac. Sa petite Cécile… Une gamine, oui, dans les bras d'un homme… Un picotement au bord des narines lui ramène sa colère. Mais que croit-elle, sa fille ? Qu'il va lui donner sa bénédiction ? Pas question ! Si elle n'est pas capable de prendre ses responsabilités et d'attendre le mariage, Eugène, lui, va prendre les décisions qui s'imposent. Et si elle voulait se marier simplement à cause de ce bébé qu'elle attend ? On ne s'embarque pas dans la vie par obligation. Cela n'a aucun sens... Il sent le corps chaud de sa femme contre son dos et une bouffée de tendresse lui fait battre le cœur. On s'embarque dans la vie à deux par amour. Un point c'est tout. Rassuré, Eugène pousse un long soupir de soulagement, persuadé d'avoir entièrement raison. Demain, il va aller à Québec voir Gisèle. Pour le bien de sa fille.

Jeanne a parlé à Cécile. Sans la regarder, sur le ton de la confidence. Sans trop savoir que dire, ni comment le dire pendant qu'ensemble elles donnent le bain à Jean-Pierre, dans la grande bassine sur la table de la cuisine et que tous ceux qui ne vont pas encore à l'école jouent dehors. Gilbert et Paul sont aux champs, en congé comme bien des jeunes de leur âge à l'époque des labours, des semailles et des récoltes. Eugène est à la ville, parti très tôt avec Gérard. Pour une fois, la maison est presque calme, accordant son désordre coutumier à la gravité du moment. À peine des phrases que glisse Jeanne, empêtrée dans les émotions contradictoires qui l'habitent. Plutôt des mots entrecoupés de soupirs et de toux. Le nom de la tante Gisèle revient à quelques reprises ainsi que le mot adoption. Et, à chaque fois, Cécile sursaute comme si quelqu'un la giflait. Jeanne comprend ce que sa fille doit ressentir, se souvient de ce que l'on éprouve quand on porte un enfant fait par amour. Cette grande douceur au fond du cœur, cette incrédulité anxieuse, cette attente sereine et inquiète tout à la fois. Oui, Jeanne s'en rappelle très bien et elle aimerait partager ses souvenirs avec Cécile, au lieu de la blesser. Parler ensemble, entre femmes, de ces choses qui n'appartiennent qu'aux femmes. Cette complicité qu'elles pourraient apprendre à tisser entre elles et qui n'aura pas lieu. Ni maintenant, ni jamais. À cause de cette douleur que Jeanne se voit obligée d'infliger à Cécile. Toutes les espérances de sa fille reposaient entre ses mains et elle, la mère, n'a pas su se tenir debout. Jeanne n'a pas su défendre l'être qu'elle dit aimer plus que tout. Et, tout cela, à cause de l'angoisse qui loge en elle... Ce pitoyable réflexe de survie qui la fait se taire quand elle sent la menace gronder. Alors, elle se trouve terriblement sans-cœur d'être le porte-parole du père qui, lui, a fui à Québec au lieu de faire face à sa fille. Oui, terriblement cruelle et injuste. Mais, en même temps, elle se dit qu'ainsi Cécile n'aura pas à subir les foudres de son père. Comme un baume sur sa douleur à elle de ne pas être à la hauteur de ses attentes. L'ingratitude de son rôle de mère qui la contraint à blesser par amour...

Cécile n'a rien dit. Simplement un visage qui vire au blanc, cireux. Qui se vide de son espérance... Et son regard se durcit malgré l'eau tremblante qui brille au bord des paupières. D'un geste brusque, Cécile tend le bébé rieur et gigotant à la femme qui peut revendiquer sa maternité et, toujours sans un mot, elle se précipite à l'extérieur de la maison. Jeanne a un geste de la main vers Cécile. Le cri silencieux d'un amour déchiré. Mais la porte claque déjà sur la dégringolade des pas de Cécile dans l'escalier. Tant aimer son enfant et être incapable de le lui dire, de le montrer. Un long sanglot envahit la poitrine de Jeanne pendant qu'elle se surprend à serrer très fort contre elle un petit Jean-Pierre étonné et ravi de sentir la chaleur de sa mère.

Cécile a couru sans s'arrêter, tout au long du deuxième

rang. Un mille sous le soleil qui tape fort dans l'air poudré d'or. Mais la jeune femme ne le sent pas. Comme elle ne sent pas les roches et les cailloux qui roulent sous ses semelles, lui meurtrissant un peu la plante des pieds. Pas plus qu'elle n'entend les oiseaux qui s'égosillent, insouciants, ou les criquets qui s'apostrophent, arrogants. Non, rien d'autre dans la tête et dans le cœur de Cécile Veilleux, dans sa vie, que l'incrédulité de se voir rejetée. Par son père, dont la réaction était prévisible. Par sa mère, aussi, qui endosse les propos de son mari. Elle n'arrive pas à y croire… Et c'est là, pour elle, une raison de plus d'avoir mal.

Arrivée au croisement du rang du Bois de Chêne, elle est exténuée. Comme si le temps arrêté sur sa vie lui coupait le souffle. La main du destin plaquée sur sa bouche pour l'empêcher de crier et de respirer. Elle se laisse tomber sur la grosse roche plate et relève les genoux entre ses bras, appuyant son front sur ses bras repliés. Cécile referme son étreinte très fort. Très, très fort. Comme quand on mord la dent qui nous fait mal, uniquement pour changer de douleur. Elle se roule en boule sur toutes les douleurs qui la transpercent. Son souffle court et le point de son côté ne sont rien comparés à ce mot qui hante son cœur et son esprit : « Pourquoi ? » Pourquoi attendre deux ans ?

Pourquoi lui demander de donner leur bébé ? Et toute cette haine inutile… Cécile ne comprend pas. Ne veut même pas essayer de comprendre. Ne lui reste que la déchirure en elle, qui lui fait mal à crier. Imperceptiblement, comme une lente mélopée, un long gémissement monte au-dessus de la plaine, à la croisée des chemins entre le deuxième rang et le rang du Bois de Chêne. Le cri à peine retenu d'une bête mortellement blessée. La plainte douloureusement incrédule de celle qui n'a pas vu venir la flèche.

Longuement, patiemment, Cécile se console dans ses larmes comme l'animal continuant de lécher sa plaie, sans deviner que cela prolonge inutilement son agonie. Puis, brusquement, se relevant d'un bond, elle essuie rageusement son visage baigné de pleurs. Larmes de tristesse, de rage, d'impuissance. D'incompréhension surtout. Reprenant sa course, elle tourne sur sa gauche pour emprunter le rang du Bois de Chêne. Elle s'oblige à ravaler les sanglots qui se forment dans sa gorge, qui brûlent ses paupières et cherchent à l'étouffer. Simplement se concentrer sur sa respiration, si elle veut tenir jusque chez Jérôme. Ne penser à rien, faire le vide et courir. Encore un autre mille sous le soleil de feu. Elle espère, au plus profond de son être qu'il ne sera pas parti aux champs. « Mon Dieu, faites qu'il soit là ! Je Vous en supplie, faites qu'il soit là ! »

Mélina Cliche, la mère de Jérôme, est assise sur la longue galerie qui court sur toute la façade de leur maison avant de tourner le coin pour rejoindre la cuisine d'été, à l'arrière. Une immense maison, toute blanche, garnie de rouge, faite spécialement pour accueillir une ribambelle d'enfants, et construite par Gabriel Cliche, avant leur mariage, au bout de la terre de son père. Une belle et grande maison toujours à l'ordre, impeccable car, contre toute attente, Jérôme est un fils unique. Ainsi en a voulu le bon Dieu, de dire le curé quand il a vu l'affliction sincère des Cliche. Pourquoi le bon Dieu leur a-t-il réservé cette vilaine surprise ? Ni Gabriel, ni Mélina ne sauraient le dire. Il y a eu Jérôme, deux ans après leur mariage, et c'est tout. Une grande, très grande déception dans leur vie. Pourtant, malgré cela, chez les Cliche on respire à pleins poumons le bonheur et la joie de vivre. Le respect les uns des autres aussi. C'est pourquoi, ce matin, Mélina Cliche est assise sur la galerie, jonglant aux stupidités de la vie en attendant la visite de Cécile. Elle connaît bien Eugène et Jeanne Veilleux, leurs plus proches voisins. Alors elle sait que Cécile va venir. Aujourd'hui, demain, qu'importe… Mélina est une femme qui a appris à attendre sans précipiter les choses. Attendre… que son mari rentre des champs et que passent les saisons. Que les enfants tant souhaités se fassent désirer mais que ses voisines l'appellent au temps de leur délivrance. Attendre que son fils, quand il était petit, revienne de l'école et lui conte sa journée. Oui, la vie de Mélina est ainsi faite : de longues heures d'attente mais beaucoup d'action aussi. Pour elle et sa famille. Pour ses voisins qui la connaissent bien, qui aiment sa jovialité et apprécient sa disponibilité. Mélina Cliche est une femme hors du commun. C'est pourquoi Jérôme leur a tout raconté, hier, en rentrant de chez Eugène Veilleux, malgré la demande formelle de Cécile. En fait, il n'a jamais eu de véritables secrets pour ses parents. Sauf peut-être ce qui s'était passé entre lui et Cécile. Mais là, il jugeait que c'était différent et que ça ne les regardait pas. C'est pourquoi hier, bouleversé par la direction imprévue que prenait sa vie, il n'a pu garder pour lui une telle nouvelle. C'est en pleurant de rage et de désespoir qu'il s'est livré à ses parents. En espérant qu'eux, ils auraient une solution. Leur avouant même avoir manqué de courage pour parler du bébé. Gabriel avait gardé un long silence avant de répondre :

— Tu sais, mon gars, dans la vie, faut être capable de faire face à la musique quand on fait de quoi. Je pense ben que tu l'as un peu oublié. Je peux pas dire que je suis fier de toi, ça c'est ben certain. Mais j'ai pas envie de te lancer des pierres non plus, parce que je sais que tu l'aimes, ta Cécile. Pis ces affaires-là, c'est pas toujours facile à contrôler. On va attendre un peu pour voir ce que les Veilleux vont finir par décider, puis on verra. Va falloir quand même parler du bébé. Je me vois pas tellement aller voir Eugène pour lui dire quoi faire avec sa fille, si j'ai pas une bonne raison de le faire. Mais j'aime pas les injustices. Alors on verra, on verra...

Mélina n'avait rien dit. Juste une main qui s'égare un instant sur le bras de Jérôme pour dire l'appui et l'amour. Et ce matin, justement parce qu'elle connaît bien Eugène et Jeanne, elle sait que Cécile va avoir besoin d'elle. Alors, elle attend.

Malgré toutes ses bonnes intentions, c'est en pleurant que Cécile s'est précipitée dans les bras de la mère de Jérôme. Mélina l'a recueillie tout contre elle sans dire un mot, se gardant bien d'interrompre les flots de larmes de cette enfant qu'elle a vue naître et grandir. Qu'elle aime comme la fille qu'elle n'a jamais eue. Tout doucement, elle caresse la longue chevelure blonde, attendant que le temps fasse son œuvre. Peu à peu, les sanglots s'espacent, puis finissent par mourir dans un long soupir tremblant.

— Tu sais, Cécile, tu peux me parler. Jérôme nous a toute dit.

À l'intonation de Mme Cliche, Cécile comprend que les parents de Jérôme ne leur en veulent pas. Un accueil bien différent de celui reçu à la maison. Alors, un sourire timide fleurit dans le visage boursouflé et rougi. Comme un retour de l'espoir qui fait qu'on est prêt à s'accrocher à tout ce qui nous passe sous la main. Oser croire que tout n'est pas encore perdu.

— Papa... papa veut pas entendre parler de mariage. Encore moins depuis qu'il sait que je... que je... que j'vais avoir un bébé. Il a dit à maman que ça s'est jamais vu dans la famille, un mariage obligé, pis que c'est pas avec lui que ça va commencer. Il... Il veut bien que je me marie avec Jérôme. Pour ça, oui ! Mais après... Juste après. Dans deux ans, quand Louisa va avoir treize ans pis qu'elle va être assez grande pour me remplacer à la maison. Il veut que je donne notre bébé à l'adoption... Mais je veux pas, moi, donner mon bébé. Je serai pas capable, pas capable...

Une nouvelle crise de larmes interrompt Cécile. Cette brûlure, cette déchirure en elle qui fait si mal qu'elle voudrait mourir pour arrêter de souffrir. Lentement, comme hier Jeanne l'avait fait, Mélina laisse courir sa main dans les longs cheveux de Cécile. Sa colère, mal contrôlée, rassemble en elle toutes les larmes réservées aux femmes. Toute l'injustice aussi. Avec humeur, elle soupire sur cette vie qu'elle ne comprend pas toujours. Pourquoi n'est-ce pas elle qui porte cet enfant-là ? Est-ce que quelqu'un pourrait lui expliquer pourquoi la vie est parfois aussi mal faite ? L'espace d'un instant, Mélina se met à en vouloir farouche-ment et personnellement au bon Dieu qui ne sait pas toujours comment s'y prendre pour que ça roule un peu moins croche sur la terre. Mais, aussi vite qu'il avait déserté son esprit, son gros bon sens coutumier refait surface. Un autre soupir soulève sa poitrine et ses épaules.

— Ouais... ça ressemble pas mal à ce que je pensais qu'il était pour arriver. Ton père est pas facile, je t'apprends rien. La seule qui arrive des fois à le faire plier, c'est ta mère, Jeanne. Mais si je comprends ben, ça a pas marché. Pis, si elle a pas réussi, je vois pas qui d'autre va le faire. Vraiment pas... Même pas mon Gaby... Si c'est pas de valeur ! Mais toi, Cécile, aimes-tu assez mon Jérôme pour faire ta vie avec ? Ça aussi, faudrait y penser. C'est pas parce qu'on a fait un p'tit ensemble qu'on est prêt à s'enligner pour la vie...

La lueur qui traverse le regard de Cécile suffit à la rassurer. C'est d'amour dont il est question entre son fils et elle.
Sans dire autre chose, elle se relève, prend Cécile par la
main et l'entraîne à sa suite jusqu'à l'arrière de la maison.
Pour Mélina Cliche, les mots ne sont que du vent et ne
donnent pas grand-chose. Sans hésitation, elle empoigne la
corde reliée à la cloche d'urgence. Celle que Gabriel a
installée sur la maison quand il a su que Mélina était enceinte. Comme ça, si t'as besoin de moi « quand j'vas aux
champs, t'auras juste à me sonner pis j'vas ressoudre en
courant, avait-il dit en riant. »

Et, en ce moment, Mélina juge qu'il y a urgence. Il n'y
a eu que trop de pinaillage autour de cette affaire-là. Il est
grand-temps que l'on bouge un peu. Et de plus, il lui semble
évident que Cécile a besoin de Jérôme. Il n'y a que lui qui
puisse vraiment comprendre et partager. « Au diable
Eugène pis ses idées de vieux boqué, » pense-t-elle en
tendant la corde à Cécile.

— Tiens, ma belle. C'est à toi de sonner. Deux coups
pour dire que c'est pour Jérôme. Pis, si je me fie à mon
intuition, il va savoir que c'est toi qui es là… Mais fais pas
le saut si Gabriel rapplique avec. Ça le vire sans bon sens
toute cette affaire-là.

— Est-ce qu'il… Est-ce qu'il est choqué après moi,
M. Cliche ?

— Choqué ? Non, il est pas choqué. Juste déçu. Ouais…
ben ben gros déçu. Mais pas seulement à cause de toi. Je
pense qu'il est encore plus déçu à cause de son gars. Il dit que
c'est lui qui aurait dû se retenir. Que c'est les gars qui peuvent
faire ça parce que les filles sont trop douces, trop fragiles.

Et cette déception, sans haine ni reproche, ramène les
larmes aux yeux de Cécile. Rejoint sa déception à elle,

s'accouple à la douleur qui soutient son grand chagrin. Entrevoir, d'un seul coup, toutes les désillusions de sa vie de femme qui commence lui donne le vertige. Oui, la tristesse des Cliche la touche profondément. Bien plus que la colère aveugle de son père. C'est d'une main tremblante qu'elle empoigne la corde de lin et tire de toutes ses forces. Au-dessus du champ de terre labourée, craquelée comme une vieille pomme ratatinée et qui attend ses graines de maïs en espérant une bonne pluie, deux longues notes tintent joyeusement, s'élèvent pour traverser l'espace et rejoindre les deux hommes à l'orée de l'érablière. Deux notes qui sonnent gaiement dans cette merveilleuse journée de début d'été. Une journée faite pour être heureux, insouciant. Surtout lorsqu'on n'a pas encore vingt ans. Mais Cécile les reçoit dans son cœur comme le tintement sinistre du glas des funérailles.

Pendant qu'à sa manière Mélina tente de trouver une façon d'agir qui ne fera mal à personne, à des milles de là, à Québec, Eugène déballe le problème et sa solution à sa sœur. Gisèle est demeurée silencieuse pendant qu'Eugène lui parlait. Quand elle l'a vu se dandidant sur le palier, tripotant nerveusement sa casquette du dimanche, elle a tout de suite deviné que c'était important.

— Sacrifice, Eugène, qu'essé tu fais icitte à matin ? Il est pas onze heures encore. Pis c'est en plein le temps des semences… Toujours ben pas de la mortalité, j'espère ? T'aurais dû m'appeler dans le téléphone du bureau de poste. Ça aurait fait pareil !

— Non. Ça se dit pas dans le téléphone, des affaires de même. Pis c'est pas de la mortalité. Ça serait plutôt le contraire. Mais c'est encore pire, je pense. Est-ce que je peux rentrer ?

— Ben sûr. Ousque j'ai la tête, donc moi ! Rentre, Eugène.

— Merci, Gisèle. Mais d'abord, pourrais-tu me dire où Gérard pourrait aller pour jouer ? Je veux surtout pas qu'il entende ce que j'vas te dire. C'est pas de ses affaires...

— Il peut toujours aller dans la ruelle, en arrière. Les deux p'tits tannants de « mamme » Larouche sont là. Je les entendais se chamailler, t'à l'heure. Mais Gérard, tout gigotant qu'il soit de nature, est intimidé devant cette grande femme sèche au chignon sévère et aux lunettes à monture foncée. « De la vraie écaille, tu sauras, ma chère », que sa tante avait dit à sa mère lors de sa dernière visite à la maison, il y a deux ans. Il n'a pas bougé d'un poil. Gisèle se permet donc une petite taloche, sur le bord d'une fesse, mine de rien, avant de rajouter :

— Envoye, p'tit torrieux, vas-y ! Tu viendras toujours ben pas me dire que t'es gêné ? T'arrête jamais de grouiller pis de crier quand j'vas faire un tour chez vous. Envoye... descends par ousque t'es venu pis tourne au coin de la maison. Ils sont sûrement proche des corps à vidanges. C'est toujours là qu'ils sont.

Tante Gisèle a un peu la même voix rauque que son père et, dans le fond, Gérard ne la connaît pas vraiment. Sinon qu'il a remarqué qu'elle semble s'entendre à merveille avec son père, ce qui peut s'avérer inquiétant. Alors il décide qu'il vaut mieux obéir sans argumenter. De toute façon, Gérard sait très bien, et depuis fort longtemps, qu'il est plus facile de se chicaner — et de gagner — avec des adversaires de sa taille qu'avec un adulte. Même si souvent les réparties se précipitent sur le bout de sa langue et que ça fait des lunes qu'il a compris que l'autorité parentale cache bien souvent son ignorance. Oui, Gérard a vite appris que le silence a un prix d'or. Sans rouspéter, il tourne les talons, déboule le long escalier à toute allure et disparaît dans le claquement de la porte en se demandant sincèrement pourquoi son père l'a amené avec lui. Pourquoi s'en débarrasser aussitôt arrivé ? « Pis, qu'est-ce qu'il peut ben avoir à lui dire de si important qu'il veut pas que j'entende ? »

En tournant le coin de la maison, il ne pense plus qu'à trouver les deux « tannants de mamme Larouche » et essayer de voir si on s'amuse aussi bien en ville qu'à la campagne. « Jouer dans les corps à vidanges ! Tu parles d'une idée de fou ! Je sais pas si c'est aussi le fun qu'une bonne bataille de bouette ? »

Sitôt la porte franchie, Eugène a oublié jusqu'à l'existence de son fils. Tout au long du trajet, il n'a pas desserré les dents, occupé qu'il était à essayer de faire un peu de clarté dans tout ce qu'il voulait dire à sa sœur. Occupé aussi à bien justifier sa décision. Il n'est pas dans ses habitudes d'avoir à expliquer sa pensée et, pour ne pas avoir à le faire, Eugène se contente de donner des ordres. Avec sa carrure et sa voix de stentor, il est rare qu'il ait des explications à donner. Aussi, devant son silence persistant, le pauvre Gérard, éberlué de s'être fait réveiller par son père (ça n'arrive jamais ! C'est toujours sa mère ou Cécile qui s'occupe de lever la maisonnée), et tout énervé quand il a su qu'il allait faire un voyage en « étaubus », le pauvre garçon n'a eu d'autre choix que de se coller le nez dans la vitre et regarder le paysage défilant devant lui en se répétant à toutes les dix minutes : « Mais pourquoi faire qu'il a dit qu'il voulait me faire plaisir, s'il veut même pas que je lui parle ? »

Gisèle, qui n'est pas reconnue pour sa grande patience, pousse déjà dans le dos d'Eugène pour lui faire suivre le couloir.

— Astheure, viens dans la cuisine. Tu vas me dire ce qui va pas pendant que j'vas faire le dîner.

Et Eugène a parlé pendant presque une heure sans que Gisèle ne l'interrompe. Aussi sèche et grande que lui est bien bâti, Gisèle n'a de ressemblance avec son frère que la grandeur et la voix rauque, presque dure, dont ils ont hérité de leur père. Fine mouche, elle connaît assez son hercule de frère pour savoir qu'il ne faut pas le contredire ou essayer de lui faire la morale avant qu'il ait fini de tout bien expliquer. Sinon, il perd le fil conducteur de son discours et cela le met dans une rage folle. Alors, elle le laisse étaler tout ce qu'il a sur le cœur. Une mise au point qui se fait finalement autant pour lui que pour elle, se contentant d'émettre de vagues grognements qui peuvent tout aussi bien passer pour une approbation que pour un reproche. Quand il se tait enfin, elle attend encore une bonne minute avant de se retourner vers lui, en essuyant ses mains sur son tablier à fleurs mauves.

— Bon, astheure que t'as fini de discourir et que moi j'ai fini de préparer les légumes pis le dessert, tu vas me dire ce que t'aimes le plus : du foie de lard ou ben du jambon ? C'est pas riche comme choix mais, icitte, on marche aux coupons. Pis ? Qu'essé tu veux manger ?

— Je suis pas venu icitte pour te donner du mal, Gisèle. C'est ben assez gênant comme ça. Je peux aller manger au « quinze-cennes » avec Gérard pis revenir ap...

— Je t'ai pas demandé si tu voulais dîner icitte, grand fatigant. Je t'ai juste demandé si tu veux du foie de lard ou du jambon. Me semble que c'est facile à répondre, ça !

— Si c'est comme ça, j'vas dire du jambon. À cause de Gérard. Il est pas capable d'envaler ça, du foie de lard.

— Okay, si c'est de même, j'ai pus rien à faire. Ça fait

qu'avant que mes deux gars reviennent de l'école pour dîner, j'vas prendre deux minutes pour te dire ce que je pense de toute c't'affaire-là. Tu seras peut-être pas ben ben content de ce que j'vas dire, mais chus plus vieille que toi. Ça fait que tu vas m'écouter jusqu'au boutte. Apparence que c'est icitte que tu veux que ta fille s'en vienne. Ça fait que ça me regarde un brin. Moi, Eugène, je te saisis pas trop. Tu me dis que Cécile c'est une ben bonne fille quand même, pis que Jérôme c'est un bon parti pour elle. Qu'essé tu veux de plus, bonyenne ? Qu'essé ça peut ben faire qu'ils aillent faite leur p'tit avant ? Si ta fille serait juste une traînée pis que son Jérôme serait un courailleur ou ben un ivrogne, je te comprendrais. Mais, d'après tout ce que tu viens de me dire, c'est pas le cas. Ça fait que je comprends pas. Pis Jeanne, elle, qu'essé qu'a' pense de ça ? T'as pas dit pantoute ce que ta femme pense de cette histoire-là.

— Jeanne ? Elle a rien dit. Elle parle pas tellement, ma Jeanne. D'habitude, elle dit comme moi. Ça fait que, cette fois-citte, j'ai ben l'impression qu'elle doit penser comme moi encore. Elle sait ben, elle aussi, comment ça se passe dans le village. C'est pas toi qui vis dans notre campagne, où tout le monde surveille tout le monde. Déjà que notre grosse famille fait jaser les jaloux. Faudrait pas leur donner l'occasion de se moquer en plus de Cécile... Je suis certain qu'il y en aurait pour dire que Cécile est comme sa mère : pas capable de se retenir. Parce qu'il y en a qui disent ça, tu sauras. Je veux surtout pas de ça pour ma fille. Il y a aussi l'honneur de notre famille qui a de l'importance pour moi. Pis en sacrifice, à part de ça. Ça te fait rien, toi, qu'on rie de toi en pleine face ?

— Ceux qui rillent des autres, c'est juste des épais, tu sauras Eugène Veilleux. Ça fait vingt-cinq ans que je vis à

Québec, pis j'ai compris ben des affaires. En ville, on apprend vite à se mêler de ses graines parce que le monde te le dit ben raide quand c'est que tu parles d'eux autres trop fort. Ça fait que ce qui se passe chez les autres, je fais comme si je le voyais pas. Ça m'empêche pas de regarder ce qu'il y a à regarder pis de penser ce que je veux ben penser. Mais je le garde pour moi, pis je me ferme la trappe. J'ai ben assez de régler les problèmes chez nous avec mes gars pis Napoléon sans vouloir régler ceux des autres.

— Ben tu sauras, Gisèle Veilleux, qu'à la campagne, c'est pas pantoute pareil. On dirait que t'as oublié comment c'était chez nous. Tu y as pourtant vécu assez longtemps, bonyeu ! Tu te rappelles pas la mère Vallée, qui passait son temps à jaspiner en mal de la p'tite Luce Nadeau ? Tu dois bien te souvenir de la fille à Nazaire qui se promenait avec son frère pis ses amis soldats quand ils venaient en permission en 14 ? Moi j'étais pas là, j'étais dans les vieux pays. Mais, même à mon retour, on ergotait encore à son sujet. La mère Vallée se gênait surtout pas pour faire du sparage autour de Luce Nadeau. On n'a jamais su ce qui s'était vraiment passé, si tu t'en rappelles, sauf que la mère Vallée disait que Luce était juste une guidoune. Ça, elle se privait surtout pas pour le crier sur tous les toits. Pis ses placotages qui parlaient de la faiseuse d'anges… C'est pas mêlant, la mère Vallée l'a quasiment fait dépérir, la pauvre fille. Ce qui fait qu'au boutte du compte, Luce Nadeau est restée vieille fille. Elle vit tu seule, au village, dans une p'tite maison que sa tante lui a laissée en héritage. Pis tu sauras qu'elle a pas vraiment d'amies, la Luce. Je veux pas de ça pour ma Cécile, des fois que son Jérôme changerait d'idée pis qu'il voudrait pus la marier. Pis même s'ils se mettaient en ménage, ça empêcherait pas les filles d'Isabelle pis les dames de Sainte-Anne de tirer leurs conclusions pis de placoter dans notre dos. Comme moi, j'ai pas l'intention de venir m'installer en ville, je ferai pas les frais de la jasette de toutes les commères de la commune pour les dix années à venir. La mère Vachon pis ses deux maudites sœurs vont pas rire de nous autres... Compte sur moi! C'est-y assez clair?

— Ça, pour être clair, c'est ben clair. Mais c'est toi qui comprends rien. Je t'ai t'y demandé de t'en venir en ville? Je le sais ben, va, que ta place est sur ta terre. Surtout avec la famille que t'as à nourrir. Mais ta fille, elle, a' peut ben décider de s'installer dans la grand' ville avec son nouveau mari. C'est pas la job qui manque par les temps qui courent. Rien qu'à l'Arsenal, ils engagent à toutes les semaines. Pis, plus tard, quand...

— Ben non, Gisèle. Ça marche pas ton affaire. Jérôme en a une job. La terre de son père est pour ainsi dire à lui déjà. C'est un fils unique, pis ça fait déjà deux ans qu'il travaille avec son père. En plus, il arrête pas de dire qu'il aime la terre, qu'il veut s'y installer pis élever une grosse famille. Personne va croire ça, s'il dit qu'il veut s'établir en ville. Je te le dis: la solution, c'est moi qui l'a. Cécile va s'installer chez vous pendant quelques mois. Elle va avoir son p'tit à la crèche pis, après, elle va revenir à la maison pour aider sa mère. Dans deux ans, on va la marier à Jérôme. Dans quelques années, ils penseront même pus à ce p'tit-là.

— Chus pas si sûre de ça que toi, mon Eugène. Moi, savoir que j'ai un p'tit à quèqu'part dans le monde, ça me rendrait malade. Tu sais pas ce que c'est, toi, d'avoir un p'tit torvis qui te pioche dans le ventre. Les hommes, ça peut pas comprendre ces affaires-là, c'est ben sûr. Ça fait que ça décide tout croche quand ils décident pour nous autres. Penses-y ben comme faut, mon Eugène. Faudrait pas que tu regrettes c'te décision-là, un jour. Imagine-toi pas que ta fille est tu seule à vivre une situation comme celle-là. Rien qu'à Québec, il doit ben y en avoir une...

— Qu'est-ce que ça change au problème qu'elle soit la seule ou pas ? Ça a rien à voir. Je le sais, moi, ce qu'il faut faire. Je sais aussi qu'un jour Cécile va comprendre pourquoi j'ai pris cette décision-là. Il y a certaines affaires qu'on comprend juste plus tard, quand on devient parents à son tour. Tu penses pas ?

— Des fois, oui. Peut-être ben que t'as raison. Je sais pus trop. En té cas, c'est toi le père de Cécile. Il y a pas de doute là-dessus. C'est à toi pis à Jeanne de décider ces affaires-là. C'est vous autres qui savez le mieux pour vot' fille. Même si chus pas sûre d'être d'accord avec ta pensée. J'ai pour mon dire que les autres on les laisse radoter pis on s'en occupe pas. C'est toute.

— C'est ce que tu penses, icitte en ville. Chez nous, c'est pas pareil. Pis il y a personne qui va venir changer mon idée. Il est pas question que Cécile se marie tusuite. Un point c'est toute. Anyway, Jeanne a encore besoin d'elle à la maison. Pis ça, tu sauras, ça règle pas mal d'affaires. Astheure, si ça te dérange pas trop, j'vas appeler Gérard pour manger. J'ai faim, moi.

Et, pendant qu'Eugène se lève pour descendre dans la ruelle chercher son fils, Gisèle se surprend à regretter que le téléphone ne soit pas encore installé dans toutes les maisons à la campagne. Comme un doute en elle qui lui donnerait envie de parler à Jeanne. Savoir ce qu'elle pense vraiment de tout cela. Parler de femme à femme, sans témoin, de ces choses que jamais un homme ne comprendra.

Même si elle, Gisèle, n'a eu que deux enfants, deux garçons
— et c'est, Dieu merci, bien suffisant — et qu'elle n'est pas
ce qu'on appelle une femme maternelle, une émotion mal
définie l'envahit lui laissant comme un vertige. Cette ridicule sensation de possession que l'on ressent parfois devant
ses enfants. Il y avait fort longtemps que Gisèle ne l'avait
ressentie, ses deux gars ayant déjà dépassé l'âge des culottes
courtes. Mais, en ce moment, elle la sent remonter jusque
dans sa gorge. Elle n'a peut-être pas été de celles qui bercent
leurs enfants ou les endorment avec des chansons, mais
c'est elle qui les a élevés. C'est elle, aussi, qui a distribué les
claques et les taloches qui s'imposaient. Et ça, jamais elle
n'aurait pu accepter que quelqu'un d'autre le fasse à sa
place. Jamais !

2

Gisèle n'a pas tout à fait tort. Finalement, il n'y a qu'Eugène pour voir un drame dans l'incident qui traverse la vie de Cécile et la sienne par le fait même. Que lui pour croire que rien de plus terrible n'aurait pu arriver. Son entêtement borné cause à lui seul bien plus de tristesse et de malheur que le fait que Cécile soit enceinte. Si Eugène avait voulu écouter Gisèle. S'il avait accepté d'ouvrir son cœur... Peut-être aurait-il compris que des plus grands drames parcourent les villes et les villages. Sous le manteau de la peur et de la révolte. Silencieusement, tragiquement. Peut-être bien, finalement, qu'il aurait admis que Jérôme et Cécile ne demandent qu'à être heureux... Pourtant, il est reparti de chez Gisèle fier comme un paon de voir tant de gens autour de lui partageant sa vision des choses : le médecin, les sœurs de l'orphelinat... Oui, il a sûrement raison, c'est mère Saint-Justin, la directrice de l'orphelinat, qui le lui a confirmé.

— Je comprends très bien votre attitude, cher monsieur. Votre fille est chanceuse d'avoir un père tel que vous, qui sache prendre les décisions qui s'imposent sans pour autant tenir rigueur à son enfant. Vous avez bien raison : on ne stigmatise pas au fer de la honte une jeune vie qui commence. Un jour, votre fille saura vous remercier.

Eugène quitte donc Québec le cœur léger, abandonnant avec plaisir la ville et sa torpeur. Il n'a jamais aimé la ville, Eugène. Il étouffe dans ce monde poussiéreux et bruyant.

Impatient, il arpente le quai de la gare surveillant l'arrière de l'autobus qui les ramène, lui et Gérard, jusqu'à son patelin au quotidien calme et prévisible. Il n'a jamais voulu comprendre la ville, alors comment aurait-il pu se douter qu'à quelques rues de là, les revers de la vie sont encore plus amers que tout ce qu'il pourrait imaginer ? La vie dans ce qu'elle a de plus sordide, de plus révoltant…

Sur le trottoir de la 3e Rue, à Limoilou, un joyeux trio d'adolescentes revient de l'école en chantant. En se tenant par la taille et en sautant à cloche-pied. L'année scolaire tire à sa fin. Il fait beau et bientôt elles auront l'été devant elles. La brise chaude qui frissonne dans les arbres et sur leurs bras nus parle enfin de vacances. Il n'en faut pas plus, à trois gamines de douze et treize ans, pour être heureuses. Arrivée devant une maison en briques rouge, la plus grande des trois filles se détache du groupe, un peu à contrecœur.

— Salut les filles. Y faut que je rentre.

— Comment ? Tu viens pas au parc avec nous autres ? T'es plate, Rolande Comeau. On pourra pas danser à la corde à cause de toé.

— Qu'essé tu veux, Ginette. J'ai pas vraiment l'choix. Y faut que j'étudie tusuite parce qu'à soir ma mère travaille, pis y faut que j'm'occupe de mes deux frères.

— Ben, t'auras juste à étudier après qu'ils soyent couchés. C'est toute.

Pendant un instant, la tentation de se joindre à ses amies se fait très forte. Ce n'est jamais vraiment drôle à la maison quand sa mère doit travailler le soir. Elle bouscule tout le monde, sans compter les cris qu'elle pousse pour un oui et pour un non. Et ses frères qui en profitent à chaque fois pour la faire sortir de ses gonds… L'attrait du parc est de plus en plus grand. Puis, brusquement, Rolande se rappelle qu'aujourd'hui on est jeudi et que le jeudi son père passe toujours quelques heures à la taverne avant de revenir chez lui. Un long frisson, incontrôlable, parcourt son échine. Quand son père revient de la taverne et qu'il a trop bu, il vaut mieux ne pas être dans ses jambes. Cela, Rolande le sait depuis fort longtemps. Ses colères sont aussi vives que vite oubliées, le lendemain, quand il est à jeun. Et depuis l'hiver... Impulsivement, elle referme les deux bras sur sa poitrine, avant de dire d'une voix décidée :

— Escuse-moé, Ginette, mais j'peux pas. Demain... demain c'est l'examen d'histoire. T'as-tu oublié ça ? J'veux m'coucher de bonne heure pour être en forme, lance-t-elle soulagée d'avoir trouvé une si bonne excuse. Vous aurez juste à prendre un arbre pour me remplacer... Salut les filles. À demain.

Et, sans attendre les lamentations habituelles que Ginette pousse quand elle n'a pas tout ce qu'elle veut, Rolande s'élance vers chez elle. Oui, elle vient de trouver l'excuse parfaite pour se coucher avant le retour de son père. Demain, il y a un examen. Et elle sait à quel point ses parents sont fiers de ses notes.

— Ben t'es juste une maudite lâcheuse, Rolande Comeau, poursuit la voix geignarde de Ginette. T'es pus not' amie.

Rolande accueille les propos de sa copine avec un rire. De soulagement, quand elle pense qu'elle sera couchée quand son père va revenir. Et avec une vraie raison, cette fois-là.

— Ça m'fait rien. Chus sûre que demain, avant l'examen d'histoire, tu vas avoir changé d'avis. J'te connais, t'sé, Ginette Jodoin. T'as toujours besoin de moé quand c'est le temps des examens... Salut !

Et, sur une grimace et une pirouette, elle entre chez elle

en faisant claquer la porte, selon son habitude.

— Rolande? C'est-y toé qui vient d'arriver?

— Oui, moman. J'vas monter dans ma chambre pour faire mes de...

— Non. Viens dans la cuisine. Faut que j'parte tusuite.

Avec un soupir de résignation, Rolande lance son sac d'école au bas de l'escalier et se dirige vers l'arrière de la maison en traînant les pieds. Elle déteste quand sa mère doit partir avant le repas. Surtout le jeudi. Et celle-ci le sait fort bien. Pourquoi s'entête-t-elle à ne pas vouloir comprendre ce qu'elle essaie de lui dire depuis quelque temps? Rolande entre dans la cuisine, les cheveux en bataille et l'œil inquiet.

— Comment ça se fait, moman, que vous partez encore à c't'heure-là? Faut que j'étudie. J'ai un exa...

— Ben, t'étudieras quand tes frères seront couchés. Y a une commande spéciale qui vient d'arriver à l'Arsenal pis l'boss m'a faite avertir par Gertrude qu'y faut que j'rentre au plus sacrant. Faut ben gagner not' vie...

— J'sais ben... Mais vous savez que le jeudi, popa...

— Quoi, le jeudi? Tu vas pas encore me dire que t'haïs ça quand ton père rentre d'la taverne? Tu sais c'que j'en pense de tes histoires, Rolande? Quand ben même y prendrait une couple de bières, hein? C'est pas ça qui fait qu'y'est un mauvais père. Compte-toé ben chanceuse, ma fille, d'avoir un père comme le tien. Avec lui, vous manquez de rien, toé pis tes frères. J'en connais ben des familles, moé, ousque le père est un bon à rien. Y en a même qui battent leurs enfants. Pis toé, t'as l'culot de dire qu'y t'aime trop. Voir si ça s'peut, un père qui aime trop ses enfants. J'ai jamais entendu des niaiseries pareilles...

— Moman! On dirait que vous faites exprès pour pas

comprendre. J'aime pas ça quand y prend un coup, popa. Vous l'savez ben…

— Tais-toé. J'en ai assez entendu pour astheure. La taverne, c'est l'seul p'tit plaisir que ton père se paye dans une semaine. Tu vas-tu y reprocher ça pendant toute sa vie ?

— C'est pas ça. C'est juste que…

— Ben si c'est pas ça, t'as pus rien à dire. Faut que j'parte, moé. Y a un pâté chinois dans l'four pour vot' souper. Tes frères sont chez les Labrie. Tu les coucheras vers huit heures. Y fait trop chaud pour espérer qu'y dorment avant.

En soupirant, Rolande regarde sa mère disparaître au coin de la maison. Encore une longue soirée à endurer ses deux jeunes frères qui ne trouvent jamais rien de mieux que de la faire enrager. Des heures à s'obstiner avec eux pour les convaincre de faire leurs devoirs et les obliger à se laver un peu avant de se coucher. Mais ce n'est rien à côté de l'anxiété qui l'habite quand elle sait son père à la taverne. Cette terreur envahissante, qui la paralyse, à la seule pensée qu'il pourrait revenir avant qu'elle ne soit couchée. Non ! Pas ce soir encore… Un long frisson fait à nouveau trembler ses mains. Non ! pas ce soir… Ni plus jamais. Décidée à le gagner de vitesse, Rolande se précipite vers l'entrée de la maison pour récupérer son sac d'école. Avec un peu de chance, elle devrait réussir à réviser son examen avant le retour de Jacques et Rémy. Comme cela, il lui sera possible de se coucher en même temps qu'eux. Sinon…

* * *

— Qu'essé ça ? Y fait ben noir icitte !… Tabarnak, qui c'est qui a laissé traîner les chaises sur mon chemin ? Aye ! Y a t-y quèqu'un icitte ?

Éméché, la langue pâteuse et la démarche incertaine, Maurice Comeau entre chez lui. Comme cela lui arrive tous les jeudis soirs, hiver comme été. Sa détente de la semaine, comme il se plaît à le dire. Huit à dix bières en ligne à la taverne du coin avec ses chums, une fois par semaine. C'est tout. À part le jeudi, Maurice ne boit jamais d'alcool. Il n'y a donc pas vraiment de quoi en faire une montagne... Le reste du temps, Maurice est un homme respectable et respecté. Un bon père de famille, un voisin agréable que tous apprécient. Grands et petits. Mais quand il a bu, son humeur est plus chatouilleuse, pour ne pas dire colérique. Il a ses petits caprices et il y tient comme à la prunelle de ses yeux. Et d'être attendu chez lui, quand il revient de la taverne, fait partie de ses petites lubies. Mais personne, dans son entourage, ne connaît le Maurice Comeau qu'il est dans ces moments-là. Aucun ne pourrait se douter de ses colères et de ses fantasmes.

— Comment ça se fait qu'y a parsonne icitte? Janine, t'es-tu là?... Ben non, c'est vrai, a' travaille à soir.

Les jambes en coton, le regard imprécis et la tête folle, Maurice se laisse tomber sur la première chaise venue. Pour aussitôt rebondir sur ses jambes vacillantes.

— Si Janine est pas là, ça veut dire que parsonne a bordé mes enfants. Faut que j'aille les embrasser... C'est le devoir d'un père, d'embrasser ses enfants...

Tant bien que mal, il arrive à monter à l'étage des chambres. À peine un regard sur ses deux fils qui dorment à poings fermés. Le temps de remonter la couverture sur leurs épaules. Puis, il se dirige vers la chambre de Rolande.

— Ma p'tite chatte doit m'attendre, bafouille-t-il en ouvrant la porte. A' sait que j'aime pas ça rentrer dans une maison ousque parsonne m'attend... Rolande, tu dors-tu?

C'est popa qui est là. J'veux t'dire bonne nuit.

En prononçant ses mots, Maurice est sincère. Il va lui dire bonne nuit et l'embrasser avant d'aller se coucher. Se laissant tomber sur le lit de sa fille, il se met à la secouer.

— Rolande, tu dors pas, hein? Tu sais que j'aime pas ça revenir dans une maison noire. T'as-tu oublié ça, Rolande? Réponds à ton père, Rolande, avant qu'y se choque pour de bon. Tu voudrais pas que popa se fâche, hein Rolande?

Maurice se met à secouer sa fille de plus en plus fort. Ce soir, il n'a pas envie de faire semblant de la croire endormie. « Sacrament, j'veux juste y dire bonne nuit, pense-t-il confusément. C'est-y trop demander, ça? » Mais la bière lui tourne la tête, vertigineuse escapade. L'oubli de la lancinante obsession de l'usine, des fins de mois difficiles, d'une femme criarde et froide… D'une main malhabile, il se met à caresser les cheveux de Rolande. Comme il les trouve doux! De vrais cheveux de bébé qui sentent bon à rendre fou. Ses doigts frôlent les boucles folles, contournent tout doucement le dessin d'une oreille, s'attardent sur le cou à la peau fine où bat une veine affolée. Alors, sachant qu'il ne sert à rien de feindre plus longtemps le sommeil et s'efforçant de prendre une voix endormie, Rolande se hâte de lui répondre avant que la colère de son père ne prenne une toute autre tournure.

— Popa? C'est… C'est vous? Vous… Vous êtes revenu?

— Ben oui, chus revenu. Qu'essé tu penses? Pourquoi tu m'as pas attendu, Rolande? Tu l'sais que j'aime pas ça quand y a parsonne qui m'attend.

Rolande pousse un long soupir. Habituellement, lorsqu'elle est couchée, son père la laisse tranquille. Elle l'entend venir dans sa chambre, sent son haleine de bière quand il se penche pour l'embrasser. Mais il en reste là.

Pourquoi, ce soir, ne veut-il pas s'en aller ? Elle ne veut pas qu'il recommence ce qu'il lui a fait au mois de mars sur le divan du salon. Trois jeudis de suite avant qu'elle comprenne que ce n'était pas un accident parce qu'il était un peu plus soûl que de coutume. Non, pas ça ! Ça fait mal... C'est trop sale. Malgré la peur qui paralyse sa pensée, elle essaie de se montrer gentille.

— Escusez, popa... Je... J'ai un examen demain. Je... Je voulais dormir de bonne heure pour être en...

Mais Maurice n'a pas la tête à écouter quelque raison que ce soit. La chambre de sa fille sent bon le savon frais et cette odeur s'accouple au vertige de l'alcool. Son cœur se met à battre comme un fou et ses mains à trembler quand il les glisse sur sa gorge chaude.

— C'est pas fin, ça, de pas attendre son père, Rolande. C'est pas fin pantoute.

— Je voulais pas vous faire d'la peine. J'viens de vous l'dire, j'ai un examen demain, pis...

La main de Maurice se fait insistante en remontant sur sa tête. Involontairement, les doigts s'emmêlent aux boucles sombres, les tirant sournoisement, douloureusement.

— Ben, tu m'en fais d'la peine quand tu m'attends pas comme t'as faite à soir. Tu m'fais ben d'la peine. Va falloir que tu me consoles, astheure.

Tremblante, Rolande remonte la couverture sur ses épaules. Un frisson d'angoisse secoue son corps pendant une seconde.

— Faut que je dorme, popa. J'ai un exa...

— Tu dormiras quand je serai consolé, Rolande. C'est de ta faute, tout ça. Si t'avais été là quand chus rentré, t'aurais pu te coucher tusuite après. C'est toute de ta faute Rolande. Juste de ta faute à toé.

— Vous savez ben que c'est pas vrai... Chus fa...

La main s'arrête un instant, comme pour mieux s'agripper aux cheveux de Rolande. Une lueur de panique traverse le regard de l'enfant, faisant battre le cœur de Maurice davantage. Pourquoi est-ce qu'elle sent bon comme cela, sa fille ? Tout est de sa faute, aussi.

— Tu veux-tu dire que chus un menteur ? poursuit-il en laissant son autre main aller et venir sur le devant de la jaquette de Rolande. C'est pas beau, dire des affaires de même à son père ! M'en vas te montrer qui c'est qui décide icitte, ma fille. Faut ben que je t'élève, si y a parsonne d'autre qui l'fait.

— S'il-vous-plaît popa, pas ça...

— Comment, pas ça ? Un père c'est faite pour apprendre la vie à ses enfants. Pis c'est en plein ce que j'vas faire.

— Non, popa, non...

Mais Maurice ne l'écoute plus. Son souffle court, haletant, pue l'alcool et agresse Rolande jusqu'au fond de son âme. Elle ferme les yeux un instant et se mord les lèvres pour ne pas crier de douleur quand la main de son père se glisse entre ses cuisses. Si elle ose se plaindre, le cauchemar dure encore plus longtemps. Comme si son père prenait plaisir à la voir souffrir... Pourquoi fait-il cela ? Pourquoi la punit-il ainsi ? Rolande ne sait pas. Peut-être bien qu'il a raison et que tout est de sa faute ? Si elle avait été dans la cuisine à l'attendre... Alors Rolande ne dira rien. L'haleine de son père et son corps si lourd sur le sien lui lèvent le cœur. Détournant la tête, elle s'oblige à concentrer toute sa pensée sur le clair de lune qui écornifle jusque sur son lit. Surtout, ne pas trembler. Son père déteste cela... Les rideaux dansent paresseusement dans la brise de cette merveilleuse nuit de mai et Rolande suit leur ronde silencieuse pendant un moment. Dans quatre semaines, ce sont les vacances qui commencent. Deux longs mois à ne rien faire. Finie l'école, adieu les devoirs. Deux mois de jeux dans le parc avec Ginette et Denise. Mais, aussi, huit longues semaines à rester à la maison plus souvent que d'habitude, sa mère en profitant pour travailler davantage. Alors, d'un seul coup, les vacances n'ont plus vraiment d'attrait. Et, quand elle y pense, deux larmes rondes d'enfant glissent sur ses joues pendant que son père se laisse tomber sur le lit à côté d'elle, enfin satisfait.

« Tiens, la souris a mangé un boutte de la lune, à soir », pense involontairement Rolande, les yeux grands ouverts sur la nuit. Puis, en soupirant, elle secoue Maurice pour le réveiller afin qu'il regagne son lit. Sa gorge est serrée sur son dégoût et ses mains tremblent. Vite, vite ! Que son père parte au plus vite pour qu'elle puisse enfin pleurer sa honte sous l'oreiller... Il n'y a que ces larmes-là qui arrivent à l'endormir.

3

Eugène est un homme prompt, qui ne souffre ni délai, ni attente. Il n'avance pas dans la vie, il fonce. Et toutes cornes en avant! C'est dans sa nature et, ma foi, cette façon d'être lui convient parfaitement. D'autant plus que chacun, parmi tous ceux qui le connaissent un tant soit peu, sait pertinemment à quel bois il se chauffe. Il déteste les situations troubles qui s'éternisent ou portent à confusion. Et, en ce sens, sa suffisance naturelle l'a toujours bien servi jusqu'à ce jour. Alors, de son voyage à Québec, il est revenu avec l'accord de sa sœur d'héberger Cécile pendant quelques mois. Il a aussi obtenu l'assurance du docteur Simard, de la crèche Saint-Vincent-de-Paul, de bien s'occuper de sa fille et le consentement des religieuses d'engager Cécile comme aide, auprès des orphelins, pendant le dernier mois de sa grossesse. Ceci, afin de payer son séjour à l'hôpital de la Miséricorde. Eugène n'a pas les moyens de débourser un seul sou pour un accouchement à l'hôpital. Pas plus pour Cécile que pour Jeanne qui a toujours eu ses petits à la maison. On est pauvre, chez les Veilleux. Honnête et propre, ça oui, mais pauvre. Et, pour Eugène, c'est presque une fierté que de le dire. Montrer qu'on sait se tenir debout, la tête haute, malgré tout. Le seul luxe, à la maison, c'est la salle de bain à l'eau courante qu'il a aménagée avec son frère pour alléger la tâche de Jeanne. Seule concession à la folie des grandeurs, ainsi qu'il qualifie cette pièce rudimentaire installée dans un cagibi sis dans un coin de la cuisine. Et, s'il l'a faite, c'est uniquement pour Jeanne. Lui-même se réveille encore à l'eau froide de la pompe, qui trône dans un coin de la grange. Tous les matins, hiver comme été. C'est presque par instinct de conservation, pour garder les siens à l'abri, qu'il est économe. C'est donc pour cela qu'Eugène a vu à signer tous les papiers nécessaires, au nom de Cécile, afin de ne pas avoir à retourner à la ville. Tout pour éviter un second voyage en autobus... Une fois par année, au temps de l'exposition provinciale, cela suffit amplement. Mais voilà qu'à cause de Cécile il a dû se payer une autre randonnée en ville. Et, en plus, il a eu la drôle d'idée d'emmener Gérard avec lui. Allez donc savoir pourquoi! Mais il est ainsi fait, Eugène. Il a toujours eu un faible pour ce petit gars grouillant, vif comme une truite, aux yeux pétillants de malice. Et, de lui faire plaisir, permettait de calmer sa grande déception à lui. D'endormir la curieuse impression d'amertume qui le harcèle depuis que Jeanne lui a parlé. Mais, au contact du médecin et de mère Saint-Justin, il a réussi à conjurer le mauvais sort qui semblait vouloir s'acharner sur lui. C'est donc fort satisfait de sa course en ville qu'il est revenu. Le problème était déjà, à ses yeux, à moitié réglé. Il ne restait plus, en fait, que la corvée de prévenir sa fille de la tournure des événements. Après, il pourrait essayer d'oublier cet écart de conduite. Il n'arrive pas encore à croire que Cécile, sa douce Cécile, ait pu fauter. Pas elle... Pas sa fille dans les bras d'un homme!

Dès le lendemain, donc, Eugène demande à Cécile de l'aider à l'étable pour le train du soir. Toute la journée, il n'a cessé de ruminer, grogner et soupirer en se demandant quand et comment il aborderait le sujet avec elle. Il a bien essayé de refiler le problème à Jeanne, hier soir, à son retour.

— Entre femmes, Jeanot, ça serait pas mal plus facile, tu penses pas ?

Mais, pour une fois, sa femme s'est montrée intraitable. C'était à lui, le père, que revenait le droit et le devoir de faire connaître la décision finale, sa décision finale, a-t-elle même osé souligner en fronçant les sourcils avec un profond soupir, le cœur battant d'espoir. Mais Eugène n'est pas trop porté sur les subtilités et il n'a rien vu. N'a pas compris que Jeanne essayait de lui tendre une perche afin de rouvrir le dialogue. Après s'être vigoureusement gratté le crâne et frotté les reins, il a fini par admettre que sa femme n'avait pas tout à fait tort. C'est pourquoi, sitôt la dernière bouchée avalée et repoussant sa tasse de café brûlant, il affirme que c'est Cécile qui va l'aider, ce soir, à traire les vaches. S'il veut enfin dormir, la nuit prochaine, il lui faut à tout prix vider la question avant de se coucher. Autour de la table, tous les regards se tournent vers Cécile avec une curiosité et une concertation non dissimulées. Même les plus jeunes sentent que quelque chose de spécial se trame car jamais, au grand jamais, les filles Veilleux n'aident à l'étable. Leur domaine, c'est la maison et le potager avec tout ce qui s'ensuit. Et leur règne est sans appel. Mais, pour le reste, c'est-à-dire les animaux, les récoltes et le verger, c'est aux hommes de la famille de s'en occuper. Gérard a une subite lueur de compréhension au fond des prunelles, comme un indice que son père serait en train de lui donner, bien involontairement d'ailleurs. Car de « chut ! » en sourcils froncés, de mots échappés en soupirs impatients, pendant qu'il dînait avec sa tante, son père et ses cousins, hier, Gérard a compris que Cécile était l'enjeu mystérieux de leur imprévisible voyage à la ville. Mais pourquoi, Grands Dieux? Cela lui échappe toujours et l'enrage. Pourtant, d'entendre son père ordonner à Cécile de le suivre à la grange lui suggère fortement que ce doit être grave. Très grave, même. Il aurait bien envie de demander en quel honneur c'est elle, ce soir, qui va l'aider. Mais, élevé à coup de taloches en arrière de la tête quand il parle trop, Gérard ne dit rien, lui non plus. C'est avec une grande curiosité, mêlée d'inquiétude, qu'il regarde sa sœur disparaître derrière la porte en se jurant de tout découvrir. Foi de Gérard!

Ce n'est qu'une fois bien installé entre deux vaches sur son banc de bois, la tête penchée au-dessus du seau, cachant commodément la rougeur subite qui lui monte au visage, qu'Eugène comprend qu'il n'a plus vraiment le choix. Mais comment un père peut-il arriver à parler d'une telle chose à sa fille? Eugène est cruellement conscient, tout à coup, qu'il devra briser plusieurs tabous pour le faire. Mais comme Cécile est à cinq pas devant et lui tourne le dos, que l'éclairage diffus de l'étable porte tout de même un peu à la confidence et qu'ils sont enfin à l'abri des oreilles indiscrètes, Eugène se décide enfin après s'être raclé la gorge pendant un bon trente secondes. Sans fioritures ni ménagements, selon sa manière toute personnelle de dire les choses, il annonce à Cécile qu'elle partira pour la ville, «pour la raison que tu sais», dès la fin des classes quand Louisa pourra la remplacer à la maison. Que sa tante Gisèle, «la brave femme», l'attend et que tout est arrangé, réglé et signé à la crèche. Cécile n'a pas osé lui faire remarquer que, du jour au lendemain, sa sœur avait curieusement vieilli, probablement juste assez pour seconder sa mère. Non, chez les Veilleux, c'est au sortir du berceau qu'on apprend qu'il vaut mieux faire ce que le père nous demande. Et, de toute façon, quand on voit sa vie nous échapper, que tout ce qui avait de l'importance à nos yeux ne veut plus rien dire, que les gens en qui on croyait malgré leurs défauts et leurs exigences nous rejettent, il ne reste en soi qu'un vide immense impossible à combler. En entendant le verdict de son père tomber, raide et tranchant comme le couperet de la potence, Cécile s'est pliée en deux sous le choc. Son père venait de détruire quelque chose d'essentiel dans sa vie.Quoi? Cécile ne saurait dire exactement. Juste un soupçon en elle... Mais elle devine confusément que le temps se chargera de le lui faire connaître. Et la douleur au cœur, celle que Mélina Cliche avait presque réussi à endormir en lui parlant d'espoir et que Jérôme avait bercé en disant que l'attente pouvait porter fruit, cette douleur insoutenable se réveille brutalement. Elle la submerge comme un raz-de-marée qui emporte tout sur son passage. Les espérances, la confiance, le courage, la foi. Jusqu'à la vie elle-même. Peut-on parler quand on est mort? Alors Cécile ne dit rien. Qu'un oui, à peine audible, quand son père lui demande pour la seconde fois, en haussant dangereusement le ton, si elle a bien compris. Ravalant ses larmes, plantant là seau et vaches, les épaules voûtées par la déception et la cuisante sensation d'abandon qu'elle ressent, Cécile quitte l'étable. Sa place n'est plus ici. Est-elle encore à la cuisine où elle rejoint sa mère? Devant l'apparente indifférence de Jeanne, Cécile aurait envie de dire non. Envie de crier sa haine et sa douleur. Comme un besoin en elle de tourner le dos à tout ce qui était sa vie pour éviter de mourir. Essayer de survivre en s'enfuyant là où elle se sait aimée et comprise. Le besoin instinctif de confier sa tête à l'épaule de Jérôme. N'est-il pas lui aussi manipulé, obligé d'agir contre son gré ? N'est-il pas le seul qui puisse la comprendre et partager ? Mais il n'y a aucun endroit au monde où elle peut se réfugier sans oser défier ouvertement son père. Et cela, Cécile le sait très bien, elle n'est pas encore prête à le faire. On ne devient pas femme lucide et décidée en quelques jours. Ses jambes sont trop lourdes encore de sa déception et de son attachement à la famille pour lui permettre de franchir ce pas de géant entre l'enfance et son rôle de femme qui devrait commencer aujourd'hui. Même pour tenter de sauver l'essentiel… La peur en elle lui coupe le souffle. Cette docilité qui lui colle à la peau ! Avec horreur, elle admet que la soumission sera la plus forte. Qu'elle laissera son père dicter ses volontés jusqu'au bout, sans chercher à se défendre, incapable de le faire. En posant les yeux sur le dos légèrement voûté de sa mère, sur ses cheveux grisonnants, laissant glisser son regard sur ses hanches fortes et les cuisses élargies qu'on devine sous la robe fleurie, elle comprend enfin le silence coutumier de Jeanne. Ses soupirs et ses yeux tristes, comme indifférents, qui ne se posent qu'à la surface des choses. À sa manière, Jeanne Veilleux a appris à modeler la vie afin de la rendre acceptable. C'est le regard étrangement vide à son tour et la main légèrement tremblante que Cécile prend un second torchon et qu'elle vient aux côtés de Louisa pour essuyer la vaisselle. Comme un automate. Surtout, ne pas penser. À rien. Ni maintenant, ni plus jamais, peut-être. Se concentrer sur les gestes à poser pour oublier son mal. D'un clin d'œil entre eux, Gilbert et Paul comprennent qu'ils seraient probablement les bienvenus dans la grange. Rosaire qui n'a jamais aimé l'école s'est subitement transformé en élève modèle, le nez penché sur sa copie. Tous ceux qui sont en âge de comprendre sont malheureux pour Cécile. « Ayoye !

Tu seule avec le père dans la grange. Elle a dû faire une grosse bêtise, Cécile. Pauvre elle ! » Seul Gérard se permet de la fixer un long moment, les sourcils froncés sur sa réflexion.

C'est encore lui, imbu de l'importance de son récent voyage à la ville et bien décidé d'en avoir le cœur net, qui ose revenir sur le sujet. Le lendemain, quand toute la famille se retrouve encore une fois autour de la table. Question de montrer qu'on n'est plus un bébé. Qu'on a les yeux clairs et qu'on ne peut s'attaquer à Cécile impunément. Question aussi de sentir la solidarité des frères et sœurs. Jamais il n'aurait le courage d'affronter son père seul, en tête-à-tête. Mais cela, c'est son secret, et personne ne s'en doute.

— Pourquoi faire, pâpâ, que Cécile rit pus avec nous autres depuis qu'elle vous a aidé dans la grange, hier ?

Tout à coup, les voix se taisent. Chacun retient sa respiration. Quel culot, ce Gérard ! D'un seul bloc, toutes les têtes se sont retournées vers lui, un mélange d'inquiétude et d'admiration dans le geste. En fait, dans la famille, il n'y a que Gérard qui soit assez faraud pour oser demander de telles choses aussi directement à son père. Ou Cécile, parfois, quand elle prend la défense des petits. Mais jamais pour elle... De toute façon, elle n'a jamais senti le besoin de le faire. Mais Eugène, épuisé et irrité par toutes ces émotions à fleur de peau et parfaitement inutiles selon lui, n'a surtout pas envie de donner des explications sur une situation qui ne regarde pas les enfants. Une situation qui ne regarde plus personne, finalement, et qu'il veut oublier au plus vite. La décision étant prise et le processus de règlement en voie de réalisation, il ne leur reste plus qu'à vivre avec pour le moment. Eugène n'aura plus jamais envie de reparler de cet épisode dans leur vie familiale. Cependant, la question de Gérard fait renaître l'amertume dans sa bouche. Cette curieuse boule amère qui lui serre la gorge et qu'il n'arrive pas à identifier. Qu'il préfère avaler avec une gorgée de café, se brûlant la langue. Alors, il répond brusquement autant parce qu'il vient de se brûler que par impatience naturelle. Et assez fort pour que tous comprennent qu'ils feraient mieux de ne jamais revenir sur le sujet...

— Toi, mon grand niaiseux, tu parles de choses que tu connais pas pis qui te regardent pas. Tu sauras que de s'occuper à journée longue d'une gang de p'tits morveux comme vous autres, c'est ben assez pour pus jamais avoir envie de rire. Je te vois venir avec tes questions, espèce de p'tit écornifleux. Tu voudrais ben savoir pourquoi on est allé à Québec, hein? Ben, je m'en vas te le dire... Je m'en vas te le dire dret-là! Mais viens pus jamais m'en reparler... Ça fait pas mal d'années que Cécile travaille à plein avec ta mère pis ça s'adonne qu'elle est fatiguée. Ça fait que pour se reposer, Cécile va partir pour la ville, chez « ma tante » Gisèle. Ça va lui changer les idées. Pendant l'été, Louisa va aider ta mère pis, à l'automne, Jeanne va rester tu seule pour un boutte. Parce qu'elle aime Cécile, ta mère est prête à faire ce sacrifice-là. Comme ça ta sœur va pouvoir se reposer pis, quand elle va se sentir prête, elle va revenir à la maison. C'est pour ça qu'on est allé l'autre jour voir « ma tante » Gisèle. Je voulais surtout pas parler de ces choses-là au téléphone du bureau de poste, pour éviter que toutes les mémères de la place pensent qu'on traite mal notre fille. Qu'on la fait mourir à l'ouvrage. Comprends-tu, astheure, grand fatigant? Ça fais-tu ton bonheur?

Penaud, et surtout insulté par le ton arrogant de son père, Gérard pique du nez dans son assiette en bredouillant une vague réponse qui peut, à la rigueur, passer pour un oui. Il comprend surtout que son père ne lui a servi qu'une demi-vérité. « Ouin ! Ça c'est vrai qu'on est pas toujours ben ben fin avec Cécile pis qu'elle doit être pas mal tannée de nous autres. Mais me semble que c'est pas assez pour prendre des vacances... Surtout pas des vacances qui vont durer toute l'été pis l'automne avec ! » Pourtant, il sent instinctivement que s'il insiste, c'est Cécile qui risque le plus d'en souffrir. Pas lui. Et cela, jamais il ne pourrait le supporter. Cécile, c'est celle qui a remplacé la chaleur d'une mère. C'est elle qui l'a bercé quand il était petit et qui jouait avec lui. C'est encore elle qui l'aide quand il a de la difficulté avec les « maudits problèmes de calcul » ou qui répare les pots cassés quand il fait une bêtise. Et Dieu sait qu'il en fait des gaffes dans une semaine, le beau Gérard ! Cécile, c'est la tendresse, celle que Jeanne a toujours refusée à ses enfants. Dans la maison, c'est l'éclat d'un rire joyeux, une oreille attentive à leurs besoins d'enfants et d'inoubliables parties de chatouilles. Non pas que Jeanne soit détachée de ses enfants. Mais ce n'est pas pareil... Il y a comme une gêne entre elle et les enfants. Une manière de respect qui crée des barrières infranchissables de part et d'autre. Alors, non, Gérard ne dira rien d'autre. Comme si, brusquement, il était devenu un homme et qu'il désirait protéger sa Cécile. Mais le regard qu'il lance à sa sœur est tellement rempli d'amour que celle-ci se relève vivement de table, les yeux pleins d'eau. Et, devant cela, Gérard fait le serment, en serrant si fort son verre de lait que ses jointures deviennent toutes blanches, il se jure d'être si gentil avec elle qu'elle oubliera son chagrin. Un jour, elle recommencera à rire, Cécile. Et c'est lui, Gérard, qui l'aidera à le faire.

C'est d'ailleurs pour cette raison que ce même soir, un

peu avant l'heure du coucher, Gérard se plaint d'un gros mal de tête. Cécile est assise dans un coin de la cuisine, les petits étant enfin au lit, un livre devant elle. « Si je peux pus aller à l'école, c'est pas une raison pour arrêter d'apprendre », lance-t-elle régulièrement à son père quand celui-ci lui demande quel plaisir elle prend à lire autant.

Aux mots de son frère, Cécile lève vivement les yeux.

— T'as mal à la tête ? Comment ça, donc ? T'es jamais malade, d'habitude.

— Je le sais ben. Mais là, ça fait mal en si-vous-plaît !

— Ça doit être ta digestion. Rapaille toutes tes affaires d'école pis monte dans ton lit. J'vais aller te porter un verre d'eau chaude. Ça aide à faire passer ce qui veut pas passer.

Prompt comme l'éclair, Gérard se hâte de glisser crayons et cahiers dans son cartable, puis il se précipite vers l'escalier, jubilant de voir sa ruse si bien fonctionner. Le regard incrédule et franchement inquiet de Cécile le suit un instant. « Il doit pas filer pantoute pour monter sans rouspéter. C'est pas dans ses habi-tudes de se coucher sans chialer », songe-t-elle en se dirigeant vers le poêle, pour vérifier si la bouilloire contient encore de l'eau chaude.

Quand elle entre dans la chambre des grands, Cécile trouve Gérard déjà couché, une main posée sur son front et les yeux mi-clos. La clarté baissante de la journée et la brise du crépuscule venant tout juste de se lever trimbalent par la fenêtre ouverte une douce fraîcheur et une senteur de foin nouvellement coupé qui donnent envie de respirer à pleins poumons et qui font du bien. Profitant du fait qu'ils sont seuls, les trois plus vieux des garçons, qui partagent sa chambre préparant les semences pour le lendemain, Gérard se retourne vers sa sœur en gémissant.

— Ça fait vraiment mal, Cécile. Viendrais-tu t'assire

sur mon lit pour me flatter les cheveux comme tu faisais quand j'étais p'tit ?

En l'entendant gémir de la sorte, Cécile a un sourire attendri qui va droit au cœur de Gérard. C'est bien ce qu'il avait soupçonné : lorsque Cécile est obligée de penser aux autres, elle oublie son problème ou son chagrin. Certes, ça ne règle pas les choses… Mais il l'a vue sourire et c'est exactement ce qu'il recherchait. Il a bien fait de prétendre avoir une montagne de devoirs pour rester avec elle à la maison. Il retient à grand-peine le rire de contentement qui grelotte en lui. Surtout, ne pas oublier qu'il a un gros mal de tête… Alors, il baisse prestement les paupières pour que Cécile ne puisse pas voir le pétillement de son regard.

— Tiens, Gérard, bois ton eau pendant qu'elle est encore chaude. Pis après, si tu y tiens, j'vais venir à côté de toi pour te chanter une chanson comme quand t'étais p'tit.

Enchanté, Gérard se redresse et avale d'un trait le contenu du verre que Cécile lui tend. « Ouache que c'est méchant ! » pense-t-il en frissonnant. « Ça serait bien assez pour me rendre malade pour vrai. » Puis, se reculant contre le mur, il fait une belle place pour que sa sœur s'assoit enfin, se calant la tête contre sa cuisse et entourant sa taille de son bras de gamin en début d'adolescence. Un bras un peu trop long, maigre et osseux. Mais, en ce moment, c'est le petit garçon qui occupe toute la place dans son cœur. Un petit garçon qui voudrait bien être un homme pour prendre sur lui la tristesse de Cécile mais qui arrive mal à cacher son désarroi à lui. C'est le cœur gros, proche des larmes, qu'il s'accroche à Cécile en reniflant. Avec le besoin grandissant d'être consolé, lui aussi, sans qu'il comprenne vraiment pourquoi. Cette douleur toute nouvelle… de celles que l'on a quand on voit souffrir ceux qu'on aime.

— Chante-moi quelque chose, Cécile. Ça va sûrement aider mon mal de tête à s'en aller. Je sens que l'eau chaude me fait déjà du bien, en dedans...

Alors, posant inconsciemment une main sur son ventre, juste sous le bras de Gérard, Cécile se met à chanter la berceuse que son frère aime tant et qu'il réclamait à grands cris étant enfant. Une vieille mélodie française que sa mère fredonne encore, parfois, et qui parle de roses, de lapins blancs avec des rubans. Sa voix claire et juste s'élève dans la chambre, les enveloppant d'une intimité un peu triste, à demi comprise par Gérard. Car, avant tout, c'est à son petit que Cécile parle en ce moment. Elle n'a que les quelques mois qui viennent pour le faire. Elle l'a bien saisi, l'autre soir. Jamais son père n'acceptera de revenir sur sa décision. En fait, jamais son père n'est revenu sur une décision. Alors, le jour où elle pourra enfin serrer son enfant tout contre elle, il sera trop tard pour lui dire l'amour qu'elle a pour lui. C'est avec un trémolo dans la gorge qu'elle termine son chant. « Enfant, dors à mes accords. Dors, mon petit enfant, dors. » Gérard se fait tout petit, le nez caché dans les couvertures, les yeux fermés sur ses larmes naissantes. Et, maintenant, c'est sa voix à lui qui monte dans la chambre. Toute douce, émue, si différente de ses cris habituels. Étouffée par l'édredon, comme s'il ne parlait que pour lui.

— J'ai pas encore compris pourquoi t'es triste, Cécile, mais ça me fait de la peine à moi aussi. Je veux pas que tu soyes triste pis je pense que c'est un peu à cause de moi que tu l'es. Je le sais ben que je suis juste un tannant, pis que je crie pas mal souvent. Que j'ai des idées de fou pour m'amuser, pis que ça fait étriver tout le monde. Mais je t'aime pareil, Cécile, ça c'est sûr... Je sais pas pourquoi je suis de même, mais c'est plus fort que moi. Ça me grouille tellement en dedans qu'on dirait qu'il faut que ça sorte. C'est comme si j'étais une espèce de chaudron qui bouille. C'est la maîtresse, à l'école, qui dit ça quand je me mets à bardasser trop fort. Mais, si c'est à cause de ça que tu t'en vas, que t'as besoin de te reposer, je te promets que j'vas essayer de me tenir tranquille. J'vas essayer… Je crierai pus le matin pour aller à l'école, pis j'vas faire mes devoirs tu seul pour que tu puisses avoir plus de temps pour lire. J'vas même m'occuper de Michel, pour que tu puisses te reposer plus souvent. Je te le promets, Cécile, que j'vas être fin. Tu vas voir! Tu me reconnaîtras même pus. Mais va-t-en pas Cécile! Qu'est-ce qu'on va devenir, nous autres ici, si toi tu t'en vas? Le père va ben nous manger tout rond, si t'es pus là pour nous défendre. Pour dire que c'est pas tellement grave, toutes nos niaiseries. Pus personne va rire dans la maison, si t'es pas là pour nous faire rire. C'est pas avec pâpâ qu'on peut avoir du fun, pis moman est trop sérieuse. Elle parle jamais, à cause qu'elle a trop d'ouvrage. Essaye de te reposer chez nous, Cécile. Si tu vas plus souvent chez Jérôme, peut-être que tu vas réussir? Il y a pas de bébés, là-bas. Ça doit être une maison pas mal tranquille… Tu pourrais aller chez eux pour lire en paix. C'est toi qui le dis, que ça te repose de lire dans le silence. Comme ça, tu serais pas obligée d'aller chez « ma tante » Gisèle en ville. C'est bien que trop loin, ça, Québec, pour prendre des vacances. Pis, c'est moi qui te le dis, c'est pas chez « ma tante » que tu vas être tranquille. Elle parle tout le temps avec une voix qui ressemble à celle de pâpâ. Quand elle parle, on dirait qu'elle crie. C'est pas vraiment drôle, ça, pour quelqu'un qui veut avoir la paix. Reste, Cécile. J'vas parler à tous les autres pour qu'ils soyent fins, eux autres avec. Je suis sûr qu'ils pensent comme moi. Personne veut que tu t'en ailles en ville. Pis, si Louisa se met à vous aider, moman pis toi, t'en auras moins à faire. Ça fait que ça va être moins fatigant pour tout le monde. Qu'est-ce que t'en penses, Cécile, de mes idées ? Si ça marche comme je le dis, vas-tu être capable de te reposer assez ?

Un véritable cri du cœur. Une déclaration d'amour toute belle et sincère, malgré sa naïveté. Comme Cécile n'en a jamais eue et qui la fait renifler d'émotion. Elle retient à grand-peine les larmes qui lui montent aux yeux. Non, elle n'est pas seule au monde. Tant de gens autour d'elle lui parlent d'amour.

— Mon beau Gérard… C'est…C'est pas si simple que ça. Pis c'est pas à cause de toi, si je suis fatiguée. C'est juste… C'est juste un peu tout ça qui me fatigue, fait-elle en montrant la chambre d'un large geste du bras. C'est pas toi ou bien Jean-Pierre, ou bien les jumeaux tous seuls. C'est tout ça ensemble. C'est pour ça que je m'en vais pour quelque temps. Pour changer d'air, comme disent les parents. Mais pense surtout pas que c'est parce que je vous aime pus. Ça serait pas vrai… Je vous aime tous pas mal fort. Si c'était juste de moi, je partirais peut-être pas. C'est vrai, tu sais, que tes idées ont du bon. Mais c'est dans la tête du père le projet de mon départ. Pis, tu sais comme moi que quand il a une idée dans la tête, il l'a pas dans les pieds. Vois-tu, je pense que papa s'imagine me faire un beau cadeau en m'envoyant en ville. Pis un cadeau, ça se refuse pas, tu le sais bien Gérard. J'ai pas le choix de partir. Mais j'vais revenir vite, mon Gérard. Ça, je te le promets. Dans le fond, c'est quoi quelques mois, hein ? Tu vas voir que ça va passer comme un éclair. Pis, si tu veux, on va s'écrire, toi pis moi. C'est à toi que j'vais demander de me donner des nouvelles de la maison. Rien qu'à toi. Tu vas me dire ce qui se passe avec tes frères pis tes sœurs. Pis moi, j'vais te raconter tout ce qu'il y a de beau en ville pis tout ce que j'vais faire de spécial pour que tu puisses le dire aux autres après. Qu'est-ce que t'en dis ? Mais pleure pus, Gérard. S'il-te-plaît, pleure pus. Je veux pas que t'ayes de la peine à cause de moi. Faut pas. Tu le sais que dans la maison, c'est nous deux qui rient le plus fort. Alors, pendant que j'vais être partie, il faut que tu continues à rire. Pour tous les autres… C'est bien que trop plate une maison où personne rit. Tu penses pas, toi ?

Gérard a un petit sourire sans joie. Comme s'il ne parlait toujours qu'à lui, il ajoute dans un souffle.

— Ouais… c'est ben beau toute ça. Mais j'vas m'ennuyer sans bon sens, moé.

L'émotion est si forte qu'il a l'impression qu'il va étouffer. Même les promesses de faire des efforts pour bien parler n'ont plus aucune importance en ce moment. Il n'y a que la spontanéité de ses émotions qui ait certains droits. Enfermé dans son chagrin, il ne pense qu'à être consolé. Ne sachant même plus si Cécile saura le faire. Pourtant, c'est bien ce que cette dernière a deviné et sans tenir compte d'erreurs qui habituellement la font bondir, elle tente de le rassurer en lui montrant que son chagrin est partagé et compris. Elle répond à son petit frère sur le ton que lui-même a employé. Celui des secrets et des confidences…

— Moi aussi j'vais m'ennuyer, mon grand. C'est certain. De toi, du p'tit Jean-Pierre, de Jérôme… Il y a le jardin, aussi, qui va me manquer. Tu sais combien j'aime ça regarder les légumes qui poussent pis cueillir des fraises. En ville, il y en a pas de jardins. Il y a pas non plus toutes sortes d'oiseaux qui chantent. On entend juste des moineaux qui piaillent. Pis j'vais sûrement m'ennuyer aussi des confitures qui sentent bon dans la maison, pis de nos pique-niques sur le bord de la rivière. De nos baignades, aussi, quand il fait trop chaud en juillet. Tu vois bien, Gérard, que tu seras pas tout seul à t'ennuyer. Non... Pas tout seul pantoute...

Malgré l'intention sincère de réconforter Gérard, c'est pour elle, avant tout, que Cécile est en train de faire le deuil de cette vie qu'elle aime tant. Comme un trait qu'elle trace, visible d'elle seule. Car, à partir du jour où elle prendra l'autobus pour aller à Québec, plus rien ne sera pareil. Même quand elle reviendra. Comment pourra-t-elle reprendre sa place, ici, au sein de sa famille, comme si rien ne s'était passé ? Il n'y a que son père pour oser croire que l'on peut oublier. Que tout peut s'oublier. N'aime-t-il pas ses enfants pour lui demander de sacrifier le sien ? Celui de Jérôme aussi. La grande tristesse du jeune homme, sa rage de se voir les pieds et les poings liés, gonflent le cœur de Cécile comme une crue de printemps. Il a menacé de tout laisser tomber puis de se sauver avec Cécile. C'est finalement Gaby qui a réussi à le ramener à la raison. Si un jour il veut offrir une belle et bonne vie à Cécile, il lui faut travailler. Et la seule chose qu'il connaisse, c'est la terre. Il n'y a que là qu'il puisse être heureux et rendre une femme heureuse. Jérôme n'a eu qu'à s'incliner. Son père a raison. C'est les yeux pleins d'eau qu'il a demandé pardon à Cécile quand il est venu la reconduire, hier soir. Un grand chagrin partagé à deux, d'abord, puis que Cécile a tenté de calmer. Car d'avoir quelqu'un à consoler a posé un baume sur la blessure de Cécile. Dans le fond, Cécile, elle ne vit que pour les autres. C'est redonner un sens à ses gestes que de lui demander de l'aide. C'est renouer avec ses émotions les plus intimes que de caresser les cheveux de son petit frère en le rassurant. Ses larmes les plus dures, celles qui ont de la difficulté à se frayer un chemin jusqu'aux paupières et qui brisent tout sur leur passage, ces larmes de femme et de mère, elle ne les garde que pour elle et pour son enfant. C'est ensemble, tous les deux, qu'ils peuvent se dire toutes ces choses qui n'appartiennent qu'à eux. Même Jérôme ne pourrait comprendre ce langage de mère qu'elle a pour son tout-petit. Comme un code secret entre Cécile et son enfant, qui donne une plus grande douceur à sa voix et à ses gestes. Cette assurance de mère qui se fait sienne, peu à peu, malgré tout.

— Si tu m'aimes comme tu le dis, mon beau Gérard, tu vas me promettre de faire de gros efforts. C'est à toi que je confie le rire des p'tits. C'est toi qui va t'en occuper pour les amuser. Je le sais que t'as toujours plein d'idées pour t'amuser. Tu vas organiser des jeux, pis des promenades, pour que l'été 42 soye le plus drôle qu'on aura vu sur le deuxième rang. Peux-tu faire ça pour moi, Gérard ?

— Je peux ben essayer, Cécile.

— Oh ! non, Gérard, tu vas pas juste essayer, tu vas réussir. Dis-toi que c'est pour me faire plaisir que tu fais ça. Que si je pars tranquille, à propos des p'tits, j'vais mieux me reposer pis peut-être que j'vais revenir un peu plus vite.

— C'est-y vrai, ça ?

— Bien sûr que c'est vrai ! M'as-tu déjà entendu faire un mensonge ?

À demi convaincu, Gérard fait la moue avant de concéder.

— Non, c'est vrai... toé, tu m'as jamais faite de menteries.

— Bon, tu vois bien. Pis, tant qu'à y être, il y a autre chose que j'aimerais te demander. Encore une fois...

Tout doucement, presque à leur insu, le dialogue reprend sa forme coutumière, rassurante. Comme si l'enfance leur courait après, épuisée par le trop-plein d'émotions.

— C'est quoi, Cécile, tu veux me demander ? N'importe quoi, parce que c'est pour toé.

— Et, voilà ! Tu viens encore de le dire… Sapristi ! Gérard, tu lâches la p'tite école dans deux semaines, pis t'as pas encore appris qu'on dit toi pis moi. Pas toé, Seigneur… Ça t'arrive souvent de l'oublier. Pourtant, chez nous, personne parle comme ça.

— C'est vrai. Maudit que je suis gnochon. Pourtant, tu me le dis assez souvent… Ça doit être à cause de Jean-Paul. Chez eux, tout le monde parle de même. Mais c'est promis, Cécile ! J'vas faire des efforts pour ça aussi. Bonyenne ! Ça va être un été dur, cette année ! Va falloir que je me surveille tout le temps ! Mais j'vas essayer, promis. J'vas le faire pour toi. Pour que tu reviennes le plus vite possible… Wow, c'est le fun ! Je pense que j'ai pus mal à la tête !

Et cette soirée-là, malgré tout, se termine dans les rires et les chants chez Eugène Veilleux du deuxième rang.

4

Il y a à peine quelques semaines, Jeanne ne comprenait ni n'approuvait l'attitude et les raisonnements de son mari. L'intransigeance d'Eugène attisait même la rancœur chronique qui habitait depuis si longtemps l'âme de Jeanne. Son ressentiment visait d'autant plus Eugène qu'elle le tenait responsable de la curieuse émotion faisant trembler son cœur à la seule pensée d'être séparée de l'un de ses enfants. Elle qui, pourtant, était persuadée de ne pas les aimer comme ils le mériteraient. Mais, voilà ! Cette première vague d'émotions n'a pas vraiment duré. Une semaine ? Quelques jours ? Elle-même ne saurait le dire. Un souffle tiède, léger, si léger, a traversé sa vie, laissant derrière lui une tendresse toute nouvelle dans le cœur de Jeanne. Comme une douceur attendrie devant tous ses enfants... Oui ! une belle chaleur en elle, mais pas assez forte pour faire oublier la fatigue de toutes ces grossesses non désirées. Vouloir un enfant est une chose, l'aimer quand il est là une autre. Voici une vérité dont elle vient d'apprécier l'exactitude. La seule vérité de sa vie. Son indifférence calculée, presque provoquée, n'était en fait qu'une manière de répondre à son dédain de l'amour et des grossesses qui se succédaient. Jeanne a été injuste envers ses enfants qui n'avaient pas demandé à naître. Elle vient de le comprendre et se jure d'être plus présente. Mais ce qui peut être une réalité pour elle ne l'est pas nécessairement pour Cécile. Et c'est tout cela qui fait qu'aujourd'hui elle partage l'opinion d'Eugène. Non pour les mêmes raisons, car des racontars elle peut très bien s'accommoder. Le cœur fier, elle est bien au-dessus des mesquineries possibles. Non, là n'est pas la cause de son changement d'idées. Mais, à travers l'autorité aveugle d'Eugène, Jeanne voit pour sa fille l'unique chance d'échapper à une vie qu'elle n'aurait pas librement consentie. Elle ne veut pas pour Cécile d'une existence en tous points semblable à la sienne si elle ne l'a pas choisie. Elle ne peut comprendre qu'on veuille, à tout juste dix-huit ans, passer le reste de ses jours coincée entre une pile de langes à laver et une table de cuisine à garnir sans relâche. Toutes ces choses que Cécile partage avec elle depuis si longtemps déjà, malgré son jeune âge. Non! Cécile vaut bien mieux que cela. Elle a déjà assez sacrifié de sa jeunesse au service des autres. Jeanne se dit que sa fille pourrait peut-être enfin penser à elle. Cécile y a droit. Elle se rappelle la fierté des religieuses du couvent, devant les notes de Cécile, et leur tristesse quand Eugène leur avait annoncé qu'elle ne reviendrait pas à l'automne suivant. Elle est témoin aussi de ce plaisir, sans cesse renouvelé, de Cécile devant un livre. Avec l'accord de la directrice, celle-ci peut se rendre quand bon lui semble à la bibliothèque du couvent. Et la jeune fille ne se fait surtout pas prier pour en profiter... Elle utilise le plus petit moment de liberté pour plonger avec délices dans la lecture, les histoires d'aventure ayant sa préférence. Combien de fois, exaspérée par les besognes ingrates, n'a-t-elle pas lancé qu'elle aurait aimé devenir institutrice si on lui en avait laissé la chance? Et, pour un instant d'égarement, Cécile serait prête à oublier ses rêves? Non. Jeanne ne peut l'accepter. Qu'au jour où Louisa prendra la relève, Cécile décide de faire sa vie avec Jérôme plutôt que de

poursuivre ses études est une chose que Jeanne pourrait
très bien comprendre. Elle sait l'attachement qu'ils ont l'un
pour l'autre. Et, connaissant la valeur de Jérôme, elle ne
peut que l'approuver. Là n'est pas la question... Mais que
cette décision soit brusquée à cause d'un moment de folie
lui est devenu intolérable. Comme si tous ses rêves à elle,
Jeanne, reposaient entre les mains de Cécile. On ne trace
pas sa vie à dix-huit ans, pratiquement sur un coup de tête.
Elle ne veut pas que sa fille ait une existence bâtie sur des
illusions vite évanouies. Une vie comme la sienne. Alors,
pour le bien de Cécile, comme elle se plaît à se le répéter,
Jeanne en est venue à partager l'opinion de son mari. Et, ce
rapprochement avec son homme, aussi fragile et médiocre
soit-il, lui procure un certain apaisement. Une complicité à
deux qui atténue le grand vide qu'elle n'avait jamais voulu
combler depuis la naissance de Cécile. Comme un but clairement établi, qu'ils poursuivent chacun pour soi, certes,
mais avec le sentiment d'être compris et approuvé de l'autre.
Pendant la toute petite semaine qui vient de s'écouler,
Jeanne a l'impression que c'est toute une vie qui a basculé.
La sienne... Que toutes les émotions vécues en quelques
jours à peine l'ont sortie de la léthargie où elle s'était volontairement plongée. Et, à cause de cela, le regard qu'elle pose
sur ses enfants n'est plus tout à fait le même. Comme si elle
les voyait enfin pour la première fois. Chacun avec ses
désirs, ses envies. Chacun avec le droit, aussi, de les réaliser
selon ses possibilités. Elle pense à eux d'une façon toute
individuelle, alors qu'elle ne les avait jamais vus que comme
un tout indissociable. Quand elle prend Jean-Pierre dans
ses bras, elle ressent une grande tendresse qui la fait soupirer de contentement incrédule. Avait-elle été endormie
pendant tout ce temps? Se peut-il qu'elle soit passée à côté

de sa vie sans même la voir ? Elle persiste à croire que si les enfants avaient été moins nombreux, elle aurait pu être plus proche d'Eugène. Leur vie aurait été bien différente. Mais les enfants sont là et personne n'y peut plus rien. Pourquoi continuer à y porter ombrage et s'empêcher de vivre ? Un grand soupir la soulève hors du quotidien et balaie en même temps une grande partie de l'amertume des dix-huit dernières années. Enfin partager avec Eugène autre chose que le pain quotidien ! Autre chose que des nuits de soumission... Non, Jeanne ne cherchera plus à essayer de convaincre son mari de laisser Cécile se marier tout de suite. Elle n'y croit plus elle-même. Le jour où Cécile décidera de se marier, elle sera capable de comprendre la gravité du geste qu'elle pose et de déterminer la direction à donner à sa vie. Elle ne sera pas victime du destin.

* * *

Juin a succédé à mai dans un égal bouleversement de saisons. La chaleur semble installée pour de bon et, si ce n'était du manque de pluie, chacun en serait bien aise. Les hivers trop longs et trop froids font apprécier les moindres clémences de l'air. Au Québec, on a tôt fait d'apprendre qu'il vaut mieux profiter de chaque journée de soleil, ne sachant ce que demain nous réserve. Sous prétexte de cette température idyllique, l'humeur légère de Jeanne a envahi la maison, emportant avec elle une vague de fraîcheur. Remplis d'une joyeuse surprise, les enfants voient leur mère sourire, l'entendent fredonner devant la bassine de lavage, espèrent le pique-nique qu'elle leur a promis pour dimanche. Eugène, déconcerté devant cette femme différente, allégée lui semble-t-il, un peu à l'image de celle qu'il avait épousée, en oublie de bougonner. De ce fait, Jeanne étire encore un peu plus ses sourires. Comme une roue brusquement arrêtée, voilà des années qui se remettent à tourner. Il n'y a que Cécile qui se tienne à l'écart de ce nouvel état de choses. Blessée, douloureusement perplexe, elle observe sa mère. Et ne comprend pas... Cette légèreté d'être ne convient nullement à son âme torturée. Comment une mère peut-elle être heureuse, sachant le sacrifice imposé à sa fille ? Du jour au lendemain, la femme fatiguée et vieillie a retrouvé des rires de jeune fille et Cécile lui en veut terriblement. Elle est profondément choquée par cette attitude qu'elle juge indécente. Non, elle ne comprend pas ce qui a pu causer ce changement chez sa mère et n'a pas vraiment envie de le savoir. Silencieusement, le cœur meurtri, elle attend avec impatience, ou presque, le jour où elle partira pour Québec. Plus rien ne la rattache à cette maison. Des souvenirs heureux il ne reste qu'un pâle reflet s'estompant derrière son mal. Il n'y a que de Gérard dont elle va s'ennuyer et aussi, peut-être, des tout-petits. Sa bouche, autrefois si rieuse, s'est modelée en un pli d'amertume et Mélina, lors de sa dernière visite, lui a trouvé une ressemblance frappante avec Jeanne. La Jeanne qu'elle connaissait depuis si longtemps, triste et réservée. Mélina en a été bouleversée. Et a décidé qu'il était grand-temps d'avoir une bonne conversation entre femmes, entre mères. Même si ce n'est pas Jérôme qui porte ce petit-là, c'est quand même lui le père et Mélina se sent tout aussi concernée par cette histoire que peuvent l'être les parents de Cécile. C'est ainsi que ce matin, à son retour de la grange, Gabriel a la surprise de trouver sa femme devant les fourneaux à leur préparer les œufs du déjeuner. Habituellement, c'est l'odeur du café que lui a préparé Gabriel qui réveille Mélina.

— Mais qu'est-ce que tu fais là, toi ? C'est pas dans tes habitudes de te lever avec le coq !

— Ah ! Je sais toute ça, Gaby. Mais j'ai pas fermé l'œil de la nuit. À cause de la p'tite Cécile. C'est à elle que je pensais au lieu de dormir. Pis, à matin, j'ai décidé d'aller voir Jeanne. On va finir par en avoir le cœur net. Je veux que Jeanne me dise ce qu'elle pense vraiment de tout ça. Entre femmes. Entre mères. Dans le fond, même si c'est Cécile qui porte le bébé, on est tous un peu dans la même galère. Ça se peut quasiment pas qu'Eugène pis Jeanne décident de même quand on sait que Cécile pis Jérôme sont prêts à se marier. Je comprends pas ça, moi. Qu'Eugène aye peur des racontars, ça c'est ben clair, pis ça me surprend pas une miette. Pas plus que de le voir tenir son boutte mordicus. Mais Jeanne, elle ? C'est pas une femme de même... Avec la trâlée d'enfants qu'elle a, Jeanne devrait comprendre sa fille. Non, je te le dis, Gaby, il faut que je lui parle. C'est plus fort que moi !

Un long regard fait de compréhension les unit pour un moment. Puis, Gaby détourne les yeux en soupirant bruyamment.

— Je sais pas si ça va donner quelque chose, ma Lina. Mais c'est ben toi, ça, d'essayer de faire de quoi.

— Tu pensais toujours ben pas que j'allais regarder la p'tite Cécile dépérir à vue d'œil sans rien dire ? Ben voyons donc ! J'ai l'impression que c'est une histoire de fous, tout ça. Même s'ils sont jeunes, Jérôme pis elle, sont pas innocents pour autant. Pis sont sérieux... Quand ils disent qu'ils s'aiment, moi je suis sûre que c'est vrai.

— Je suis ben d'accord avec toi, ma femme. Pis en plus, moi, je trouve pas qu'ils sont si jeunes que ça. Jérôme va quand même avoir vingt et un ans dans l'année pis Cécile a déjà un an de plus que toi quand on s'est mariés, nous deux. Mais comme je te l'ai dit, je pense pas que c'est nous autres qui va pouvoir faire changer les choses. Il y a pas plus boqué qu'Eugène… Qu'est-ce que tu veux ! Commence par parler à Jeanne, pis après j'essaierai peut-être la même chose avec son mari. Des fois qu'on arriverait à les faire changer d'idée… Bonyeu que je serais content pour les p'tits !

— Pis moi donc !

Et sous prétexte d'un surplus de rhubarbe à offrir à sa voisine, Mélina prend la route dès le repas terminé. À pied, pour se donner le temps de bien peser tout ce qu'elle veut dire à Jeanne. C'est une femme toute joyeuse, au regard pétillant, qui l'accueille.

— Mélina Cliche ! Tu parles d'une belle visite à matin.

Bref instant de stupeur. Mélina reconnaît à peine sa voisine. D'où lui vient cet air de jeunesse qu'elle ne lui a pas vu depuis si longtemps ? Décidée à en avoir le cœur net, elle entre d'un pas assuré dans la cuisine.

— Bonjour, madame Veilleux ! J'avais un surplus de rhubarbe et j'ai pensé qu'avec votre grosse famille, vous sauriez sûrement l'utiliser. J'espère que ça vous choque pas, toujours ?

— Mais pantoute ! C'est ben gentil d'avoir pensé à nous autres. C'est vrai que ma gang a tout un appétit. Vous devriez les voir, quand ils reviennent des champs le soir ! Mes hommes ont pour ainsi dire pas de fond ! Mais rentrez donc, Mélina. Vous avez ben une p'tite minute pour prendre un thé ?

— Pourquoi pas ? Je vous remercie… Cécile est pas là, à matin ?

— Non, elle est partie au couvent pour faire sa

provision de livres pour la semaine. Vous savez à quel point elle aime ça, la lecture. Pis c'est sûrement pas moi qui va l'en empêcher ! Comme je le dis à Eugène : faudrait pas gaspiller un beau talent comme le sien. Elle pourrait faire de belles choses, ma Cécile.

Le ton est presque arrogant. Le menton pointé vers l'avant, Jeanne affiche des yeux brillants de détermination. Le propos est sans équivoque et Mélina comprend l'avertissement sous-entendu. D'un seul coup, elle saisit ce que veut dire Cécile quand elle parle de l'intransigeance de ses parents. Mais, il en faut plus que cela pour démonter Mélina Cliche. Sans relever le sujet, elle dépose l'énorme brassée de rhubarbe sur la table et se dirige d'un même pas vers le berceau placé sous la fenêtre. Jean-Pierre qui roucoule en examinant ses deux poings lui offre un merveilleux sourire. Quelle femme peut rester insensible quand on lui parle de ses enfants ?

— Mon Dou, que vous avez donc des beaux enfants, Jeanne ! Je vous trouve tellement chanceuse, vous savez.

— Ah oui ? Faut dire que moi, j'ai pas vraiment le temps de le remarquer. Mais, maintenant que vous le dites, c'est vrai : ils sont beaux mes enfants… Mais c'est pas ça qui fait qu'ils sont tranquilles, par exemple. Ça mène du train dans une maison, une gang comme la mienne. Pis ça donne de l'ouvrage à plein, une grosse famille. C'est peut-être tentant, vu de l'extérieur de même, mais je le sais pas si c'est ben enviable. D'avoir jamais une minute à soi, c'est pas toujours ben ben drôle, vous saurez. Comme de raison, vous pouvez peut-être pas comprendre…

— J'ai peut-être eu rien qu'un garçon, Jeanne, mais je suis pas niaiseuse pour autant. Je pense que je peux comprendre ce que vous essayez de me dire là. C'est vrai qu'une famille comme la vôtre ça doit donner ben du tracas, mais ça doit apporter son lot de joies aussi, non? Dans le fond, l'important, c'est de pouvoir choisir ce qu'on veut dans la vie. Vous pensez pas, vous?

— Mais c'est en plein ce que je dis! Faut être capable de choisir. Quand les choses arrivent sans qu'on aye le temps de les désirer, ça apporte rarement du bonheur. Ça fait qu'on les regarde passer sans les voir pis quand on se réveille, des fois, il est trop tard pour les rattraper. Faut faire attention, madame Cliche, devant la vie des autres. Ben attention!

— C'est plein d'allure, ce que vous dites là, Jeanne... Dans le fond, je pense qu'on dit pareil.

— Pas sûre, moi, qu'on dit pareil, Mélina. Pas sûre pantoute...

Tout en parlant, Jeanne s'est approchée du berceau. Elle soulève Jean-Pierre et le porte au-dessus d'elle, à bout de bras. Le petit se met à gigoter et à rire de plaisir. Jeanne a un sourire pour lui, puis se tourne lentement vers Mélina, son fils maintenant bien calé contre sa hanche. Déjà, le regard et la voix de Jeanne ont retrouvé leur tristesse coutumière.

— Je le sais ben pourquoi vous êtes venue me voir pis ce que vous essayez de me faire comprendre. On va arrêter de tourner autour du pot, voulez-vous? C'est pour me parler de Cécile, hein? Je comprends ça. C'est juste normal... Mais, venez donc vous assire. Le thé doit être prêt.

Les deux fenêtres de la cuisine sont grandes ouvertes sur l'été. Au loin, un cheval hennit et une vache lui répond. Puis le silence revient, soutenu par les cris des jumeaux et de Béatrice qui se poursuivent en riant dans le verger. Mélina a un pincement d'envie devant cette maisonnée pleine de vie. Elle ne peut retenir un soupir, accueilli par le sourire las de Jeanne.

— Oui, Mélina, je comprends très bien ce qui vous amène icitte, à matin. Quand je disais qu'il faut pouvoir choisir, c'est juste ça que je voulais dire. Je le vois ben, allez, que ma famille vous fait envie. Je le sais avec que vous avez toujours voulu plein d'enfants. Pis je trouve ça malheureux que vous ayez pas eu le choix. Mais, avez-vous déjà pensé que d'en avoir toute une gang, comme moi, sans l'avoir vraiment voulu, c'est pas plus drôle ?

Jeanne se met à rougir violemment. Jamais elle ne s'est ouverte de sa vie à qui que ce soit. Jamais personne ne s'est douté de l'enfer qu'elle a connu, année après année, grossesse sur grossesse. Maintenant qu'elle a osé ouvrir l'écluse, les mots se précipitent sur ses lèvres et elle n'arrive plus à les contrôler. Mélina n'ose intervenir. Jeanne vient de déposer Jean-Pierre dans son petit lit, prend tout son temps. En regardant par la fenêtre, elle poursuit sur le ton qui lui est habituel : celui de la lassitude et de l'ennui.

— Je veux pas dire par là que je les aime pas, mes enfants. Mais, des fois, j'aurais aimé ça avoir le temps de les désirer aussi. Pis mon homme avec, par la même occasion. J'ai jamais le droit de dire oui ou non, avec Eugène. Jamais le choix de penser autrement que lui. Ça fait vingt ans que j'ai l'impression de toute donner pis de jamais rien recevoir. Les enfants, c'est ben fin par boutte mais c'est tellement exigeant… Ça vous dévore vos énergies en un rien de temps, sans rien vous laisser. Je suis fatiguée, madame Cliche. Comprenez-vous ça ? Ben ben fatiguée… Quand on donne tout ce qu'on a dans le cœur pis dans le corps, on se retrouve vidée quand il y a personne pour vous donner un p'tit brin en retour. C'est pas facile de vivre avec

Eugène, vous saurez. Pas facile pantoute. Je dis pas qu'il m'aime pas. Ça serait pas vrai. Je le sais qu'il m'aime… à sa manière. Je pense, dans le fond, qu'il aime que je l'aime. Mais c'est pas ça qui l'empêche d'être un homme prompt à la colère pis aux cris. Il a la main leste, aussi. Même à moi, des fois, il fait peur. C'est un peu pour ça que j'ai pris l'habitude de dire comme lui pour avoir la paix. De toute manière, je suis pas une femme qui parle tellement fort. Ça, je pense que vous le savez déjà. Mais ça m'empêche pas de jongler pis d'essayer quand même de lui faire entendre raison, à Eugène, quand je trouve qu'il va trop loin. Des fois, il m'écoute. C'est pour ça que j'ai essayé de lui parler pour Cécile pis Jérôme. Même, qu'au début, je lui en voulais pas mal, vous saurez, d'être si dur avec Cécile. Je regardais mon p'tit Jean-Pierre pis le cœur me serrait assez fort que j'avais l'impression qu'il était pour s'arrêter de battre… C'est un peu pour ça que je lui ai parlé. Mais, cette fois-citte, ça a rien donné. Il dit que ça s'est jamais vu, chez les Veilleux, un mariage obligé pis que c'est pas avec lui que ça va commencer. Pis comme dans la maison c'est lui qui mène… Alors je me suis dit que si mon mari voulait rien entendre, je pourrais peut-être me servir de cette décision-là pour aider Cécile. Je le sais que ce sera pas facile pour elle de laisser son bébé. Il y a pas une mère sur la terre qui pourrait abandonner son p'tit sans laisser un morceau de cœur avec lui. Ça c'est ben sûr… Mais c'est peut-être une chance qu'elle a de faire quelque chose de sa vie ? Quand Cécile va revenir, en janvier, je me suis ben promis de faire valoir à Eugène que je me suis débrouillée sans elle pendant des mois pis que je suis encore capable de le faire. Comme ça, Cécile pourrait suivre des cours pour devenir maîtresse d'école. Elle arrête pas de nous dire qu'elle aimerait ça. Pis je me suis dit, aussi, que si elle voulait toujours se marier avec Jérôme, il serait pas trop tard. Ma fille pourrait choisir ce qu'elle veut faire. L'école ou Jérôme. Peut-être même les deux ? Pourquoi pas ?

La voix de Jeanne a repris de la vigueur et son regard porte en lui toutes les attentes d'une vie. Mélina sent bien que Jeanne espère une réponse de sa part. Une approbation à ce qu'elle vient de dire, pour la rassurer un peu. La tristesse d'une femme, étalée devant elle, sur la table au bois égratigné. Offrande d'un cœur de mère qui aime sincèrement et ne veut que le meilleur qui soit pour Cécile. Oui, Mélina peut comprendre ce qui pousse Jeanne à penser ainsi. Même si elle n'est pas d'accord.

— Oui, c'est ben beau ce que vous dites là, Jeanne. Ça aussi je peux le comprendre, l'école pis toute ! Mais en avez-vous parlé avec Cécile ? Sérieusement, je veux dire. Entre femmes. Si Cécile avait déjà décidé que c'est Jérôme qu'elle a choisi ?

— À dix-huit ans, Mélina, on choisit toutes l'amour. Vous pensez pas, vous ? Mais est-ce là le bon choix à faire ? Je suis pas vraiment sûre de ça, moi.

— Vous avez peut-être raison, madame Veilleux, pour la plupart des jeunes. À cet âge-là, on est juste ébloui par l'amour. Je suis d'accord avec vous. Mais là, je pense pas que ça soye pareil... Ils s'aiment vraiment, Cécile pis Jérôme. Ça se voit, des affaires de même. Pis, en plus, il y a pas juste Cécile ou mon gars en jeu dans tout ça. Il y a un p'tit bébé qui a pas demandé à être là mais qui...

— Le p'tit ? Ayez pas peur pour lui... Il sera pas malheureux, ce bébé-là. Le docteur a promis à Eugène qu'il s'occuperait personnellement de lui trouver une bonne famille. Il restera pas longtemps à la crèche. Le docteur l'a promis.

Pis, entre nous deux, pour un bébé, des parents ou ben d'autres, ça fait pas une grosse différence.

— Mais Jérôme, lui, dans tout ça ? Vous pensez pas qu'il a son mot à dire là-dedans, lui avec ? Vous saurez qu'il est pas mal blessé par votre refus. Il comprend pas qu'on puisse agir de même. Pantoute. Ça fait que votre refus, il le prend personnel.

— Faudrait pas… C'est pas contre lui qu'Eugène en a. C'est contre la situation. Un point c'est toute. Il a toujours pensé que votre fils serait un bon parti pour sa fille. Là-dessus, il a pas changé une miette. J'aurais envie de vous dire de quoi… Vous serez peut-être pas d'accord avec moi, mais… Ah, pis tant pis ! J'ai envie de vous le dire quand même. Moi, moi personnellement j'entends, je pense pas que ce soye des affaires à Jérôme, tout ça. C'est pas sa vie à lui qui est toute chamboulée. C'est pas lui qui l'a dans le ventre, ce bébé-là. Pis c'est pas lui non plus qui va souffrir quand il va venir au monde. Jérôme, lui, il reste sur sa terre pis il continue à faire son ordinaire, comme il a coutume de le faire. Pas plus, pas moins. Qu'est-ce que ça change pour lui que Cécile soye avec lui tu suite ou dans un an ? Pas grand-chose, hein ? Quand Cécile va partir pour Québec, c'est d'elle qu'il va s'ennuyer, Jérôme. Pas du bébé. Ça veut pas dire grand-chose, pour les hommes, un p'tit qui est encore dans le ventre de sa mère. Ça fait que la seule qui va vraiment souffrir dans toute cette histoire-là, c'est ma Cécile. C'est pour ça que j'essaye de l'aider du mieux que je peux. Avec Eugène, je vous jure que je peux pas faire plus.

— Pis si Gaby essayait de lui parler à Eugène ?

— Gaby ?

Jeanne se permet un rire amer. Comme une évidence, une constatation sur la vie. Sur sa vie.

— Non, Mélina. Ça donnerait rien. Vous pensez ben qu'après vingt ans à vivre avec Eugène, j'ai au moins appris comment le prendre. Trop insister amènerait rien que du désagrément pour tout le monde. Oubliez pas qu'on est voisins. Il y a rien de pire que des chicanes de clôture, vous pensez pas, vous ? Pis je connais assez mon mari pour savoir que c'est Cécile qui en arracherait le plus. Je suis sûre qu'il dirait que toute est de sa faute. Ça fait que si vous l'aimez, ma fille, vous ferez rien d'autre… De toute manière, je suis pus sûre qu'il y a quelque chose à faire de plus pour l'instant. Faites-moi confiance. Je sais de quoi je parle !

— Ben moi, Jeanne, je suis pas vraiment d'accord avec vous. Personne va m'empêcher de penser que c'est triste, tout ça. Ben ben triste…

— Ouais, c'est vrai. C'est malheureux. Mais les jeunes auraient dû y penser avant… Vous allez voir qu'un jour Cécile va comprendre pourquoi on a agi comme ça. Dites-vous ben, madame Cliche, que c'est à elle que je pense en premier. Rien qu'à elle !

Mélina comprend bien qu'il n'y a plus rien à dire. Chacun à sa manière, Jeanne et Eugène ont fait leur choix. Un long sanglot monte du cœur de Mélina pour venir mourir au bord de ses cils. Avec pudeur, elle se relève en détournant la tête. Un jour, le bon Dieu a décidé qu'elle ne serait plus mère. Aujourd'hui, Jeanne et Eugène lui enlèvent la joie d'être grand-mère. À sa tristesse se soude une rancœur sans nom. Jamais elle n'oubliera qu'un jour les parents de Cécile ont décidé au nom de leur fille en parlant de liberté. Jamais…

À peine un au revoir et Mélina se hâte de passer la porte pour reprendre le chemin du retour. Il lui faut vite quitter la maison avant la venue de Cécile. Devant elle, elle ne pourrait retenir ses larmes. Et Cécile n'a surtout pas besoin de la voir pleurer…

5

Assise à l'ombre de la cabane à patins, déserte à ce temps-ci de l'année, Rolande se donne le temps de bien digérer ce que le médecin vient de lui apprendre. Machinalement, elle frotte lentement son dos contre le bois rugueux. Comme si elle avait besoin d'une preuve bien concrète, douloureuse au besoin. Une confirmation qu'elle ne dort pas. Que tout ce qui lui arrive n'est pas un cauchemar. Depuis un mois, devant ses malaises persistants, elle devinait confusément que quelque chose de terrible était en train de se produire dans son corps. Mais elle ne pensait pas que c'était cela... Une maladie terrifiante la faisait vomir et lui enlevait toutes ses énergies. Peut-être même la tuberculose? Pourquoi pas? À chaque fois qu'elle remettait un repas, c'est son père qu'elle vomissait et maudissait avec force. Sans bien comprendre ce qui lui arrivait, elle s'imaginait qu'il en était responsable. Voilà plus d'un mois qu'elle se met à trembler à chaque soir, quand elle entend son pas dans l'escalier menant à la porte d'entrée de la maison. Elle sursaute lorsqu'il l'interpelle. Pourtant, hormis les soirs où il a pris un verre de trop avec ses amis, Maurice Comeau n'a pas changé. Il reste le père que Rolande a toujours connu: une grand-gueule, taquin, impatient et intolérant mais rieur, aussi, bien présent à chacun de ses enfants. Dans le quartier, c'est lui qui s'occupe de l'organisation du terrain de jeux, qui planifie les parties de hockey pour les garçons. Oui, un père comme il y en a peu et qui fait l'envie de tous les gamins de la rue. Mais Rolande est incapable de le voir comme avant. À ses yeux, il ne sera jamais plus le père de son enfance qui la faisait sauter sur ses genoux en riant. Ni celui qui caressait sa tête en s'exclamant d'admiration devant ses boucles de bébé. Cette époque-là est bien morte, pour elle... morte et enterrée. À chaque fois qu'il se rapproche pour lui ébouriffer les cheveux, Rolande se met à frissonner. Réaction incontrôlable, comme un tic nerveux dont elle n'arrive pas à se débarrasser. Même si elle sait que sa mère est consciente de son manège. À chaque fois qu'elle surprend sa fille à fuir la présence de son père, elle serre les dents, arrêtant ainsi les mots d'impatience sur ses lèvres. Rolande n'est pas dupe. Mais qu'est-ce que cela change au problème? Qu'est-ce que cela change à son problème à elle? Et, peu à peu, depuis un certain soir d'hiver où Maurice s'est mis à l'aimer un peu plus fort, elle n'arrive plus à se contrôler. Car, désormais, il n'y a pas seulement ses crises de colère à contrer quand il revient de la taverne. Maintenant, il y a beaucoup plus... Tellement, tellement plus. Et, à cause de cela, la panique reste inscrite en permanence dans son regard à chaque fois que son père est présent. À bout de souffle et d'énergie, Rolande a pris l'habitude de fuir la maison à la moindre occasion. N'y revient que tard le soir, quand elle sait son père couché. Malgré les remontrances de sa mère qui clame que l'adolescence d'une fille est l'enfer de sa mère. Et, plus le temps passe, plus Rolande comprend qu'au lieu de se rapprocher de sa mère, comme elle le souhaite ardemment, plus elle s'en éloigne. Et tout cela, par sa faute... Mais, en sortant de chez le médecin, elle a admis que la situation venait de changer. Sa mère ne pourra plus continuer à fermer les yeux. Même si Rolande devine aisément que c'est elle qui va en souffrir le plus, elle en est presque soulagée. La vie, pour elle, va prendre un nouveau chemin. C'est bien évident... Sa mère ne pourra accepter ce qui s'est passé. Pourtant, jamais Rolande n'aurait pu croire ce que le médecin lui a annoncé. Cela n'arrive pas, d'habitude, aux petites filles de son âge. Aux petites filles qui ne sont pas mariées. Pour que cela arrive, il faut être marié. Tout le monde sait cela, n'est-ce pas ? C'est ce que Rolande croyait. Ou voulait croire... Elle devait sûrement avoir une mine affreuse pour que sa mère, elle-même, soit inquiète. Elle qui n'ouvre la bouche que pour lui faire des reproches depuis le printemps...

— Mais qu'essé que t'as, coudon, toé ? Tu manges pus rien pis t'es verte comme un poireau. Si ça continue, m'en vas t'envoyer voir le Docteur Coulombe.

Et cela avait continué ! Les vomissements, les mains tremblantes, l'insomnie, les crises de larmes quand sa mère devait travailler le soir. Exaspérée, cette dernière avait finalement décidé de la faire voir par le médecin de famille. C'est pour cela que, dès son dernier examen terminé, Rolande avait pris le chemin du bureau du médecin plutôt que d'aller fêter la fin des classes avec ses amies, chez Denise.

— M'en vas venir vous rejoindre tusuite après, avait-elle promis à Ginette. C'est ma mère qui veut que je voye le docteur. A' dit que j'ai une face de mi-carême.

— C'est vrai que t'es pâle sans bon sens depuis un boutte. Mais tu travailles trop pour l'école. Je te l'ai déjà dit.

— Peut-être ben, Ginette, que t'as raison. J'pense, moé avec, que c'est pas grave... En té cas, m'as toute te raconter ça, quand j'vas aller vous retrouver chez Denise. À tantôt !

Mais, en sortant du bureau du Docteur Coulombe,

Rolande n'a pas pris la direction de chez Denise. Elle n'a pas envie de voir qui que ce soit. Elle s'est enfuie jusqu'au parc, à l'abri des regards indiscrets. C'est son refuge, quand elle fuit la maison et qu'elle ne peut décemment se présenter à la demeure de ses amies. Il n'y a qu'avec Denise et Ginette qu'elle puisse encore rire et s'amuser, Rolande. Il n'y a qu'en leur présence qu'elle arrive à oublier, pour quelques heures, l'horreur qui a envahi sa vie. Mais là, en ce moment, comment pourrait-elle « toute raconter ça » ? Qui voudrait croire qu'une enfant de treize ans soit enceinte ? Qui voudrait surtout croire que c'est à cause de son père qu'elle attend un enfant ? Que Maurice Comeau, l'ami de tous les enfants du quartier, soit le monstre qui hante les cauchemars de ses nuits ? Personne ne voudra la croire. Personne ne peut même imaginer que cela existe. Alors, de là à essayer de convaincre les gens… Pourtant, le médecin avait bien essayé de savoir qui était le coupable.

— Il faut parler, Rolande. Si un malfaisant court les rues du quartier, il faut que tu nous dises son nom. Pense à toutes les autres petites filles comme toi qui pourraient souffrir à cause de ton silence.

Mais Rolande n'avait rien dit. La honte en elle, cette humiliation qu'elle n'arrive pas à comprendre mais qui est bien présente, lui enlève tous les mots de la bouche. Qu'aurait-elle pu dire, de toute façon ? « Non, docteur, c'est pas un malfaisant qui court les rues. C'est mon père… » Allons donc ! Même s'il est bien gentil, le Docteur Coulombe, il n'aurait jamais cru cela… Rolande est réduite au silence parce que personne ne voudra la croire. Alors, ce sont ses larmes qui ont répondu au médecin. Personne, non personne ne pourrait imaginer une horreur pareille. Elle-même doit se frotter le dos contre une planche de bois mal équarrie pour se convaincre qu'elle ne rêve pas. Et, plus que tout, il y a la peur. Une terreur immense, plus grande que le monde, qui avale la petite Rolande toute entière : la main de son père sur sa tête et qui tire ses cheveux. Qui tire si fort, quand il est en colère... Et ses doigts se glissant sous ses vêtements, qui lui font mal quand ils trouvent enfin ce qu'ils veulent. Un long frisson de dégoût secoue ses épaules. Non, elle ne parlera pas. Ni à ses amies, ni au médecin. Elle a trop peur de ce que son père dirait ou ferait si les gens venaient à savoir...

Pendant un instant, elle pense à s'enfuir. Quitter la ville... Aller à Montréal, tiens. Avec un peu de maquillage, elle pourrait passer pour une jeune veuve dont le mari vient de mourir. Pourquoi pas ? Pendant quelques minutes, Rolande se plaît à échafauder son plan. Elle a sûrement assez d'argent dans sa tirelire pour se payer un billet d'autobus ou de train. Peut-être, même, pour se louer une chambre d'hôtel pendant quelques jours... Mais, après... Où irait-elle quand le porte-monnaie serait vide ? De quoi se nourrirait-elle ? En soupirant, elle laisse éclater la bulle de ses rêveries. Elle n'a que treize ans et personne au monde à qui confier son douloureux secret. Pourtant, elle sait que ce ne sera pas un secret pour très longtemps. Devant les pleurs convulsifs qui la secouaient, tout à l'heure chez le médecin, ce dernier avait tenté de la réconforter. Lui promettant même de rencontrer ses parents pour leur parler. Demain en se rendant à son bureau. Oui, le Docteur Coulombe va se charger d'avertir les parents de Rolande. De toute façon, il n'a pas le choix... Il est de son devoir de les informer. Et c'est peut-être bien qu'il en soit ainsi. Car, alors, sa mère n'aura plus vraiment le loisir de la croire ou non. Elle va devoir admettre ce qui arrive à sa fille et agir pour que cela cesse. Et, dans la tête de Rolande, dans sa tête et dans son cœur d'enfant, il n'y a qu'elle qui puisse intervenir. Alors, à travers l'orage incroyable qu'elle est en train de traverser, Rolande voit peut-être poindre un tout petit coin de ciel bleu. Sa mère, oui, sa mère va sûrement pouvoir l'aider.

— Rolande... Rooolande...

Comme répondant à son désir secret, la voix de Janine Comeau la rejoint jusque derrière la cabane. Avec un soupir qu'elle ne sait de soulagement ou de crainte, Rolande se relève et sort de sa cachette. Bien plantée au beau milieu du parc, les jambes écartées et les poings sur les hanches, Janine cherche sa fille. L'apercevant enfin, elle avance vers elle, les bras au ciel.

— Mais qu'essé tu fais là, toé? Tu l'sais ben que j'haïs ça quand chus obligée de courir après toé, de même. Faut que j'rentre au travail tusuite.

Puis, se rappelant que Rolande aurait dû voir le médecin, sa voix monte d'un ton. Comme si la chose pouvait être possible...

— T'es-tu allée sul docteur au moins?

— Oui. Comme vous l'avez demandé.

— Pis, qu'essé qu'y'a dit? T'es-tu malade?

— Ben...

Pendant une fraction de seconde, Rolande est tentée de tout dévoiler à sa mère. Tout de suite. Brutalement. Pendant qu'elles sont dans le parc et que Janine ne pourrait pas crier trop fort. Il y a tout de même quelques enfants qui se balancent un peu plus loin. Mais, devant le regard furibond qui la fusille, Rolande en ravale son intention en même temps que sa salive. Peut-être est-ce mieux que ce soit le médecin qui parle, après tout.

— Envoye, parle ! Qu'essé que t'as ?

— Je sais pas trop. Le Docteur Coulombe a dit qu'y'ai-mait mieux vous parler à vous. Je... J'ai quetchose, mais je sais pas quoi. Y'a dit qu'y va venir demain, chez nous, avant d'aller à son travail.

— Bon ! ben on verra ça demain. Pour astheure, tu t'en viens à maison pour garder. Faut que j'm'en aille.

* * *

La première pensée qui traverse l'esprit de Rolande à son réveil, le vingt-trois juin au matin, c'est que les vacances sont enfin là. Elle s'étire longuement, offrant son visage au rayon de soleil qui traverse la chambre à sa recherche. L'éclat de la voix de sa mère, suivie d'une répartie grave, brise son insouciance. Le médecin est là, tel que promis. Foudroyants, tous les souvenirs de la veille remontent en bloc dans son esprit. Se roulant en boule sur le côté, Rolande enfouit sa tête sous l'oreiller. Si seulement elle pouvait se rendormir et ne jamais se réveiller... Mais la voix de sa mère, presque hystérique, la rejoint jusque dans sa cachette sous l'oreiller. Incapable de se contrôler, Rolande se met à trembler.

— Vous êtes ben sûr de c'que vous avancez, docteur ?

— Pas de doute. Rolande est enceinte d'au moins trois mois.

Pendant un court instant, Janine essaie de se persuader qu'elle a mal entendu. Cela ne se peut pas. Pas une gamine de cet âge-là ! Mais, devant la mine grave, presque consternée du médecin, sa colère refait surface aussitôt. C'est donc pour cela que Rolande se sauve de la maison. Presque tous les soirs depuis quelque temps. Déchaînée,

Janine se relève, bousculant la chaise où elle était assise. Elle se met à arpenter la cuisine, se défoulant sur un chaudron au passage.

— La p'tite traînée. Quand j'pense que j'y faisais confiance quand a' m'disait qu'a' allait chez ses amies. La p'tite menteuse. M'as y...

— Non, Madame Comeau. Je crois que vous sautez aux conclusions un peu vite...

Les mots du médecin la font bondir. Elle s'arrête un instant devant lui.

— Comment, un peu vite ? Ça s'fait pas tu seul, un bebé. Y'a fallu qu'a' couche avec quèqu'un pour le faire c'te bebé-là. Vous viendrez toujours ben pas m'dire que c'est l'opération du Saint-Esprit ?

— Non, bien sûr que non... Mais Rolande m'a paru tellement bouleversée, hier...

— Bouleversée ? Pis comment vous pensez que j'me sens, moé ? Qu'essé vous allez penser de nous autres, astheure ? J'ai jamais été mortifiée de même, vous saurez. Jamais...

Et, en prononçant ces derniers mots, brusquement consciente de l'énormité de la situation, Janine se laisse tomber sur une chaise en soupirant. Recherchant dans le regard du médecin un quelconque réconfort.

— Je vous comprends. Mais, pour l'instant, c'est de Rolande qu'on doit s'inquiéter.

— À qui vous croyez que j'pense, coudon ? Mais qu'essé qu'on va faire ? Attendez que j'parle à son père... Y va pas être content, ça j'peux vous l'dire. Y'a beau aimer ses enfants...

— Je suis bien conscient qu'il n'y a pas matière à pavoiser. Mais, ne soyez pas trop durs envers Rolande... Je la connais depuis sa naissance et c'est une bonne enfant. Sa réaction d'hier ne me plaît pas. J'ai tellement l'impression qu'elle n'est qu'une victime, dans tout cela… Essayez de savoir ce qui s'est vraiment passé. À moi, elle n'a rien voulu dire mais à vous, sa mère…

— À moé ? A' pourra ben dire c'qu'a' veut. J'peux pas rien vérifier.

L'espace d'un instant, René Coulombe se demande s'il a bien fait de parler à la mère de Rolande. Connaissant très bien Maurice, qui s'occupait de ses deux gamins pendant la saison du hockey, il se dit que c'est à lui qu'il aurait dû confier ses inquiétudes. Mais il est trop tard pour revenir en arrière. Avec un soupir, il continue :

— Dites-lui que vous voulez l'aider, Janine. Vous êtes sa mère, ne l'oubliez pas. C'est à vous que Rolande doit avoir envie de parler. Aidez-la… Si elle vous fait confiance, je suis certain que la vérité fera surface naturellement… Bon, maintenant que mon devoir est fait, il ne me reste plus qu'à vous saluer, Madame Comeau… Tenez-moi au courant. Et, surtout, ne soyez pas trop sévère avec Rolande. Je suis certain qu'elle cache un drame. C'est à vous de la soutenir.

Indécise, la mère de Rolande pose un regard abattu sur le médecin. Il est vrai que sa fille a changé, ces derniers temps. Elle n'est plus l'enfant rieuse qu'elle aimait bien, finalement. Même si Janine est une femme brusque et froide, elle aime ses enfants.

— Ouais, peut-être ben que vous avez raison… Merci, docteur, pour le mal que vous vous donnez. J'vas m'en occuper de ma fille. Pis j'vas vous donner de ses nouvelles, c'est promis…

Pendant un instant, Janine reste songeuse, assise à la table de cuisine écoutant, sans y porter vraiment attention, le bruit décroissant des pas du médecin. Le cœur blessé, une pointe de rage s'emmêlant à sa peine. Peut-être bien que le médecin a raison, après tout. Rolande est tellement différente depuis l'hiver. Tellement...

— Ben, si c'est comme ça, murmure-t-elle en se relevant, m'en vas le retrouver l'enfant de chienne qui a faite ça à ma fille. M'en vas y faire regretter d'être v'nu au monde...

Et, remplie de bonnes intentions à la suite des recommandations du médecin, Janine décide de monter rejoindre sa fille immédiatement. Oui, c'est exactement ce qui a dû se passer : Rolande a été victime d'un voyou. Ça arrive de temps en temps. On en parle même dans les journaux, à l'occasion. Et cela expliquerait son attitude des derniers temps. Surtout devant son père, quand il a bu. Alors, essayant de prendre une voix qu'elle veut douce, elle gratte à la porte de sa fille.

— Rolande, c'est moé, moman. J'peux-t-y rentrer ?

Et, sans attendre de réponse, elle pousse le battant de bois verni. Assise dans son lit, les yeux rougis et les cheveux hirsutes, l'adolescente semble l'attendre. Alors, venant du plus profond des souvenirs de sa tendre enfance, Rolande lui tend les bras. Devant l'image de son enfant malheureuse et blessée, toute la défiance qui habitait le cœur de Janine fond comme neige au soleil. D'un élan, elle rejoint sa fille et c'est en pleurant qu'elles tombent dans les bras l'une de l'autre.

— Moman... Si vous saviez...

— Ma p'tite fille...

Et le timbre de cette voix, presque douce et maternelle, vient enfin à bout de la résistance de Rolande. Secouée de sanglots, elle s'accroche au cou de sa mère qui, d'une main hésitante et malhabile, lui caresse le dos.

— Pourquoi c'est faire que tu m'en as pas parlé, Rolande ? Qui c'est qui t'as faite ça ? Le docteur m'a dit que t'avais pas voulu y'en parler hier. Mais faut que tu l'dises Rolande. C'est important...

Incapable de prononcer le moindre mot pour l'instant, Rolande se contente de hocher la tête en sanglotant de plus belle. Janine la tient bien fort tout contre elle, essayant de lui transmettre un peu de sa chaleur. Sa fille, son unique fille... Il a fallu que ce soit à elle qu'une telle infamie arrive. Tout doucement, elle continue de caresser son dos, impuissante à traduire son affection autrement. Peu à peu, les pleurs de Rolande tarissent. Il est là, à portée de son espérance si souvent déçue, cet instant qu'elle attendait depuis si longtemps. Sa mère est venue, elle sait ce qui se passe et ne la condamne pas. Même qu'elle semble comprendre... Tout le reste va s'enchaîner, maintenant. Rolande n'aura plus jamais peur. Sa mère va tout régler. Il n'y a qu'elle qui puisse le faire. Alors, se sentant à l'abri au creux des bras de Janine, Rolande ose un mot. Un seul...

— Popa.

La réaction de Janine Comeau est aussi instantanée que brutale. Repoussant brusquement sa fille, elle se relève d'un bond ! Dans l'incapacité de proférer le moindre son, la gorge serrée sur des émotions contradictoires, elle se met à arpenter la chambre d'un pas enragé. Comment ose-t-elle ? C'est impossible... pas Maurice. Surtout pas lui ! Maurice, c'est le meilleur père que des enfants puissent souhaiter avoir. Peut-être un peu emporté par moments, mais pas méchant. Et toutes ces heures qu'il passe avec les enfants du quartier à les amuser... Non, Rolande aurait dû trouver un meilleur mensonge pour cacher ce qu'elle veut bien tenir dans l'ombre. Fulgurant, le souvenir de toutes ses fuites depuis l'hiver lui remonte à l'esprit. Sa fille n'est qu'une menteuse! Une sale petite menteuse. Si elle avait été attaquée, comme le suggère le médecin, c'est ici qu'elle aurait cherché refuge. Pas dans la rue. Janine s'arrête devant Rolande. Son jugement est arrêté. Clair et précis. Irrévocable.

— Ton père? Ah oui? T'es pas tannée de toujours te servir de lui pour t'escuser?... Mais t'es complètement folle, ma parole. Tu veux toujours ben pas m'faire accroire que c'est ton père qui... que... Mais t'es encore plus malade que j'pensais...

Foudroyante certitude. Un mot, un seul de sa mère et Rolande a compris qu'elle ne la croyait pas. Ne la croirait probablement jamais. Pourtant, malgré cela et y mettant toute l'énergie de son désespoir renaissant, elle essaie de la convaincre. Il faut que Janine accepte la vérité. Il le faut.

— C'est vrai, moman. J'vous jure que...

Mais Janine est sourde à toute compassion. Le mensonge est trop gros. Ou la vérité trop odieuse pour l'avaler sans effort. Elle s'entête sur ses convictions.

— Tais-toé. T'es encore plus menteuse que j'le croyais... T'es rien qu'une maudite traînée, Rolande Comeau. Une courailleuse de gars pis tu voudrais que... J'comprends, astheure, pourquoi c'est que tu te sauvais l'soir après souper... Attends, toé-là, attends que ton père apprenne c'que t'as faite... Tu mériterais juste une bonne raclée... Nous faire ça à nous autres...

— S'il-vous-plaît, moman. Laissez-moé...

— Pantoute. J'veux pus rien savoir de toé... Pis qu'essé que les voisins vont... Y faut que tu partes d'icitte avant que ça paraisse... Attends que ton père arrive. T'as pas fini d'en entendre parler...

Tous les espoirs de Rolande s'effondrent aux derniers mots de sa mère. Elle le savait bien, tout au fond d'elle-même, que c'est ce qui était pour arriver. Alors, elle ne dit plus rien. Elle est épuisée. N'a pas la force, le courage de se battre contre sa mère. Ignorant sa présence, elle lui tourne le dos et se roule à nouveau en toute petite boule sous les couvertures. Tant pis si sa mère ne veut pas la croire. Tant pis pour tout. Et tant mieux si ses parents veulent qu'elle quitte la maison. Elle n'a plus rien en commun avec sa famille. L'élan de l'enfance vient d'être définitivement brisé dans l'âme de Rolande. Et son inquiétude se transforme en terreur à la pensée de son père quand il saura…

Pourtant, contrairement à tout ce que Janine avait pu imaginer, Maurice n'a pas poussé de hauts cris quand elle lui a fait part de l'état de sa fille. Qu'une légère hésitation avant de dire sur un ton accablé :

— Rolande ? Ça s'peut pas, voyons.

— Comme chus là. C'est l'Docteur Coulombe en parsonne qui me l'a dit. Pis sais-tu c'que ta fille a osé…

Janine est tendue comme un ressort trop remonté. Depuis le matin qu'elle rumine inlassablement ce qu'elle va dire à Maurice et, voilà qu'au moment où elle peut enfin laisser éclater sa fureur, devant l'énormité des inventions de Rolande, elle hésite. Pourquoi, après tout, blesser Maurice par des accusations gratuites qui n'ont aucun sens ? Nerveuse comme jamais, Janine malmène bruyamment la vaisselle, tournant volontairement le dos à son mari. Elle ne serait jamais capable de lui annoncer de telles choses en le regardant en pleine face. Anxieux, n'osant à son tour demander ce que sa fille a osé dire, Maurice se tord les mains d'inquiétude. Après un moment, Janine reprend :

— Rolande m'a déclaré qu'a' savait même pas qui c'était. Te rends-tu compte? Not' fille, une courailleuse... Je sais pas c'que t'as l'intention de faire, mais moé, j'ai pas envie d'y voir la face encore ben longtemps.

Puis, se retournant enfin vers son mari:

— Faut faire de quoi avant qu'les voisins se doutent de quetchose.

Jamais Maurice n'a été aussi soulagé qu'en cet instant. Rolande n'a rien dit. Il pousse un long soupir que sa femme prend pour du découragement.

— J'sais ben que c'est pas facile à prendre, Maurice. Mais on a-t-y l'choix? Qu'essé tu penses qu'on peut faire?

— Y a pas trente-six solutions, Janine. Faut que Rolande s'en aille à crèche jusqu'à... jusqu'au moment où... Pis après, on verra... On a l'temps d'y penser.

Devant une réaction aussi douce, presque conciliante, Janine fronce les sourcils. Mais que se passe-t-il avec lui, ce soir? D'où lui vient cette allure d'agneau bêlant alors qu'il a coutume de rugir comme un lion? Se pourrait-il que Rolande?... Suspicieuse, elle respire fortement et, faisant un pas vers Maurice, enchaîne d'une voix sourde:

— T'es donc ben smooth, Maurice! Qu'essé que t'as, toé, coudon? Moé qui pensais que t'allais grimper dans les rideaux... T'es pas d'même, d'habitude, quand les enfants font des bêtises.

À ces mots, le soulagement de Maurice se transforme en angoisse. Janine est une femme qui a les yeux clairs. Les mains de Maurice se mettent à trembler. Il se hâte de les glisser dans ses poches de pantalon et, pour se donner contenance, il se relève, vient à la porte moustiquaire pour prendre une longue bouffée d'air frais. Janine ne doit surtout pas se douter de quoi que ce soit. Pourquoi risquer de dévoiler ce que sa fille a eu peur de dire ? Surtout, qu'il est vrai qu'habituellement ses colères sont plus fulgurantes… Et pour des fautes bien moins graves. Revenant sur ses pas, il s'arrête devant sa femme. La regarde droit dans les yeux, espérant du plus profond de sa lâcheté que son regard ne traduise que de la haine et de la colère. Un instant. Leurs regards se croisent pendant une fraction de seconde. Suffisamment longue, pourtant, pour que Maurice comprenne et lise, dans les yeux de sa femme, la fureur et l'indignation bien plus que le doute. À lui d'en profiter.

— C'est la surprise, Janine. Juste la surprise, fait-il d'une voix dure, se voulant convainquant. T'attendais-tu à ça de Rolande, toé ? Non, hein ? Ben moé non plus. Mais t'as raison… faut qu'a' parte avant d'faire encore plus de grabuge dans maison. M'en vas aller voir les sœurs de la crèche, demain, tusuite en sortant de l'usine. Crains pas, Janine, Rolande va pas moisir icitte ben ben longtemps. T'as raison… Y'est temps que quèqu'un y serre la vis à c'te p'tite traînée-là.

Alors Janine pousse un soupir de soulagement. Elle retrouve l'homme qu'elle connaît. Et, pour elle, cela vient confirmer ce qu'elle croyait : Rolande n'est qu'une sale petite menteuse. Jamais Maurice ne pourrait la regarder droit dans les yeux, comme il vient de le faire, si Rolande avait dit la vérité. Elle effleure l'épaule de son mari d'une main reconnaissante.

— Ben contente de t'entendre parler de même, Maurice. Y me semble que l'air va être plus respirable quand a' va être partie…

6

Pendant quelques instants, Cécile agite joyeusement la main. Mais dès que la silhouette de Gérard s'estompe dans la poussière soulevée par l'autobus, son bras retombe tristement. Son sourire s'efface, avalé par le masque d'amertume devenu désormais le sien. D'un geste las elle referme la fenêtre. Puis, elle appuie son front contre la vitre, fixant, sans le voir, le paysage qui déroule sa gloire estivale. Et voilà, c'est fait : elle est partie. Se reposer, comme l'a répété son père, hier au souper, une sincérité navrante dans la voix. C'était presque risible d'entendre cette conviction naïve. Et aussi de voir les sourires de ses frères et sœurs qui, brusquement, avaient pris des allures d'envie. Pensez donc ! À la ville, pour des mois ! Quelle chance elle a, Cécile... Seul Gérard avait fixé sur elle un regard de chien battu, devinant la mascarade. Comme une fausseté dans les propos de son père, à cause de la tristesse de Cécile. Et sa mère, habituellement réservée, qui avait osé dire « qu'elle avait ben de la chance d'aller vivre en ville », avec un grand sourire éclairant son visage... Non, Gérard n'y a pas cru à cette chance de Cécile. Cette dernière a reçu les mots de sa mère comme un véritable coup au cœur, sans pour autant sourciller. Mais, à cause de cela, la coupure s'est faite sans heurt. Nette et franche. Propre. Comme si la vie de Cécile se scindait en deux parties bien distinctes. Une première zone, autrefois lumineuse et joyeuse, déchirée sans avertissement par un couteau de haine. Maintenant, c'est un pan d'ombre qui s'allonge devant elle. Une obscurité étouffante, presque sans fin. L'insouciance de l'enfance cassée brutalement hier, avant le dîner, quand son père lui a remis son billet pour Québec.

— Tu pars demain. Louisa est enfin en vacances...

Le mot « enfin » avait suspendu son geste, effaçant les derniers liens qui pouvaient encore exister entre eux. Enfin... La pestiférée pouvait enfin partir. La vie allait enfin reprendre un cours normal chez Eugène Veilleux. Pourtant, malgré l'affront, Cécile avait tenté de repousser l'échéance. Incapable de s'arracher ainsi à sa vie, à Jérôme qu'elle devait laisser derrière elle. Comment, comment allait-elle survivre tout ce temps loin de lui ? Comment arriver à respirer dans un monde qu'elle ne connaît pas et qui l'épouvante ? Plantant sur la corde la dernière épingle à linge qu'elle avait à la main, dans un geste d'espoir et de rage entremêlés, Cécile a relevé le front, regardant son père droit dans les yeux, osant finalement défier la sacro-sainte autorité paternelle. Au grand jour, près des pommiers. Avec les cris des enfants qui jouaient près d'eux, la chose lui semblait possible, presque permise. Le soleil, omniprésent depuis un mois, lançait des épines de feu à l'orée du verger.

— Non, papa... pas demain. Demain, c'est la Saint-Jean. C'est le feu de la Saint-Jean et j'ai promis à Jérôme...

En entendant ces mots, Eugène a eu un ricanement, son grognement d'ours impatient, interrompant sa fille. En même temps, il a secoué les épaules comme on se débarrasse d'un fardeau trop lourd. Puis, il a eu un sourire las et dédaigneux. Si Cécile commence à lui tenir tête, il devient évident qu'il est grand-temps qu'elle parte. Pendant qu'il peut encore la protéger contre elle-même. Eugène ne doit surtout pas se laisser avoir par son regard triste. Alors, éclatant dans la brillance de midi, il lance de sa voix dure, habituelle, en soutenant froidement son regard :

— Mais qu'est-ce que c'est ça, ces histoires-là, toi ? T'as pas encore compris, batince ? T'avais rien à promettre à Jérôme. Surtout pas astheure. J'ai pas envie que tout le monde se pose des questions quand on va savoir que t'es partie pour la ville. Je te l'ai dit, torvis : moins on va vous voir ensemble, toi pis Jérôme, mieux c'est. Ta sœur vient de tomber en vacances, ça fait que tu pars chez Gisèle. Un point c'est toute. Pis, comme de raison, si tu veux dire bonjour à ton Jérôme, tu serais mieux d'y voir à soir. Il est pas question qu'il soye au terminus demain... As-tu bien compris ?

À son tour, Cécile a haussé les épaules. Un regard sans émotion, bref et froid, a scellé la séparation entre elle et son père. Malgré la chaleur torride, un long frisson a secoué tout son corps quand elle a pris le billet que lui tendait Eugène. Négligeant la lessive qui attendait dans le panier, elle a glissé le bout de carton dans la poche de son tablier et est revenue vers la maison, avec la curieuse sensation d'être une étrangère, de se mouvoir au ralenti dans un décor inconnu. Le vent chaud de midi lui fouettait le visage, l'isolant du reste du monde et enveloppait chacun de ses gestes les rendant presque irréels. Comme un rêve qu'elle voudrait voir se terminer. Et, plus que tout, dominant sa pensée et sa vie, cette certitude irrévocable qui lui éclatait maintenant en pleine figure. La conviction que l'infime lueur d'espoir qui brillait malgré tout, quelques instants auparavant, venait de s'éteindre. Soufflée par l'intransigeance de parents qui n'avaient jamais vraiment cherché à la comprendre. Tout ce qui faisait sa raison d'être s'effaçait d'un seul coup, définitivement. Ne laissant qu'une indifférence froide, la rendant imperméable à toutes ces émotions qui l'avaient fait avancer jusqu'à ce jour. Sans un mot, sans un regard pour sa mère qui l'attendait à la fenêtre de la cuisine, anxieuse, elle est montée à sa chambre pour faire ses bagages.

Et, hier soir, si elle a pleuré tout au long du chemin la menant chez Jérôme, ce n'était pas de quitter les siens. Elle n'avait plus de place dans cette famille que l'on disait sienne. Non, c'était sur les illusions de son enfance qu'elle pleurait. Ainsi que sur la vie qu'elle aurait voulue et qu'on lui refusait. Ensemble, Jérôme et elle, ils ont fait le deuil de cet enfant qu'ils n'auraient pas le droit d'aimer. L'inventaire de tous ces mois d'attente qu'elle devrait affronter seule. Ils ont repoussé, à leur corps défendant, cette vie à deux dont ils étaient prêts à assumer toute la réalité. Les joies comme les écueils, les souffrances et les réussites. Cette famille qu'ils avaient envie de fonder tout de suite, maintenant. Même s'ils étaient conscients que leur amour n'était pas remis en question, ils savaient, l'un comme l'autre, sans se le dire, qu'une ombre planerait toujours au-dessus de leur vie. Une mélancolie insaisissable, mais bien réelle, qu'ils auraient à assumer. Pour toujours, chacun pour soi. Il y a de ces émotions que l'on ne peut partager, même si elles sont vécues à deux. Lentement, longuement, ils ont marché au hasard, le long des rangs, jusqu'à ce que leurs pas les mènent à la cabane à sucre. Et là, ils se sont donnés l'un à l'autre, le désespoir de la dernière fois dans l'âme. Découvrant ensemble un délire qu'ils n'avaient jamais soupçonné. Le vertige de ne faire qu'un dans l'amour et le plaisir. L'ivresse de la passion arrachée à la douleur. Alors longtemps Jérôme a pleuré, la tête blottie sur le ventre de Cécile en demandant pardon. Et Cécile a pleuré avec lui à cause de cette souffrance d'homme qu'elle découvrait et qui lui faisait mal.

Maintenant, elle est en route pour Québec, attendue par une tante qu'elle connaît à peine et dont le principal défaut est d'être la sœur de son père. Avec une anxiété incontrôlable soudée au ventre comme seule compagne. L'autobus cahote sur la route inégale et Cécile se laisse porter, une vague nausée au bord des lèvres, la tête heurtant la vitre à chaque soubresaut.

Scott, Saint-Lambert, Breakeyville... Les villages se suivent, se ressemblent tous un peu. L'église de pierres, l'école en bardeaux et l'arrêt obligatoire à chaque magasin général. Parfois, quelques personnes descendent de l'autobus, affairées ou souriantes alors que d'autres embarquent, anonymes, indifférentes. Un bref sourire au chauffeur en tendant son billet, le regard en quête d'une place vacante, puis le soupir en s'assoyant. À cause de la chaleur qui amortit, qui fait du moindre geste un effort. Au dernier arrêt, une grosse femme s'installe à côté de Cécile. La sueur perle à son front, sur sa lèvre ombragée, légèrement duveteuse. Deux larges cernes soulignent le dessous de ses manches. En soufflant bruyamment et en s'épongeant le visage, elle a un sourire pour Cécile, comme pour s'excuser d'être si encombrante. Mais l'odeur aigre de sa transpiration intensifie la nausée de la jeune mère. Alors, Cécile entrouvre la vitre. L'ombre d'un sourire traverse son regard quand il se pose sur sa voisine. Le regret sincère qu'elle a pour le geste sans équivoque qu'elle vient de poser. Puis, elle tourne son visage contre la fenêtre et ferme les yeux pour éviter toute conversation. Surtout, ne pas penser. À rien. Respirer, respirer à fond l'air chaud et poussiéreux, pour éloigner la nausée et les larmes.

* * *

— Québec !... Terminus, tout le monde descend.

La voix tonnante du chauffeur fait sursauter Cécile. Elle s'était assoupie. D'un bond, elle est debout, le cœur battant sa crainte de l'inconnu. Machinalement, elle tend une main charitable à la grosse dame qui se tortille sur le banc, incapable de se relever. Avec un bruit de soufflerie causé par l'effort, l'obèse arrive à se dresser sur ses courtes jambes.

— Merci ben, ma p'tite dame... En visite à Québec ?

— Euh...oui, si on veut.

— Vous allez voir ! C'est une belle ville, Québec. À deux heures, après-midi, il y a le défilé de la Saint-Jean sur le boulevard Saint-Cyrille. C'est pour ça que je suis venue. Allez-y ! C'est ben beau...

Mais Cécile n'a pas vraiment le cœur à la fête. Avec un sourire sans joie et un petit signe d'assentiment, elle réussit à se faufiler devant la grosse femme, attrape son léger bagage dans le filet au-dessus de leurs têtes et s'aligne dans la file de gens qui avancent, pas à pas, vers la porte de l'autobus.

Éblouie par le soleil de midi, Cécile s'arrête un instant sur la dernière marche. Le temps d'habituer son regard à la clarté vive, elle aperçoit « ma tante » Gisèle qui dépasse la foule d'une bonne tête. Cette dernière vient, elle aussi, de reconnaître la jeune fille. Levant le bras, elle la salue de la main avec l'attitude un peu excitée d'un enfant joyeux. Et, à la grande surprise de Cécile, un beau et franc sourire accompagne ce geste. Prenant alors son courage à deux mains, elle s'élance pour se frayer un chemin dans la foule compacte. Une foule toute joyeuse, remplie d'exclamations et de rires. C'est aujourd'hui jour de fête, ne l'oublions pas. C'est la Saint-Jean. Bousculée par un gamin turbulent, Cécile vient finalement buter contre sa tante.

— Oh là! ma grande. Recule un peu que je te voie comme y faut!

Plaçant ses mains sur les épaules de Cécile, Gisèle la tient un instant devant elle, à bout de bras, l'examinant de la tête aux pieds. Son expression critique se radoucit aussitôt.

— T'as pas changé une miette, ma poulette. Peut-être ben un peu plus maigre, mais c'est quasiment normal vu ton état. Comment tu vas, ma belle? Pas trop mal au cœur?

C'est la première fois qu'on lui parle de sa grossesse sur un ton normal, comme étant une chose qui va de soi et dont elle n'a pas à avoir honte. Un sourire se dessine sur les lèvres de Cécile. Un vrai, sincère, qui vient du fond du cœur.

— Mal au cœur? Oui, un peu. Mais c'est vivable…

— T'inquiète pas, ma fille. « Ma tante » Gisèle va s'occuper de toi. Quand j'ai su que t'arrivais aujourd'hui, j'ai tusuite pris rendez-vous sul docteur pour toi. Y va te recevoir dans deux jours. Comme ça, tu vas pouvoir être sûre que toute va comme faut… Bon, ben astheure, donne-moi ça, c'te valise-là. On a un p'tit boutte à marcher plus un bon escalier à monter. C'est à la ville haute qu'on demeure, Poléon pis moi. Dans Saint-Jean-Baptisse. Y fais-tu aussi chaud par chez vous? Ça a quasiment pas de bon sens, une chaleur pareille!

Sans attendre véritablement de réponses à ses questions, Gisèle fait les frais de la conversation jusque chez elle. Avec ironie, Cécile se rappelle les mots que Gérard avait eus en parlant de la tante Gisèle et c'est à grand-peine qu'elle retient l'éclat de moquerie qui lui monte au visage. C'est presque une chance qu'elle ne soit pas effectivement venue pour se reposer. Chose certaine, elle ne s'ennuiera pas en sa compagnie.

— Pis tu vas voir que c'est plein d'agréments, de vivre en ville… Bon ben, nous y v'là ! C'est icitte que je demeure. Qu'essé t'en dis, de not' maison à Poléon pis moi ?

Grisâtre, étroite de façade, la demeure semble coincée entre ses deux voisines, prisonnière de cette rue trop longue. Comme si elle haussait les épaules avec fatalisme, en étirant le cou pour réussir à présenter ses deux lucarnes au soleil.

— C'est bien haut chez vous, ma tante…

Un éclat de rire salue sa remarque. Puis, une pointe de fierté se glisse dans la voix de Gisèle.

— Quatre étages, ma fille… Le portique en bas, à côté de la porte qui donne sur la ruelle, la cuisine pis le salon avec la chambre de toilette au premier, pis les chambres au deuxième. Avec le grenier, ça fait quatre planchers… Mais reste pas plantée là. Rentre… Je m'en vas te montrer ta chambre. Fernand pis Raoul, tes cousins, vont coucher dans la même chambre pour le temps que tu vas demeurer chez nous. Là, y sont allés voir le défilé de la Saint-Jean avec leur père. Mais y'ont ben hâte de te revoir, tu sauras.

La fraîcheur qui règne dans l'entrée et dans l'escalier arrache un soupir de contentement à Cécile. En grand apparat, Gisèle lui ouvre la porte de l'étage et se recule d'un pas pour la laisser passer. Le salon est simple mais accueillant avec ses gros fauteuils de velours cramoisi et ses tables de bois vernis.

— Ben voilà, ma belle ! T'es icitte chez vous… Pas comme de la visite, là. Non. J'veux que tu soyes ben à l'aise, pis heureuse avec nous autres… J'sais ben que, vu les circonstances, heureuse est peut-être un gros mot. Mais tu vas voir, ma belle. « Ma tante » Gisèle a plus d'une idée pour dérider son monde. J'ai pour mon dire qu'y faut aider le destin par boutte. Tu penses pas, toi ?

Tout en parlant, Gisèle a conduit Cécile jusqu'à l'étage des chambres. Du bout du pied, elle pousse la seconde porte à droite, entre et dépose la valise de Cécile sur la courtepointe fleurie du lit.

— Maintenant, c'te chambre-là, c'est ton coin à toi tu seule. Raoul a toute ben lavé hier au soir, pis moi j'ai mis des draps frais tout juste à matin. Si tu regardes par la fenêtre, tu vas voir...

Mais Cécile ne l'écoute déjà plus. Sur le bureau, dans un angle de la pièce, il y a deux roses blanches, toutes fraîches, dans un vase en faïence bleu ciel. D'un élan, elle traverse la pièce et se penche sur le bouquet, lui emprunte son parfum pour un moment, les yeux mi-clos. Gisèle, en se retournant vers elle, a un soupir devant l'image de cette toute jeune femme s'enivrant du parfum de quelques fleurs. « Si ça a de l'allure de nous envoyer c'te p'tite-là en ville », pense-t-elle tristement. « C'est elle qui a l'air d'une fleur coupée. Va falloir que je m'en occupe comme faut si j'veux pas qu'a' se fane pour de bon. »

L'éclat de la voix de Cécile la tire de sa réflexion.

— C'est gentil d'avoir mis des fleurs, ma tante. Vous pouvez pas savoir à quel point ça me fait plaisir.

— Ah oui ? Ben tant mieux, ma belle... C'est ce que je pensais aussi. Quand chus arrivée du village, moi aussi j'aimais ça avoir des fleurs dans ma chambre... Bon, ben... Astheure, je m'en vas te laisser t'installer. Pendant ce temps-là, j'vas nous préparer une bonne cruche de limonade. Pis après, si t'es pas trop fatiguée, on va aller prendre une marche dans le quartier. Qu'essé t'en dis ? À moins que t'aimerais mieux qu'on prenne l'autobus pour aller voir le défilé ? Y'est peut-être pas encore trop tard...

— Non, ma tante, pas le défilé... Mais j'aimerais ça, oui, visiter le quartier... Avant, par exemple, il y a une question qui me chicote un brin... Est-ce que je peux vous la demander, ma tante ?

— Ben sûr, ma Cécile. Mais d'abord, faut que je te dise quetchose. J'aimerais mieux que tu me dises « tu ». Mes gars m'ont toujours dit « tu ». Pis à Poléon avec... Si on est pour vivre ensemble pendant un boutte, aussi ben être à l'aise.

— « Tu » ? Vous dire « tu » ? J'ai jamais tutoyé mes parents, moi. Mon père accepterait jamais une affaire de même.

— Ton père, ma fille, c'est rien qu'un vieux grognon... si tu veux savoir ce que j'en pense. Icitte, c'est pas lui qui mène. C'est moi pis Napoléon Breton. Pis ça, j'y ai ben faite comprendre quand c'est que j'ai accepté que tu viennes demeurer chez nous. Ça fait que tu peux me dire « tu », si c'est moi qui te le demande... Pis c'est quoi ta question ?

— Bien... C'est quoi la raison que vous... que t'as donnée à mes cousins ?

— La raison ?

— Oui... la raison qui fait que je m'en viens en ville pour un temps.

— Je leur ai dit la vérité, Cécile. Rien que la vérité... Pis ça aussi, ça a été ben clair avec ton père. Si lui veut pas que ça se sache par chez vous, c'est son affaire. Mais icitte, j'vois pas trop comment on pourrait garder ça secret ben ben longtemps. C'est pas une puce que tu vas mettre au monde, ma fille. C'est un bebé... Pis, jusqu'à maintenant, on n'a pas encore trouvé une manière de faire pour que ça paraisse pas. Fait que j'ai dit la vraie raison à mes deux gars.

— Comme ça, ils savent que je… que j'vais…

— Ben oui, y savent que t'es enceinte, interrompt Gisèle. Faut pas avoir peur des mots, ma poulette. Pis, comme je l'ai dit à Eugène, moi ça me fatigue pas plus qu'y faut que t'ayes mis la charrue devant les bœufs. Si tu vois ce que je veux dire… Pour moi, ce qui est important dans le fond, c'est que vous vous aimez, toi pis Jérôme. Le reste, ça regarde pas les autres… Mais v'là encore que je parle trop. Mais apprends quand même que j'ai dit à mes voisines que tu venais t'installer icitte parce que ton mari était soldat, pis qu'y'était parti pour les vieux pays. Comme ça, ça va éviter les écornifleuses pis les questionnages… Bon, maintenant envoye, Cécile, défais tes bagages pis viens me rejoindre dans cuisine. On va se payer la traite ! J'ai fait des p'tits gâteaux dont tu vas me donner des nouvelles, ma grande. Y sont pas piqués des vers, mes p'tits gâteaux ! Pas piqués des vers pantoute !

7

L'été a finalement cédé le pas à l'automne, comme à regret. Les arbres ont endossé leurs plus beaux atours et le sol craquette joyeusement sous les semelles. L'air, humide et chaud jusqu'en septembre, a revêtu, depuis quelques semaines, un velours de fraîcheur qui permet enfin à Cécile de respirer à fond. Jamais été ne lui a paru si long ni si lourd. À chaque jour qui passait, son regard s'éteignait un peu plus. Si ce n'était de son ventre qui a pris des rondeurs, on pourrait jurer qu'elle a encore maigri. Son visage est pâle, ses yeux cernés. Au grand désespoir de Gisèle qui ne sait plus quoi inventer pour la distraire à défaut de la faire rire. Il n'y a qu'aux moments où Cécile lit, bien installée dans la berceuse du salon, que son visage oublie sa morosité. Ou encore, parfois, lorsqu'elle va se promener avec sa tante. D'abord la rue Saint-Jean, pour ensuite passer devant le Parlement avant de poursuivre leur route vers le parc des Champs de Batailles ou vers le Château Frontenac et la Terrasse. Oui, dans ces rares moments, où la curiosité et l'intérêt sont sollicités, l'attitude de Cécile s'accorde avec la frivolité de ses dix-huit ans. Trop brefs instants d'oubli dans l'uniformité des jours qui s'enchaînent.

Maintenant, octobre est là. En quelques jours, seulement, les Plaines d'Abraham sont devenues un écrin grand ouvert, regorgeant de rubis et d'or, d'ambre et de cuivre. En cet après-midi coincé quelque part entre l'été et l'automne, la promenade s'étire agréablement. Le jardin de Jeanne d'Arc offre l'éclat de ses dernières fleurs. Les chrysanthèmes rivalisent d'audace avec les feuilles mortes qui jonchent l'allée du jardin et festonnent ses plates-bandes. À pas lents, Gisèle et Cécile en font le tour, bras dessus, bras dessous.

— Mais c'est-y assez beau, l'été des Indiens ? Je pense que c'est le temps de l'année que j'aime le plus. Pas trop chaud, pas trop de pluie, des couleurs toutes folles... Toi, Cécile, t'aimes-tu ça l'automne ?

— Moi ? Je sais pas. Je pense que c'est le printemps que j'aime le plus. À cause des p'tites fraises des bois pis des hirondelles qui reviennent. Mais c'est vrai qu'une journée comme aujourd'hui ça ressemble au printemps.

— Tu trouves ?

— Oui... Après la chaleur de l'été, on dirait qu'on recommence à respirer. Comme après l'hiver... Dans le fond, moi, ce que j'aime, c'est les saisons entre les deux... Oui, t'as raison ma tante, l'automne aussi c'est une belle saison. Au printemps on prend des grands respirs pour se réveiller de l'hiver, pis en automne on prend des grands respirs en baillant avant de s'enfermer pour l'hiver. Oui, c'est les deux saisons qui me font le plus de bien.

— Mais où c'est que tu prends ça, toutes ces belles idées-là, toi ? C'est-y dans les livres que tu lis tout le temps ?

— Dans les livres ? Non... Non, c'est pas vrai, peut-être un peu. Mais on dirait surtout que c'est en dedans de moi. Quand je lis pas les histoires des autres, je m'amuse à inventer des histoires, à me répéter les mots jusqu'à temps où je trouve la plus belle manière de les dire... C'est un peu fou, tu trouves pas ?

— Mais pantoute, ma belle. Pantoute... Viens, on va

s'assire icitte. Le soleil est assez bon pis pour une fois que je décide de me donner toute une après-midi de congé !... Comme ça, t'aimes ça te raconter des histoires ! Quelle sorte d'histoires ?

De fragile porcelaine qu'il était, le teint de Cécile vire instantanément à la céramique rougie. Ses yeux se remplissent de larmes, pendant qu'elle détourne brusquement la tête pour soustraire son chagrin aux yeux de sa tante. Malhabile, Gisèle tente de se rattraper en lui tapotant la main d'un geste sec. Son habituelle raideur qui ne réussit qu'à moitié à cacher son cœur tendre...

— Chus rien qu'une vieille pas fine, va. Pôv'tite fille ! C'est pas une question à te demander, ça. Comme si je le savais pas, à quoi tu penses... Mais si tu voulais m'en parler, aussi, peut-être que ça te ferait du bien, que tu serais un brin moins caduque. Ça a pas d'allure une mine de rien pantoute comme la tienne. C'est pas de même que tu vas réussir à mettre au monde un beau bebé ben en santé. Y faut que tu soyes forte, ma poulette, si tu veux que ton p'tit le soye à son tour. Y a juste ça à quoi y faut que tu penses : ben manger pis avoir des idées claires pour que ton p'tit soye beau pis en forme. Pour l'instant, c'est rien que ça qui a de l'importance.

— Tu crois vraiment à ce que tu dis, ma tante ? Comment veux-tu que je soye de bonne humeur pis heureuse quand, à chaque fois qu'il me donne un p'tit coup, je pense que le temps où j'vais être obligée de le donner rapproche ? Tu penses que ça me donne faim de savoir que jamais j'vais pouvoir le bercer pis l'embrasser ? Je suis pas capable, ma tante. Je suis pas capable d'imaginer que Jérôme pis moi on va vivre ensemble dans un an, mais sans notre bébé... C'est complètement fou d'imaginer ça.

— Je l'sais ben que ça a pas d'allure de vous demander ça. Y a ben juste Eugène pour croire que tout ça va disparaître quand tu vas revenir à la maison. J'y avais dit aussi : quand c'est que t'as porté un p'tit pendant neuf mois, y a personne qui peut te l'enlever de dedans le cœur... Je te comprends, va, ma belle. Pis, en plus, de vivre tout ça loin de ton Jérôme... Mais, j'y pense, qu'essé tu dirais si on l'invitait à venir faire un tour, ton Jérôme ? Astheure que le gros de la saison est fini sur la ferme, y pourrait peut-être passer quèqu'jours avec nous autres ? J'aimerais ça, moi, le rencontrer ton Jérôme.

— Jérôme, ici, en ville ? C'est bien vrai, ma tante ?

Un éclat de joie pure et limpide transperce le regard de Cécile. Bref instant. Aussitôt, l'ombre du doute l'assombrit à nouveau.

— Mon père voudra jamais. Pis les voisines, elles, qu'est-ce qu'on va leur dire ?

— Comment ça, ton père ? Ça le regarde pas, ton père. Je te l'ai dit, ma belle : ce qui se passe chez nous, à Poléon pis moi, ça nous regarde nous autres. Pis, si moi j'ai envie de le connaître ton promis, hein ? C'est ben de mes affaires, ça. Pas des siennes... Pis si tu y dis pas, à ton père, comment c'est qu'y pourrait le savoir ? Je me le demande un peu. C'est sûrement pas moi qui vas lui en parler. Quant au reste, laisse faire les voisines. Si jamais y en a une qui m'en parle, je trouverai ben quetchose à y répondre. Compte sur moi pour ça !

L'éclat de malice butée qui traverse le visage de Gisèle arrache enfin un rire à Cécile. Comme une bouffée de fraîcheur dans la touffeur des mois qu'elle vient tout juste de vivre et dans l'incertitude de ceux à venir. Un éclat de bonheur, là, tout près, à portée de cœur.

— Demain, ma tante. Demain, on va aller maller une lettre pour Jérôme. De toute manière, je lui en écris une à tous les deux jours...

Un autre éclat de rire et, à son tour, Cécile serre affectueusement la main de sa tante en la regardant droit dans les yeux. L'offrande d'un sourire radieux parsemé d'espièglerie. L'insouciance de ses dix-huit ans refait surface d'un seul coup.

— Papa qui voulait pas que le village sache qu'on était en amour... Tu sauras, ma tante, qu'il y a au moins Madame Blais, du bureau de poste, qui doit s'en douter : on n'arrête pas de s'écrire, Jérôme pis moi.

L'éclat de rire de Gisèle se joint au sien. Cette complicité entre elles. Ce merveilleux accord des émotions et de cette importance que l'on donne aux choses du cœur.

— Comme si je m'en étais pas aperçue ! Ben, viens-t'en donc, ma Cécile. On va rentrer pour que tu puisses écrire ta lettre tusuite. On pourrait peut-être même avoir le temps de la maller avant le souper.

— Tu penses ? Alors, allons-y !... C'est drôle, ma tante, on dirait que j'ai faim tout d'un coup...

— Ça ma belle, c'est le bonheur qui fait ça. Pis, pour ben faire, y a un bon bœuf aux légumes qui nous attend en train de mijoter sul rond du poêle.

Et la démarche de Cécile, sur le chemin du retour, retrouve un je-ne-sais-quoi de léger.

* * *

C'est par une froide journée pluvieuse que Jérôme doit enfin arriver. Cécile a décidé d'aller au-devant de lui et de l'attendre à la gare, malgré les avertissements de sa tante qui trouve que la température est vraiment trop maussade pour sortir sans urgence ou obligation. Surtout pour une future mère...

— Mais tu vas attraper ton coup de mort, ma pôv' fille. C'est pas le temps pour toi d'attraper une neumonie. Y peut ben venir te rejoindre icitte, Jérôme. Tu y as donné notre adresse, non ?

— Ma tante !

— Bon, bon, okay d'abord... J'ai rien dit. Mais tu vas mettre mes claques pis mon chapeau à grands bords.

— Okay, ma tante. Tout ce que tu veux... Mais demande-moi pas de rester ici à l'attendre. Je tiens pus en place. Pensez donc : ça fait quatre mois qu'on s'est pas vus !

— Ouais... t'as peut-être ben raison, ma poulette. C'est long, quatre mois, pour des amoureux... À quelle heure qu'y'a dit que l'autobus arrivait ?

Ce n'est pas une, mais deux surprises, qui attendent Cécile à l'autobus : Mélina Cliche accompagne son fils. Rien ne pourrait lui faire plus plaisir que de retrouver le sourire chaleureux de madame Cliche et de se blottir dans les bras vigoureux de son fils. Il pleut à plein ciel et le vent de novembre fouette les visages. Mais Cécile et Jérôme seraient prêts à jurer que c'est la plus belle journée de l'année. Étroitement enlacés, ils avancent contre un vent hostile qu'ils ne sentent même pas. À deux pas derrière, Mélina suit, un curieux baluchon à la main, en plus de sa valise, reniflant d'émotion. Y a-t-il plus beau spectacle que deux jeunes qui s'aiment ?

— Ma tante, on est arrivés !

Malgré son ventre de plus en plus lourd, Cécile a monté les marches de l'escalier deux par deux. La jeune fille qui paraît dans l'embrasure de la porte n'a rien à voir avec celle qui vit chez Gisèle depuis l'été. Les yeux brillants, le sourire facile, les joues rougies par le froid et la joie.

— Ma tante, je te présente Jérôme Cliche. Pis aussi sa mère, Mélina Cliche.

Gisèle vient d'arriver de la cuisine en essuyant ses mains sur son tablier. Bref instant de stupeur, les sourcils froncés sur sa recherche au creux des souvenirs. Puis elle s'élance vers Mélina, les mains tendues :

— Mélina Nadeau ! Bonyenne ! Quand j'ai quitté le village, tu devais avoir quetchose comme dix ans... T'as pas ben gros changé, tu sais. En té cas, pas assez pour que je te reconnaisse pas. Comme ça, c'est toi la mère de Jérôme. Ben, si j'avais su ça avant... Tu sauras, Cécile, que j'allais aux pommes chez son père quand j'avais ton âge. C'est même là que j'ai rencontré Napoléon qui était un ami de son frère Martial... Qu'essé qu'y devient Martial ? Y'est-y toujours aux États ?

— Bonjour Gisèle. Mais oui, Martial est toujours aux États. Il a marié une fille de par là-bas, pis je pense qu'il reviendrait pas vivre ici. À cause du climat, qu'il dit. Toi non plus, t'as pas trop changé. Mais je sais pas si je t'aurais reconnue sur la rue, par exemple.

— Lâche-moé les flatteries, Mélina. Je le sais ben, va, que chus rendue une vieille qui commence à rider. Pis mes cheveux ! T'as-tu vu mes cheveux ? Y reste pus ben ben du brun, hein ?... Ah ! ben ça, pour être une surprise, c'est toute une surprise. Mais pour qu'essé faire que tu me l'as pas écrit que c'était toi la mère du promis à Cécile ? C'est Poléon qui va être content de te revoir... Pis lui, c'est le fameux Jérôme. Ben contente de te rencontrer, mon garçon. Depuis le temps que j'entends parler de toi... Ben rentrez, restez pas sul palier comme ça... Cécile, prends les manteaux pis va les accrocher dans la garde-robe... Astheure, venez vous assire dans le salon. On a ben des choses à se raconter, vous pensez pas ?

Vingt-cinq années de vie qui défilent dans le salon de la rue Saint-Olivier, ponctuées de rires et d'exclamations, soulignées de silence et de sourcillements de compréhension. Les deux femmes redessinent le patron de leurs vies respectives : les maris, les enfants, les amis communs et les connaissances perdues de vue. La différence d'âge entre elles n'existe plus. Il n'y a que deux femmes qui se rappellent dans le plaisir partagé de se découvrir mille et une ressemblances.

À deux pas, assis l'un contre l'autre, les doigts intimement croisés, Cécile et Jérôme se dévorent des yeux. La conversation des aînées ne les effleure même pas. Il n'y a que la présence de l'autre qui ait de l'importance. Se gaver de la chaleur de l'autre pour réchauffer les longues heures de solitude qui sont encore à venir. Jérôme, intimidé devant la femme que Cécile est devenue en quelques mois à peine, a tremblé lorsque celle-ci a pris sa main pour la poser sur son ventre. Il sourit maintenant à chaque fois que le bébé se manifeste. Émerveillé, ému. Son fils, là, à la fois si près et si mystérieux. Que de mots fous il aurait envie de murmurer à Cécile s'ils étaient seuls... La tendresse en lui, si grande, si forte, qu'elle lui gonfle la poitrine comme un dur sanglot. Comme si l'émotion qu'il ressent avait des ondes palpables, sa mère se relève au même instant et, lui jetant un regard malicieux, elle traverse le salon.

— Eh ! As-tu vu, Gisèle ? On dirait qu'il mouille pus, lance-t-elle.

Puis, se rapprochant de la fenêtre :

— Mais non, il mouille pus...

— Ben sais-tu ce qu'on va faire, Mélina ? Après le dîner, on va aller faire un tour dans le quartier. Y faut que j'aille chez le boucher, de toute façon, pis au « quinze-cennes »… Bon ben, j'vas aller mettre la table pour manger. J'ai préparé des légumes t'à l'heure en vous attendant, pis j'vas faire du baloney grillé pour aller avec. Mes deux gars vont arriver betôt.

— Attends-moi, Gisèle. J'vas t'aider. Pis moi, après-midi, faudrait peut-être que je pense à me trouver une chambre pour cette nuit.

— Comment ça, une chambre ? Y'en est pas question. Jérôme va coucher avec mes deux gars sur le lit pliant, pis toi, on va t'organiser quetchose sur le chesterfield du salon. Qu'essé t'en dis ? Aie ! Pis sais-tu ce qui serait le fun ? Avec Poléon, à soir, on pourrait se virer une p'tite game de neuf. Hein ? T'aimes-tu ça, toi, jouer aux cartes ? Nous autres, ça doit ben faire sept ou…

* * *

Après l'ébullition de l'heure du dîner (heure vibrante de cris et de rires, époustouflante, où Raoul et Fernand, treize et quinze ans, ont trouvé en Jérôme un grand frère fait expressément pour eux), donc, après la tornade du repas et de la vaisselle, Gisèle et Mélina profitent de ce que le temps s'est remis un peu pour aller faire leurs courses dans le quartier. Et, sur le « boum » vibrant de la porte d'entrée, fermée par la main énergique de Gisèle, la maison retrouve brusquement son calme. Une tranquillité sereine et douce, en harmonie avec les états d'âme de Cécile et Jérôme. Cette envie, en eux, d'être enfin seuls, loin de tout. Appuyés l'un contre l'autre, devant la fenêtre du salon, ils regardent les deux femmes qui s'éloignent en placotant comme deux commères qui auraient l'inventaire du canton à faire dans l'heure à venir. Un profond soupir soulève les épaules de Jérôme.

— Est-ce qu'elle parle tout le temps comme ça, ta tante Gisèle ? Tu dois ben être fatiguée de l'entendre, ma pauvre Cécile.

— Dis pas ça, Jérôme. Si tu savais comme elle est fine, « ma tante » Gisèle. Elle a peut-être l'air bête, comme ça, pis c'est vrai qu'elle parle fort. Mais c'est presque une mère pour moi… As-tu entendu ce qu'elle a dit avant de partir ? « Attendez-nous pas avant quatre heures, les jeunes. J'vas amener Mélina prendre un sunday au Woolworth, pis j'ai un tas d'autres commissions à faire ! » Pourquoi penses-tu qu'elle a dit ça ? C'est parce qu'elle sait qu'on a envie d'être seuls pour qu'on puisse se parler, toi pis moi. Elle est pas d'accord avec ce qui nous arrive, tu sauras, pis c'est sa manière de nous le faire savoir, de nous donner un peu de bonheur. Elle a l'air bourrue, mais c'est juste une façade. C'est un cœur d'or qui se cache sous sa voix de commandant. Je l'aime beaucoup, « ma tante » Gisèle. Des fois, je me dis que ça se peut pas qu'elle soye la sœur de mon père. Ils sont tellement différents l'un de l'autre.

— Peut-être ben, si tu le dis… Moi, je la connais pas. Mais je suis pas venu en ville pour parler de la tante Gisèle, même si elle est ben fine. Viens près de moi, Cécile, que je te regarde. Tu peux pas savoir comme je me suis ennuyé de toi. Ça a pas d'allure. Il y a des soirs où je me cache en dessous de mon oreiller pour brailler, tellement ça me fait mal dans le cœur.

— Non, Jérôme, non. Faut pas que tu pleures à cause de moi. On s'aime trop pour ça. Ma tante Gisèle me l'a dit :

il faut que je soye forte pis que j'aye les idées claires pour que notre bébé soye en forme à son tour. Si je sais que tu pleures, je pourrai jamais arriver à être forte. Le docteur aussi me l'a dit : tout ce que j'ai à faire, c'est manger comme faut pis penser à des choses joyeuses.

— T'as raison, Cécile. Mais de penser que je le verrai jamais, ce p'tit-là, tu peux pas savoir ce que ça me fait en dedans. C'est comme si on m'arrachait un boutte de cœur.

— Oh oui ! je peux savoir ce que tu ressens. Moi, c'est tout le cœur qu'on est en train de m'arracher. Depuis qu'il a commencé à bouger, c'est encore pire... Jérôme, si tu savais comme je suis malheureuse. Je veux pas le laisser, mon bébé. Peux-tu comprendre ça ? Je veux pas, je serai pas capable. Ça fait tellement mal en dedans quand j'y pense, tellement mal...

C'est une femme brisée par les sanglots que Jérôme reçoit contre lui, recueille au creux de ses bras. Enfin Cécile peut laisser libre cours à son désespoir. Avec lui, tout est permis, compris, partagé. Tout doucement, Jérôme la berce contre lui, caressant ses longs cheveux, murmurant des mots d'apaisement. Puis, voyant ses pleurs tarir peu à peu, il glisse un doigt sous le menton de Cécile et l'oblige à lever la tête vers lui. Lentement, d'une main timide, il se met à sécher les larmes qui mouillent ses joues, souligne le contour de sa bouche, se refusant à l'embrasser. Est-ce qu'une femme enceinte, avec un gros ventre comme le sien, peut avoir envie de l'amour ? Il n'ose pas la prendre tout contre lui aussi fort qu'il en aurait envie, de peur de faire mal au bébé. Le cœur débordant d'amour, le corps brûlant de désir, il est paralysé devant elle. Comme intimidé par la force et la grandeur qu'elle dégage. Cécile, la toute petite Cécile, si délicate et si douce, est en train de fabriquer son enfant et Jérôme est ému, presque gêné devant elle. Devant la femme incroyablement belle dans son chagrin. Cette femme, sa femme, si forte et si fragile à la fois qu'à son tour, les larmes lui montent aux yeux. Alors Cécile se fait toute menue et c'est sa bouche à elle, avide, qui vient chercher celle de Jérôme, qui l'embrasse avec fougue et passion. Ce besoin en elle de le sentir, de lui toucher. Ce désir de lui, encore plus grand depuis qu'elle est enceinte. Tellement, tellement fort, qu'elle en tremble presque.

— Viens, Jérôme.

Elle n'a pas besoin d'en dire plus. D'un élan, il la soulève et la porte jusqu'à l'étage. Cécile le prend alors par la main et le conduit jusqu'à sa chambre, puis referme la porte. Sans un mot, le regardant dans les yeux, elle commence à dégrafer son corsage et l'enlève. Puis, après avoir détaché l'élastique qu'elle y a ajouté pour la rendre un peu plus confortable, elle laisse tomber sa jupe sur le sol, enveloppe désormais inutile entre eux. Jérôme vient à elle, rejette en arrière la longue mèche de cheveux blonds, prenant son visage entre ses mains placées en coupe et plongeant son regard dans le sien.

— Tu crois qu'on peut? Il... Il y a pas de danger pour le bébé?

Alors Cécile pose un doigt sur ses lèvres pour l'obliger à se taire. Sans jamais l'avoir demandé, elle sait de toute son intuition de femme et de mère, qu'il n'y a ni contrainte pour elle, ni menace pour le bébé. Sinon, elle ne ressentirait pas une si grande envie de faire l'amour. Jamais elle n'aurait pu penser qu'un jour elle se sentirait aussi sensuelle, aussi femme. À gestes lents, elle fait glisser son jupon par-dessus sa tête et retire sa culotte. Puis, elle tend les bras vers Jérôme, offrant tout simplement, amoureusement, sa nudité nouvelle, alourdie par la maternité. Jamais Jérôme ne l'a trouvée aussi belle, aussi attirante. À son tour, lentement, le souffle court, il retire ses vêtements sans la quitter des yeux. Longuement, ils restent là, l'un en face de l'autre, se touchant à peine du bout des doigts. Le temps de permettre à leurs corps de se reconnaître, de s'apprivoiser à nouveau avant de s'unir. D'un même geste infini, ils se rapprochent imperceptiblement l'un de l'autre jusqu'à ce que leurs corps se touchent, frémissants. Alors Jérôme reprend Cécile dans ses bras et vient la déposer sur le lit avant de s'allonger à côté d'elle. Sa bouche gourmande et sa langue insatiable errent inlassablement dans le cou de la jeune femme, s'attardent sur ses seins lourds pour glisser sur son ventre rond. Sa main se fait possessive sur un mamelon durci quand Cécile, gémissant de langueur, laisse promener ses doigts le long de son dos pour venir agripper ses fesses avant de remonter caresser sa nuque. Incapable de se retenir, Jérôme vient se coucher sur Cécile, appuyé sur ses deux bras tendus pour ne pas écraser son gros ventre. Alors, tout doucement, ils se mettent à bouger à l'unisson sans se quitter des yeux, se noyant dans le regard de l'autre, haletants. Et quand enfin le plaisir éclate dans chacune des fibres de leur corps, c'est en appelant l'autre de toute la force de leur âme qu'ils se laissent emporter loin, très loin de la réalité. Cette réalité insensée qui les oblige à déchirer l'essentiel entre eux.

* * *

— Gisèle, est-ce que je peux te parler franchement ?

Installées au comptoir du Woolworth, les deux femmes dégustent un énorme sunday au chocolat, la spécialité de

Françoise, la serveuse, qui ne lésine jamais sur la sauce et les cerises. Cela fait longtemps qu'elle a compris que le montant des pourboires est directement proportionnel à la quantité de cerises ornant ses sundays. Et, comme ce n'est pas elle qui paie les cerises… Gisèle, justement en train de se demander comment elle pourrait bien aborder le sujet « Cécile » avec Mélina, sursaute à la question de cette dernière. Et, sans prendre le temps de finir sa bouchée, elle lance :

— Ben sûr… C'est à propos des p'tits, hein ?

— Ouais… Des p'tits, d'Eugène, de Jeanne. Pis de Gaby, mon mari. Pis de moi avec, tant qu'à y être.

Un peu gênée de s'être laissée aller à parler avec humeur à quelqu'un qu'elle connaît à peine — « Pis en plus, Seigneur, c'est la sœur d'Eugène. Qu'est-ce que je fais là, moi ? » — Mélina enfourne une énorme bouchée de crème fondante et se concentre sur sa cuiller, tournant et retournant inlassablement la sauce au chocolat, brusquement hypnotisée par la cerise qui refait surface à chaque deux tours de cuiller. Gisèle, qui n'attendait que cela, lui prend le bras et le secoua avec vigueur, faisant sursauter Mélina qui, du coup, se met à rougir violemment, persuadée qu'elle vient de heurter un point sensible chez Gisèle. N'est-elle pas la sœur d'Eugène, après tout ?

— Ben là, tu me fais plaisir, Mélina. Ouais ! chus ben contente que tu veuilles m'en parler. Parce que moi avec, j'ai ben des choses à dire… Mais, vas-y en premier. Je t'écoute. Peut-être ben que j'vas finir par comprendre comment c'est faire que Jeanne a' dit rien dans toute ça. Tu le sais-tu, toi ? Ça me fait assez de peine de voir la p'tite Cécile aussi malheureuse. Une vraie âme en peine… Qu'essé qui leur prend à Eugène pis Jeanne, coudon ? Je pensais ben qu'y finiraient par comprendre le bon sens…

À ces mots, Mélina vire instantanément du rouge au blanc. De soulagement. L'anxiété et la tristesse grisonnent le regard de Gisèle. Devant cette évidente inquiétude, Mélina comprend qu'elle a bien fait de parler.

— Comme ça, toi non plus t'es pas d'accord, hein ?… C'est pas humain de leur faire ça, aux deux p'tits… Pauvre Cécile… Si j'ai bien compris, t'as pas eu de nouvelles de Jeanne ? Remarque que ça me surprend pas vraiment… C'est pas une femme tellement heureuse ta belle-sœur, tu sauras. Sa grosse famille, c'est pas toute des enfants voulus, si tu vois ce que je veux dire. Je pense… Non, je suis sûre qu'elle dit comme Eugène simplement parce qu'elle a peur pour la p'tite. Elle veut pas que sa fille aye une vie comme la sienne. Quand j'ai essayé de lui parler, à Jeanne, j'ai bien vu que ça servirait pas à grand-chose de m'ostiner avec elle. Son idée est toute faite : Cécile mérite mieux qu'une vie plate avec une gang de p'tits pendus à ses jupes. Ça pour Jeanne, c'est comme qui dirait coulé dans le béton.

— Ah oui ? Tu vois, j'aurais jamais pensé ça de Jeanne… C'est ben beau tout ça, mais Cécile, elle ? Jeanne s'est-y demandée ce qu'a' veut, Cécile ? Tu le sais-tu, toi, si Jeanne en a parlé à sa fille ?

— Non, je pense pas que Jeanne a parlé à Cécile. Pas de cette manière-là, en tout cas. Jeanne m'a juste dit qu'à dix-huit ans c'est trop jeune pour décider. Que les choix faites à cet âge-là, c'est pas nécessairement les bons. Elle voit ce bébé-là comme une obligation qui vient chambarder la vie de sa fille. Elle veut surtout pas que Cécile décide sur un coup de tête. Elle m'a dit que sa fille a toujours voulu devenir une maîtresse d'école pis que c'est pas à cause d'une erreur de jeunesse qu'elle doit oublier ses rêves.

— Ouais... Je comprends un peu mieux astheure... Mais ça change pas grand-chose au problème... Si tu voyais comment c'est qu'a' l'est malheureuse, Cécile. Depuis qu'est icitte que je la vois se morfondre. Un vrai fantôme dans la maison. Chus sûre que c'est pas le bebé qui fait une différence. Cécile aime ton gars. On voit ben que c'est du sérieux entre ces deux-là. Y me semble que c'est clair comme de l'eau de roche.

— Je le sais bien, Gisèle, que c'est visible comme le nez en plein milieu de la face. Pour toi comme pour moi. Pis pour Gaby avec. C'est un peu pour ça que je suis venue en ville avec Jérôme... En fait, je suis ici pour deux choses. La première, c'est pour apporter des blouses pis des jupes que j'ai faites exprès pour Cécile. Je me doute ben que son père a pas pensé à lui donner un peu d'argent pour qu'elle puisse s'habiller dans le sens du monde. Mais ça, c'est juste la raison officielle... Parce que je veux pas que Jérôme pis Cécile sachent tusuite la vraie raison de mon voyage en ville. Je voudrais pas leur faire des accroires, pis amener des attentes qui se réaliseraient pas.

À ces mots, les yeux de Gisèle se plissent d'incompréhension. Une petite lueur d'espoir fait briller le regard qui se glisse au-dessus de la monture de ses lunettes.

— Je te suis pas, moi là. Tu penses-tu pouvoir régler leur problème, aux deux p'tits ?

— Peut-être bien... Je suis pas vraiment sûre, mais... En fait, c'est Gaby qui a eu l'idée. Depuis le début, ça le vire sans bon sens toute cette affaire-là. Il y a pas un soir qui s'amène sans qu'il m'en parle avant qu'on s'endorme. Pendant un boutte de temps, il arrêtait pas de dire que si le bon Dieu voulait pas nous donner d'autres enfants c'était Son affaire pis que, ça, il pouvait l'accepter. Mais que c'était pas une raison pour qu'Eugène nous enlève notre p'tit-fils. Ça, il le prend pas encore. Je pense que c'est à force de jongler pis de toute bien mélanger que son idée est venue... Moi, je suis d'accord avec lui, mais j'aimerais savoir ce que toi t'en penses.

— Envoye, chère. Crache-là ton idée. On verra ben. Anyway, je pense que rien peut être pire que ce qu'y vivent astheure.

— C'est aussi mon avis... Dans le fond, c'est pas vraiment compliqué : Gaby a pensé qu'on pourrait peut-être l'adopter, ce bébé-là.

Gisèle, en train de gratter consciencieusement le fond de sa coupe, risque un second regard par-dessus ses lunettes. Incertaine d'avoir bien compris, la curiosité se glisse dans sa voix.

— Qui ça on ? Toi pis ton mari ?

— Ben oui, c't'affaire. Pourquoi pas ? On prendrait le p'tit à Cécile chez nous. Quand elle pis Jérôme vont se marier, comme elle va venir rester chez nous, elle pourrait s'en occuper. Pis, pour être ben sûr que ça prête pas à jaser au village, on a même pensé qu'on pourrait en prendre un autre pour élever. Dans un an... Qu'est-ce que t'en penses ?

— Ben ça ! Ouais, c'est une idée... C'est peut-être une bonne idée. Mais t'as-tu pensé que c'est une moyenne job qui t'attend. On rit pus, un p'tit à nos âges...

— À nos âges ? Faudrait pas oublier que je suis plus jeune que toi. Je suis même encore assez jeune pour en faire, des p'tits. Si jamais ça se présentait, pis que je partais en famille, ça serait pas un drame, tu sauras. Ça serait même le contraire. Ça fait que de m'occuper du bébé de mon gars pis de Cécile, c'est juste un plaisir.

— Ben, pourquoi pas ? Plus j'y pense, plus je me dis que

c'est une saprée bonne idée. Mais Eugène, lui, dans tout ça? Tu penses pas qu'y va trouver que c'est un curieux d'adon que toi pis Gaby vous alliez chercher un bebé juste à ce moment-citte? Ça fait drôle un brin. Chus sûre, moi, comme je le connais, qu'y va ben savoir c'est qui c'te p'tit-là.

— Ouais... on y a pensé, c'est ben évident. Mais on s'est dit: Au diable Eugène! Le pire qui peut arriver, c'est qu'il nous parle pus. Pis ça, Gaby pis moi, on s'en fout pas mal. Le bonheur des deux p'tits a plus d'importance que l'humeur de notre voisin. Excuse-moi de parler de même. Je sais bien que c'est ton frère mais, pour moi, ça change pas grand-chose. Va falloir que Cécile soye d'accord, par exemple. C'est de son père à elle qu'on est en train de parler. C'est presque certain qu'il va avoir toute une réaction, quand ça va arriver. Faut qu'elle soye bien consciente de tout ça, avant de prendre une décision.

— Pour ça, t'as ben raison. C'est Cécile qui va avoir le dernier mot. Mais, à la voir dépérir comme a' le fait depuis qu'est chez nous... Pis, pour ce qui est de mon frère, je te dirais, à le voir agir de même, comme une vieille tête de mule, moi non plus ça me fait rien en toute si jamais y décidait de pus me parler. Y a toujours ben des limites à vouloir régenter la vie de tout un chacun. Surtout si c'est pour rendre du monde malheureux... Si y s'aimaient pas, Cécile pis ton gars, ça serait pas pareil... Pis là, je crois ben que je serais d'accord avec mon frère. C'est pas une vie, pour une femme, que d'élever un p'tit tu seule. Mais c'est pas le cas... Si Eugène avait voulu qu'y se marient tusuite, aussi... On serait pas là à se creuser les méninges pis à se faire du sang d'nègre pour eux autres... Envoye, viens-t-en. On va aller voir ce qu'on peut faire.

— Comment ça, ce qu'on peut faire ?

— T'es pas venue jusqu'icitte, en ville, pour me parler à moi, non ? Tu dois ben avoir envie de savoir comment ça se passe quand on veut prendre un bebé pour élever, hein ? Ben, c'est en plein ça qu'on va aller demander.

— Tusuite ?

— Pourquoi pas ? Y'est juste trois heures, pis la crèche est pas si loin que ça. Envoye, amène-toi. C'est après-midi qu'on règle ça c't'affaire-là. Fie-toi sur moi... ça prendra pas goût de tinette.

À ces mots, Mélina se met à rire en se levant pour enfiler son manteau.

— Tu seras peut-être pas contente de ce que j'vas dire, Gisèle, mais quand tu parles de même, on voit bien que t'es la sœur à Eugène.

— Ouais ? Pis après ? Y a pas juste des défauts, mon frère !

— C'est vrai. Mais remarque que par les temps qui courent, Gaby pis moi on y trouve pas vraiment de qualités !

— Ben, si lui y'est pas capable de voir plus loin que son nombril, nous autres on est pas aveugles. Poléon, aussi, y'est pas d'accord avec son beau-frère. C'est le temps que quèqu'un s'en occupe, de la p'tite Cécile. Pis c'est en plein ce qu'on va faire, Mélina. T'es-tu prête ?

Tout au long du chemin, après vingt-cinq minutes d'une marche au pas accéléré, poussées dans le dos par un vent froid du nordet — « On prendra l'autobus pour revenir, Mélina. J'haïs ça, le vent frette dans face » — la future grand-mère et la prochaine grand-tante ont pratiquement complété la layette du bébé. Dans la cour clôturée de la crèche Saint-Vincent-de-Paul, une centaine d'enfants de deux à quatre ans s'amusent en criant. Comme tous les gamins du monde... Mélina, le cœur battant son inépuisable déception de n'avoir qu'un fils, s'arrête un instant pour les regarder.

— Qu'essé qui se passe, Mélina ?

Gisèle vient de s'immobiliser, constatant que Mélina ne suit plus. Elle se retourne, face au vent, retenant à la dernière seconde son chapeau prêt à s'envoler. Une main énergique sur la tête et l'autre profondément enfoncée dans la poche de son manteau de drap gris fer, son manteau de demi-saison, comme elle l'appelle, Gisèle revient vers sa compagne de route.

— T'as pus envie de rentrer pour demander comment faire pour adopter un p'tit ?

Perdue dans son éternelle controverse l'opposant à un Dieu qu'elle n'arrive pas toujours à comprendre, Mélina tressaille en frissonnant, au son de la voix de Gisèle.

— Hein ?... Excuse-moi... Non, non. C'est pas ça... C'est juste que je trouve ça pas mal triste de voir toute cette p'tite gang-là, sans parents. Quand il y en a qui rêvent d'en avoir, des p'tits. Pis que ça marche pas... C'est pas une vie pour des enfants, ça, l'orphelinat.

Gisèle, toujours face au vent maussade, se met à renifler et à taper des pieds pour se réchauffer.

— Ben d'accord avec toi. Mais qu'essé tu veux qu'on y fasse ? À part en prendre une couple pour élever, c'est pas toi ou moi qui peut changer le monde. On y va-t-y, astheure ? Y fait frette sans bon sens. J'ai les poils des bras qui me retroussent.

La directrice de l'orphelinat est une femme grande et sèche, au visage pincé, revêche. « Constipé », pense aussitôt Gisèle. « Comme toutes les maudites sœurs ». Mais quand la sœur portière lui présente les deux visiteuses comme étant des dames venues s'informer en vue d'une adoption, la directrice fait l'effort d'un sourire, se levant à demi de son fauteuil.

— Oui, mesdames?

— On voudrait pas vous déranger, ma mère, mais on aimerait ben savoir comment c'est qu'on s'y prend quand on veut adopter un bebé.

— Comme cela, vous aimeriez prendre un de nos chers petits? Mais assoyez-vous, mesdames. Ça va me faire le plus grand plaisir de répondre à vos questions.

— Merci ben.

Sans plus de formalités Gisèle s'installe, la tête haute, le regard pointu. L'air obséquieux de la directrice lui donne la chair de poule et, malgré elle, elle sent ses dents se mettre à grincer. « Ses chers petits! Allons donc! Depuis quand les sœurs aiment les enfants? Si a' l'aimait ça autant qu'a' l'essaie de nous le faire accroire, a' l'en aurait faite, des p'tits. Sont toutes pareilles, les vieilles picouilles! » Gisèle n'a jamais aimé les religieuses. Pas plus celles du couvent, étant jeune, que celles qu'elle a connues à l'hôpital quand elle a eu ses deux garçons. Et celle-ci encore moins que toutes les autres réunies. Son sourire empesé empeste l'hypocrisie, Gisèle en mettrait sa main au feu. Mélina, plus encline à voir le bon côté des gens, lui rend la politesse d'un sourire, avant de prendre place sur la chaise droite devant l'immense pupitre de chêne de la directrice. Intimidée, comme une gamine fautive attendant le verdict de la supérieure.

— Alors, qu'aimeriez-vous savoir?

La voix sèche de la femme à la cornette qui lui fait face ramène Mélina à la raison de sa visite. Mais, avant qu'elle n'ait pu émettre la moindre opinion, Gisèle prend les devants:

— Toute... On a jamais adopté ça, un enfant. Ça fait qu'on veut toute savoir.

Gisèle veut prendre le contrôle de la conversation. « Si a' pense qu'a' va m'avoir, elle-là, a' s'est fourrée un doigt dans l'œil. Je serais ben curieuse de voir comment c'est qu'a' les reçoit, les p'tites filles qui sont en famille pis qu'y savent pas trop vers qui se retourner. » Volontairement, Gisèle prend un air froid et hautain, pour se donner bonne contenance. Mais, peine perdue... Habituée, depuis tant d'années, à recevoir toutes sortes de gens, mère Saint-Justin a instinctivement posé une étiquette sur ses visiteuses. « La vieille chipie est sûrement trop âgée pour adopter un bébé », pense-t-elle avant de répondre. « Ce doit être l'autre qui veut savoir. Et encore... Regardez-moi ça, si ce ne sont pas simplement deux curieuses en mal de sensations. Je vais leur en faire, moi, des questions ! » Mais, sa fonction de directrice l'y obligeant, elle ne peut mettre les deux dames à la porte sans au moins avoir pris le temps de bien juger du sérieux de leur visite. Dans une maison comme la sienne, une bouche de moins à nourrir a toute son importance. C'est délibérément vers Mélina qu'elle tourne son attention mielleuse, le regard acéré tentant de déceler la moindre anicroche.

— Il n'y a rien de plus simple, chère madame ?... Sans indiscrétion de ma part, me serait-il possible de connaître votre nom ?

— Mais bien sûr, ma mère. Je m'appelle Mélina Cliche et je viens de la Beauce. Moi pis mon mari, Gabriel, on aimerait ça prendre un p'tit pour élever, vu qu'on en a eu juste un.

Devant la réponse franche et directe de Mélina, Saint-Justin se permet un soupir discret. Et la rigidité de son sourire crispé se détend d'une ride. Juste assez pour laisser passer un soupçon d'intérêt poli. C'est la politique de l'orphelinat de garder une attitude froide, sans familiarité d'aucune sorte. On ne sait jamais à qui on a affaire. Rigueur et vigilance en tout.

— Oh, vous avez un enfant?

Le sourire sincère de Mélina s'étire encore un peu plus. Comme à chaque fois qu'elle parle de Jérôme.

— Oui, un grand gars. Pensez donc! Presque vingt et un ans. Un homme, astheure, pour ainsi dire. Pis comme le bon Dieu semble avoir décidé qu'il y en aurait pas d'autres, on aimerait en adopter un ou deux avant d'être trop vieux. Est-ce que c'est possible?

— Rien de plus simple, chère Madame Cliche. Il y a des centaines d'enfants, ici, ne demandant pas mieux que de se trouver une bonne famille. Pour les enfants plus âgés, qui sont abandonnés, il n'y a qu'un formulaire à remplir et à signer. Ensuite, notre travailleuse sociale la présente pour vous à la cour. Le juge donne ensuite son accord à l'adoption et confirme en même temps le nom que vous aurez choisi pour votre enfant. À partir de ce moment-là l'enfant est le vôtre, légalement, tout comme votre fils.

Devant la simplicité évidente de la démarche, Mélina a un long soupir de soulagement incrédule. Se peut-il, Grand Dieu, que ce soit aussi facile?

— Ah oui? C'est pas plus compliqué que ça? Je pensais pas... Pis pour un bébé? Est-ce que c'est pareil? Un nouveau-né, j'entends.

— Sensiblement... Sauf que dans le cas d'un nouveau-né, il y a une période d'attente avant de passer en cour. La plupart des enfants sont donnés en adoption avant leur naissance. Mais la loi exige quelques mois de réflexion pendant lesquels la mère naturelle de l'enfant peut revenir sur sa décision. C'est un risque à prendre, pour des parents adoptifs.

— Ah oui ? La mère a le droit de changer d'avis... Est-ce que ça arrive ben ben souvent que la mère change d'idée, de même ?

— Souvent, non. Mais ça arrive... Dans certains cas, la mère et le père décident finalement de se marier et veulent reprendre leur enfant. Mais je vous dirais que c'est plutôt rare. Malgré tout, la politique de l'orphelinat est d'offrir aux futurs parents de choisir d'abord un enfant abandonné.

Pour Mélina, la politique de l'orphelinat a autant d'importance que sa première paire de mitaines. Ce n'est pas pour cela qu'elle est venue. Sans tenir compte des propos de la directrice, elle enchaîne aussitôt, les sourcils froncés, sur son idée toute personnelle de l'adoption.

— Pis si on veut adopter un bébé bien précis ?

— Bien précis ?

Rigueur et constance ! Saint-Justin réprime à grand-peine son impatience. Elle s'oblige même à un sourire poli, attendant les explications de Madame Cliche.

— Ouais... Un bébé dont on connaîtrait la mère, par exemple. Est-ce que c'est possible ?

À ces mots, la directrice a un sursaut. « Il me semblait, aussi », suspecte-t-elle en fixant froidement sa visiteuse. « Il y a anguille sous roche. Rigueur et vigilance, Saint-Justin. Rigueur et vigilance ! »

— Rien n'est impossible, madame, reprend-elle d'une voix qu'elle essaie de garder neutre. Mais dans un cas comme celui que vous me soumettez, il y a plus d'obstacles. Comme vous le savez peut-être, on se fait un devoir de préserver l'anonymat des parties en présence. C'est la loi qui l'exige. Autant pour la mère célibataire, que pour les parents adoptifs. Si vous voulez adopter l'enfant d'une jeune fille que vous connaissez, il faut, d'abord et avant tout, vous entendre entre vous. Et c'est un gros risque à courir, chère madame. Que ferez-vous si un jour la mère naturelle décide de reprendre son enfant? Vous n'aurez jamais l'assurance qu'elle ne le fera pas. Si je peux me permettre un conseil... Vous avez déjà un grand garçon, prenez donc un enfant plus âgé...

Mais les mots de la religieuse entrent par l'oreille droite de Mélina aussi vite qu'un courant d'air et ressortent par la gauche sans avoir laissé la moindre trace de leur passage. Elle continue sur sa lancée, s'adressant à elle-même bien plus qu'à la directrice.

— Pis si on est prêts à prendre ce risque-là, mon mari pis moi?

Alors, relevant franchement la tête, elle plante l'éclat décidé de ses prunelles dans le regard de la sœur.

— Est-ce qu'on peut?

Devant l'insistance de Mélina, la directrice ravale son sourire. Un pli amer escamote ses lèvres déjà à moitié visibles. «Mais ce n'est pas vrai», gémit-elle silencieusement. «On dirait bien que j'ai affaire à une tête dure. Et la grande qui me regarde avec la bouche fendue jusqu'aux oreilles, depuis tantôt. Qu'ai-je dit de si drôle? Ça sent mauvais, tout cela. Très mauvais.» Réprimant encore une fois son impatience, Saint-Justin se penche sur son bureau, les mains jointes. Ses index se frappant rapidement, très rapidement, l'un contre l'autre, sont l'unique signe visible de son irritation.

— Oui, bien sûr. C'est votre choix. Je ne l'approuve

pas, mais c'est votre choix… Donc, comme je vous l'ai déjà dit, vous devez d'abord vous entendre avec la mère.

En prononçant ces quelques mots, la vérité lui éclate en pleine figure à la vitesse et avec la précision de l'éclair. « Oh ! mais je comprends tout. Un grand garçon à la maison et ce bébé… Oui, oui, oui… » Sa voix se durcit aussitôt, sévère, montant de quelques décibels pour bien signifier à ses visiteuses qu'on ne montre pas à un vieux singe à faire des grimaces.

— Par contre, si la mère est mineure, vous devrez vous entendre avec le père de celle-ci, ose-t-elle ajouter en espérant, de ce fait, décourager définitivement cette Dame Cliche.

Même si finalement le dernier mot revient à la mère, Saint-Justin a toujours essayé de faire en sorte de donner satisfaction aux parents des jeunes filles mineures.

— Lui, et lui seul, poursuit-elle, pourra donner son accord à cette… Comment dire ? À cette entente, oui. Ensuite, si les deux parties sont vraiment conscientes de tout ce que cela implique, vous n'aurez qu'à revenir et nous nous ferons un plaisir de vous indiquer la marche à suivre pour rendre l'adoption légale.

« Vous entendre avec le père de… » À partir de ces mots, Mélina n'a plus rien entendu. Tout son plan est à l'eau… C'est au prix d'un effort quasi surhumain qu'elle retient les larmes de rage et de déception qui lui montent aux yeux. Devant le désarroi de Mélina, c'est Gisèle qui reprend le contrôle de la discussion. De toute manière, n'ont-elles pas obtenu réponse à leur interrogation ? Un large sourire étire toujours ses lèvres minces, quand Gisèle se lève pour prendre congé. Elle, c'est depuis un bon moment, déjà, qu'elle ne suit plus la conversation. Quelques mots de la directrice lui ont enlevé toute intention d'adoption. L'avenir se présente encore plus clair que tout ce que Gisèle aurait pu espérer pour les deux jeunes.

— Viens, Mélina. On sait toute ce qu'on voulait savoir, astheure. Merci ben, ma mère. On vous tiendra au courant de nos décisions.

Et, ce qui a paru s'étirer pendant des siècles à Mélina, n'aura finalement duré qu'un tout petit quinze minutes. À peine ce qu'il leur a fallu pour se réchauffer. En moins de temps qu'il n'en faut pour le dire, les deux femmes se retrouvent devant la porte de l'orphelinat, calant leur chapeau, remontant leur col de manteau et enfonçant leurs mains dans les poches. À l'est, la ville n'est plus qu'un fondu de noir et de gris piqué de quelques points lumineux. Vers l'ouest, la carcasse des arbres se profile sur un ciel ni tout à fait orange, ni tout à fait blanc, pendant que le jour file à l'anglaise sur la ligne d'horizon. La cour de l'orphelinat est maintenant déserte. Les balançoires, poussées par le vent, continuent leurs mouvements de pendule. Mais, sans la présence et les cris des enfants, leur grincement a quelque chose de lugubre aux oreilles de Mélina. Elle ne peut s'empêcher de renifler. Autant par tristesse que par dépit.

— Envoye, Mélina. Faut qu'on rentre, astheure...

— Oui... Maudit que je suis déçue, Gisèle. Tellement dé...

— Déçue ? Ben voyons donc, toi. C'est encore mieux que toute ce qu'on aurait pu vouloir.

— T'es malade, Gisèle. Jamais Eugène va donner son accord à notre idée. C'est sûr. Pis...

— Mais t'as pas entendu la même affaire que moi, toi-là... Grouille, j'vois l'autobus qui arrive en haut de la côte Saint-Sacrement. J'veux pas le manquer.

Deux femmes animées, joyeuses, remontent la rue Saint-Olivier. Mélina a retrouvé son sourire. Les mêmes mots lui reviennent en ritournelle depuis que Gisèle lui a fait part de sa vision des choses. « C'est vrai que c'est encore mieux », soupire-t-elle, ravie. « J'me suis tellement toquée sur mon envie de l'adopter ce p'tit-là, que j'ai pas vu passer le reste. Mais Gisèle a raison. C'est encore pas mal mieux que tout ce qu'on avait imaginé Gaby pis moi. » Devant la porte de sa maison, Gisèle s'arrête un instant.

— Pis on va leur parler dret-là, à soir, aux deux jeunes. Quand mes deux gars vont aller se coucher. Je pense que, c'te nuite, y en a deux qui vont enfin ben dormir.

— Ou bien ils vont être trop énervés pour dormir, Gisèle. Comme je connais, mon gars, il va avoir sûrement de la misère à canter. Pis moi avec, par la même occasion. Dis-moi que je rêve pas, Gisèle... J'arrive pas à y croire. Bonyenne que je suis contente, moi-là !

— Pis moi, donc... Envoye, amène-toi. On a un souper à préparer nous autres, là. Oh ! escuse-moi. Chus en train d'oublier que t'es de la visite, toi-là. T'as pas à...

— Arrête-moi ça, Gisèle. Je suis pas de la visite ordinaire... Pis, dans quelque temps, on va être, comme qui dirait, parentes de la fesse gauche. Qui aurait pu penser de même à matin ? J'en reviens pas encore !

Cécile et Jérôme ont gardé un silence religieux pendant que Mélina et Gisèle leur faisaient part de leur visite de l'après-midi. Toute la gamme des émotions a traversé leur regard en quelques minutes à peine. L'abattement le plus complet a cédé la place à une espérance toute folle, puis à la joie la plus douloureuse qu'ils aient pu connaître. Cécile éclate en sanglots, ne sachant plus si elle a envie de se serrer contre Jérôme ou de se blottir dans les bras de sa tante, ou encore de confier son soulagement à l'épaule maternelle de Mélina Cliche. Napoléon, bien calé dans la berceuse, écoute sans un mot. Un large sourire soutient sa pipe dans le coin de sa bouche. Le regard enfiévré de Cécile sautille à travers le salon, incapable de se poser sur qui que ce soit plus de deux secondes. Puis, brusquement, elle s'arrête, baisse le front et vient placer ses mains sur son ventre, en le caressant tout doucement. Cécile, la timide, ne l'est plus. Cette incroyable espérance la maintient depuis un moment à deux pieds du sol et elle est incapable d'en redescendre.

— C'est fini, mon p'tit cœur. Le cauchemar est fini. C'est maman qui va s'occuper de toi. Personne d'autre...

Puis, relevant la tête, elle pose un regard méfiant sur sa tante.

— T'es bien sûre de ce que tu viens de nous dire, ma tante ?

— Sûre comme deux et deux font quatre, ma poulette. C'est la directrice de l'orphelinat en personne qui nous l'a dit. Demande à Mélina ! Après la naissance du bebé, la mère naturelle a quèqu'mois pour changer d'idée. C'est la loi qui veut ça. Ça fait que si a' décide de reprendre son p'tit, a' l'a le droit de le faire. Tant que c'est pas passé en cour, devant le juge, le bebé est pas vraiment adopté... C'est quand, vous deux, que vous aviez parlé de vous marier ?

— On avait pensé à avril, à cause de Jérôme qui va avoir vingt et un ans en mai. Avec la conscription, on a pas tellement le choix.

— C'est en plein ce que je t'ai dit, ma belle. Quand toi pis Jérôme vous allez être mariés, ton père aura pus rien à voir dans c't'affaire-là. C'est ton mari qui va décider avec toi. Ça fait que vous aurez juste à le reprendre, vot' p'tit. C'est pas plus difficile que ça. C'est vrai que les premiers mois c'est pas toi qui va l'avoir, mais...

— C'est pas grave, ça, ma tante. Pas trop grave, en tout cas. Ça va me faire de la peine de le laisser, mais c'est pas mal moins difficile que si je savais que c'est pour toujours... Oh! Jérôme, touche! Il bouge comme un p'tit diable. On dirait qu'il comprend ce qui nous arrive.

8

Installée à la fenêtre de sa petite chambre, Rolande regarde les premiers flocons de la saison qui tombent depuis quelques heures. Elle a toujours aimé l'hiver qui pique les joues et sent bon la froidure. Jouer dans la neige avec ses amies, glisser, patiner... Mais, depuis qu'elle vit ici, à la crèche, il n'y a plus personne pour jouer avec elle. Elle n'est plus une enfant. Et, du plus profond de sa solitude, elle comprend qu'elle ne sera plus jamais vraiment une enfant. Ce n'est pas ses treize ans qui rendent les religieuses compréhensives à son égard. Bien au contraire... Dès son arrivée, dans le bureau de la directrice, presque insignifiante aux côtés d'un père très grand, Rolande a vite compris qu'elle n'était qu'une indésirable. Que si elle avait osé espérer rencontrer soutien et réconfort auprès des religieuses, son rêve venait de s'envoler. Saint-Justin l'avait regardée froidement pendant un instant, puis avait laissé tomber avec dédain et lassitude :

— Ainsi c'est vous, la petite Rolande...

Puis, faisant un pas vers elle, la directrice avait pris le menton de Rolande dans sa main pour l'obliger à lever les yeux vers elle.

— Avez-vous pensé à ce que vous venez de faire à vos parents ? À votre âge ? J'espère que vous allez comprendre qu'on ait de la difficulté à accepter votre conduite... Allez, dites au revoir à votre père. Vous êtes bien chanceuse qu'il accepte la situation sans montrer plus de sévérité. Oui, bien chanceuse...

Sans bouger, les lèvres scellées sur sa déception, Rolande avait subi pour une dernière fois la main de son père sur sa tête, son haleine chaude dans son cou, quand il s'est penché pour l'embrasser. À la fois surprise et indifférente, elle avait senti les lèvres de Maurice trembler quand il a effleuré sa joue. Mais, plus rien ne réussissait à faire vibrer son âme. Sans une larme, ni même un au revoir, elle a suivi une religieuse venue la chercher pour la mener à sa chambre. Impassible, sans qu'aucune émotion ne se glisse dans son cœur. Sinon le soulagement de se soustraire enfin à la présence du monstre qui a osé détruire sa vie en disant l'aimer. Et sa minuscule chambre, sa cellule, est devenue son refuge. Le témoin de ses rêveries les plus folles, de ses désespoirs les plus noirs.

Accoudée sur le rebord de la fenêtre, le regard accroché aux lourds flocons qui bouchent l'horizon, Rolande pense à ses amies. Elles doivent être en classe, en ce moment. «Chanceuses», envie-t-elle en soupirant. «Pis betôt, la patinoire va ouvrir. C'est pas juste... J'sais pas si Ginette pense à moé, des fois.» Puis, laissant glisser un rire silencieux, elle ajoute à mi-voix :

— Ça c'est sûr qu'a' pense à moé. Au moins à chaque fois qu'a' l'a un examen.

Mais, à ces mots, plutôt que de fuser plus fort, son rire se fond dans un sanglot. Deux grosses larmes silencieuses glissent sur ses joues. Elle s'ennuie. De ses amies, de son école, de ses deux horribles frères. Elle s'ennuie de son enfance qu'on lui a arrachée sans lui demander son avis. Parfois, même, elle s'ennuie de sa mère. Peut-être bien que celle-ci aurait fini par comprendre, si elle avait employé les bons mots. Rolande se sent coupable. Tout est de sa faute. N'est-ce pas son père qui le lui disait ? Peut-être bien qu'il avait raison, après tout. Un tel gâchis n'arrive pas sans qu'on l'ait mérité. C'est impossible... Alors, persuadée d'être responsable de quelque chose, plus le temps passe et plus Rolande s'enfonce dans sa culpabilité. Et sa révolte contre elle-même se traduit par une violence acharnée envers toutes ces femmes qu'elle côtoie, lui faisant sentir qu'elle est une moins que rien. Farouche, elle se tient à l'écart. De toute façon, qu'aurait-elle à dire ? Ici non plus, personne ne va la croire. À quoi bon se bercer d'illusions ? Alors, invariablement, quand elle ose penser à l'amitié ou à la compréhension, Rolande revient à la case départ. Pour être aussi malheureuse, elle a dû le mériter.

Venant du fond du couloir, le grelottement de la cloche appelant pour le premier service du repas de midi, interrompt sa réflexion. Rolande se détourne de la fenêtre en soupirant. Elle a faim, comme toujours depuis qu'elle vit ici. Mais, en même temps, elle sait les longues heures qui l'attendent après le repas. À récurer et laver toute cette vaisselle sale, les deux mains plongées dans la cuve remplie d'eau bouillante et grasse. Elle n'en peut plus de rester debout, immobile, pendant tout ce temps. À chaque fois, elle revient à sa chambre, le dos meurtri et les chevilles enflées, douloureuses. Mais a-t-elle vraiment le choix ? Alors, hâtant le pas, elle quitte sa chambre. Elle n'a pas beaucoup de temps pour manger, Rolande. À peine dix minutes avant de regagner son poste derrière le passe-plat, afin de recueillir les cabarets remplis d'assiettes sales.

Même si l'hiver daigne enfin montrer le bout de son nez, il fait une chaleur suffocante dans la cuisine. Les cheveux humides de sueur et de vapeur sous l'horrible chiffon que les religieuses lui imposent, Rolande essaie, tant bien que mal, de tenir encore un moment sur ses jambes. Dans une demi-heure, tout au plus, elle devrait avoir fini et elle pourra regagner sa chambre pour se reposer avant le souper. Cette impression que son dos n'est qu'une blessure ouverte et que le bas de son ventre va éclater... Incapable de rester immobile plus de deux minutes, elle se dandine d'un pied à l'autre, sans pour autant arriver à trouver un semblant de confort. Ses chevilles et ses jambes enflées brûlent et la font terriblement souffrir. Mais, elle serre les dents. Il est impensable de songer à se plaindre. Saint-Philippe-de-Néri, la responsable des cuisines, n'entend pas à rire. L'œil mauvais, elle profite de la moindre peccadille pour laisser éclater son mauvais caractère. Rolande l'a appris à ses dépens. Et si quand elle vivait encore chez ses parents, elle sursautait au timbre de la voix de son père, ici, c'est au son des pas de la responsable approchant d'elle qu'elle tressaille. La peur n'a pas plié bagage depuis qu'elle habite à la crèche. Peut-être a-t-elle pris une autre forme. Mais elle reste toujours tapie, sournoise, dans un repli de sa pensée.

— Rolande, as-tu enfin fini ? Qu'est-ce que tu as à traîner comme ça, ce midi ?

Répondant en écho à sa pensée, Saint-Philippe-de-Néri vient de paraître dans la porte de la cuisine. La religieuse n'a jamais montré le moindre soupçon de respect envers la gamine. Au premier contact, elle a décidé que cette enfant ne méritait aucune compassion. Dédaignant le regard sombre mais confiant qui se levait vers elle, Saint-Philippe-de-Néri l'avait immédiatement tutoyée. Chose qu'elle ne fait habituellement jamais. Imposante dans sa longue robe noire, elle reste dans l'embrasure de la porte,

156

attendant que Rolande veuille bien lui répondre. Mais, épuisée, celle-ci n'a même plus envie de faire semblant d'être polie. Elle hausse les épaules avant de se retourner vers elle.

— J'achève. Ça sera pas long, craignez pas. C'est juste que chus fatiguée, aujourd'hui. Mes jambes sont tellement grosses...

— C'est normal. Tu aurais dû y penser plus tôt. Avoir un enfant à ton âge est contre nature. Contre tout bon sens, toute morale...

Redressant les épaules, la sœur se permet un regard malveillant. Elle a toujours cru que si elle était là, à vivre sa vocation dans une crèche, c'était pour répondre à l'appel de Dieu en rendant Sa justice. Comment pourrait-Il pardonner une faute aussi grave ? Il n'y a que dans la mortification que ces âmes perdues peuvent obtenir rédemption. Et elle se fait un malin plaisir de le rappeler à Rolande.

— Il faut bien expier ses fautes, Rolande. C'est le Seigneur qui nous l'a dit. Tu ne peux contrer Ses divines décisions...

Et, en se retournant pour quitter la pièce, elle laisse tomber derrière elle, négligemment :

— Ah, j'oubliais... j'aimerais que tu laves le plancher. Il en a bien besoin...

Incertaine d'avoir vraiment compris ce qu'elle vient de lui dire, Rolande reste un instant silencieuse. Mais, presque à son insu, les mots de la religieuse vont directement au cœur de sa détresse. L'espace d'un instant, un bref revirement de la pensée, et toute son agressivité refoulée refait surface. Cela suffit.

— Un instant, mère Saint-Philippe...

La religieuse hésite un moment. Puis, lentement, elle se retourne et revient d'un pas. Rolande s'avance et se plante devant elle, les jambes écartées, une main soutenant ses reins, le ventre bien pointé vers l'avant. Provocante, presque vulgaire. Elle n'a rien voulu de ce qui lui arrive et il est temps que quelqu'un le comprenne. Incapable de ravaler silencieusement, une fois de plus, l'odieux d'une situation sur laquelle elle n'a eu aucun contrôle, Rolande laisse éclater son indignation. Elle est peut-être coupable en quelque part, dans toute cette histoire, mais elle n'est pas une traînée. Cela, elle le sait et elle n'a plus envie qu'on la traite comme telle.

— Je m'escuse, ma sœur, mais chus pus capable pour astheure. Y faut que j'me couche un peu avant l'souper. Sinon, j'vas écraser.

Un sourire dédaigneux éclaire brièvement le visage habituellement sévère de la religieuse. Comme cette enfant est obscène, dégradante pour toutes les femmes! C'est d'une voix perfide qu'elle répond à Rolande :

— Mais voyez-vous cela! On se permet de faire la fine bouche? Peut-être que mademoiselle se trouve trop bien pour s'abaisser à laver un plancher? Te rends-tu compte de ce que tu viens de dire, espèce de petite orgueilleuse? Avec tout ce que tu manges dans une journée, il faut bien que tu nous dédommages. Tu n'es pas à l'hôtel, ici. Il va bien falloir que tu finisses par le comprendre.

Devant la répartie venimeuse de Saint-Philippe-de-Néri, Rolande a l'impression de reculer dans le temps, d'être à nouveau chez elle. De n'avoir plus aucun droit de regard sur sa vie. Ses épaules s'affaissent et elle doit prendre appui sur le comptoir pour ne pas tomber. Quand donc finira-t-on par la laisser tranquille? Comprenant qu'elle n'aura pas le dernier mot et qu'il vaut mieux se soumettre, elle laisse tomber dans un souffle :

— Okay. J'vas l'laver le plancher.

Un éclat de satisfaction traverse le regard de la religieuse. Cette petite effrontée n'aura pas le dessus sur elle.
Avant de tourner les talons, elle rajoute, condescendante :

— Tu es une bonne fille, quand tu le veux, Rolande...
Je vais revenir dans une heure et je veux que tout soit
propre, ici... Je vais profiter de cette heure de repos pour
aller prier à la chapelle. Prier pour le salut de ton âme. Nul
doute qu'elle en a grandement besoin.

C'est le cœur vide, la tête et le corps courbaturés que
Rolande arrive enfin à sa chambre. Une heure ! Il ne lui
reste qu'une toute petite heure pour dormir avant le souper.
Affaiblie, elle se laisse tomber sur son lit et s'allonge sur le
côté, essayant de trouver une position confortable pour se
reposer. Mais, comme s'il n'attendait que ce signal, soulagé
de ne plus sentir de pression, le bébé se met immédiatement
à bouger, lui meurtrissant les côtes de ses coups de pieds.
Exaspérée, le souffle court, Rolande se rassoit sur son lit,
le visage en larmes. Comme elle le déteste, ce bébé-là. Tout
est de sa faute. S'il n'existait pas, elle ne serait pas obligée
de supporter la vie d'enfer qu'elle mène ici. En ce moment,
rien ne lui semble pire que ce qu'elle vit. Et, avoir à choisir,
en cet instant bien précis, elle préférerait être chez elle.
Malgré sa mère indifférente, malgré son père insensé. Oui,
malgré tout cela, la maison familiale lui manque. Malgré
tout ce qu'elle pourrait y subir. Oh oui ! comme elle le
déteste ce bébé. Comme elle les déteste tous les deux, son
père et lui. Existe-t-il un seul endroit au monde où elle
pourrait enfin être heureuse ?

Lasse et éreintée, elle se recouche. Tant pis si le bébé
bouge... Il lui faut reprendre des forces avant l'heure du
souper. Au même instant, le bébé se fait tout doux dans ses

frôlements, avant de se mettre à hoqueter. Alors Rolande se met à sangloter bruyamment. Brusquement, elle a l'impression que le bébé essaie de lui parler. Recroquevillée sur elle-même, elle prend son ventre à deux mains, avant de le flatter tout doucement de sa paume hésitante. Que ne donnerait-elle pas pour pouvoir l'aimer, son enfant... Malgré son jeune âge, Rolande devine qu'avec lui elle connaîtrait probablement la tendresse. La chaleur d'un amour sincère. Quelqu'un qu'elle pourrait aimer sans contrainte et qui l'aimerait en retour, elle, Rolande, telle qu'elle est. Oui, elle aimerait être capable de le chérir, comme n'importe quelle mère chérit son nouveau-né. Mais, en elle, le ressort de la confiance est brisé. Elle n'arrive plus à commander à son cœur. Elle se laisse porter par des émotions qui l'engloutissent complètement. Oui, sincèrement, elle voudrait réussir à au moins tolérer que cet enfant soit là. Mais, accepter de l'aimer, c'est aussi accepter de pardonner à son père. Et, cela, elle en est incapable. Tant et aussi longtemps qu'elle vivra, elle ne pourra pardonner ce qu'on lui a fait. Alors, couchée en travers de son lit et flattant son gros ventre, Rolande ne sait que pleurer. Sur elle et sur l'enfant qu'elle n'aimera jamais. Pleurer sur une vie qui n'a plus aucun sens.

9

Au même instant, à quelques rues de la crèche, sans se douter des drames qu'une ville comme Québec peut cacher, debout à la fenêtre de sa chambre, Cécile tient la dernière lettre de Gérard d'une main tremblante. L'inquiétude trace une fine ride sur son front. Sa mère est à nouveau enceinte et le médecin est soucieux. Gérard lui dit que son père et le docteur se sont même disputés lors de la seconde visite de ce dernier. « Maman a presque plus le droit de se lever », écrit-il.

Il faut pas qu'à prenne les petits dans ses bras, même pas Jean-Pierre. Je te dis, Cécile, que c'est pas ben drôle dans la maison. Papa est comme le gros bull quand il a pris le mors aux dents, le printemps dernier. On dirait qu'il est enragé. Il nous parle juste pour nous engueuler. Surtout depuis que le docteur lui a parlé dans face. Ça bardait pas mal fort dans la chambre des parents. Pis après ça, maman a pleuré pendant toute la soirée. On sait pas c'est quoi le docteur a dit, mais ça a pas dû faire plaisir à papa. Louisa va pus à l'école pour aider ici dedans. Pis toi, Cécile, t'es-tu reposée ? Ça doit ben, depuis le temps que tu es partie. Pourquoi toi tu reviendrais pas pour aider maman pis Louisa ? Quand j'en ai parlé à papa, il m'a quasiment arraché la tête avec la claque qu'il m'a donnée. Je sais pas ce qui se passe chez nous, mais on dirait que c'est devenu une vraie maison de fous. Dépêche-toi de revenir, Cécile. Je m'ennuie de toi pas pour rire. Je t'embrasse. Gérard.

P.S. T'as-tu remarqué que je fais pus de fautes? Quand je t'écris, je prends le gros dictionnaire que tu as laissé en partant. Salut ben. »

Cécile prend le temps de bien relire la lettre, un petit sourire ému aux lèvres devant le post-scriptum. Puis, elle la replie et la range dans la poche de son tablier. Une douleur sourde tenaille ses tempes. D'un geste impulsif, elle pose une main sur son ventre. Que dirait-elle, elle, si son médecin lui apprenait qu'elle vivait une grossesse difficile? Qu'il peut y avoir des risques pour elle ou le bébé? Un sanglot se forme aussitôt dans sa gorge. Elle s'oblige à le ravaler avant qu'il se transforme en gémissement. Non, pas elle, pas son bébé... Pas de pensées sombres. Elle ne doit pas avoir de pensées sombres... c'est le docteur qui l'a dit. Alors, prenant une longue inspiration, elle s'oblige à hausser les épaules.

— Faut pas que je pense à maman, murmure-t-elle en appuyant son front douloureux sur la fraîcheur de la vitre et regardant fixement les premiers flocons de la saison qui tombent lourdement depuis le matin, blanchissant déjà les toits et la rue. C'est moi qui suis importante, astheure. Moi pis mon bébé. Et nous, ça va bien. Ça va on ne peut mieux. Je penserai à maman après. J'vais avoir trois longs mois pour m'occuper d'elle, avant de me marier. De toute façon, je peux pas revenir à la maison avec la bedaine que j'ai là. Le père me tuerait bien raide si je faisais ça. Ça fait que j'oublie tout ça, pis je pense juste à moi. Pour moi, tout va bien, et c'est lundi prochain que je commence à travailler à la crèche pour un mois.

En prononçant ces derniers mots, un curieux pincement lui gratte l'estomac, la ramenant dans le bureau du médecin lors de sa visite, au début de la semaine. Son air radieux n'avait nullement échappé au praticien.

— Mademoiselle Veilleux... Quelle bonne mine ! Je vois que vous suivez nos conseils à la lettre.

Et, ajustant la balance où Cécile l'attendait, comme à chacune de ses visites :

— Et, en plus, nous avons pris cinq livres ce mois-ci. Bravo ! C'est bien. Très bien... Venez vous allonger, maintenant. Nous allons écouter le cœur de cette jeune personne.

Curieuse manie qu'il a, ce médecin, de toujours parler de lui à la première personne du pluriel. Au début, cela avait agacé Cécile. « On dirait qu'il se prend pour un autre, ma parole », avait-elle aussitôt pensé. Mais, devant la gentillesse du Docteur Simard, elle n'avait pu s'empêcher de s'incliner. Simple et direct (à part, bien entendu, sa drôle d'habitude !), il l'a toujours traitée en adulte et cela lui plaît beaucoup. Prévenant, le médecin l'avait aidée à s'allonger sur la table d'examen.

— Voyons voir ce que ce petit cœur a de beau à nous raconter aujourd'hui.

Impressionnée, Cécile avait retenu son souffle pendant que le médecin promenait le gros stéthoscope rond sur son ventre.

— Le voilà !... Mais c'est bien, tout cela. C'est très bien. Voulez-vous l'entendre, Mademoiselle Veilleux ?

— Je peux ?

— Bien sûr. Tenez, placez les deux tubes du stéthoscope

dans vos oreilles… Oui, c'est bien. Fermez vos yeux, pour vous concentrer… L'entendez-vous ?

L'émotion avait saisi Cécile à la gorge. Des larmes au coin des paupières, elle avait incliné la tête, incapable de prononcer la moindre parole. Dans son âme, dans tout son corps chantait le bruit de galop qu'était le cœur de son enfant. « C'est donc vrai qu'il est là, bien vivant en moi », avait-elle pensé, émue. « Oh ! Jérôme, si tu pouvais l'entendre, toi aussi. C'est tellement merveilleux. »

— Alors qu'en pensez-vous, mademoiselle ? En forme, n'est-ce pas, cette jeune fille ?

Du coup, Cécile avait ouvert de grands yeux. La surprise avait aussitôt remplacé l'émotion.

— Jeune fille ?

— Nous en mettrions notre main au feu, mademoiselle. Un cœur qui bat aussi vite que ça ne peut qu'appartenir à une jeune demoiselle. Vous verrez si nous n'avons pas raison…

— Une p'tite fille… C'est drôle. J'avais toujours eu l'impression que ce serait un p'tit garçon. Mais c'est pas grave… Jérôme et moi on est prêts à…

Rouge de confusion, elle s'était tue brusquement. Après en avoir longuement discuté avec Gisèle, Mélina et Napoléon, Jérôme et Cécile avaient choisi de ne pas parler de leur décision au médecin.

— J'ai surtout pas envie que le doc parle à ton père, avait tranché Jérôme. On sait jamais, avec ce monde-là. On est cinq à savoir ce qui va se passer. Non, six avec mon père. Pis c'est en masse de même. Moins il y a de monde qui va savoir, mieux c'est. Qu'est-ce que t'en penses, toi, maman ?

Mais c'est Napoléon qui avait répondu.

— Ben parlé, mon garçon. Faudrait surtout pas qu'Eugène soye au courant pour astheure. Ça serait ben assez pour qu'y trouve une manière de toute faire rater.

Mais le médecin n'avait pas compris le sens des paroles de Cécile. Une main paternelle sur son épaule, il lui avait dit :

— Pourquoi rougir, Mademoiselle Veilleux ? Cet enfant, c'est le vôtre, et il est tout à fait normal que vous l'aimiez. Son père aussi, puisque vous en parlez. N'est-ce pas cet amour qui vous a amenés à le donner en adoption ? Pour qu'il puisse connaître les joies d'une vraie famille ? Une famille que vous et votre ami n'êtes pas encore capables de lui offrir. Nous savons le sacrifice que cela demande et nous vous admirons pour le geste posé. Je vous promets que nous trouverons de bons parents pour votre enfant. Nous croyons même avoir quelqu'un en vue !

Une formule toute faite, répétée, remâchée, radotée, bue jusqu'à plus soif. Il avait bien appris sa leçon, le docteur, pour ainsi la lui servir si spontanément, le sourire aux lèvres. Et cette manie de dire nous à tout moment ! Cécile avait approuvé silencieusement, agacée, un rien sur la défensive. Mais suffisamment pour que le gentil médecin le soit un peu moins à ses yeux. Elle avait sauté en bas de la table d'examen, ignorant délibérément la main qui s'offrait à l'aider. Jérôme avait bien raison. Il lui fallait apprendre à se méfier. Ne se doutant de rien, le médecin était revenu s'asseoir à la table où s'ouvrait le dossier de Cécile.

— Bon, je crois que c'est tout pour aujourd'hui. La directrice de l'orphelinat nous a demandé de bien vouloir vous rappeler que c'est la semaine prochaine que vous commencez à travailler à la crèche pour un mois. Nous lui avons dit de ne pas vous confier de trop lourdes tâches. Il ne faut pas oublier que c'est dans six semaines que vous allez accoucher ! Mais ça va vous faire du bien de sortir un peu, de rencontrer des gens. Quant à nous, nous voulons vous revoir dans quinze jours.

Six semaines ! Six petites semaines. Cécile était sortie de chez le médecin portée sur un nuage. Maintenant seule, l'étincelle de bonheur qui brillait depuis quelque temps au fond de ses prunelles venait de se rallumer. La seule ombre au tableau restait ce mois de travail à faire. Non pas que Cécile se sente fatiguée. Non, pas du tout... Entourée comme elle l'est par tante Gisèle, elle a de l'énergie à revendre. Non, ce n'est pas cela. C'est tout simplement qu'elle a peur. Une peur viscérale de ces religieuses qui l'attendent, de leur jugement, de leurs regards accusateurs. Aux yeux de tous, elle n'est qu'une fille-mère. Une jeune femme qui se doit d'être triste et accablée. À moins d'être soulagée d'en finir bientôt. Mais, pour Cécile, une mère qui veut se débarrasser de son bébé n'existe pas. Même celles qui n'en veulent pas, pour quelque raison que ce soit, doivent avoir un pincement de regret quand approche l'heure de la délivrance. C'est pour cela que Cécile craint le mois à venir. Quatre semaines à feindre la morosité et le chagrin. Personne, personne ne doit se douter de ce qui va vraiment se passer après la naissance de ce bébé. Personne ne doit soupçonner toute l'allégresse qui habite son cœur. Et, à entendre Madame Cliche et tante Gisèle, la directrice n'a pas l'air commode et cela effraie Cécile. Si elle devinait quoi que ce soit ? Et si elle en parlait au médecin qui, lui, s'est engagé à trouver une bonne famille pour accueillir son enfant ? Et si ce dernier, à son tour, s'avisait de contacter son père, afin de comprendre pourquoi Cécile a l'air si heureux ? Hein ? Que ferait-elle, Cécile, si son père venait voir ce qui se passe exactement ? Pour elle, le mois à venir est l'ultime épreuve qu'il lui reste à franchir pour mériter sa petite fille. Même l'accouchement a l'air moins effrayant, à ses yeux. La crainte, en elle, devant l'inconnu. L'angoisse de tout voir s'écrouler par sa faute. Comme toujours...

En soupirant, Cécile relève le front, regarde une dernière fois la rue qui maintenant somnole sous une couette blanche. Le jour n'est plus que lueur blafarde. Quelques passants se hâtent vers la promesse de chaleur de leur foyer, à petits pas pressés et glissants. C'est l'heure où Gisèle commence habituellement à préparer son repas du soir. Soupirant à nouveau, Cécile revient alors sur elle-même et quitte sa chambre pour venir aider sa tante.

— Non, je dois pas penser à maman, murmure-t-elle en refermant doucement la porte. J'ai bien assez de m'occuper de moi pour les semaines qui viennent. Oui, bien assez !

* * *

Par bonheur, ce n'est pas la directrice mais sœur Marie-de-l'Enfant-Jésus qui l'accueille, par une froide matinée de fin novembre. Et la religieuse n'a aucunement l'allure d'un dragon ! Bien au contraire ! Encore jeune et très jolie, elle s'empresse de mettre Cécile à son aise.

— Mademoiselle Veilleux ? Je vous attendais. Je suis sœur Marie-de-l'Enfant-Jésus. Bienvenue chez nous !

Rien de ce que Cécile prévoyait. La jeune religieuse lui tend une main ferme et chaleureuse.

— Comme le médecin nous a recommandé de vous confier un travail léger, nous avons pensé que vous seriez bien avec sœur Saint-Jacques, à la pouponnière des bébés de six mois. À cet âge, ils ont un horaire plus stable et sont plus faciles à vivre ! Mais venez, venez. Nous allons d'abord faire une tournée de reconnaissance et je vais vous montrer où vous pourrez laisser vos choses. Suivez-moi...

L'horaire est lourd, fait d'heures brisées où Cécile se retrouve laissée à elle-même pendant les moments de sieste des bébés. Mais, peu lui importe... Demain, elle va penser à apporter un livre. Et puis, avide, elle renoue avec le plaisir de s'occuper des tout-petits. Sœur Saint-Jacques, aussi, est une vraie grand-maman gâteau. Finalement, Cécile le devine aisément, le mois sera beaucoup moins pénible que tout ce qu'elle avait présagé. Dès le premier midi, à la cafétéria, elle rencontre d'autres jeunes filles qui, comme elle, attendent un enfant. Réservée de nature, elle observe sans trop se mêler à la conversation, assise à un bout de la table. L'appétit lui étant revenu, il lui est facile de se concentrer sur son assiette qu'elle s'applique à gratter consciencieusement. Installée à quelques tables devant elle, une autre jeune fille mange toute seule. Personne n'est venu la rejoindre ni ne l'a saluée. Peut-être est-elle nouvelle ? Cécile a subitement envie de lui parler. Après avoir porté son plateau, Cécile se permet de la dévisager, lui offrant la complicité de son sourire. Mais l'autre baisse aussitôt la tête, se dérobant à la curiosité pourtant amicale de Cécile. Deux regards qui se croisent, l'espace d'un instant. Le cœur serré, Cécile constate que la jeune fille n'est en fait qu'une enfant de douze ou treize ans, tout au plus. Une gamine mal fagotée, un fichu gris sur la tête retenant plus mal que bien quelques mèches rebelles. Un visage d'enfant dévoré par un regard d'adulte blessé, désabusé. Un masque farouche de haine et de tristesse. Spontanément, brutal comme une envie, Cécile sent naître en elle le besoin de lui parler, de la connaître. Malgré sa nature hésitante, elle fait les quelques pas qui la séparent de la table et s'installe sur la chaise devant elle. À peine si la gamine ose un œil méfiant sous ses paupières baissées...

— Bonjour, je m'appelle Cécile. Je suis nouvelle, ici. Toi ?

La question reste un instant suspendue, avant de mourir, avalée par les conversations bruyantes qui les enveloppent. Cécile se penche sur la table.

— T'as pas envie de parler ?... Moi, j'aimerais bien savoir ton nom... Non ? Okay d'abord. Si tu veux pas, j'insisterai pas. T'as le droit de rester toute seule si c'est ça que tu veux... Je te dis quand même bonjour...

— Va-t-en pas... Pas tusuite. Je m'escuse...

À peine un murmure dans la cohue des exclamations de la salle à manger. L'adolescente relève un visage ingrat, anxieux et défiant tout à la fois. Deux prunelles du noir le plus profond que Cécile ait jamais vu se fixent sur elle.

— Je m'appelle Rolande... Reste encore un peu, si t'as le temps. Ça... Ça fait longtemps que j'ai pas parlé avec quèqu'un, en dehors des sœurs.

— Ça veut dire que tu habites ici ? Tu... Tu couches ici ?

— Ben oui... Où c'est que je pourrais aller ?

— T'as pas de fa...

Cécile se tait brutalement. Bien sûr que Rolande a une famille... Mais, si elle est à l'image de la sienne, on devine aisément ce que Rolande fait ici. Sans la tante Gisèle, c'est probablement ici que Cécile aurait passé sa grossesse. Elle ravale donc la question qui attendait sur le bout de ses lèvres et se met à rougir bêtement. Rolande hausse les épaules avec défaitisme, devant l'embarras de Cécile. Une autre curieuse qui se demande ce qu'une jeune comme elle fait ici. Sa voix est maintenant lourde de hargne et de colère contenues.

— Oui, je reste icitte. Je dors icitte, je mange icitte pis j'vas avoir mon p'tit icitte. Pis, après ça, j'vas enfin avoir la paix. J'sais pas encore ousque j'vas aller, vu que mon père m'a mis à porte. Mais c'est pas ben grave… Une traînée, ça trouve toujours une place où aller, non ? Parce que tout le monde le sait ben que chus juste une menteuse pis une enfi-rouapeuse de gars. En té cas, c'est ça que ma mère a' dit, pis mon père était juste trop content qu'a' dise de même. Ça fait qu'y m'a dit de sacrer mon camp avant de faire encore plus de trouble dans la maison… Y as-tu d'autres choses que tu veux savoir, là ? Ah ouais j'ai oublié de te dire… j'ai juste treize ans. J'ai l'air plus vieille de même. Mais j'ai juste treize ans. Astheure que tu sais toute, tu peux ben faire comme tous les autres pis clairer la place. Une de plus ou ben une de moins, ça me fait pas un pli.

— J'ai pas envie de m'en aller, Rolande. Je veux seule-ment qu'on apprenne à se connaître, toi pis moi. Après, si on a encore envie de se parler, peut-être qu'on va devenir des amies. Qu'est-ce que t'en dis ?

Un ricanement dur. Brutalité surprenante chez une enfant. Rolande lui répond d'un air buté :

— Des amies ? C'est quoi ça ? Je connais pas ça, moé, des amies. Des vraies, j'veux dire. J'ai ben des copines, mais des amies… Je pensais que ma mère ça serait comme une sorte d'amie pour moé. Ouais… maudit que je l'ai espéré ! Mais c'était pas vrai… J'aurais ben dû me la fermer, aussi. Ma mère a' dit que chus rien qu'une maudite agace pissette. Fait que viens pas me parler d'amies icitte, toé. Ça se peut pas, des amies. Y a juste du monde qu'y faut se méfier… Pis je te dirai que depuis que chus icitte, tu seule, j'ai enfin la paix. Ça fait que chus pas sûre pantoute d'avoir envie d'une amie… Astheure, y faut que je te laisse. Je reprends mon quart dans la cuisine, pour faire la vaisselle.

Le plateau à bout de bras devant elle, la démarche malhabile et dandinante, le pied traînant, Rolande disparaît derrière la porte battante menant aux cuisines. La seule évocation que Rolande doit se taper la corvée de toute cette vaisselle sale donne la nausée à Cécile. Elle fixe, sans la voir, la lourde porte qui se balance de plus en plus faiblement. Quand elle s'arrête enfin dans un frottement d'air, Cécile sursaute. Dieu que sa grossesse est douillette, finalement, à côté de ce que vit Rolande... Cécile se promet, en revenant à la pouponnière, de tout tenter pour en faire son amie. Elle va lui apprendre, elle, que le monde n'est pas si terrible qu'il en a l'air. Les parents de l'adolescente doivent avoir leurs raisons, tout comme les siens. Depuis qu'elle sait qu'elle va garder son bébé, rien ne semble impossible à Cécile. Le couloir d'ombre où s'enfonçait sa vie s'ouvre enfin en entonnoir sur un grand jardin plein de soleil. Il est là, tout près, à portée d'espérance et de bon vouloir. Et, dans le secret de ses nuits, elle ose croire que même son père, l'irréductible Eugène, va plier devant l'amour évident qui existe entre elle et Jérôme. Elle se l'imagine, droit et fier, imposant, debout sur la galerie devant leur maison et lui tendant les bras à son retour. Oui, même Eugène va comprendre. La terre entière va comprendre qu'on ne peut leur demander de sacrifier leur enfant au profit de quelques vieilles filles en mal de médisance! On ne peut nier une vérité aussi criante. En poussant la porte vitrée qui la sépare des pleurs vigoureux d'une douzaine de poupons bien éveillés, un large sourire traverse le visage de Cécile. Elle vient de décider que Rolande, aussi, allait partager sa joie. Rien, non rien ne lui est désormais impossible!

C'est pour cela que, dès le lendemain, elle vient s'asseoir à la même table que l'adolescente pour prendre son repas.

— Salut, Rolande. Est-ce que je peux venir avec toi ?

Un haussement d'épaules indifférent lui répond. Cécile n'y prend garde. Exagérant même sa bonne humeur, elle s'installe devant la gamine qui la dévisage, une animosité curieuse dans le regard.

— Comment ça va, à midi ? Moi, je trouve ça pas mal le fun de m'occuper des p'tits de six mois. Ils sont tellement drôles à cet âge-là ! Aimes-tu ça, toi, les bébés ?

Second haussement d'épaules indifférent.

— J'sais pas trop. Je me suis jamais posé la question. Je... Je pense que ça me laisse frette. Ça braille tout le temps, pis ça pue... Non, je pense que j'aime pas ça, des bebés... Pis qu'essé que ça peut ben te faire à toé, que j'aime ça ou pas des bebés ? Une chose est sûre, c'est que j'ai ben hâte de me débarrasser de c'te paquet-là... Pis j'ai pas envie de parler de ça, okay-là ! Si t'as pas d'autre chose à me dire, t'es aussi ben de t'en aller, parce qu'on arrivera pas à s'entendre, toé pis moé.

— Bon, bon c'est correct. Fâche-toi pas, Rolande. Je disais ça de même. C'est pas plus important que ça.

Rolande ose un pauvre sourire sans joie, avec une drôle d'espérance dans les yeux. Peut-être bien, après tout, que Cécile est sincère quand elle dit vouloir être son amie. Chose certaine, elle est persévérante, il n'y a pas à dire ! Son grand besoin de complicité lui monte à la tête, comme un vertige, et adoucit le ton de sa voix.

— Okay, on en parle pus... D'où c'est que tu viens toé ?

— Je viens de la Beauce. Toi ?

— Je demeure icitte, en ville. Dans Limoilou, sur la 3e Rue... En fait, je demeurais. J'sais pas encore ousque j'vas m'en aller, dans deux semaines, quand toute ça va être fini…

— Dans deux semaines ? Tu veux dire que t'es à la veille d'accoucher, toi-là ?

— C'est en plein ça. Le docteur a dit que c'était pour le quinze décembre. Mais ça peut ben arriver avant… Y m'a juste dit de me tenir prête. Ça peut m'arriver n'importe quand. Pis je te dirai que j'ai ben hâte que ça se fasse. J'en ai assez de me voir avec une grosse bedaine, pis de me faire piocher dedans à toute menute… Toé, c'est pour quand ?

— Dans un peu plus qu'un mois… Mais moi, je sais pas si j'ai hâte de pus le sentir. Je comprends pas ça, moi, qu'une mère soye pas…

— Aye, arrête-toé dret-là. Si t'as envie de me faire la leçon, on s'entendra jamais. C'est pas parce qu'on a été engrossée qu'y a juste ça dans vie…

La grossièreté des propos de Rolande fait sursauter Cécile. Comment une gamine de cet âge peut-elle parler ainsi ? Rolande est à peine plus âgée que Louisa, sa sœur. Cécile y voit un désespoir sans fond. Impulsivement, elle vient poser sa main sur celle de Rolande. Une main toute menue, aux ongles rongés, aux doigts crevassés par les gerçures, à cause de la vaisselle. Cécile se permet même de serrer la main de Rolande, très fort. Comme elle le fait avec Louisa quand, les soirs d'orage, elles n'arrivent pas à s'endormir.

— Je m'excuse, Rolande. Je voulais surtout pas te faire de la peine. J'ai compris : on parle pus des bébés. C'est promis…

Un éclat de rire lui échappe.

— De quoi on parle, d'abord ? Moi, depuis quelque temps, j'ai l'impression qu'il y a rien que ce bébé-là dans ma vie !

— Ouais, là, y a peut-être juste lui. Chus ben d'accord avec toé. Mais après ? La vie va pas s'arrêter quand tu vas accoucher, hein ? Toé, Cécile, qu'essé tu vas faire après ? Tu retournes-tu chez vous ? Tu restes-tu en ville ?

Cécile pose un regard lumineux sur l'adolescente. Un regard où scintille toute l'espérance du monde. Un sourire discret cache cependant une grande partie de la vérité.

— Non, je resterai pas en ville, après. Je m'en retourne chez mes parents pour un temps. En fait, jusqu'au mois d'avril, quand je vais me marier.

— Parce que tu vas te marier ? Hé ben ! Si vous êtes pour vous marier toé pis ton chum, pourquoi faire que t'es icitte, d'abord ? C'est-y juste pour avoir ton p'tit ? Tu... Tu vas le garder, ton bebé ?

Cécile n'est pas une menteuse-née. Et elle le sait fort bien... D'un coup, elle se retrouve dans la cuisine de ses parents et revoit à quel point sa mère a pu facilement percer son secret. Alors elle s'oblige à baisser la tête, brusquement occupée à déchirer sa tranche de pain en toutes petites bouchées. Personne ne doit se douter de ce qui va réellement se passer après.

— Non, je garde pas mon bébé.

— Mais pourquoi ? Si t'es pour te marier... Pourquoi faire que tu...

— On a dit qu'on parlait pus des bébés, Rolande.

Puis, sachant qu'elle ne risque plus de laisser transpirer son secret, elle relève le front, avant de conclure en regardant sa nouvelle amie droit dans les yeux. Seule une colère sourde anime son regard.

— C'est à cause de mon père que je suis ici. Rien qu'à cause de lui. Pis, maintenant, on va parler d'autre chose, okay ?

* * *

Petit à petit, de dîners en soupers, d'espoirs entretenus en rancunes mutuelles, Rolande et Cécile ont appris à se connaître. À se reconnaître, aussi. Une même soif d'apprendre, un même plaisir devant la lecture. Une femme et une enfant sachant que quelques années de plus ou de moins ne font aucune différence dans le partage des espérances de vie. Rolande, la gamine aux origines modestes, qui rêve d'absolu en consacrant sa destinée aux soins des malades. Médecin... Elle veut devenir médecin. Et, quand elle en parle, son visage quelconque est éclairé d'un reflet qui la rend presque jolie. Autant que Cécile, qui parle de son Jérôme, du travail de la terre et des enfants qu'ils auront. Elles ne sont plus adolescente ou enfant. La vie s'est chargée d'en faire des femmes. Deux femmes qui vivent d'espérance, même si la destinée, jusqu'à ce jour, ne leur a pas fait de cadeau. Mais qu'importe! La jeunesse se contente facilement de réorganiser le monde à sa façon, persuadée qu'elle va réussir là où les parents ont échoué. Le seul sujet tabou, c'est leurs familles respectives. Jamais, ni l'une ni l'autre, elles n'ont osé aborder le sujet. Comme une entente tacite entre elles. Qu'elles respectent farouchement.

Puis, un midi vers la mi-décembre, Rolande n'est pas à la salle à manger. Depuis une semaine que Cécile se répétait à chaque jour que cela risquait d'arriver! Un large sourire lui traverse la figure. Ça y est! Rolande a dû accoucher. Ou peut-être est-elle encore en travail? Curieuse et pressée, Cécile se dépêche d'avaler son repas. Elle a deux longues heures devant elle, avant de retrouver ses poupons qui font la sieste. Alors, dès son repas terminé, elle se dirige d'un pas ferme vers l'hôpital de la Miséricorde, attenant à la crèche. Ayant déjà visité les lieux, elle se rend sans hésitation au troisième étage où sont les salles d'accouchement. Mais Rolande n'y est plus. Elle est revenue dans la salle commune, au second plancher. Intimidée, Cécile entre sur la pointe des pieds. Huit lits se font face dans la grande chambre grise et sombre. Dehors, il neige à plein ciel. Près de la fenêtre aux rideaux à demi fermés, isolée du reste de la salle par une tenture verdâtre, Rolande dort profondément. Alors Cécile se retire discrètement et se rend à la pouponnière. Si elle ne peut voir la mère tout de suite, rien ne l'empêche d'admirer le rejeton... Le cœur battant, émue, elle se penche sur la vitre qui la sépare d'un merveilleux petit garçon au visage pas plus gros que le poing, rougeaud et grimaçant. Puis, étirant le cou comme un poussin à peine sorti de sa coquille, il échappe un grand bâillement, laissant entrevoir une toute petite langue rose, tremblante. Et ce nez miniature qui se plisse avant que le sommeil ne reprenne ses droits... Il est beau, le fils de Rolande. Magnifique. Cécile en a les larmes aux yeux et, d'une main déjà toute maternelle, elle vient flatter amoureusement son gros ventre. Dire que dans deux ou trois semaines c'est son enfant à elle qui dormira ici, dans un petit lit blanc. C'est son nom à elle qui sera inscrit sur le petit carton bleu ou rose au pied du berceau. Bébé Veilleux... Juliette Veilleux avant de devenir Juliette Cliche, fille légitime de Jérôme Cliche et de Cécile Veilleux. Un grand bonheur lui gonfle le cœur et inonde son regard. De grosses larmes de joie glissent sur ses joues et viennent mourir sur son ventre disproportionné.

— Trois semaines, Juliette, murmure-t-elle en revenant vers l'ascenseur. Dans trois semaines on va enfin se connaître, toi et moi.

À l'heure du souper, comme elle n'a que quarante-cinq minutes de libres, Cécile choisit d'escamoter le repas pour aller voir son amie. « Je mangerai plus tard, chez ma tante », décide-t-elle en se dirigeant à nouveau vers l'hôpital. « Là, c'est Rolande que j'ai envie de serrer dans mes bras. Mon Dou qu'elle doit être contente que ça soye fait ! »

La jeune mère est assise dans son lit, le regard survolant la cour de l'orphelinat. Elle sursaute quand Cécile s'approche d'elle.

— Bonjour Rolande ! Félicitations ! Ton fils est superbe...

Un haussement d'épaules indifférent lui répond. Comme une habitude chez Rolande de ne plus s'étonner de rien.

— Ah oui ?

— Comment ? Dis-moi pas que t'as pas vu ton p'tit gars ?

— Non. J'ai pas le droit de me lever. Pis, de toute manière, j'veux pas le voir.

— Tu veux pas l'...

— Non, j'veux pas le voir. Jamais, tu m'entends. Y'existe pas, pour moé, c'te bebé-là. J'ai jamais été enceinte. C'est jamais arrivé, okay là ?

— Mais voyons, Rolande ! Tu peux pas parler comme ça. Tu dois...

Tout en parlant, Cécile est venue s'asseoir à côté de l'adolescente. Elle comprend toute la détresse que doit cacher ce refus de la réalité. Avec tendresse, elle tend le bras et vient poser sa main sur la tête de Rolande pour caresser les mèches rebelles. Mais celle-ci la repousse d'une main brusque, presque brutale.

— Flatte-moé pas les cheveux, toé. J'veux pus jamais que quèqu'un me flatte les cheveux. Pus jamais. Pus jamais !

Rolande pose sur Cécile un regard fou de haine et de peur. De dégoût, aussi. Interdite, Cécile se relève, mal à l'aise devant tant d'agressivité. Consciente, en même temps, qu'une telle ardeur doit cacher un terrible secret.

— Pardonne-moi, Rolande. Je… je voulais pas. J'vais m'en aller…

— Non !

Un cri d'angoisse venu tout droit du cœur de Rolande qui brusquement s'agrippe à la main de Cécile. Son visage est baigné des larmes qu'elle n'arrive plus à contrôler. Une amie… Maintenant elle a une amie et ne veut surtout pas la perdre.

— Va-t-en pas, Cécile. Escuse-moé. Tu pouvais pas savoir… Parsonne peut savoir. Non, parsonne peut savoir ce qui m'est arrivé. Ou ben donc y veut pas le savoir. Non, parsonne. Mais j'veux pus jamais qu'on me touche les cheveux de même. Jamais, jamais. Non, pus jamais parsonne.

Le délire d'une enfant apeurée qui chuchote sa hantise, les yeux hagards surveillant tout ce qui bouge autour d'elle. C'est à peine un murmure qui franchit les lèvres de Rolande, mais avec une si grande passion qu'il claque comme un cri aux oreilles de Cécile. La gamine qui s'était pourtant jurée de garder silence, de ne plus jamais faire confiance… Et voilà qu'elle se laisse aller à la confidence. Brutalement, il lui faut parler. Les mots se précipitent, plus puissants, plus impérieux que sa honte ou son désir de se taire. Il lui faut trouver quelqu'un qui va comprendre, accepter, aimer malgré tout. Alors, de sa bouche, s'échappe l'incontrôlable litanie qui pleure son horreur et son humiliation.

— Avant, j'aimais ça quand mon père me flattait les cheveux. Y disait que j'étais sa p'tite chatte adorée. Oui, j'aimais ben ça quand c'est qu'y me flattait les cheveux, quand j'étais p'tite. Mais, un jour, y voulait pus juste me flatter les cheveux. Y voulait plus. Ben plus… Mais moé je voulais pas. « Non, pus maintenant, popa. J'veux pus que tu me caresses de même. J'veux pus, popa. J'veux pus… » Tu me comprends-tu, toé, Cécile ?

Incrédule, incapable de se résoudre à accepter le sens des propos de Rolande, les yeux agrandis par l'horreur qu'elle croit deviner, Cécile lui répond d'une voix étranglée :

— Non, non… Pas vraiment. Je pense que…

Mais Rolande ne l'écoute pas vraiment. Les mots de Cécile glissent en elle, virevoltent un instant, rejoignent sa lancinante obsession. Elle se cramponne au bras de Cécile et continue de parler de sa voix basse et monocorde, comme si elle ne s'adressait qu'à elle-même.

— Non, c'est ben sûr. Tu peux pas comprendre. Pis c'est pas de ta faute. Y a parsonne qui peut comprendre des affaires de même. Ma mère, non plus, a' comprend rien. Mais elle, c'est parce qu'a' veut pas le comprendre. Mais c'est presque pareil. Pis c'est correct de même. C'est rien que normal qu'a' comprenne pas, ma mère. Parsonne peut comprendre ça qu'un père aime trop sa fille pis qu'y fasse même un p'tit avec. Ça a pas d'allure, hein Cécile, des affaires de même ? Parsonne de bon sens peut accepter ça… Moé non plus, je voulais pas que ça arrive. J'pensais pas que ça pouvait arriver. J'aimais pas ça, quand mon père venait me rejoindre. J'y disais, à mon père… Mais y veut pas m'écouter. Quand y'a pris trop de bières avec ses chums à taverne, y vient comme fou. J'ai peur quand y'est d'même, quand y dit que j'ai des beaux cheveux pis qu'y veut y toucher. Je l'ai dit à ma mère que je le voulais pas, pis qu'y me fait peur. Mais a' veut pas me croire, ma mère. A' dit que chus juste une menteuse parce que ça se peut pas des affaires de même. Je t'en supplie, Cécile, dis-moé que c'est pas de ma faute... Hein Cécile? Dis-moé que chus pas une traînée. Je voulais pas qu'y m'touche, mon père. Je voulais pas, Cécile. Je te le jure que c'est pas moé qui voulais ça. Fais pas comme ma mère, Cécile, pis dis-moé que toé tu me crois. Hein, Cécile? Chus pas une courailleuse de gars, comme a' dit, pis chus pas une menteuse non plus. Non, chus pas une menteuse. Ça s'invente pas des histoires de même. C'est ben que trop sale. Ben que trop sale...

Puis, comme si elle s'éveillait d'un profond sommeil, elle se détache de Cécile, se cale contre ses oreillers, accrochant son regard sur les lumières brillantes et multicolores qui ornent la couronne de sapin au-dessus de la porte de la crèche. Longtemps, très longtemps, elle reste à contempler une vision visible d'elle seule. Cécile ose à peine respirer. Il n'y a rien à dire. Que l'horreur qui grandit dans l'âme de Cécile. Il n'y a que le silence, entre elles, qui peut dire la compréhension, l'amitié. Quand Rolande se détourne enfin de la fenêtre et vient poser son regard sur Cécile, elle comprend, au sourire de celle-ci, qu'elle la croit. Un long soupir tremblant, fragile comme une joie longtemps espérée, soulève les épaules de l'adolescente.

— Merci, Cécile, d'avoir rien dit. Tu... Tu veux-tu toujours être mon amie, maintenant que tu sais ce qui...

Alors Cécile se rapproche à nouveau du lit et entoure les épaules de Rolande d'un bras protecteur. Elle est à la fois mère et amie, sœur et compagne.

— Chut! Dis rien, Rolande... Tout est dit. T'es mon amie. Maintenant, plus que jamais. Il faut pas que tu l'oublies. Jamais. Pis si t'as besoin de moi, je serai toujours là pour toi. Comme quand on a une grande sœur: c'est pour la vie. Pour toute la vie...

Alors, ramenant les yeux sur les lumières de Noël qui scintillent au-delà de la fenêtre de l'hôpital, Rolande rajoute dans un souffle :

— Tu vois, Cécile, c'est juste pour ça que j'veux pas voir mon bebé. Y me rappelle trop d'affaires pas belles. Des affaires que j'veux oublier, si ça peut s'oublier des choses de même. Pis, ce qui est pire, c'est que j'saurais pas si c'est mon p'tit frère ou ben donc mon fils que j'tiendrais dans mes bras. Ça fait que j'veux pas le voir. Jamais.

Quand Cécile vient pour retrouver Rolande, une semaine plus tard, à quelques jours de Noël, elle se heurte à un lit vide. « Ouais, c'est vrai », constate-t-elle déçue en revenant sur ses pas. « Elle m'a dit, hier, que ça se pouvait que le docteur lui donne son congé aujourd'hui. Mais où est-ce qu'elle est allée ? Toujours pas chez elle, c't'affaire ! » Inquiète, elle se précipite au poste des infirmières. Une religieuse l'interpelle d'une voix sèche :

— Hé vous ! là-bas… Pour accoucher, ce n'est pas ici. C'est au troisième…

Consciente de la méprise, Cécile lance un regard complice à son gros ventre, osant même un petit rire.

— Non, excusez-moi, ma mère. Je suis pas ici pour accoucher, c'est pas encore mon temps. C'est…

— Alors, qu'est-ce que vous faites sur mon étage, à cette heure-ci ? Vous n'avez pas le droit de venir ici en dehors des heures de visite.

Et, sans attendre de réponse, sœur de la Nativité penche sa cornette sur le dossier qu'elle était en train de consulter.

— C'est que j'aimerais avoir un renseignement… J'ai une amie qui a accouché la semaine dernière, pis elle est pus dans sa cham…

— Vous n'avez pas compris ce que je viens de vous

dire ? Quittez mon étage immédiatement !

Mais Cécile n'a pas l'intention de repartir sans savoir ce qu'il est advenu de son amie. Dessinant un sourire qu'elle espère amical et respectueux, elle enchaîne aussitôt :

— Juste un renseignement, ma mère. Je veux simplement savoir où est partie Rolande Comeau. Je... J'ai un cadeau de Noël pour elle et je voudrais lui...

— Ma parole, vous êtes une tête dure ! Si Mademoiselle Comeau ne vous a pas donné son adresse, ce n'est pas à moi de le faire. La confidentialité, mademoiselle, la confidentialité.

— Elle... Rolande est retournée chez elle ?

— Et où voulez-vous qu'une gamine de cet âge aille ? Bien sûr qu'elle est retournée chez elle ! Son père est venu la chercher ce matin. Un bien brave homme, en passant, de lui pardonner un tel écart de conduite à son âge. C'est complètement aberrant ! Une enfant, rien qu'une enfant et avoir des idées pareilles !... Maintenant, quittez mon département. Vous n'obtiendrez rien de plus de moi.

Déçue, inquiète, Cécile tourne les talons et, sans un mot, elle se dirige vers l'ascenseur. Elle ne comprend pas que son amie ait pu partir sans laisser une note pour elle. Comment, comment se fait-il qu'elle soit partie comme ça, sans avertir, sans même laisser son adresse ? Noël, cette année, est la fête la plus triste qui soit pour Cécile. Malgré les cadeaux offerts par la tante Gisèle et les lettres parvenues de chez elle. Seule la présence de Jérôme aurait pu la dérider un peu. Mais une violente tempête de neige l'a retenu dans la Beauce et cette nuit qu'elle prévoyait remplie de joie et de réjouissances en a été une de larmes dans l'oreiller aussitôt le réveillon terminé. Il n'y a que l'image d'une tante Gisèle plus grande que le monde et dure comme de la glace qui vient à bout de ses larmes.

— Ma tante va savoir ce qu'il faut que je fasse. Jamais elle va accepter que Rolande retourne chez elle, comme ça. Je pense que je peux lui confier le secret de Rolande. Faut qu'elle m'aide à la retrouver. Faut qu'elle m'aide à la...

Le sommeil la ravit enfin à son tourment.

10

Janvier est là. Guilleret et pimpant pour certains, avec ses joyeuses parties de glissade et son ski sur les Plaines, alors que, pour d'autres, il est vivifiant, avec ses lentes séances de patinage sur la rivière Saint-Charles gelée ou ses bruyantes parties de hockey. Mais, malgré cela, et un peu pour tout le monde, il reste maussade et désagréable quand arrive la parade des pieds gelés à l'arrêt d'autobus, les yeux larmoyants à cause du vent et les toux creuses. Et, un peu à cause de cela, il faut bien l'avouer, janvier sera toujours un mois rempli d'humeurs plus ou moins agréables qui fluctuent au rythme du thermomètre. Pourtant, le 10 au matin, Cécile s'éveille en pleine forme, une foule de souvenirs à saveur douce accompagnant son réveil. C'est qu'hier, elle a reçu un appel de Rolande. Oh ! À peine quelques mots : une excuse de ne pas avoir donné de ses nouvelles plus tôt et l'envie qu'elle a de revoir Cécile. Immédiatement, cette dernière lui a donné rendez-vous sur la Terrasse pour le début de l'après-midi suivant. Malgré l'interrogation inquiète de Rolande.

— T'es sûre que tu vas pouvoir venir, Cécile ? Faut pas oublier que t'es supposée avoir ton bebé c'te semaine.

Ce à quoi Cécile avait répliqué en riant :

— Oui, pis après ? Si je suis pas là, tu sauras ce que ça veut dire pis tu viendras me voir à l'hôpital.

Il lui faut rencontrer Rolande. La regarder droit dans

les yeux et essayer de sonder son âme. Ce cœur d'adolescente meurtrie, blessée par un père abusif. Comment peut-elle penser guérir en présence de la peur et de l'artisan de celle-ci ? Cécile ne possède peut-être pas la réponse, mais elle veut aider Rolande. Peu importe comment. Peut-être tout simplement en étant là ? La présence d'une oreille attentive. Et Gisèle, qu'elle a mise au courant, la soutient dans sa démarche.

— Bonté divine, s'était-elle indignée quand la jeune fille, un peu mal à l'aise, avait osé lui en parler. T'es ben sûre que c'est vrai toute c't'affaire-là ? Ouais ? Ben ça alors ! C'est pire que toutes les histoires d'horreur que j'ai pu entendre. Tu parles d'un écœurant ! Bonyenne ! J'en reviens pas. Ça c'est sûr, Cécile, qu'y faut que tu l'aides ! J'sais pas trop comment, mais y faut que ton amie sache qu'a' peut compter sur quèqu'un ! Pôv'tite fille...

Alors, d'avoir eu des nouvelles de Rolande a rassuré le cœur inquiet de Cécile qui ne savait comment rejoindre son amie, cette dernière n'ayant pas le téléphone chez elle. Et, pour la toute première fois depuis Noël, elle s'est endormie facilement et a passé une excellente nuit. Rolande a donné signe de vie; les deux cousins, en vacances depuis la veille de Noël et fort encombrants dans la maison, enfin, oui, les deux garnements retournent à l'école et Jeanne, sa mère, lui a fait parvenir une bonne et longue lettre. C'est la première fois qu'elle lui écrivait, hormis une carte brève pour Noël et Cécile en est toute émue. Car il n'y a pas que la mère qui lui parle à travers ces lignes, mais aussi une amie qui dit penser à elle, prier pour que l'accouchement se passe bien et lui donne quelques conseils. De sa grossesse à elle, nulle allusion. Cécile en conclut que tout doit aller mieux que ce que laissait supposer Gérard. Et, tout au fond de l'enveloppe, plié en quatre, caché dans une feuille de papier blanc, Jeanne Veilleux lui a glissé un billet de vingt piastres. Une vraie fortune pour le porte-feuille de ses parents. Mais, encore plus que le montant, c'est le geste et l'intention qui touchent Cécile. « C'est pour t'acheter du beau tissu pour ta robe de mariée. C'est ton père qui m'a demandé de te l'envoyer », lui confie sa mère. « On s'ennuie tous bien gros de toi, ma grande fille. » Son père, le froid et sévère Eugène, a pensé à elle. Non pas sous l'effet de la colère, non, mais bien pour lui faire plaisir. Une délicatesse qu'elle n'aurait jamais pu soupçonner chez un homme aussi rustre. Pour avoir eu une telle intention, c'est qu'Eugène aussi s'ennuie de sa fille. Bien installée dans son lit, Cécile relit les quelques mots que sa mère lui a envoyés. Le cœur battant d'une drôle de façon. Émue, surprise, elle vient de comprendre que sa famille lui manque, à elle aussi. Non pas à la façon d'un vide en elle. Non, pas vraiment. Sa vie se joue maintenant sur un tout autre tableau. Mais elle a hâte de tous les revoir. Ses parents, comme ses frères et sœurs. Une belle et bonne envie de leur parler, de rire avec eux. Et voilà que, par-dessus tout, c'est demain que Juliette est supposée montrer le bout de son nez. Selon le médecin, rencontré la veille, il y a de fortes chances pour que Mademoiselle Veilleux fasse son entrée dans le monde à l'heure militaire. Tout se présente pour le mieux! C'est donc l'humeur remise au beau fixe que Cécile s'est éveillée en ce matin ensoleillé du dix janvier mil neuf cent quarante-trois. Elle remet la lettre de Jeanne sur sa table de nuit et s'étire longuement en baillant, avant de se rouler en boule sur le côté, l'humeur paresseuse avec, au creux des émotions, toutes les joies qui se présentent enfin à elle. Mais une faim insatiable lui creuse l'estomac et la pousse à quitter la chaleur douillette de son lit. Alors, d'un coup de pied désinvolte, elle envoie promener ses couvertures et, d'un bond, se précipite vers l'escalier qui mène à la cuisine. Une bonne odeur de beurre fondu chatouille les narines.

— Bonjour ma tante! Salut les cousins! C'est à matin que vous retournez à l'école?

Deux regards sombres se posent simultanément sur elle.

— Ouais... marmonne Raoul, l'aîné et porte-parole officiel du tandem. Mais c'est pas parce qu'on en a envie, tu sauras. Hein Fernand? Si mon père vou...

À ces mots, Gisèle se retourne aussi vite et sec que la crêpe qu'elle vient de faire sauter dans le poêlon, brandissant vigoureusement une spatule menaçante. Il est rare que Gisèle interrompe ce qu'elle est à faire pour donner son avis. Alors Raoul repique du nez dans son assiette, sans compléter sa pensée. Le regard acéré de sa mère, lancé juste au-dessus de la monture d'écaille pour être plus efficace, ce regard piquant, lui vrille la nuque à un point tel qu'il se met à rougir de confusion. C'est qu'il connaît fort bien sa mère, Raoul, et surtout l'idée qu'elle se fait de l'importance des études. La voix sèche et dure vient confirmer ses appréhensions.

— Toi, mon grand chialeux, tu ferais mieux de t'taire. T'as ben de la chance que ton père aye une bonne job pis les moyens de t'envoyer à l'école aussi longtemps. Pis qu'y tienne son boutte comme y fait. Attends pour voir! On en reparlera dans quèques années. Astheure, arrête de bretter pis finis ton déjeuner, si tu veux pas être en retard. Pis toi avec, Fernand... Y faut commencer l'année du bon pied, si on veut pas la finir sul cul! Envoye! Grouillez-vous! Pis, en plus, y fait même pas frette. Le thermomètre marque un beau vingt au-dessus. C'tes jeunes d'aujourd'hui... ça chiale juste pour chialer.

Puis, se tournant vers Cécile, elle repousse ses lunettes d'une chiquenaude adroite et lui fait ce large sourire que la jeune fille a appris à connaître et contredisant la voix toujours aussi brusque.

— Pis toi, Cécile, comment tu te sens à matin ? Pas de crampes ? Pas d'envies bizarres ?

— Non, pas vraiment... Sauf que je me sens en forme comme ça fait longtemps que c'est pas arrivé.

— Ben ça, ma poulette, ça veut dire que ça s'en vient, ton affaire. Tiens-toi prête, ma belle. Ça serait pour aujourd'hui que ça me surprendrait pas.

— Tu penses ? Bien, tant mieux. C'est drôle, mais depuis une semaine on dirait que ça me fait pus peur d'accoucher. Même que j'ai hâte ! Pis j'ai faim, ma tante, comme ça se peut pas.

— Ben là, tu m'fais plaisir. Assis-toi, ma Cécile, je m'en vas t'faire une couple de crêpes ben chaudes... Y a d'la melasse sur la table... Mais attends donc menute, toi là, j'pense qu'y me reste un fond de sirop d'érable dans glacière...

Après avoir englouti un copieux déjeuner, Cécile repousse son assiette en soufflant bruyamment, les deux mains appuyées sur son ventre.

— Cinq crêpes ! Tu y penses pas, ma tante. Ça a pas de bon sens ! J'vais éclater, si ça continue de même !

Gisèle la dévisage un instant d'un œil attendri.

— Ben voyons donc ! Faut que tu te fasses des réserves, ma belle. Ça fatigue en verrat mettre un p'tit au monde. Tu vas voir ! Tu m'en donneras des nouvelles, après !

Sur un sourire complice, Cécile remonte à sa chambre. Après avoir changé les draps de son lit et mis les anciens à tremper, récupéré sa valise dans le grenier et l'avoir préparée au cas où, Cécile annonce qu'elle n'aura pas faim pour dîner et a plutôt décidé de partir tout de suite pour la terrasse du Château Frontenac, où elle a rendez-vous avec Rolande. Il fait si beau, la promenade devrait lui faire le plus grand bien.

— Ben voyons donc, Cécile. T'es toujours pas pour aller jusque là, ma belle? T'es quasiment à veille de débouler, toi-là.

— Ma tante! J'ai promis à Rolande que je serais là. Si elle a dit qu'elle voulait me voir, faut que j'y aille. Tu… Tu dois le comprendre, hein ma tante? Je peux pas lui faire ça! Pis j'ai envie de sortir. Je sais pas ce que j'ai ce matin, mais j' ai des fourmis dans les jambes.

— C'est en plein ce que je viens de dire: t'as toutes les apparences d'une femme qui est sul point d'accoucher. Moi itou, la bougeotte me poignait quand c'est que mon temps était venu. T'es sûre que t'as pas eu de crampes?

— Je te le jure, ma tante. J'ai rien eu pantoute.

— Bon ben, si c'est de même… C'est vrai que la p'tite Rolande doit avoir envie de parler avec quèqu'un. Après toute ce que tu m'en as dit… Attends-moi, icitte, toi-là. Je m'en vas revenir dans une menute.

De son pas autoritaire, elle quitte la cuisine et se dirige vers l'entrée. Cécile l'entend fouiller un instant dans la garde-robe puis, aussitôt, le claquement des talons revient.

— Tiens, prends ça.

Et Gisèle lui tend trois pièces de vingt-cinq sous.

— Tu vas me faire le plaisir de prendre les p'tits chars jusqu'en haut d'la côte d'la Fabrique. Même si tu dis que t'as pas faim, tu prendras une soupe ben chaude pour ton dîner. Pis si ça va pas, appelle-moi du Château pis je m'en vas venir te charcher. En taxi, si y faut… Promis?

— Ma tante !

— Promis ?

— Okay, promis. Si je me sens pas bien, j'appelle. Mais tu t'inquiètes pour rien. Je suis sûre que ma fille va arriver juste demain.

— Ouais, on dit ça… Qu'essé t'en sais, hein ? Y a pas parsonne qui peut dire quand a' va arriver, ta fille. Pis tu sais même pas si ça va être une fille. Ça fait que pour prédire l'heure de son arrivée…

En plein cœur d'hiver, le soleil fait cadeau à Cécile d'une douceur de printemps. Après avoir remonté la rue devant l'hôtel de ville, longé la rue Sainte-Anne et traversé la Place d'Armes, épuisée, Cécile se laisse tomber sur un banc de la Terrasse, face au fleuve figé et morcelé de glaces. « Ma tante avait raison », songe-t-elle le souffle court. « Je serais bien morte si j'avais marché de la maison jusqu'ici ! Même que j'aurais peut-être dû rester dans le tramway jusque devant le Château. » Les deux mains jointes, appuyées nonchalamment sur son ventre, elle essaie de reprendre son souffle, attentive au moindre mouvement suspect du bébé. Mais, rien. Non, vraiment rien de spécial ! La promenade ne semble avoir nullement dérangé sa petite Juliette. Il est vrai que, toute coincée qu'elle est depuis un mois, mademoiselle ne bouge presque plus. Que des frôlements qui donnent l'impression d'un petit chat se pelotonnant pour dormir. Par contre, elle en profite assez souvent pour se payer une petite crise de hoquet. Comme maintenant… Cécile, glissant une main entre deux boutons de son manteau, se met à frotter son ventre, machinalement, comme elle le ferait si elle pouvait frotter le dos de sa fille, pour l'apaiser, la calmer. Sa petite fille, une inconnue en fait, encore si mystérieuse… Mais, en même temps, si proche d'elle qu'elle vit de sa propre vie. Jamais relation d'amour ne sera plus complète, plus intime qu'en cet instant. Deux vies bien distinctes, deux cœurs qui battent chacun à leur rythme mais portés par un seul et unique souffle. Cécile aimerait prolonger à jamais ces heures d'intimité. Mais elle voudrait, aussi, que la naissance soit derrière elle, rêvant depuis si longtemps déjà au moment où elle tiendra Juliette dans ses bras. Et, elle doit bien l'avouer, elle commence à être fatiguée de trimbaler partout ce gros ventre encombrant. Dans son cœur, tant d'émotions contradictoires se bousculent que des larmes viennent brouiller son regard. Elle est bouleversée par ces conflits intérieurs qu'elle n'arrive pas à contrôler. Et cet étourdissement qui lui serre douloureusement les entrailles... Ce trouble vertigineux qu'on appelle la peur. Une panique devant tous ces mois à venir. La déchirure brûlante, celle qu'elle avait réussi à conjurer depuis quelque temps, cette rupture de l'âme et du cœur lui est revenue devant l'échéance inévitable qui approche si vite, devant le sacrifice des premiers mois de la vie de Juliette. Une douleur presque physique, si réelle, qu'elle lui coupe le souffle au point de sentir battre son cœur jusque dans la gorge, à contretemps. Trois mois, trois longs mois loin de son enfant... Autant dire l'éternité ! C'est long, cent jours dans la vie d'un nouveau-né et c'est en même temps si vite envolé. Cécile le sait fort bien, elle, l'aînée d'une ribambelle de frères et de sœurs. Alors, elle n'a aucune illusion : quand elle reprendra son enfant, il ne sera plus tout à fait le même. Ses premiers sourires c'est à une autre qu'elle va les faire, sa petite fille. Et Cécile en est jalouse. Bêtement, farouchement, totalement jalouse. Pourquoi tant d'absurdités autour de cette naissance, tant de détours et de cachotteries, quand elle aurait envie de crier au monde entier son trop-plein d'amour ? Pourquoi n'a-t-elle pas le droit d'être avec Jérôme, pour ces ultimes heures de l'attente ? Elle voudrait sa mère auprès d'elle, pour lui demander sur le ton de la confidence ce qui l'attend exactement et Jérôme, pour lui tenir la main, au moment de la délivrance. Se blottir contre lui dans la douleur qui viendra. De tout son être, elle souhaiterait donner naissance à son enfant dans le lit qui devrait être le sien et celui de Jérôme. Elle aimerait tant la nourrir de son lait, bercer le sommeil de ses premières nuits tout contre son homme. Inventer pour elle tout de suite, même si elle n'y comprendrait rien, inventer pour son tout-petit des fables magiques, des histoires d'animaux merveilleux. Répéter à l'infini, à mi-voix, tous ces mots fous qu'elle lui murmure depuis des mois dans le secret de son cœur en la regardant dormir, blottie sur son sein. Lui faire connaître la berceuse qui parle du lapin et des rubans blancs. Celle que Gérard aime tant. Gérard... Cécile a une moue attendrie à la pensée de son drôle de petit frère, à la fois si dérangeant et si gentil. Comme il a dû grandir depuis l'été... Et voilà que, du coup, elle se retrouve chez elle, chez son père. Dans une semaine, deux tout au plus, c'est là qu'elle sera, seule, les mains vides et le cœur aux abois. Comment pourra-t-elle reprendre sa place dans une famille qu'elle a pu si facilement oublier pendant les derniers mois ? Non qu'elle ne s'ennuie pas d'eux, ce serait mentir que de l'affirmer. Et, depuis hier, elle a compris que sa famille lui manquait. Comme un pincement doux au creux des souvenirs. Mais la relation va être tellement différente, comme artificielle... Sa vie à elle, celle dont elle rêve et qu'elle veut plus que tout au monde, cette vie-là n'appartient plus à la famille d'Eugène Veilleux. Elle a sa propre vitalité, son essence bien à elle. Ses buts et ses espérances, ses joies et ses difficultés. Comment reprendre sa place de fille de la maison quand elle se sent si femme, maintenant ? Quand elle est devenue la femme de Jérôme, malgré tout ce qu'on en dit ? Comment redevenir la jeune fille soumise et docile quand elle est mère à son tour ? L'appel de sa Beauce natale, avec sa rivière qui scintille dans le petit matin et ses hirondelles qui chantent contre la grange, son coin de pays, c'est avec la grande maison blanche et rouge des Cliche qu'elle le voit maintenant. Pas chez Eugène Veilleux. Pourtant, malgré cela, cet appel est si tenace qu'elle sent son cœur se débattre, comme s'il voulait s'échapper de sa poitrine pour y répondre. Et, en même temps, une appréhension plus forte que son envie la fait hésiter, se refermer sur elle-même comme une huître jalouse de sa perle. Cette angoisse terrible qui hurle en elle à brouiller toute logique. Cette hantise envahissante qui chuchote, lancinante obsession, que rien ne fonctionnera comme prévu. Une intuition dans son cœur de mère. Une certitude en elle qui dit que rien, dans la vie, ne va comme prévu quand on ne le contrôle pas. N'en est-elle pas la preuve vivante ? Ce pressentiment est si vif, si douloureux, qu'il lui fait refermer les bras contre son ventre. Si elle s'écoutait, là, maintenant, en ce moment bien précis, Cécile s'enfuirait loin, très, très loin d'ici. Pour se mettre à l'abri, pour être bien certaine que personne ne lui vole son enfant. Elle a peur. Comme jamais, avant, elle n'a eu peur et comme jamais elle ne veut le revivre. Cet affolement inquiet qui lui fouille le cœur, en suggérant que la famille adoptive de Juliette ne voudra peut-être pas la laisser repartir. C'est possible que cela arrive... Oh ! bien sûr, personne n'en a parlé. N'ose même y penser. Pourtant Cécile, elle, y pense à chaque jour un peu plus et à chaque fois avec une anxiété grandissante. Si c'était elle la mère adoptive, Cécile ne se laisserait pas faire. Elle se battrait jusqu'au bout pour garder cet enfant qui serait le sien depuis des mois. Alors ? Alors Cécile redoute, plus que tout au monde la réaction de cette femme qu'elle ne connaîtra probablement jamais. Comme elle anticipe sa propre réaction, n'ayant jamais aimé faire de la peine. À personne, jamais... Et voilà que, maintenant, elle se prépare lucidement à blesser une femme, une inconnue, mais qui, par sa fille, sera plus proche d'elle qu'aucune autre femme. Elle va délibérément lui reprendre son enfant, celui qu'elle aimera comme le sien. Elle, Cécile la douce, va lui arracher ses espérances face à la vie. L'obliger à vivre un deuil... Il ne peut en être autrement. Quand la vie nous refuse la joie d'être mère, cet enfant que l'on va chercher, on doit l'aimer plus que soi-même. Tout comme Cécile, qui donnerait sa vie pour l'enfant reposant en elle. Oui, elle en est persuadée. Alors, instinctivement, elle sait qu'à jamais un goût d'amertume restera emmêlé à la vie de sa petite Juliette. Une mélancolie sincère, quand elle repensera à ce cœur de mère qu'elle aura volontairement piétiné. Le soleil caresse les visages et l'air est doux de toute la promesse du printemps à venir. Mais l'ambivalence de toutes ces émotions monte à la tête de Cécile et lui donne le frisson.

Assise sur un banc, devant ce fleuve qu'elle trouve merveilleusement beau, Cécile renifle bruyamment, essuyant son visage du revers de son gant. Puis, elle pose les deux mains sur son ventre, dans ce geste de possession millénaire qui n'appartient qu'aux femmes en attente de maternité. Son enfant. Le sien, sans équivoque ni ambiguïté. En cet instant et pour quelques jours encore, peut-être, personne ne peut contester cette vérité. Et il n'y a que cette évidence qui doit guider sa pensée. Juliette, c'est sa petite fille à elle, d'abord et avant tout. Et rien ne doit la détourner du chemin tracé. Surtout pas la conviction qu'elle va probablement blesser toute une famille. Si elle devait abandonner sa petite fille, c'est elle, Cécile, qui mourrait. De cela, elle en est convaincue. Un long soupir tremblant soulève ses épaules. Elle a promis à Jérôme d'être forte et résolue. Nulle incertitude ne doit troubler son âme, pendant qu'en toute innocence l'enfant s'étire paresseusement dans son ventre. C'est pour elle que Cécile doit être forte et se préparer à se battre, envers et contre tous, pour sauver sa raison d'être. Elle doit accepter de faire mal à une autre, comme elle accepte de vivre le reste de sa vie avec cette tristesse en elle. C'est à ce prix qu'elle pourra survivre. Sans Juliette, plus rien n'a de sens. Ni sa famille. Ni Jérôme. Ni même la vie.

— Cécile !

La voix claire de Rolande la tire enfin de ses pensées chagrines. Le cœur lui débat, comme au sortir d'un cauchemar, pendant qu'elle se relève aussi vite que possible pour accueillir l'adolescente qui vient vers elle. La démarche de Rolande a retrouvé un rien d'enfantin, de léger, qui habille à merveille l'image qu'elle projette. Malgré son gros ventre, Cécile la prend tout contre elle pour lui faire l'accolade.

— Rolande ! Si tu savais à quel point ça me fait plaisir de te voir. Je pensais que tu me donnerais jamais de tes nouvelles. J'avais beau savoir que tu restais sur la 3ᵉ Rue, c'est vague un peu… Surtout que j'ai pas trouvé de numéro de téléphone dans le bottin.

— Non. On a pas le téléphone, chez nous. Escuse-moé, ma pôv' Cécile. Mais ça s'est faite tellement vite, quand chus partie de l'hôpital... Pis après, c'est ma mère qui voulait pas que je sorte de la maison... Mais, hier, j'ai profité de ma première marche dehors pour t'appeler du snack bar près de chez nous... Pis toé, comment ça va ? T'as une maudite grosse bedaine, ma vieille. T'es sûre que c'est pas des jumeaux ?

Cécile éclate de rire. Une cascade franche, claire, joyeuse.

— Non, c'est pas des jumeaux. Le docteur l'aurait bien vu, non ? Il dit que ça va être une belle grosse fille.

— Une fille ?... J'aurais pas aimé ça, avoir une fille. Un gars a plus de chance dans vie. Ben plus...

Puis, se retournant franchement vers Cécile, le regard fascinant de ses deux billes noires cherche avidement le fond des prunelles bleues. Si Rolande a demandé à voir Cécile, c'est en grande partie pour lui dire ces quelques mots :

— Tu sais, chus allée le voir avant de partir, mon bebé. C'était comme plus fort que moé. On aurait dit que c'était quèqu'un d'autre qui faisait marcher mes jambes pendant que ma tête leur disait d'arrêter... C'est vrai que c'est un beau bebé... J'avais tellement peur qu'y soye infirme ou ben quetchose de même. Ça doit être pour ça que chus finalement allée le voir. Pour être ben sûre qu'y'était normal. Mais, tu vois, ça me faisait pas de peine de l'voir là pendant que je savais que j'allais partir. J'veux juste qu'y aye une bonne famille pour s'en occuper. Une mère qui va l'aimer, parce que, moé, j'aurais pas été capable de le faire. Pendant que je le regardais, y avait rien qui se passait en dedans de moé. Rien pantoute. Sauf que je trouvais que c'était un beau bebé. Pas plus que ça. Mais j'ai ben faite d'aller l'voir. T'avais raison. Comme ça, j'aurai jamais de regrets...

Puis, s'ébrouant, elle laisse glisser un peu de malice dans son regard. Un pétillement de jeunesse qui fait plaisir à voir.

— Pis toé, Cécile. Comment tu vas ?

— Moi ? En pleine forme ! D'après l'examen du docteur, ça s'en vient...

Puis, en riant :

— Pis, d'après les prédictions de ma tante, ça serait même pour aujourd'hui.

— Pour aujourd'hui ? Ben assis-toé d'abord ! J'ai pas envie qu'y nous arrive dret-là.

— Toi alors, fais pas comme ma tante. Un peu plus, pis elle me retenait à la maison... Mais j'avais trop envie de te voir. À ton tour, maintenant. Comment ça va, toi ?

— Pas pire... Demain, je retourne à l'école. Ma mère a dit à la directrice que j'avais eu une sorte de début de tuberculose pis que j'avais été dans un sanatorium pendant quèques mois. Ça ben l'air que la bonne sœur a avalé ça sans dire un mot... C'est vrai qu'a' m'aime ben parce que chus dans les premières de la classe. C'est tant mieux. J'me vois pas en train de me watcher à toutes menutes. J'ai ben assez d'avoir à rattraper le temps perdu ! Mais j'ai pas peur, j'aime ça aller à l'école. Ça va me faire du bien de retrouver mes amies, tu sais. Je pensais pas que je m'ennuierais d'eux autres de même. Surtout Ginette... Mais, même elle, c'est pas une amie comme toé. Y a pas parsonne, à part toé, qui sait la vraie vérité. Parsonne...

Une complicité tangible flotte un instant entre elles. Un courant sincère, chaud et bon qui les unit. Un reflet d'amitié pure se glisse dans le regard de Cécile, permettant la sollicitude sans que la curiosité ne s'y mêle. Une douceur toute maternelle s'infiltre dans sa voix.

— Pis, ton père… Comment ça va avec lui depuis que t'es revenue chez vous ?

— Mon père ? Ça va… On dirait qu'y'a peur de moé, astheure. En té cas, y m'évite, ça c'est vrai… Tu vois, à ben y penser, on dirait que c'est pus pareil entre mes parents. Ma mère le regarde pus comme avant… Peut-être ben qu'a' m'a cru, finalement. J'sais pas trop. Je… J'ose pas y'en parler. Chus comme gênée de reparler de toute ça…

Puis, secouant ses mèches folles comme pour étourdir le souvenir, elle lance en riant :

— J'veux pus penser à c'te temps-là, Cécile. Là, ça va ben, chez nous. Ça fait que j'veux essayer d'oublier toute ça. Je pense que mon père aussi a eu peur… Je crois pas que… Pis, si jamais ça revenait comme avant, j'pense que je serais plus forte. J'ai l'impression qu'astheure je serais capable d'y tenir tête à mon père… Pis toé ? Qu'essé tu deviens depuis un mois ? T'as-tu vu ton chum à Noël ?

* * *

Fatiguée, Cécile revient chez sa tante sur le coup de trois heures. Une lourdeur lui barre les reins. C'est en grimaçant qu'elle paraît dans l'embrasure de la porte de la cuisine.

— Ben toi, ma belle, ça a pas l'air d'aller.

— Non, c'est pas ça… Je pense que je suis un peu fatiguée, c'est tout. Ça fait pesant à traîner, une grosse bedaine comme celle-là.

— Ben assis-toi, ma poulette. Je m'en vas te faire couler un bon bain chaud. Qu'essé t'en penses ?

— T'es fine, « ma tante » ! Oui, ça me ferait du bien.

— Okay, d'abord. Attends-moi là… Qu'essé tu veux mettre après ? J'vas aller te le chercher en haut…

C'est en sortant du bain que Cécile ressent une première contraction. À peine perceptible, un pincement dans le bas du ventre qui, du coup, se met à durcir curieusement. Elle y porte à peine attention. Mais une heure plus tard, devant la régularité des pincements, elle quitte le salon où elle était à lire et vient rejoindre sa tante dans la cuisine.

— Ma tante ?

Assise à la table, Gisèle consulte un livre de recettes. Elle ne relève même pas les yeux pour répondre.

— Ouais ?

— Je suis pas vraiment certaine, mais je pense que... On dirait que ça commence.

Tout juste le temps de laisser les mots faire leur chemin dans l'esprit de Gisèle, la voilà debout, oubliant recette, dessert et même tout le souper qui n'est pas encore prêt.

— Tu crois ? T'as-tu regardé l'heure ? Ça vient aux combien de menutes, toi-là ? Ça te fait-t-y mal, ma poulette ? Bonyeu, que chus énarvée, moi là. Ben, reste pas plantée là, viens t'assire, voyons donc. Mon Doux Seigneur... Ma p'tite Cécile qui va avoir son bebé !

Un voile d'émotion brouille son regard pour un instant et une larme aussi indiscrète qu'inattendue glisse lentement sur la joue fripée de la tante Gisèle. Depuis six mois qu'elle partage le quotidien de Cécile... Gisèle ne la considère plus vraiment comme sa nièce. À plus d'une reprise, elle s'est surprise à penser à elle comme à la fille qu'elle aurait peut-être eue si elle avait écouté Napoléon. Mais à quarante ans, elle avait décidé que deux enfants c'était bien assez. Et, quand Gisèle Veilleux, dite Breton, décide quelque chose... Mais voilà qu'en ce moment un vague regret lui gonfle le cœur. Rien de vraiment précis, comme une impression toute légère, un frissonnement de l'âme qui la fait renifler. Si Cécile est sur le point d'avoir son bébé, cela veut aussi dire que bientôt elle repartira chez elle… Une grosse boule d'émotions lui encombre brusquement la gorge. Gisèle s'oblige à la ravaler, laissant sa bourrasserie naturelle reprendre le dessus. Le temps ne se prête ni aux déceptions, ni aux aspirations. Cécile est en train d'accoucher. Enfin, presque… Et il n'y a que sur elle, la tante Gisèle, que Cécile peut compter. Essuyant alors son visage d'un geste brusque, elle laisse tomber une main autoritaire, presque possessive, sur l'épaule de Cécile.

— Maintenant, faut compter le temps entre chaque contraction, ma belle. Quand tu seras aux dix menutes, on va câler un taxi pour se rendre à l'hôpital.

— Aux dix minutes ? Tu crois ? Je dirais que c'est à peu près ça, en ce moment, aux dix minutes. Mais ça me fait pas mal.

— Ça te fait pas mal ? Hé ben ! Moi, quand j'étais rendue aux dix menutes, j'avais envie de crier à chaque fois… C'est vrai que j'étais pas mal plus vieille que toi. Ça doit être pour ça… Ben, j'sais pas trop quoi faire, d'abord… T'es ben sûre que ça te fait pas mal ?

— Certaine, ma tante. C'est juste comme une p'tite crampe dans le bas du ventre pis dans les reins. Pas plus. Ça fait pas vraiment mal.

— Ben, tant mieux pour toi, ma belle. Mais, pour en avoir le cœur net, j'vas appeler au bureau du docteur… On va commencer par ben compter le temps entre chaque contraction, pis après, je m'en vas l'appeler. Peut-être qu'y pourrait passer par icitte, en partant de son bureau. Juste au cas…

— Fais comme tu veux, ma tante. Moi, j'y connais pas grand-chose. Je me fie sur toi.

Finalement, selon les conseils du médecin, ce n'est que vers onze heures, sous l'œil paternel, attendri et inquiet de Napoléon, que Gisèle et Cécile décident enfin d'appeler une voiture pour se rendre à l'hôpital. Les contractions se suivent aux cinq minutes et leur intensité s'apparente maintenant bien plus à la véritable crampe, qu'au pincement des premières heures. Cécile est nerveuse, perdue dans un monde inconnu, comme en équilibre au bord d'un gouffre qui s'ouvre sous ses pieds et auquel elle ne peut échapper. Seule la présence de Jérôme saurait peut-être la calmer. Gisèle, bien consciente de son désarroi, essaie tant bien que mal de la réconforter.

— T'inquiète pas, ma belle. Toute va ben s'passer...

— C'est pas ça, ma tante. Je le sais que je suis pas la première femme qui va avoir un p'tit. Ni la dernière, non plus... C'est juste que j'aurais tellement envie d'avoir Jérôme près de moi. Depuis que le travail est commencé, je m'ennuie de lui. Tu peux pas savoir comment...

— Je comprends ça, ma Cécile. Mais qu'essé tu veux qu'on y fasse ? J'ai ben laissé un message au bureau de poste de chez vous, mais y'ont pas encore donné signe de vie. Mais, fais-toi z'en pas... Quand Mélina ou ben son mari vont passer demain, chercher leur malle, on va leur dire de me rappeler. Pis, si chus pas revenue, c'est Napoléon qui va leur faire le message. Hein, Poléon ? Crains pas... ton Jérôme devrait être là demain, dans l'après-midi.

— Tu penses ?

— Chus sûre ! Astheure, amène-toi ! On va descendre ben tranquillement en bas des marches pour attendre le taxi. T'es-tu prête ?... Oui ? Ça fait que salut ben, mon Poléon. J't'appelle aussitôt qu'c'est fini.

On a installé Cécile dans une vaste chambre, qu'elle

partage pour l'instant avec deux autres femmes. Est-ce à cause de la nuit que tous les bruits lui semblent feutrés ? Même les gémissements qui parviennent à ses oreilles, à travers les rideaux refermés autour de son lit, lui paraissent faibles et discrets. Comme retenus. Un murmure de voix d'hommes soutient le silence de la nuit. Ses compagnes sont avec leur mari, c'est à n'en pas douter. Pourtant elle, elle est seule. On a demandé à Gisèle de se retirer pendant qu'on « préparait Mademoiselle Veilleux ». Elle n'est pas revenue depuis. Peut-être n'y a-t-il que les pères qui ont le droit d'être ici ? Cécile l'ignore et s'en veut de ne pas en avoir parlé au médecin. Malgré tout, elle n'ose appeler la sœur infirmière pour le lui demander. Le regard d'acier dont cette dernière l'a gratifiée, pendant qu'elle l'examinait, a suffi à briser toute espérance de réconfort de ce côté. Pourtant, tout ce que Cécile sait, en ce moment, c'est l'envie d'avoir quelqu'un à ses côtés. Rien d'autre. Entre chacune des contractions, qui sont maintenant bien senties, elle épie les bruits qui lui parviennent du corridor. Le moindre frôlement la fait sursauter. « Ma tante, viens-t-en », pense-t-elle désemparée. « Je veux pas rester seule. Je veux pas... »

— Comment, pas le droit ?

C'est à cet instant que la voix rauque de Gisèle rejoint sa pensée. Elle ne sait pas chuchoter, la tante Gisèle, et c'est comme un coup de clairon qui traverse la chambre, arrachant un sourire à Cécile. Enfin ! Le chuchotement d'une voix retenue puis, aussitôt après, l'éclat déplacé de la voix de Gisèle.

— Ben, si vous voulez pas que j'réveille l'hôpital au grand complet, ma sœur, vous êtes mieux de me laisser passer. Moi, quand j'ai eu mes deux gars, Napoléon était là. Napoléon, c'est mon mari, pis j'en avais besoin. Okay,

là ? De toute manière, qu'essé vous pouvez ben connaître
là-dedans, hein ? Ça fait que c'est pas vous, toute sœur que
vous êtes, qui allez vous mettre dans mon chemin... Cécile,
t'es où, toi là ?

— Ici, ma tante. Près de la fenêtre...

Pas plus discret que le timbre de sa voix, le pas militaire
de Gisèle approche de son lit. Un regard à la fois inquiet et
furibond se glisse entre les rideaux grisâtres.

— Cécile ?... Enfin, te v'là, ma poulette.

Puis, montrant le couloir d'un geste agressif du menton :

— La folle, là-bas, a' voulait pas que je vienne. Que les
pères, qu'a' m'a dit. Maudite sœur ! M'as y'en faire moi,
des pères !.. Pis comment ça va, ma belle ? Y'ont-tu faite un
examen ?

— Oui. La religieuse m'a dit que tout allait bien. Elle
m'a dit que j'étais rendue à six centimètres...Qu'est-ce que
ça veut dire ça, ma tante ?

— J'sais pas trop. Toute ce que je me souviens c'est que
c'est à dix centimètres que le bebé est supposé d'arriver.
C'est mon docteur qui m'avait dit ça, quand j'ai eu Raoul.
J'te jure que je l'ai pas oublié, c'te dix centimètres-là !...
Comme ça, c'est la sœur qui t'a examinée ? A' pas l'air ben
fine, hein, ma Cécile ?

— Non, pas vraiment.

Un regard de connivence se pose entre elles, leur arrachant chacune un sourire. Bref instant de répit pour Cécile.
La douleur aux reins qui annonce une contraction revient
déjà. Instinctivement, elle ferme les yeux pour se concentrer sur sa respiration. Ne pas penser à la douleur, juste
respirer, lentement, du bout du souffle. Le temps de compter
machinalement jusqu'à vingt-cinq, puis la douleur s'éloigne.
Cécile ouvre les yeux sur une tante Gisèle au visage crispé,

se tordant les mains d'impuissance. Cécile ne peut s'empêcher de se moquer un peu :

— Ben voyons donc, ma tante ! On dirait que c'est toi
qui a jamais vu ça, une femme en travail... T'inquiète pas,
ça va aller... Ça fait plus mal que tantôt, mais ça s'endure
encore... Il est quelle heure, là ?

— Une heure moins quart, ma belle... Mais...

C'est au tour de Gisèle d'échapper un sourire canaille
qui ne demanderait pas mieux que d'éclater bruyamment.
Mais elle s'oblige à ravaler son hilarité. À cause des voisines
de chambre de Cécile, et des murmures qui peuplent la nuit
en demi-ton dans laquelle baigne la pièce. À cause de la
sœur, aussi. Inutile de la faire rappliquer pour rien.

— T'avais raison, ma bonyenne. Ton bebé va arriver en
plein le jour que t'avais dit... Ça va-tu être une fille, par
exemple ?

— Tu vas voir que oui ! Combien tu...

La douleur s'annonce à nouveau. Sans terminer sa
pensée, Cécile baisse les paupières sur son mal. Un cercle
de feu lui entoure le bas du corps... Respirer, penser à
respirer... « Douze, treize... Ça fait mal », gémit-elle intérieurement. « Oh oui ! Là ça fait mal... Trente-deux,
trente-trois... Ça dure bien longtemps... Je voudrais que ça
finisse... » Un long soupir, puis Cécile ouvre les yeux.

— Enfin, c'est passé... pour trois minutes.

— Ouais, c'est pas exactement une partie d'fun, hein
ma belle ? Mais, tu vas voir, dans quèqu'temps tu vas tenir
ton p'tit dans tes bras, pis tu vas toute oublier ton mal.

— Tu penses ça, toi ? Ça se peut pas oublier un mal de même.

— J'te dis ! Ma mère, ta grand-mère Veilleux, a' l'appelait ça un mal sans cœur.

— Je suis pas vraiment sûre de ça, moi, que j'vais

oublier. Pas sûre pantoute, à part de ça... Oh non! Ça recommence... Ça vient bien vite, astheure...

Cécile repousse sa tête en arrière sur l'oreiller, les bras de chaque côté, les mains battant la pulsion de sa douleur sur le drap blanc. Respirer, respirer... Sa tête oscille passivement comme un balancier bien réglé, pendant qu'un gémissement s'échappe de ses lèvres asséchées.

Soixante longues minutes, le regard fixé sur la trotteuse de l'horloge accrochée entre les deux fenêtres. Anticipant le moment où elle va passer devant le quatre. Une fois sur trois, la douleur revient, à chaque fois plus déchirante.

— Fais quelque chose, ma tante... J'en peux pus... Est-ce que ça fait toujours mal comme ça?

Mais Gisèle ne répond pas tout de suite. Démunie devant la souffrance de Cécile, et habituée à mener son monde et sa vie à la baguette, elle reste assise, prostrée. Elle n'ose parler, de peur de déranger Cécile, comprenant fort bien qu'en cet instant elle n'est que la tante. Pour compenser tout ce qu'elle ressent, mais qu'elle serait incapable de traduire autrement, elle agrippe le drap, elle aussi, en même temps que Cécile à chaque contraction. La voix de sa nièce, répétant sa question, la fait sursauter.

— Mal? Toujours mal de même?... Non, ben sûr que non. C'est parce que c'est ton premier. Courage, ma poulette. Pense à ta fille...

— Je fais rien que ça, ma tante, penser à elle... Oh non! ça revient encore... Quand est-ce que ça va finir? Ça fait mal... Je suis tannée...

Le visage ridé par la concentration, le souffle court, Cécile se referme sur son labeur. Une longue plainte assourdie trouble le silence de la nuit. Une minute plus tard, Cécile recherche le regard de Gisèle.

— Excuse-moi, ma tante... C'est plus fort que moi, je peux pas m'empêcher de gémir. J'ai peur de déranger tout le monde, ici. Mais j'en peux pus, je voudrais tellement dormir...

— Escuse-toi pas, ma belle. J'sais ce que c'est. Pis eux autres avec, fais-toi z'en pas... Tu peux-tu rester tu seule ?

Un regard désespéré se pose sur Gisèle.

— Tu veux pas t'en aller, toujours ?

— Ben non, ma poulette. Qu'essé ça, ces idées-là ? J'veux juste aller demander quetchose à la garde-malade. A' peut peut-être ben te donner une piqûre, pour t'enlever ton mal. Moi, c'est ce qu'y'avait faite, mon docteur, pour endormir un peu ma douleur.

— Tu penses ? Une piqûre ? Oh oui ! vas-y, ma tante. N'importe quoi pour...

Un regard glacial est la première réponse reçue par Gisèle. Suivi d'une voix indignée qui vient confirmer ce qu'elle croyait avoir compris.

— Sachez, madame, que je connais mon métier. Tant que le médecin n'est pas venu, je ne peux rien faire.

Puis méprisante, elle laisse tomber :

— « Tu enfanteras dans la douleur », a dit le Seigneur... Dans la douleur ! Et il avait bien raison. Il faut expier ses fautes, madame. Surtout ces filles de...

Un regard à la fois venimeux et dédaigneux se pose aussitôt sur la religieuse. Ce regard inimitable, dont Gisèle manipule toutes les nuances à la perfection... Cet éclat perçant et irrévocable, dans son accusation, qui enlève toute possibilité de réponse. Incapable de manifester son mépris autrement, la religieuse détourne la tête, autant pour manifester son embarras que sa suffisance. Gisèle doit se mordre les joues pour se retenir, pour ne pas lui lancer à la cornette tout ce qu'elle pense « des maudites picouilles pis leur morale à deux faces ». Le talon plus belliqueux que jamais, martelant rageusement son impuissance, elle revient au chevet de Cécile.

— Désolée, ma belle. Paraît qu'y faut attendre que le docteur passe…

— Mais qu'est-ce qu'il fait, d'abord, lui ?… Touche pas, touche pas au lit, ma tante. Ça recommence…

Une autre heure, inconfortable de sueur et interminable de douleur, à regarder le temps s'égoutter comme un robinet qui fuit. « Toc, toc, toc »… Seconde après seconde, péniblement. Cécile a l'impression de n'être que souffrance. Comme si tout son corps se déchirait lentement, implacablement, sous son regard horrifié. Quand elle ferme les yeux, il n'y a que l'image du soc de la charrue écartelant la terre qui lui vient à l'esprit. Elle n'a même plus la force de gémir. Couchée en chien de fusil, les yeux abrités sous ses paupières tremblantes, on pourrait presque croire qu'elle dort. Il n'y a que des rides, inhabituelles sur son front lisse de jeune femme, et ses sourcils froncés sur l'effort, qui disent l'atrocité qu'elle est obligée d'endurer. Sans un mot, épuisée, Cécile attend le moment où elle va mourir. On ne peut survivre à tant de douleurs. C'est impossible… Son cœur va lâcher ou bien elle va devenir folle. Mais qu'est-ce que ça peut bien faire ? N'importe quoi pour ne plus souffrir ! Plus jamais, plus jamais elle n'aura d'enfants…

— Madame… Je suis le Docteur Simard…

Comme un signal de détresse lancé dans le brouillard, du plus profond de son tunnel de souffrance, Cécile reconnaît la voix du médecin. Elle soulève péniblement les paupières et pose sur lui un regard perdu. Gisèle est déjà debout, se tordant les mains.

— Docteur, enfin!... Ça a pas de bon sens de la voir souffrir de même. Pouvez-vous faire quetchose pour elle?

Mais le médecin ne l'écoute pas. C'est pour Cécile qu'il est ici. Il se penche vers la jeune femme, repousse la longue mèche de cheveux mouillée par la sueur, pose une main fraîche sur son front.

— Mademoiselle Veilleux, on vient de nous appeler... Est-ce que l'infirmière vous a donné un sédatif?

— Un quoi?

— Une injection pour calmer votre douleur.

— Pantoute, docteur. A' l'a dit qu'y fallait que vous soyez là, avant.

C'est Gisèle qui a répondu de sa voix forte. L'homme se redresse à demi, la dévisage un instant avec sévérité, puis il revient à Cécile:

— Ne vous inquiétez plus, Mademoiselle Veilleux. Nous allons vous donner quelque chose...

Puis, se redressant tout à fait et se retournant vers Gisèle:

— Madame...

— Breton, docteur. Gisèle Breton. Chus la tante de Cécile. C'est moi qui vous a appelé t'à l'heure... Hier, j'devrais dire...

— Oui, bien, très bien... Nous allons vous demander de vous retirer pour que nous puissions examiner la patiente.

— J'vas pouvoir revenir, hein docteur?

Un sourire bienveillant accueille son inquiétude.

— Mais, bien sûr. Dans quelques instants... En sortant, demandez à l'infirmière de venir nous retrouver.

L'examen ne dure que quelques minutes. Gisèle a à peine le temps de parcourir le couloir une fois dans les deux sens que le médecin et la religieuse sortent déjà de la salle de travail, avec la démarche rapide de ceux qui sont affairés, bousculés par le temps. La voix du Docteur Simard, habituellement réservée et grave, lui paraît tout à coup forte et glaciale. Aussi froide et mordante qu'un matin de février. Penché sur le comptoir du poste, il tapote nerveusement, du bout du doigt, le dossier de Cécile.

— Le protocole, sœur Agnès, le protocole ! Il me semble vous l'avoir dit assez souvent. Démérol intramusculaire, au besoin. Au besoin, sœur Agnès. Notre patiente est prête à passer à la salle d'accouchement et elle n'a rien eu !... Je ne tolérerai plus que...

Quelques mots en apparence inoffensifs, mais qui frappent Gisèle d'une gifle au cœur. Complètement révoltée devant tant de cruauté, elle en reste abasourdie. « Mais, ça s'peut-y, une folle de même ? » pense-t-elle aussitôt sans chercher à en savoir plus long. « Saprée malade ! Me semblait aussi qu'a' l'avait l'air d'une frustrée ! » Alors, pour éviter une confrontation aussi belliqueuse qu'inutile et, contrairement à tout ce qu'elle est foncièrement, Gisèle se glisse furtivement vers la salle de travail, ses pas se fondant au calme ambiant. Le tout sous le regard silencieux et indifférent d'un Saint-Joseph poussiéreux qui coule des jours monotones au bout du couloir, bien calé entre deux immenses fougères. Elle a à peine le temps de rejoindre Cécile que déjà sœur Agnès arrive, l'œil encore plus incisif, le visage en lame de couteau, poussant une civière pour amener la jeune femme en salle d'accouchement. Le temps de la délivrance est venu. Pour la seconde fois de la nuit, et à son corps défendant, Gisèle est priée de se retirer dans la salle d'attente des pères.

C'est à trois heures cinquante-quatre, le onze janvier

mil neuf cent quarante-trois que Juliette, fille de Cécile Veilleux, née de père inconnu, fait son entrée dans le monde, en criant bien fort son désaccord d'être bousculée comme elle l'a été depuis quelques heures. Sans calmant d'aucune sorte et mal préparée à la douleur qui viendrait, Cécile dort profondément, les bras immobilisés en croix de chaque côté de la table d'accouchement, une perfusion installée à la hâte et le visage caché sous le masque de caoutchouc noir que lui a imposé l'anesthésiste.

* * *

Dans la brume moelleuse où elle se complaît, Cécile sent qu'on voudrait bien qu'elle ouvre les yeux. Mais elle est si fatiguée, si fati... Le déclic se fait brutalement. Juliette! Où est ma petite fille? Serait-ce enfin fini?

— Ma tante?

N'attendant que ce réveil pour se retirer enfin chez elle, Gisèle somnole dans le fauteuil à côté du lit de Cécile. Depuis une demi-heure qu'on l'a ramenée à sa chambre, celle-ci n'a pas encore ouvert les yeux. Le son, pourtant faible, de sa voix remplit démesurément le silence du petit matin. Gisèle sursaute et se relève vivement.

— Ma Cécile! Ma poulette! Comment tu te sens?

— J'ai mal partout... Où est mon bébé? Est-ce que c'est une...

— Oui, ma chère. C'est une fille. T'avais encore raison. Pis est belle, à part de ça.

— Je veux la voir, ma tante. Où est-elle?

— À la pouponnière. Mais j'sais pas trop si tu peux la voir tusuite. Je pense qu'y va falloir que t'attendes un peu. Y'est juste cinq heures et demie, tu sais. T'en parleras au docteur. Y'a dit qu'y va passer te voir vers huit heures à matin.

— Cinq heures et demie ? Ah... Pauvre toi. Va te coucher, ma tante. Tu dois bien être morte, à l'heure qu'il est.

— J'attendais seulement que tu te réveilles. Astheure, j'vas m'en aller. Dors encore, toi aussi. Faut que tu penses à refaire tes forces, ma belle... Le docteur a dit que tu pouvais avoir une pilule, si t'avais mal. T'as juste à tirer sur la corde à côté de ton oreiller pis la garde-malade va venir... Pis a' l'a l'air fine, celle-là. Est pas comme la sœur Agnès qui voulait pas... Mais je parle encore trop, moi là. Dors, ma poulette. Je m'en vas venir te voir à deux heures. C'est à cette heure-là qu'on peut faire des visites... Rêve à ta fille. Est belle comme un ange, tu sauras. Un vrai p'tit ange...

— Juliette, ma tante. Notre fille va s'appeler Juliette.

— Ben, rêve à Juliette, d'abord. À tantôt...

Ni le réveil de ses compagnes de chambre, ni l'heure du déjeuner n'arrivent à tirer Cécile du sommeil de plomb dans lequel elle s'est laissée glisser avec délices, en se retournant sur le ventre, un sourire d'extase sur les lèvres en pensant à sa fille. C'est le médecin, en toussotant d'abord, puis en ouvrant finalement les tentures sur un soleil radieux, qui parvient à la faire sortir de son hibernation. Elle clignote des paupières en baillant quand brusquement la mémoire lui revient. Juliette ! Juliette est née...

— Docteur... Excusez-moi, je pense que je dormais...

— Pas de faute, mademoiselle. C'est tout à fait normal... Comment allez-vous, ce matin ?

— Ça va... Ça va même très bien...Docteur, quand est-ce que je vais voir ma fille ?

— Bientôt, Mademoiselle Veilleux. Nous voulions nous

assurer que vous étiez en pleine forme d'abord. Mais, pas question de vous lever tout de suite. Au lit jusqu'à ce soir...

— Mais... Et mon bébé, lui?

— Nous allons demander à l'infirmière de la pouponnière de venir vous la montrer. Ne vous inquiétez pas... Et vous, pas de douleurs?... Non? Alors, passez une bonne journée. Nous reviendrons vous voir demain matin. L'infirmière va venir s'occuper de vous dans quelques instants.

Et, comme le médecin tourne les talons.

— Docteur?

— Oui?

— Vous... Vous n'oubliez pas, hein? Pour mon bébé.

— Non, promis. Nous y allons dès que notre visite aux patientes est terminée. Promis.

C'est avec un profond soupir de contentement que Cécile se laisse retomber sur son oreiller. Ça y est! C'est fait. Sa fille est là. Euphorique, elle laisse son regard s'échapper par la fenêtre, frôler le mur de l'orphelinat, prendre son envol vers le sud. «Jérôme! Je sais pas si on l'a prévenu à l'heure qu'il est? Peut-être pas encore», pense-t-elle le cœur battant. «Mon Dou que j'ai hâte de le voir! Viens-t-en vite, Jérôme. Je m'ennuie de toi...»

Mais quand, sur le coup de deux heures, Gisèle arrive, fleurs à la main, elle trouve une Cécile aux yeux rouges et le regard mauvais.

— Mon doux Jésus, ma belle. Qu'essé qui se passe icitte pour que t'ayes cette allure-là?

— Je veux voir mon bébé, ma tante. Le docteur avait promis qu'on viendrait me la montrer. Mais personne est venu. Peut-être qu'elle a quelque chose pis qu'on veut pas me le dire? Si tu savais comme j'ai peur, ma tante. J'ose même pas appeler la garde-malade pour savoir.

— Ben voyons donc, toi-là! Qu'essé ça ces idées de fous?

— Pourquoi faire, d'abord, que la garde-bébé est pas venue me la montrer?

— J'sais pas, moi. Peut-être qu'a' l'a pas eu le temps... Attends-moi une menute. C'est l'heure des visites à la pouponnière. J'vas aller voir ce qui se passe pis je reviens...

Puis, lui tendant les fleurs d'un geste brusque, maladroit.

— Quiens, prends ça. C'est pour toi. Appelle la garde-malade pour qu'a' t'emmène un vase avec de l'eau. Je reviens dans deux menutes...

Il y a foule devant la fenêtre de la pouponnière. Des exclamations, des rires. Gisèle doit jouer du coude pour s'approcher et demander: « Bebé Veilleux, s'i vous plaît ». L'infirmière, une religieuse encore une fois, et pas très jeune, se met à examiner les cartons d'identification posés au pied de chacun des berceaux. Mais Gisèle a déjà repéré le petit visage rose comme une pivoine du printemps avec la tignasse noire de son père. Impatiente, elle frappe du doigt contre la vitre et indique le petit lit à l'infirmière. Quelques berceaux jouent à la chaise musicale et voilà qu'apparaît le plus beau bébé du monde sous le regard attendri de sa grand-tante. « Aye! On rit pus », pense-t-elle mi-figue mi-raisin. « Une grand-tante c'est un peu comme une grand-mère, ça là. Tu me fais prendre un coup d'vieux, toi-là, mon bebé. Mais t'es tellement belle, ma p'tite bougresse. Tellement belle! » Rassurée quant à l'état de santé de la fille de Cécile, Gisèle prend un moment pour la détailler. Puis, la foule dispersée, elle fait signe à la sœur qu'elle veut lui parler. Celle-ci hausse les épaules avant d'enlever son tablier, passe dans le poste des infirmières, puis dans l'antichambre qui communique avec le couloir.

Une vraie chambre forte, cette pouponnière! C'est à peine si la vieille sœur jette un coup d'œil dans l'entrebâillement de la porte. Comme si Gisèle était porteuse de tous les microbes de l'humanité.

— Qu'est-ce que vous voulez?

Le ton de sa voix ne laisse aucun doute: la grande femme à l'air sévère la dérange prodigieusement.

— Deux menutes, ma sœur. Y a ma nièce qui voudrait savoir pourquoi faire qu'on est pas venu y montrer son bebé?

Un soupir exaspéré, puis une voix irritée. Combien de fois encore devra-t-elle répéter son éternelle excuse?

— Votre nièce, comme vous dites, n'avait qu'à lire le feuillet d'instructions que nous lui avons remis à son admission en même temps qu'elle a signé tous les papiers. C'est écrit noir sur blanc: seuls les bébés nourris au lait maternel ont le droit de sortir de la pouponnière.

— Mais son docteur a dit que...

— Son docteur a dit! Elles sont toutes pareilles, ma parole... Vous saurez, madame, que c'est pas les docteurs accoucheurs qui vont venir faire la loi dans ma pouponnière. Le Docteur Simard m'a bien fait le message, mais c'est pas comme ça que ça passe ici. Quand votre nièce pourra se lever, elle viendra. Un point c'est...

Le chuintement de la porte qui se referme avale la fin de sa réponse. La vieille religieuse continue pourtant de discourir en haussant sans cesse les épaules, tout en se dirigeant vers l'évier pour se laver scrupuleusement les mains avant de remettre son tablier. Gisèle reste un instant à la regarder, interdite et choquée devant tant de désinvolture, essayant de deviner les mots qu'elle marmonne. Mais, peine perdue! À la grande chance de la sœur hospitalière... Si

Gisèle avait compris le sens des murmures, elle lui aurait allègrement arraché la cornette pour la lui faire bouffer.

— Si elle pense, la tante, que je vais me déplacer pour une fille-mère, elle s'est trompée. Sa nièce, qu'elle dit... Pis quand bien même ça serait sa fille, qu'est-ce que ça change au règlement, ça ? Pis même si la famille adoptive est supposée... De toute façon, le règlement, c'est le règlement. Point à la ligne. Les filles-mères !... Sont toutes pareilles : ça fait des manières, ça nous pique des crises... La vérité, c'est que ça pense juste à leur plaisir pis elles voudraient qu'on les prenne en pitié. Non, madame. Pas moi. Je lèverai pas le p'tit doigt pour elles. Quand je pense qu'elles sont capables d'abandonner leur bébé... Une gang de sans-cœur, oui. Un gang de dépravées, si vous voulez mon avis...

Après un bref arrêt devant la petite Juliette qui dort à poings fermés, Gisèle revient vers la salle où repose Cécile, la démarche lente, le cœur lourd sur ses pensées. « Pis en plus, y faut que j'y dise que Jérôme sera pas là avant demain. Pôv'tite fille. Ça a pas d'allure. Quand a' va prendre sa fille dans ses bras, ma Cécile, a' l'aura pas volé. Pas volé pantoute ! »

Ce n'est que vers huit heures, le soir, que Cécile obtient enfin la permission de se lever. Après quelques pas autour de son lit, en compagnie d'une auxiliaire, elle demande timidement si elle peut aller à la pouponnière, voir enfin sa fille.

— Je sais pas trop. Vous êtes pas encore ben ben forte, vous là... On va prendre une chaise roulante pis j'vais y aller avec vous.

Mais Cécile veut être seule au moment où elle fera la connaissance de sa fille. Pas de témoin, personne pour la distraire avec ses bavardages et ses exclamations. Il y a trop longtemps qu'elle attend cet instant. Personne ne doit troubler ce moment unique dans une vie. Celui où une mère et sa fille vont enfin se connaître. Se redire tout l'amour qui existe entre elles. C'est le regard suppliant qu'elle lève la tête vers l'infirmière.

— Non, je vous en prie. Pas en chaise roulante... Je... Vous venez de le dire : je suis pas malade... Je peux y aller toute seule.

— Vous êtes bien sûre de ça ? Okay d'abord. Mais pas trop longtemps...

— Promis. Le temps de la regarder un peu, pis je reviens dans mon lit. Je resterai plus longtemps demain. Quand Jérôme sera là...

La pouponnière est à l'extrémité de l'étage, après deux interminables couloirs, à côté des chambres seules. Tout près des mères qui peuvent nourrir leur enfant et qui reçoivent le lot habituel des visiteurs venus admirer leur légitime héritier. Encore une fois, il y a foule devant la vitre. Comme à Noël devant la belle vitrine de chez Paquet... Pas très grande, Cécile se hausse sur la pointe des pieds pour tenter d'apercevoir les bébés, quand elle entend derrière elle :

— Pousse-toé, Germain. Y a une p'tite mère qui voudrait ben voir de quoi.

Rouge comme un coquelicot, Cécile se glisse jusqu'à la fenêtre en murmurant un timide merci. Avidement, elle embrasse d'un seul regard tous les berceaux de la pouponnière. Anxieuse, impatiente comme jamais. Mais aucun des petits minois n'éveille la moindre émotion en elle. Alors, elle se penche pour essayer de lire les noms des nouveaux-nés. Mais, d'où elle est placée, la lecture est impossible. Éperdue, ses yeux se brouillent de larmes devant son inaptitude à reconnaître sa fille parmi tous les nourrissons. Comment se fait-il qu'elle soit incapable de distinguer sa fille parmi les autres ? Une jeune garde-bébé, qui a vu son manège, lui demande le nom de l'enfant qu'elle veut voir. La voix étouffée parvient à Cécile comme dans un rêve. Prenant une profonde respiration, elle essaie de prononcer : « bébé Veilleux ». Mais il n'y a que ses lèvres qui arrivent à articuler les mots qui restent bloqués dans sa gorge. Après un bref regard circulaire autour de la salle, la jeune infirmière fait signe à Cécile de se rendre à la porte de l'antichambre qui donne sur le couloir. À nouveau, celle-ci ne s'ouvre que d'un trait. À peine suffisamment pour laisser filtrer le son d'une voix calme et douce.

— Quel nom, vous avez dit ?

Cécile doit s'éclaircir la gorge avant de réussir à prononcer clairement les quelques mots qui, pourtant, remplissent tout son cœur :

— Bébé Veilleux.

— Veilleux ? Vous êtes bien sûre que c'est ce nom-là ?

— Oui... Oui, je crois. C'est... C'est bien le nom de la mère que vous écrivez sur les cartons, n'est-ce pas ?

— Ça dépend. Des fois c'est le nom du père, pis des fois aussi c'est un nom donné par la Crèche de Saint-Vincent-de-Paul quand le bébé a déjà été cédé à l'adoption.

— Mais pas ma p'tite fille. Pas encore... Le docteur me l'aurait dit.

— Ça aussi ça dépend, madame. Les docteurs disent pas toujours tout... J'vais aller voir... Attendez-moi ici... Mais, bébé Veilleux, ça me dit rien. Quand est-ce qu'elle est née, votre fille ?

— La nuit dernière. Ça se peut pas qu'elle soye déjà partie, n'est-ce pas ?

— Ça serait surprenant... C'est vrai que je reviens de mes jours de congé. J'ai peut-être pas remarqué tous les noms des nouveaux bébés. Attendez. J'vais aller demander à la sœur hospitalière. Elle doit le savoir.

La porte se referme. Puis une autre s'ouvre et se referme. Cécile regarde l'infirmière et la sœur hospitalière qui discutent un instant. Cette dernière n'arrête pas de hausser les épaules. Alors Cécile se met à avoir peur. Pourquoi est-ce qu'elle agit comme ça ? Parce qu'elle ne sait pas ? Parce qu'elle s'en fout ? En un instant, tout le sang du corps de Cécile se retire de sa tête et de son cœur pour se réfugier dans ses jambes qui subitement deviennent lourdes comme du béton. C'est impossible. Elle rêve... Mais son intuition lui crie que ce n'est pas un cauchemar... C'est la vérité, sa vérité. Celle qu'elle craignait plus que tout. La jeune infirmière revient, ouvre une porte, fait quelques pas, ouvre la seconde porte. Toute grande, cette fois, pour qu'elle puisse sortir dans le couloir.

— Madame... Je ne sais pas trop comment... Votre fille n'est plus ici.

— Plus... Où est-elle ? Qu'est-ce que vous me cachez ? Ça se peut pas ! Mon bébé a pas encore une journée pis vous voudriez me faire accroire qu'elle est déjà partie ? Ça se peut pas ! Où est-elle ? Je veux qu'on me dise la vérité. Est-elle malade ? Je veux le savoir, m'entendez-vous ? J'ai le droit de savoir. C'est moi, sa mère... C'est...

— Calmez-vous, voyons. Votre p'tite fille n'a absolument rien. C'est un beau bébé, en parfaite santé. C'est juste qu'elle est déjà partie. Sa mè... Sa famille adoptive est venue la chercher. C'est tout.

— C'est tout ?

Comme une constatation navrante. Rien de plus.

Tellement désolante que cela frise le ridicule. Elle vient d'accoucher depuis à peine quinze heures et son bébé est déjà parti. C'est tout. Impulsivement, Cécile porte les mains à son ventre. Vide. Plus rien. On l'a endormie pour lui arracher son enfant. Pour lui voler sa petite Juliette. Convulsivement, ses deux mains caressent son ventre plat. Pourquoi? Pourquoi est-ce qu'on n'est pas venu la lui montrer? C'est impossible, elle va se réveiller. Mais elle sait fort bien qu'elle ne dort pas. Elle est debout, à la porte de la pouponnière, où elle attend de voir un bébé qui n'y est plus. Une spirale sans fin où les bruits lui parviennent en écho l'emporte loin de toute réalité. Un rêve. Ce n'est qu'un rêve, n'est-ce pas?

— C'est tout... Oui, c'est fini... Maintenant, c'est bien fini... Excusez-moi de vous avoir dérangée... C'est fini... Je... Je retourne à ma chambre... Excusez-moi... C'est... C'est fini...

— Madame, venez vous asseoir dans le salon des visiteurs. Vous êtes toute pâle...

À ces mots, Cécile a un rire amer. « Toute pâle? Oui, ça se peut », pense-t-elle en se détournant. « C'est juste que je suis en train de mourir. Mais c'est pas grave... » D'un geste de la main, Cécile repousse le bras qui s'offre à l'aider. Elle ne veut personne avec elle. Personne ne peut savoir ce que c'est de se retrouver seule, après avoir vécu aussi proche de quelqu'un pendant des mois. De se sentir aussi vide et d'avoir aussi mal. Personne... Les bras refermés sur son ventre, qui brusquement fait mal à crier, Cécile revient vers sa chambre. C'est fini... Tout est fini... Comme ça, d'un coup. À peine vingt-quatre heures et il ne reste qu'un brouillard de tous ces longs mois qu'elle a vécus. Que le souvenir d'une attente interminable et stérile... Et pas même l'image d'un petit visage chiffonné pour concrétiser cette attente. Pourquoi est-elle ici, en ville, loin de tout ce qui était son monde ? Pour rien. Il ne reste plus rien. Que le vide en elle et pour elle… Et si Cécile ne hurle pas, c'est que tout au fond d'elle-même elle présageait depuis longtemps qu'il n'y aurait pas de joie autour de cette naissance. En ce moment, une autre femme est en train de lui dire combien elle l'aime. Peut-être est-elle en train de lui donner un biberon, alors que ce sont les seins de Cécile qui sont lourds. Mais quelle importance ? On vient de lui faire comprendre qu'elle n'a aucun droit, aucune place dans la vie de son enfant. Son rôle est terminé. Au revoir et merci ! Elle n'était qu'un ventre, un incident malheureusement inévitable dans la vie de son enfant. Maintenant, on vient de le lui confirmer, elle n'a qu'à se retirer. Elle n'est qu'une fille-mère, après tout. Pourquoi a-t-elle cru qu'il pourrait en être autrement ? Et on ne lui a même pas laissé le temps de lui dire qu'elle l'aimait.

À la visite du médecin, le lendemain, Cécile ne dit rien. Ni reproche, ni question. L'œil sec, elle entend bien les mots qu'il a à son intention : la famille adoptive est déjà venue chercher l'enfant. La chance qu'a sa fille d'être dans une si bonne famille. D'une voix paternaliste, il conclut :

— L'enfant ne manquera de rien. Ce sont des gens à l'aise. L'enfant… Il n'y a plus de Juliette. A-t-elle déjà existé ailleurs que dans le cœur de Cécile ? Il y a l'enfant. Anonyme, impersonnel, sans visage. Cécile écoute le médecin qui parle et les mots flottent au-dessus d'elle sans l'atteindre. Dans sa tête, il n'y a qu'une lancinante litanie qui virevolte depuis hier. « Jérôme, viens me chercher. Je t'en supplie, viens me chercher. »

11

Les adieux, avec tante Gisèle, se sont faits dans les larmes et les intentions de se revoir souvent. Quand on quitte des personnes chères, on s'accroche souvent à ces promesses rarement tenues mais qui rendent la déchirure tolérable.

— T'es icitte chez vous, ma Cécile. Si t'as besoin de moi, pour n'importe quoi, appelle ou ben écris. J'vas penser ben fort à toi, à Jérôme, pis à vot' Juliette pour que toute aille comme vous l'espérez. Pis je te promets que j'vas aller te voir souvent. Pis toi avec, viens nous voir. C'est pas si loin que ça, Québec. C'est juste à deux heures en autobus ou ben en train. Torvis que j'vas m'ennuyer de toi, ma belle… Envoye, grimpe dans l'autobus avant que je me mette à brailler comme un veau !

Comme répondant à un rite convenu, Cécile reprend, sans hésiter, la place qu'elle occupait lors de son arrivée. Aussi longtemps que Gisèle reste visible, elle la salue de la main, les yeux pleins d'eau. De son autre bras, elle tient, bien serré contre elle, le grand sac bleu de chez Pollack qui protège le satin blanc de sa future robe de mariée. C'est le seul lien tangible qui existe entre elle et sa fille. Plus qu'un espoir, c'est la promesse de toute une vie qu'elle ramène ainsi avec elle, dans sa Beauce. Et, contrairement à l'aller, Cécile prend le temps de bien détailler le paysage gelé qui glisse sous ses yeux. À chaque village qui passe, son cœur bat un peu plus vite à la pensée qu'elle se rapproche enfin de chez elle.

Devant le magasin général, Eugène fait les cent pas en l'attendant, battant de la semelle et tapant des mains pour se réchauffer. Son attitude de vieil ours grognon arrache un sourire à Cécile dès qu'elle l'aperçoit. De lui aussi, elle s'est ennuyée. Malgré tout le mal qu'il a semé dans sa vie... Maintenant qu'elle est de retour, elle ne veut que penser à l'avenir. Surtout qu'il s'annonce plein d'espoir. Depuis qu'elle a vu Jérôme, depuis qu'elle a pu pleurer toute sa détresse au creux de son épaule, au lendemain de la naissance de son bébé, Cécile a repris confiance. Aux côtés de celui qu'elle a choisi comme compagnon et père de ses enfants, l'avenir a retrouvé ses dimensions normales, prévisibles, rassurantes. Sa fille n'est pas morte ni victime d'un complot machiavélique. Non, bien au contraire... Elle est vivante et en parfaite santé. Ce qui arrive n'est que ce qui devait arriver. Et quel que soit le nom qu'on lui a donné pour l'instant, il n'est que temporaire. Qu'importe si Cécile ne le connaît pas? C'est peut-être mieux ainsi. L'attente sera peut-être plus facile sans visage, sans souvenir véritable. Dans quelques mois, quelques semaines à peine, c'est Juliette Cliche qui sera avec eux. Sa petite fille bien à elle. Cécile ne doit surtout pas l'oublier. C'est donc le sourire aux lèvres qu'elle s'élance vers son père qui, plus ému qu'il ne voudrait l'avouer, la reçoit tout contre lui.

— Cécile... Bonyenne que je suis content de te revoir, ma fille. Ouais, ben content... Pis à Québec, est-ce que ça s'est passé comme prévu? Toute a-t-il été à ta convenance? Je... Je veux dire: le monde a-t-il été correct avec toi?

Cécile a un sourire devant l'embarras de son père.

— Bien correct, papa. Tout s'est passé comme vous l'aviez voulu.

— Ben fier de savoir ça... Viens-t-en, astheure ! C'est ta mère qui va être ben aise de te revoir. Pis, tout le reste de la famille avec. On s'est ennuyés de toi, tu sauras. Pas mal fort. Tout le monde...

Ce sera la seule et unique fois où Eugène fera allusion à la raison véritable du voyage de Cécile. Pour lui, la page vient d'être tournée et, comme il l'a toujours dit, il est inutile de revenir sur le passé. La boucle étant bouclée, la faute est maintenant pardonnée. On peut à nouveau s'occuper de l'avenir.

— Pis, as-tu reçu la lettre de ta mère ? L'argent ? Est-ce qu'il y en avait assez pour t'acheter du tissu pour faire une robe qui a de l'allure ?

— Bien assez, papa. Je... Je vous remercie. Vous savez pas à quel point ça m'a fait plaisir de voir que vous pensiez à ça. J'ai même pu m'acheter des perles pour la broder, ma robe. Vous allez voir... Ça va être la plus belle robe de mariée qu'on aura vue dans le village.

— Pis toi, tu vas être la plus belle mariée depuis ta mère ! Envoye, Cécile, amène-toi. Il y a plein de monde qui t'espère à la maison.

Toute une famille, sa famille, qui l'attend, réunie dans la cuisine, se relayant à la fenêtre pour voir venir la carriole. Tout le monde est là, comme si c'était aujourd'hui qu'on fêtait Noël chez les Veilleux du deuxième rang. Avec un mois de retard. Ses frères et ses sœurs, ceux avec qui elle vit depuis toujours et qu'elle aime tant. Mais, après sept mois d'absence, elle a peine à les reconnaître. Gilbert qui a décidé de porter la moustache et Louisa qui n'a plus rien de la gamine dont elle gardait souvenir. Jean-Pierre, le nourrisson, est devenu un gros bébé joufflu qui se faufile comme un courant d'air à quatre pattes entre les jambes de tout le monde. Et Gérard, assis à la table... Gérard qui se déplie lentement et vient vers elle, les yeux pleins de joie. Son petit Gérard qui n'était qu'un gamin, un peu coincé entre l'enfance et l'adolescence, est maintenant plus grand qu'elle. Il la prend dans ses bras et, poussant un cri de sauvage (il n'a quand même pas changé à ce point!), la serre très fort contre lui. Assez pour lui faire demander grâce.

— Arrête, grand fou. J'étouffe! Pis tu vas toute froisser le tissu pour ma robe de mariée! Laisse-moi le temps de rentrer dans maison pis de me dégreyer un peu.

C'est à ce moment qu'elle prend conscience d'une différence presque palpable dans cet instant d'émotion intense. Assise sur une chaise longue que Cécile ne connaît pas, un peu à l'image de celles figurant sur les brochures des sanatoriums, tout près du poêle à bois chauffé à blanc, il y a sa mère. Avant, elle aurait été la première à la serrer tout contre son cœur. Dans le souvenir de Cécile, il y avait l'image d'une femme rondelette au visage rosé, dégageant la santé. Mais voilà qu'elle retrouve une femme amaigrie, aux yeux cernés. Pourtant, elle a gardé son sourire. Ce sourire tout en douceur qui, aujourd'hui, proclame un réel bonheur. Cécile, sa petite Cécile est de retour. Elle tend les mains vers elle.

— Cécile, enfin te v'là! Lâchez-la, vous autres, qu'elle vienne me voir. Viens, Cécile. Viens ici tout proche de moi...

S'arrachant à l'étreinte de son frère et lançant son manteau sur une chaise, Cécile avance vers sa mère et s'agenouille à côté d'elle. Puis, elle pose sa tête sur ses genoux sans la quitter des yeux. Entre elles, c'est plus qu'un dialogue muet. Émue, d'une main tremblante, Jeanne caresse la longue chevelure blonde de sa fille. Dieu que ce geste lui a manqué ! Que de temps à rattraper avec elle ! Que de choses à lui dire, que de pardons à demander… Mais l'instant ne se prête pas à la confidence, il est à la joie des retrouvailles. À la manifestation bruyante d'une famille heureuse d'être à nouveau réunie.

— Bienvenue chez vous, ma grande. Si tu savais combien tu m'as manquée… Je suis ben heureuse que tu soyes enfin revenue. Pis ? As-tu réussi à te reposer avec « ma tante » Gisèle ?

Une manière de lui faire comprendre que le sujet n'est pas clos entre elles. Jeanne sait fort bien que Cécile n'avait pas à se reposer. C'est un peu, à sa façon, un clin d'œil complice qu'elle lui lance. Et Cécile, surprise et heureuse à la fois, le comprend tout à fait en ce sens. Elle répond à sa mère, avec un large sourire :

— Oh oui ! maman. Si vous saviez comme elle est fine… Une vraie soie !

— Hein ? « Ma tante » Gisèle une soie ? On connaît pas la même « ma tante » Gisèle, on dirait.

C'est Gérard, avec sa franchise désarmante, qui vient rompre le lien d'intimité entre Cécile et Jeanne, provoquant en même temps un éclat de rire général. Même Jeanne, plus souvent qu'autrement morose depuis que le médecin l'a clouée à ce fauteuil, même elle, éclate d'un bon rire sous le regard attendri d'Eugène. Eugène, qui doit admettre qu'il est bon de voir sa famille enfin au grand complet et aussi heureuse. Jeanne s'empresse de répondre à son fils :

— Tu sauras, mon gars, qu'il faut jamais se fier aux apparences. Je le savais, moi, que Cécile serait ben avec la sœur de ton père. J'étais certaine de ça.

— Maman a raison, Gérard. « Ma tante » a l'air bête pis elle parle fort. Pour ça, t'as plus que raison. Mais ça s'arrête là. Elle cherchait toujours à me faire plaisir, pis elle achetait plein de revues pour que je puisse lire… C'est papa qui nous le disait quand on était p'tits : « un chien qui aboie ne mord pas. » « Ma tante » Gisèle, c'est en plein ça. Elle crie fort, c'est sûr, mais elle mord pas. Bien au contraire.

À ces mots pleins de sagesse malgré la boutade, Eugène sent monter en lui une drôle d'émotion qui lui gratte la gorge. Comme un constat de temps perdu… Apprendre à vivre avec eux et non seulement pour eux. Pourquoi ? Pourquoi s'est-il toujours empêché de rire à leurs côtés ? Avait-il peur de perdre la face, d'entacher son irréductible autorité ? Ou bien est-ce simplement parce qu'il ne savait comment exprimer ce qu'il ressentait ? Cette pudeur maladive des gens qui ne connaissent pas les mots parlant de sentiments. Pourtant en ce moment, tout simplement, il aurait envie de partager avec ceux qui remplissent ses pensées depuis tant d'années. Tous ceux pour qui il s'échine du lever du soleil jusqu'à son coucher, jour après jour. Sa manière à lui de leur dire qu'il les aime. Alors, comme quelqu'un qui a peur de plonger pour une première fois, il se décide tout d'un coup. Sur une impulsion qu'il serait en peine d'expliquer. Qu'importent les conséquences, il a tout bonnement envie d'être heureux, lui aussi. Avec eux. L'humeur légère, le cœur rassuré devant le sourire épanoui de sa femme, il lance, faussement bourru :

— Tu parles d'une idée, Cécile ! Si ma sœur est rendue un chien, qu'est-ce que je suis, moi, d'abord ? Hein ? Est-ce que quelqu'un est assez faraud pour oser me le dire ?

Un silence de plomb s'abat sur la cuisine. Un toussotement gêné, les pattes d'une chaise qui grattent le plancher. Les regards se croisent un instant puis, avec unanimité, se posent sur Gérard. Le seul, l'unique Gérard qui sait comment affronter le père. Surtout avec cette nouvelle assurance qui, peu à peu, se fait sienne depuis le départ de Cécile. Mais l'œil vif de ce dernier a vite compris l'attitude taquine (mais combien rare!) de son père. Sans hésiter, il fait un pas vers lui.

— Moé...

— Gérard!

— Ouille! C'est vrai... t'es revenue, Cécile. Va falloir que je me surveille, astheure! Donc, je recommence. Moi (tu vois, la sœur, j'ai pas oublié!) moi, j'vas vous le dire, pâpâ. Là, aujourd'hui, vous êtes un père ben correct. Ouais, ben correct. Quand vous riez comme ça avec nous autres, vous êtes un père comme j'aime. Ça serait le fun de vous entendre rire plus souvent. Pis des fois que vous preniez le temps de vous amuser avec nous autres. C'est comme ça, pâpâ, que vous seriez le père que je veux avoir... Qu'on voudrait toutes avoir, j'en suis sûr...

Debout près de sa femme, Eugène reste silencieux. Ce n'est pas exactement la réponse qu'il s'attendait recevoir. Mais peut-être est-ce encore mieux que tout ce qu'il aurait pu souhaiter? Posant sa lourde main sur l'épaule de Jeanne, il lève la tête et s'attarde sur chacun des visages tournés vers lui. Gilbert et Paul, presque des hommes maintenant et qui ont comme lui de la boue dans les veines. Deux bons travaillants qui aiment la terre. Puis Rosaire et Gérard, deux galopins à l'âge où l'on est assis inconfortablement entre deux chaises. Plus tout à fait des enfants, mais pas encore des hommes. Deux polissons qui n'aiment assurément pas l'école et détestent cordialement le travail de ferme. Que deviendront-ils, ces deux-là? Une inquiétude dans la vie d'Eugène. Puis Louisa, une autre petite femme dans la maison, qui lui fait un clin d'œil quand leurs regards se croisent. Elle non plus, elle n'aime pas vraiment les études. Toute heureuse de se soustraire enfin à l'école, en quelques mois, elle a prouvé qu'on pouvait compter sur elle. Puis les petits, encore trop jeunes pour qu'on s'attarde à leur avenir. C'est sur le visage de Cécile qu'il s'arrête enfin. Les grands yeux couleur de nuit ne se dérobent pas à son examen. Elle est droite et fière, sa fille, malgré sa timidité. N'est-elle pas à son image? A-t-il été vraiment juste à son égard? L'espace d'une seconde, à peine un émoi du cœur, il aurait envie de lui demander pardon d'être ce qu'il est. Puis il hausse les épaules et, devant ce geste, Cécile détourne le regard. Il lui rappelle trop l'instant le plus douloureux de sa vie. Celui dont elle veut effacer l'image à tout prix. Eugène se retourne donc vers Gérard.

— T'as peut-être ben raison, mon gars. C'est vrai que je ris pas souvent... Mais la vie est dure, pour un colon comme moi. C'est pas facile de toutes vous nourrir pis de vous habiller... Mais t'as raison, Gérard... Travailler, ça fait mourir personne, pis ça peut se faire en riant. Je... J'vas essayer d'être de meilleure humeur avec vous autres. Je promets rien, par exemple. On change pas facilement un vieil ours comme moi. Mais j'vas faire des efforts... Pis astheure, Cécile, viens nous raconter comment c'était à Québec. Viens nous dire comment on vit en ville...

* * *

Et Cécile qui avait peur de revenir chez elle, craignant de ne pas se trouver de place à la mesure de ses attentes, Cécile a repris tout naturellement le rôle qui était le sien dans la maison d'Eugène Veilleux. Les jours s'écoulent comme avant sans heurt, sans difficulté. Aux côtés de

Louisa, elle a renoué avec le plaisir de s'occuper des siens avec, en plus, la joie de préparer sa robe et son trousseau. Sans que personne n'y trouve à redire. Bien au contraire! Car, maintenant, Cécile a acquis un nouveau statut aux yeux de ses parents. Celui de pouvoir décider de son temps et de ses occupations. Elle qui craignait de se retrouver dans la peau d'une petite fille soumise est maintenant vue et acceptée comme une femme. Oh! ses parents n'ont rien dit de spécial. Hormis la phrase sibylline d'Eugène qui a salué son arrivée, nul mot n'a trahi les pensées de ses parents sur toute cette aventure. Non. Que l'attitude qui a changé. Comme un respect envers celle qu'ils voient maintenant comme une adulte. Et, comme pour confirmer ce retour du bonheur dans la vie de Cécile, quelques jours après son arrivée, Eugène a convoqué ce qu'il a appelé un conseil de famille.

— Comme ta mère peut pas sortir de la maison à cause de son état, tu vas aller inviter les Cliche à venir manger chez nous dimanche midi, après la grand-messe. Je pense qu'on a des choses à jaser entre nous autres. Apparence qu'il y aurait des noces dans l'air...

Jamais la voix rauque de son père n'a paru aussi douce aux oreilles de Cécile. Et comment donc, qu'elle va les inviter, les Cliche! Elle va même leur préparer un repas dont on n'a pas fini de parler, dans la famille. Autour de la table, Jeanne assise dans sa chaise longue mais tout près d'eux, ils ont pris le temps de rire et de bien manger. Le temps de permettre aux liens de bon voisinage de se faire à l'idée qu'ils seront désormais des liens de parenté. Puis après, quand les plus jeunes se sont retirés, les deux familles ont convenu, toujours à cause de l'état de Jeanne, de marier les deux «p'tits» vers la fin d'avril. Une semaine avant l'anniversaire de Jérôme et six semaines après la date prévue pour l'accouchement de Jeanne. Ému, Jérôme a tenu à se lever pour tendre la main à Eugène.

— C'est le plus beau cadeau de fête que vous pouviez pas me faire, Monsieur Veilleux. Votre fille, c'est ce que j'ai de plus précieux au monde. Je vous promets de ben m'en occuper.

Enfin, enfin, les aiguilles de la vie se sont remises à tourner dans le bons sens! Dans quelques semaines, Cécile Veilleux sera désormais Cécile Cliche et leur fille portera le nom qui est le sien depuis toujours. Et, devant l'attitude de son père, Cécile ose même croire que celui-ci ne leur en voudra pas trop pour le geste qu'ils comptent poser. Peut-être une grosse colère, une bouderie ou une rancune? Mais il va finir par comprendre que leur bonheur a plus d'importance que ce que quelques vieilles filles peuvent penser ou dire. La vie a trop de prix pour s'en remettre aux opinions des autres. C'est Gisèle qui lui a dit cette phrase et Cécile a bien l'intention de la faire sienne quoi qu'il arrive. Si ce n'était de l'inquiétude qu'elle ressent devant sa mère, Cécile Veilleux serait la jeune fille la plus heureuse au monde. Mais, il y a sa mère... Depuis trois jours, maintenant, elle n'a même plus le droit de quitter son lit. Le médecin, lors de sa dernière visite, avait l'air soucieux. Non, plus que cela, inquiet... Franchement inquiet. Il a longuement regardé Cécile, comme s'il avait envie de lui demander quelque chose. Mais, finalement, il s'est détourné en poussant un profond soupir. Alors Cécile a compris que c'était grave. Il a promis de revenir dans quelques jours.

Éveillée aux émotions suscitées par une maternité, Cécile se sent plus proche de sa mère que jamais. Comme une entente tacite entre elles quand Jeanne a exigé que ce soit Cécile qui prenne soin d'elle. Même Eugène a compris et s'est incliné sans poser la moindre question.

— Okay, ma Jeanne. Si tu penses que c'est mieux de faire toute ça entre femmes, c'est pas moi qui vas t'ostiner. Fais comme tu l'entends. Anyway, je l'ai toujours dit : « dans maison, c'est toi qui ronnes ! »

Alors, depuis trois jours, Cécile prend soin de Jeanne et le voit comme un juste retour des choses. Toutes deux, elles savourent jalousement ces moments d'intimité où Jeanne, la silencieuse, se laisse aller à la confidence. Peu à peu, de mots en mots. Tout doucement, elle s'avoue à elle-même que ça fait du bien de s'ouvrir, de partager. Il y a tant de choses qu'elle aimerait dire à sa fille avant que celle-ci ne quitte le nid pour de bon. Tant d'idées qui ont cheminé en elle depuis le printemps et qu'elle voudrait lui confier avant qu'il ne soit trop tard.

À chaque matin, pendant la routine de la toilette de Jeanne, elles profitent de ces instants pour parler entre femmes. De tout et de rien : du mariage qui s'en vient et de la grossesse de Jeanne avec ses complications. Le soleil de février entre à flots dans la chambre des parents et Eugène a installé le lit près de la fenêtre pour que sa femme en sente la chaleur. Les rayons lumineux dessinent des arabesques fantastiques sur le givre des carreaux et Jeanne prend plaisir à laisser son imagination lui conter mille et une fables en les admirant.

— Mon Dou que je trouve ça beau, Cécile ! On dirait du verre taillé. Ma mère avait une belle verrerie toute dessinée de même. Une vraie merveille... C'est ma sœur Carmen qui l'a eue...

Dans l'embrasure de la porte, Cécile regarde sa mère en souriant. Elle est heureuse de cette complicité entre elles qui amène sa mère à lui parler d'égale à égale. Depuis son retour, Jeanne se laisse apprivoiser par sa fille. Et cela remplit Cécile d'une allégresse toute spéciale. Comme un lien particulier qui se tisse entre elles. Un peu à l'image de celui qu'elle aimerait voir naître dans quelques années avec Juliette. Elle reste un instant dans l'encadrement de la porte à la regarder, portant une grande bassine remplie d'eau chaude.

— Rentre pis ferme la porte, ma grande. Pis dépose-moi cette bassine-là sur le coin de la commode. Ça me tente pas à matin de me laver tusuite... Le soleil est trop beau pour qu'on en profite pas un brin... Viens, ma Cécile. Viens t'assire à ras de moi sur le bord du lit. J'ai ben plus envie de jaser que de me faire belle.

Sans se faire prier, Cécile se débarrasse de la cuvette en fer-blanc et des serviettes qu'elle a à la main et s'empresse de venir s'asseoir près de sa mère. Elle aussi, elle tient farouchement à ces moments d'intimité avec cette femme qui est sa mère mais qu'elle connaissait si peu, finalement. Que l'image de la femme taciturne, soucieuse, qui lui était familière. Et voilà que, tout doucement, elle entrevoit l'amie. Celle qui a souffert et aimé tout comme elle. Qui a eu vingt ans aussi, même si c'est difficile à imaginer. Pourtant, depuis les quelques jours que durent ces instants de quiétude et de complicité, ni l'une ni l'autre n'a osé aborder le seul sujet dont elles voudraient sincèrement s'entretenir. Pas encore... Une espèce de pudeur les a empêchées de franchir le pas qui les sépare toujours. Malgré l'intuition de Jeanne, qui lui souffle que le temps lui est peut-être compté. Le Docteur Poulin n'a jamais eu de secret pour elle et il ne lui a pas caché son inquiétude face à la naissance qui s'en vient. Une douzième maternité, c'est toujours risqué. Et dans le cas présent, les risques sont encore plus grands. L'utérus est fatigué... Alors ce matin, parce que le soleil est complice de son humeur un peu légère, parce qu'elle sait qu'une autre occasion ne se présentera peut-être pas, Jeanne a décidé d'ouvrir franchement son cœur à sa fille. « Il n'est que temps de le faire », pense-t-elle en souriant à Cécile. Inspirée par la gaieté d'un chimérique soleil de février, elle laisse tomber le masque.

— C'est quoi la saison que t'aimes le plus, ma Cécile ?

Une façon comme une autre de se rapprocher. De percer la barrière des secrets intimes. La jeune fille éclate d'un rire tout en cascade.

— C'est drôle que vous me demandiez ça, maman. « Ma tante » Gisèle a eu la même question, un après-midi d'automne, tandis qu'on prenait une marche toutes les deux sur les Plaines. Je lui avais dit que c'était le printemps. Pis j'ai pas changé d'idée depuis ce temps-là. Il y a le printemps que j'aime le plus, mais aussi l'automne... Moi, c'est les saisons entre-deux que j'aime. Parce qu'on peut respirer à fond. Il fait juste assez chaud pis pas encore trop froid.

— C'est beau ce que tu dis là, ma fille. Respirer à fond... Je sais pas depuis quand j'ai pas eu l'impression de respirer à fond, moi-là... Non, je me rappelle pus avoir eu le temps ou ben le courage de me rendre au boutte de mon souffle...

— Mais pourquoi, maman ? Vous... Vous êtes pas heureuse avec nous autres ?

C'est au tour de Jeanne d'échapper un rire. Mais pas tant de joie que d'ironie. Est-ce dire qu'elle a si bien réussi à leur donner le change ?

— Heureuse... C'est un ben grand mot, tu trouves pas, Cécile ? Un mot qui peut souvent dire des affaires croches.

Pis peut-être aussi des menteries, quand on y pense ben comme il faut. Tu vois, à cause de toi, ma fille, j'ai appris plein de choses nouvelles sur moi.

— À cause de moi ? Comment ça ?

Jeanne comprend qu'elle ne pourra plus revenir en arrière. Elle en a maintenant trop dit ou pas assez. Il lui faut tout dévoiler. Les choses belles comme les laides. Tout ce qui a traversé sa vie et qu'elle n'acceptait pas ou ne comprenait pas. Oui... Oser avouer à sa fille ce qu'était sa vie avant. Le dire maintenant, tout de suite, si elle veut renouer le lien de confiance entre elles. En même temps, elle espère du plus profond de l'amour qu'elle a pour Cécile que celle-ci va lui pardonner ces années de silence. Il lui faut parler pour que sa fille ne connaisse pas les mêmes désillusions qu'elle, les mêmes déchirements. Timidement, Jeanne prend la main de Cécile comme pour y puiser le courage qui lui a toujours manqué. Laissant son regard heurter le bouquet de givre sur la vitre, elle évite de la regarder droit dans les yeux. Ce serait au-dessus de ses forces, s'il fallait qu'elle y lise un reproche. Jamais, jamais elle n'a voulu faire souffrir cette enfant.

— Oui, à cause de toi. À cause de ce qui s'est passé au début de l'été... On n'en a pas vraiment parlé ensemble. Mais je pense que ça nous a pas empêchées de jongler, hein ma grande ? En tout cas, moi j'y ai pensé souvent. Il y a pas une journée que le bon Dieu amenait sans que j'aye une pensée pour toi, Cécile. Pis une prière avec, pour que toute se passe ben. C'est un peu à cause de ça que j'ai enfin compris que le bonheur nous tombe pas dessus comme un orage en été. Faut le vouloir, pour être heureux. Le vouloir très fort. Pis faut apprendre à le reconnaître, quand le bonheur passe par chez nous... Je le voyais ben, tu sais, que tu comprenais pas que je puisse rire pis chanter quand t'es partie de la maison en juin... Mais c'était plus fort que moi, Cécile. Toute ce que j'étais en train de découvrir sur moi pis ma vie, ça me remplissait de joie. Mais j'étais pas encore prête à expliquer ça. Pas même à toi. C'était comme une révélation pour moi, que je pouvais aimer mes enfants comme faut. Que je les avais toujours aimés, finalement. Pis j'avais besoin de toute ben comprendre ce qui se passait dans mon cœur avant de pouvoir t'en parler. Mais le temps de rapailler mes idées, il était trop tard pour t'en jaser. T'étais déjà partie. J'avais pas envie d'écrire ça dans une lettre. C'est des choses trop importantes pis trop intimes pour mettre ça sur du papier. C'est avec toi ben près de moi que je voulais t'en parler. Pas autrement.

— Aimer vos enfants ? Comment ça, aimer vos enfants ? Avant, vous...

Tendrement, Jeanne vient poser une main toute légère sur les lèvres de Cécile pour l'obliger à se taire. Personne ne doit l'interrompre, sinon elle risque de ne plus rien dire du tout.

— Laisse-moi finir, ma grande. Je le sais ben que c'est gros, ce que je suis en train de dire là. Pour une fille, ça doit être difficile d'entendre sa mère confier des affaires de même. Je peux le comprendre. Mais il y a pas d'autres mots pour expliquer ce que je ressentais devant toi. Je suis venue toute mêlée à cause de ce que tu vivais. Je regardais Jean-Pierre, surprise de le voir là, ben à l'abri dans mes bras. Pis je sentais mon cœur qui battait pour lui. Rien que pour lui. C'est un peu à cause de ça qu'au début, j'ai essayé de faire changer ton père d'avis. Mais il voulait rien en tendre. Il avait beau dire que c'était à cause des racontars, moi je pense que c'était surtout la peur de voir que t'étais déjà rendue une femme. Les pères sont toutes un peu pareils : leurs filles, c'est comme si c'étaient leurs biens en propre. Ça fait que quand un autre homme s'amène, ils sont pas toujours prêts à l'accepter. Ça leur prend un boutte de temps avant de comprendre. Pis avec toi qui étais enceinte, ça brusquait trop les choses pour lui... Pourtant, quand je te savais malheureuse comme les pierres, pis quand je me voyais, moi avec Jean-Pierre, je me disais que c'était pas juste, la vie. Moi, j'avais des enfants que j'avais pas voulus pis toi, t'en attendais un que t'aurais pas le droit d'aimer. Ouais, pour ça, j'ai essayé de parler à ton père. Mais tu le connais... Tu peux pas savoir comme j'étais mêlée. Je voulais tellement te voir heureuse, pis en même temps je savais pas trop comment prendre Eugène pour lui faire comprendre. J'arrêtais pas de prier pour savoir ce qu'il fallait que je fasse. C'est peut-être pour ça qu'un bon matin, un peu dans le temps où Mélina est venue me voir, j'ai compris que j'avais pas été juste envers mes enfants. Ça a été comme une grande lumière qui se mettait à briller dans mon cœur... C'est pas facile, tu sauras, de porter un p'tit après l'autre sans jamais avoir le choix... Ça fait que j'étais rendue que je pensais que je les aimais pas, mes enfants. Pas comme faut, en tout cas. Mais ce matin-là, j'ai vu clair en moi. C'est pas mes enfants que j'aimais pas, c'est toute ce qui venait avant. C'est ben plus de pas avoir pu choisir le moment de les avoir, ces enfants-là. Ça a été comme un soulagement pour moi. C'est ce matin-là que mon idée a toute changé.

La confession de sa mère est tellement lourde de déceptions face à la vie. Lourde de conséquences, aussi, que Cécile se demande si elle a bien compris. Comment, comment une mère peut-elle parler ainsi des moments les plus intimes avec son enfant ? À ses yeux, cela dépasse tout entendement, toute logique. Puis, brusquement, elle repense à Rolande... Lentement, Cécile se relève et vient à la fenêtre. Oui, elle peut saisir ce que veut dire sa mère. Il y a de ces femmes qui n'ont pas choisi. Ou n'ont pas voulu choisir. Ce n'est pas parce qu'on est mariés que ça change quelque chose, Cécile en est bien consciente. Mais, d'entendre ces mots sortir de la bouche même de celle qui vous a mise au monde, cela meurtrit. D'entendre de tels mots, arrache quelques illusions. Comme si, d'un seul coup, on vous demandait de tout renier dans votre vie. Il y a tant de suppositions qu'elle aimerait effacer dans ce que sa mère vient de lui dire... Mais, en même temps, oui, elle comprend exactement ce qu'elle est en train de lui expliquer. Pourtant, il reste une contradiction avec l'image qu'elle avait de ses parents, l'empêchant de voir clair dans le cheminement de Jeanne. Pourquoi, si elle avait enfin accepté de dire qu'elle était attachée à chacun de ses enfants, pourquoi n'a-t-elle pas essayé de faire comprendre à son père de les laisser se marier, elle et Jérôme ? C'est un regard plein de douloureuse incompréhension qui se tourne vers sa mère.

— Mais pourquoi, d'abord, vous avez pas essayé de convaincre papa ? Si vous saviez combien on était malheureux, Jérôme pis moi, pourquoi est-ce que vous avez rien dit ?

— Je viens de te l'expliquer : j'ai essayé. Au début... Mais j'ai vite compris qu'il y avait rien à dire. Pis, à un moment donné, j'étais rendue que même moi j'étais pus certaine qu'il fallait faire de quoi pour... De toute manière, tu le sais aussi ben que moi, avec ton père, c'est pas de même que ça marche. J'ai sûrement pas besoin de te faire un dessin, Cécile. Il était ben que trop remonté par toute ce qui arrivait pour être capable de raisonner. Tu le sais, va, comment il peut être dans ses colères. Comment est-ce qu'il peut devenir malin, des fois... Je suis pas différente de vous autres : à moi aussi il fait peur par boutte, Eugène. Mais je veux que tu saches que c'est pas juste après toi qu'il en avait, ton père. Je dirais que c'est à la vie qu'il en voulait... Pis moi, malgré tout ce que je viens de dire, j'avais peur pour toi. C'est pas parce que j'ai compris que mes enfants avaient de l'importance pour moi, que je serais prête à recommencer demain matin... La grossesse que je vis là, je m'en serais bien passée, tu sauras. Je le sais, astheure, que j'vas l'aimer ce p'tit-là. Comme les autres, ça c'est sûr. Mais s'il avait pas été là, j'en aurais pas été malheureuse pour autant... Peux-tu comprendre ça, ma Cécile ?

Oui, Cécile peut comprendre ce que sa mère essaie de lui dire. Comme elle comprend tout d'un coup toutes ces années de silence. Sa mère n'était pas une femme heureuse. Pas malheureuse non plus. Juste comme une passante indifférente dans sa propre vie. Comment aurait-elle pu aider sa fille, alors qu'elle n'arrivait pas à s'aider elle-même ?

— Oui... Je pense, oui, que je peux vous comprendre... Mais qu'est-ce que ça change pour moi ?

— Ça change simplement que j'avais peur. Peur à te voir un jour à la même place que moi. Pis j'avais pas envie de ça pour ma fille. Moi aussi, tu sais, j'ai été en amour avec ton père. Moi avec, je pensais que la vie serait une espèce de conte de fées. Mais c'est pas ça pantoute qui se passe. Avec toi, j'ai fini par comprendre qu'on peut essayer d'être heureux quand même. Ouais, j'ai envie d'essayer d'être heureuse, même si tout ressemble pas à ce que j'avais prévu. Dans le fond, la vie c'est jamais ce qu'on avait pensé. C'est comme ça pour tout le monde, je suppose. Pis c'est pas juste à cause de moi, de vous autres, les enfants, ou ben de ton père que c'est arrivé de même. C'est juste que c'est ça qui devait arriver. C'est toute. Ça a pus rien à voir avec ce que j'ai envie de faire. Mais je le sais, astheure, qu'il faut aider le destin des fois, si on veut finir par accrocher des brins de joie dans sa vie. C'est pour ça que j'ai dit comme ton père. Je voulais surtout pas que tu choisisses Jérôme par obligation. Parce que t'étais enceinte. C'est juste pour ça. Je voulais que tu soyes libre le jour où tu prendrais ta décision.

— Mais, vous rendez-vous compte du sacrifice que vous me demandiez, maman ? Avez-vous seulement une p'tite idée de ce que j'ai pu vivre, seule en ville ? Elle est bien fine, « ma tante » Gisèle, pis elle a fait son gros possible pour me changer les idées. Mais c'est pas ça qui faisait que j'étais heureuse pour autant. Vous pourrez jamais imaginer ce que ça peut faire de sentir son enfant bouger dans son ventre pis de savoir qu'on l'aura jamais dans ses bras... Je... Je le voulais cet enfant-là. Pis Jérôme avec... Je.. Je l'aime, Jérôme, maman... Je veux faire ma vie avec. Pis c'est pas parce qu'on a fait un p'tit ensemble. Si... Si je me suis donnée à lui, c'est parce que je l'aimais plus que tout. Pis, c'est encore pareil aujourd'hui.

C'est au tour de Jeanne de comprendre la grossière erreur qu'elle a commise. Sa plus grande faute est de ne pas avoir su faire confiance. Savoir dire les choses à la bonne personne, au bon moment. N'est-ce pas elle-même qui disait qu'il faut faire attention, devant la vie des autres ? Si au lieu de se confier à Mélina, c'est à sa fille qu'elle avait parlé, peut-être qu'on n'en serait pas là aujourd'hui ? Elle a un long soupir de tristesse avant de reprendre :

— Je le vois ben maintenant, Cécile. Pis je regrette de

pas t'avoir parlé avant… Même si je sais pas si ça aurait fait une différence pour ton père…

— Maman…

— J'ai pas fini, Cécile. C'est pas facile pour moi de te parler comme je le fais là, pis j'aimerais ça que tu m'écoutes jusqu'au boutte… Ce que j'essaye de dire c'est que c'est ben beau être en amour. Je suis ben d'accord avec toi, ma fille. Moi avec j'ai connu ça, le grand amour. Le cœur qui débat, pis les jambes molles quand l'homme que t'aimes te prend dans ses bras. Même si c'est dur d'admettre que ses parents peuvent avoir des envies eux autres avec. Comme je l'ai dit, j'étais folle de ton père. J'en voyais pas clair, tu sauras. Mais ça, ça dure juste un temps, ma Cécile. Juste un temps… Veux, veux pas, la routine nous retombe dessus comme la misère sur le pauvre monde. C'est là que j'aurais dû parler avec ton père. Peut-être ben que ma vie aurait été différente… Mais à quoi bon regretter des affaires, quand il est trop tard pour revenir dessus ? J'aurais beau revirer ça dans tous les sens, ça changera pas que j'étais trop gênée pour parler de ce que je voulais avec ton père. Trop gênée pis trop peureuse. Dans mon temps, ma p'tite fille, il y a des choses qui se disaient pas, même avec son mari… Pis je me demande si ça a tellement changé. Le curé qui s'informe si je suis en famille à confesse parce que ça fait un an qu'on a pas eu de p'tits… Pis ça lui prend toute pour qu'il me donne l'absolution, si j'ai le malheur de dire non… C'est pas facile de faire entendre raison à un homme quand même le curé est contre toi pis qu'il brandit l'enfer comme un épouvantail à moineaux… Mais, au début de cette grossesse-citte, le docteur nous a parlé. En fait, il a surtout parlé à ton père. Ça a pas été facile, tu sauras. Ça discutait pas mal fort dans notre chambre. Mais je pense qu'Eugène a compris que ça serait mieux qu'on arrête là pour ce qui est de la famille. Le Docteur Poulin a ben faite comprendre à ton père que le curé a rien à voir là-dedans pis que c'est pas lui qui va venir s'occuper des p'tits s'il m'arrivait de quoi. Pis, crois-moi : si le curé Bellavance a de la gueule, le Docteur Poulin est pas manchot lui non plus… C'est ça que je veux te dire, ma fille. Va falloir que tu parles ben clairement à ton Jérôme. Des bébés, si on veut être heureux dans la vie, il faut qu'on les fasse quand les deux en ont envie. Sinon, ça devient une corvée pis ça rend personne vraiment heureux. Tu… Peux-tu comprendre ce que je veux dire ?

C'est toute la vie de Jeanne qui vient de débouler entre Cécile et sa mère. Une vie de contraintes et d'anxiété. Et si la femme en Cécile aurait envie de la prendre contre son cœur, la fille, elle, hésite. Cécile est déçue de ce que sa mère vient de lui confier. Pourtant, oui, bien froidement, elle peut comprendre.

— Oui, ça aussi je peux le comprendre, maman. Je… Merci de me faire confiance pis de me parler comme vous l'avez fait. C'est pas facile à entendre, par exemple. Mais une chose est sûre, c'est qu'avec Jérôme ça sera pas pareil. Lui, il est…

— Faut pas dire ça, Cécile. On sait jamais ce que la vie nous réserve. Pis les hommes, une fois qu'ils sont mariés, ils changent un brin. Ton Jérôme sera pas différent des autres. Tu vas voir… Je sais ben que c'est pas toute ce que je viens de te dire qui peut faire que tu peux me pardonner. Je m'en veux un peu de pas t'avoir parlé avant. Mais je suis certaine que j'aurais pas été capable de le faire avant aujourd'hui. Mais quand même, ça me chagrine de penser que t'as un…

— Non maman, vous ne devez pas être triste. C'est mon docteur qui disait que quand on attend un p'tit, on a pas le droit d'avoir des pensées noires. On doit bien manger pis avoir des idées heureuses... Surtout vous, avec les complications que vous avez. Il faut que vous pensiez à vous, pis à ce p'tit-là. À rien d'autre pour le moment. Faudrait pas qu'en plus vous soyez caduque à cause de ma fille...

— Ta fille ? C'est une p'tite...

— Oui. C'est une fille. Juliette que je l'appelais quand j'étais encore enceinte...

— C'est un beau nom, Juliette... J'aurais aimé ça la voir, tu sais. Tellement...

À ces mots, Cécile revient à la fenêtre, tournant volontairement le dos à sa mère. Il y a des plaies qui sont plus longues à guérir que d'autres. Certaines, même, ne se referment jamais complètement. Elle ne veut surtout pas que sa mère lise en elle toute l'ambivalence qui la porte depuis deux semaines. Une si grande espérance en même temps qu'un atroce souvenir. Pourtant, c'est comme une obligation qui la pousse à ne rien lui cacher de la naissance de Juliette. Pour montrer à quel point elle a souffert. Non par vengeance. Cécile en serait bien incapable. Simplement pour lui prouver qu'elle n'est plus une enfant. Qu'elle aussi a découvert le prix à payer pour avoir droit au bonheur. Et peut-être pour pouvoir seulement partager sa grande douleur avec la seule personne qui puisse la comprendre ? Sa voix n'est qu'un souffle quand elle poursuit :

— Moi aussi, j'aurais aimé ça la voir, ma p'tite fille. Mais je sais même pas à qui elle ressemble, maman. Je l'ai pas vue... Quand j'ai eu le droit de me lever, elle était déjà partie. Ça a été épouvantable. Je pense que jamais je pourrai oublier ce jour-là. Jamais. Tout ce que je sais de ma fille, c'est « ma tante » Gisèle qui me l'a raconté... Elle était toute rose pis elle avait les cheveux de Jérôme : noirs pis frisés. Le Docteur Simard avait promis à papa que mon bébé resterait pas longtemps à la crèche. Il a tenu parole... Mais c'est pas grave. C'est fini maintenant. C'est fini...

— Tu l'as même pas vue ? Ça se peut quasiment pas, Cécile. Mon doux Jésus... Comment est-ce que tu vas me pardonner ça ? C'est... C'est toute de ma faute...

— Mais non, maman, c'est pas de votre faute. C'est de la faute à personne en particulier. C'est juste... C'est juste de même que ça devait arriver. Mais dites-vous bien que jamais je pourrai oublier ce jour-là. Jamais.

12

Jeanne a donné à Cécile son grand coffre d'espérance pour qu'elle puisse y ranger son trousseau. Coffre d'espérance... Juste au son de ces deux mots, remplis des espoirs de toute une vie, Cécile en frémit d'impatience. Lundi dernier, profitant d'une forte tempête, une de celles dont on parle dix ans plus tard et qui a gardé tout le monde à la maison, les garçons sont montés au grenier en quête du lourd meuble de bois dormant là depuis le mariage des parents. L'opération s'est déroulée dans les rires et les éternuements dus à l'épaisse couche de poussière qui le recouvrait. Sous les encouragements de Jeanne qui, de sa chambre, imaginait aisément sa bande de chiens fous tirant et poussant, s'agaçant dans les escaliers. Inquiète, elle leur criait de faire attention. Fourbus, Gérard, Rosaire et Paul ont déposé leur fardeau au pied du lit des filles.

— Coudon, la sœur, penses-tu vraiment que tu vas réussir à le remplir ?

— Inquiète-toi pas, mon Gérard. Si ça se voit, j'aurai pas assez de ce coffre-là. Quand tu pars en ménage, ça prend pas mal d'affaires, tu sauras.

— Ben voyons donc, Cécile. Tu t'en vas demeurer chez les Cliche. C'est pas une gang de tout-nus. La mère de Jérôme doit bien avoir ça, du linge de maison.

— Pis ? C'est pas une raison pour que j'aye pas le mien. Ah, pis fiche-moi donc patience avec tes questions. Si j'ai envie d'avoir mes affaires à moi, est-ce que ça te regarde ? Apprends pour ta gouverne, mon p'tit frère, que c'est normal qu'une mariée arrive avec son coffre d'espérance bien rempli.

— Bon, bon ! Choque-toi pas, la sœur. Ce que j'en disais c'était juste pour que t'ayes moins d'ouvrage. Je m'en fous pas mal, moi, dans le fond, de ton coffre. Espérance ou pas...

Cécile a haussé les épaules, un peu déçue devant tant d'évidente mauvaise foi. Sans voir que c'est son départ prochain qui bouleverse son frère. Depuis qu'il connaît la date de son mariage, Gérard n'arrête pas de la regarder comme s'il la voyait pour la dernière fois. Une grande tristesse dans les yeux, même s'il est heureux pour elle. Même s'il a deviné finalement la raison de son voyage à Québec et qu'il ne comprend pas vraiment le pourquoi de la chose, s'ils sont pour se marier, elle et Jérôme. Mais Cécile a bien trop de pensées en tête pour se préoccuper des états d'âme de son jeune frère. Alors sa répartie concernant son coffre d'espérance l'a piquée au vif. De toute façon, comment lui expliquer que c'était là l'unique façon qu'elle avait trouvée pour se rapprocher de sa fille ? Qui, à part Jérôme et ses parents, pourrait comprendre l'amour motivant Cécile quand elle travaille jusque tard dans la nuit, éreintée, pliée en deux au-dessus de la table de cuisine pour tailler ses torchons et ses draps ? Elle y met toute son ardeur et tout le temps libre dont elle dispose. Fébrilement. Comme si chaque morceau de lingerie terminé, et maintenant bien rangé dans le coffre, comme si chacune de ses serviettes lui donnait l'impression d'avoir franchi un pas de plus vers Juliette qu'elle se languit de tenir dans ses bras. Rien d'autre n'a d'importance à ses yeux. Jérôme et elle se marient le vingt-deux avril au matin. Le soir, ils prennent le train pour Québec. Raison officielle : voyage de noces. Raison réelle : une visite à la directrice de la crèche pour l'informer de leur intention de reprendre leur enfant. Cécile est bien décidée à ne pas revenir sans sa fille. Et si on veut leur mettre des bâtons dans les roues, elle compte sur l'efficacité verbale de la tante Gisèle pour les aider. Mais quand et comment va-t-elle en avertir ses parents ? Elle serait bien en peine d'y répondre... À ce sujet, elle nage encore en plein mystère. À chacune de ses visites chez les Cliche, ils en parlent entre eux, argumentent à n'en plus finir, sans jamais arriver à se décider. Alors, en attendant de résoudre ce problème, Cécile essaie d'être le plus efficace possible partout où on a besoin d'elle. Il y a mille et une peccadilles dont il faut s'occuper avant le mariage, en plus de la routine habituelle et des soins à prodiguer à sa mère. Mais, portée par l'espérance de jours meilleurs qui arrivent à grands pas, Cécile a des ailes. Si elle se montre serviable et prévenante à l'égard de ses parents, s'ils la jugent digne de leur confiance, peut-être la pilule sera-t-elle plus facile à avaler ? Elle le souhaite du plus profond de son cœur.

Février a remplacé janvier dans un égal souci de froidure. À part les quelques jours de redoux quand Cécile a accouché, de mémoire d'homme, on ne se rappelle pas hiver plus rigoureux. Mais autant chez les Cliche que chez les Veilleux, on ne s'en préoccupe guère. Il y a trop à faire ! Afin de remplacer Jeanne immobilisée bien malgré elle, Mélina s'est offerte pour aider Cécile afin de coudre La robe de mariée.

— Si c'est pas de valeur ! Ta belle-mère qui fait ta robe. On aura tout vu ! C'est moi qui devrais coudre avec toi, ma

Cécile. Ça va te porter malheur de montrer ta robe avant le matin des noces.

Mais rien ne peut altérer la bonne humeur de Cécile. À chaque fois que sa mère s'afflige de son inertie, la jeune fille lui répond par un éclat de rire.

— Mais voyons donc, maman. C'est rien que des histoires de bonnes femmes, tout ça. Ça va porter malheur à personne si Mélina voit ma robe avant le mariage. Soyez bien tranquille : Jérôme l'a pas vue. Pis il la verra pas non plus. Je veux lui faire une surprise. Profitez-en pour vous reposer. Ça devrait vous soulager de savoir que quelqu'un m'aide comme ça.

— Je le sais ben, ma fille. Mais imagine-toi donc que c'est une grosse déception pour moi, de pas pouvoir aider ma grande à préparer son trousseau.

— Inquiétez-vous pas... Vous allez avoir bien des occasions pour vous reprendre, maman. J'ai trois sœurs qui suivent pis, avec un peu de chance, elles vont sûrement se marier un jour. À part de ça, à l'âge que vous avez, c'est peut-être même vos p'tites filles que vous aiderez dans quelques années.

— T'as raison, ma fille. C'est vrai que Mélina est une femme dépareillée pour t'aider comme elle le fait... Mais, j'y pense : si tu voulais, je pourrais broder tes draps pis tes serviettes. Pis poser les perles sur ta robe, hein ? Ça c'est des choses que je pourrais faire, assise dans mon lit. J'aurais au moins l'impression d'être utile à quelque chose. Qu'est-ce que t'en dis ?

— Mais c'est une bonne idée que vous avez là, maman. Moi, j'aurais jamais le temps de le faire... Comme ça, à chaque fois que j'vais changer mes draps, j'vais penser à vous. Pis, au matin des noces, vous pourrez vous dire que, vous aussi, vous avez participé à la préparation du mariage de votre fille.

Oui, que de la joie qui se promène le long du deuxième rang, en direction du rang du Bois de Chêne. Que des carrioles remplies de gens heureux, qui font la navette entre les deux familles voisines. On se trouve trente-six raisons valables pour se visiter. C'est ainsi qu'hier Mélina a apporté une grosse boîte de carton toute gonflée, attachée par une ficelle pour tenir fermée et remplie de layette pour le bébé de Jeanne. Longtemps, en tête-à-tête, les deux femmes ont jasé. Rien ne peut faire plus plaisir à Jeanne que d'avoir de la visite pour l'aider à passer le temps. Mais cette fois-ci, quand Mélina a quitté la maison d'Eugène, Jeanne est restée longtemps songeuse, le regard accroché aux carreaux qui ne dégivrent plus depuis un mois, les sourcils froncés sur sa réflexion et sur son cœur en émoi. Ses yeux préoccupés n'ont pas quitté Cécile un seul instant, quand celle-ci est venue l'aider à se préparer pour la nuit. Mais la jeune fille, emportée par l'enthousiasme de la description de sa robe qui est presque prête, n'a pas remarqué l'air soucieux de sa mère.

— Vous devriez voir ça, maman ! J'ai même assez de tissu pour me faire une traîne ! On dirait une robe de princesse !

Elle n'a pas non plus noté le silence persistant de Jeanne. Alors, devant la joie évidente de sa fille et de peur de voir cette belle flamme s'éteindre, Jeanne n'a rien dit de sa conversation avec Mélina. Mais elle reste éveillée, très tard dans la nuit, aiguillonnée par une toute nouvelle source d'inquiétude. Une appréhension qui se ravive à chaque fois qu'Eugène se retourne dans leur lit. Pourtant, elle sait que ce serait là la vraie justice. Oui, la seule issue possible digne de l'amour qui existe entre Cécile et Jérôme. Le reste n'est que façade et poudre aux yeux. Et, pour ce qui est des racontars, elle, Jeanne, elle s'en soucie comme d'un croûton de pain. Alors… C'est donc sur un sourire qu'elle se laisse enfin glisser vers le repos. Après tout, peut-être bien qu'elle la verra, sa petite-fille ? Et rien ne pourrait lui faire plus plaisir. Elle pousse un long soupir où s'entremêlent contentement et contrariété. « À chaque jour suffit sa peine », songe-t-elle finalement en se calant dans l'oreiller. « On pensera à Eugène en temps et lieu. » C'est le nom de Gisèle, surgi de nulle part comme une illumination, qui s'entortille à ses dernières pensées avant qu'elle sombre dans un profond sommeil.

Pourtant, seule l'inquiétude est restée à attendre son réveil. C'est un curieux pincement dans l'estomac, comme une crampe, précédant le trac, qui finit de l'éveiller tout à fait. À la clarté du jour, au grand soleil froid de l'hiver, elle comprend que ce n'est pas à Gisèle de parler à son mari. Il n'y a qu'elle qui puisse le faire. Là réside tout le problème… Pour l'instant, Eugène est déjà parti à la grange et c'est très bien ainsi. Jeanne a toujours eu de la difficulté à lui cacher ses émotions tant qu'elle ne les a pas apprivoisées elle-même. Surtout depuis quelque temps, alors qu'il est très présent à ses besoins et ses attentes. Si, comme elle l'a dit à Cécile, elle se serait bien passée de cette dernière grossesse, elle ne voudrait, pour rien au monde, revenir à la relation qui l'unissait à Eugène avant, pendant toutes ces années. Depuis que le médecin lui a parlé, une fois sa colère maîtrisée et sa rage passée, Eugène est redevenu l'homme qu'elle avait épousé. Non… pas un être attentionné ou courtois. Non. Eugène n'a jamais été un tendre ni un doux. Mais une complicité au-delà des mots, faite de regards et de sourires, une certaine entente a refait surface et désormais Jeanne ne pourrait vivre autrement. Comme une grande soif en elle enfin désaltérée. Un puits d'eau-vive où elle ne se lasse pas de puiser. Ce lien de compréhension et de respect essentiel, entre deux êtres confrontés à vivre côte à côte, jour après jour pendant toute une vie... Mais de là à lui lancer au visage, de but en blanc, que Cécile a l'intention de reprendre sa fille et de vivre avec elle au vu et au su de tous... Il y a tout un monde de différence. Un pas de géant à franchir. Et si Jeanne admet qu'elle doit le franchir, elle ne sait pas encore comment. De là toute son inquiétude. La peur en elle, plus forte que tout le reste, cette obsession presque palpable qui lui souffle qu'elle risque de reperdre la confiance d'Eugène. Elle n'ose même pas penser à ce que serait leur vie si son mari n'acceptait pas cette désertion à leur décision première. Et, en même temps, elle se répète que c'est là la seule façon de se faire définitivement pardonner par Cécile. Et ce lien de confiance entre femmes, de mère à fille, a, lui aussi, beaucoup d'importance à ses yeux. Mais vingt ans de silence et de crainte ne s'effacent pas du jour au lendemain. Les heures s'écoulent donc, puis les jours, sans que Jeanne se décide à parler. Et, plus fort que tout cela, immense, il y a aussi une intuition, presque une certitude, qui la retient encore. C'est que son mari réagisse vivement, selon ses habitudes. Il n'aime pas à être contredit, Eugène, ni contrarié d'aucune façon. Alors, elle garde pour elle la confidence qu'elle devrait faire, devant le pressentiment qu'Eugène pourrait décider de bousculer le processus d'adoption pour que Cécile et Jérôme ne puissent pas reprendre leur petite fille. Qu'est-ce que Cécile dirait et vivrait comme déception ? Jeanne n'ose y penser... Tout serait de sa faute et jamais sa fille ne le lui pardonnerait. Et, connaissant Eugène comme elle le connaît, elle sait que c'est possible que cela arrive. Pas catégorique, mais probable. Oui, malgré l'indifférence qui a marqué leurs années de vie commune, Jeanne connaît assez son homme pour savoir qu'il en est capable, s'il se sent trahi. Indécise, Jeanne regarde le temps s'écouler sans arriver à faire quoi que ce soit. Ce n'est que vers la mi-février qu'elle choisit enfin de faire celle qui ne sait rien. Si elle reste solidaire de son homme, elle est persuadée qu'il sera plus facile de le contrôler quand le moment sera venu. Ne rien dire. Attendre d'être mise face à la situation, tout comme lui, et tenter de calmer sa colère. Car nul doute pour elle que cette fureur sera grande. Comme elle sait cependant qu'elle ne durera qu'un temps. C'est à ce moment, et uniquement là, que Jeanne pourra intervenir sans rien casser entre eux. Convaincue qu'il n'y a que cela à faire, Jeanne demande à Cécile de faire venir Mélina.

— Ça va me faire du bien de jaser avec elle. Je commence à trouver le temps pas mal long, ma fille. Quand t'auras fini ton ordinaire, tu prendras la voiture pour aller la chercher.

Il ne faudrait surtout pas que la future belle-mère de Cécile aille parler à Eugène. On bien que son mari le fasse. Jeanne est de plus en plus persuadée que cela les mènerait tout droit à la catastrophe.

— Okay, maman. Je finis la vaisselle pis j'y vais... Ça va me donner l'occasion d'embrasser Jérôme. C'est rare que ça arrive le matin...

Rassurée par la décision qu'elle vient de prendre, Jeanne se retourne pour faire une autre sieste. « Je sais pas ce que j'ai à matin, mais je me sens fatiguée comme si j'avais pas dormi de la nuit », note-t-elle en remontant la couverture sur ses épaules. « Probablement toutes ces jongleries qui me fatiguent sans bon sens. » En se roulant confortablement sur le côté, elle entend la voix claire de Cécile qui demande à son père de lui préparer la voiture. Et cette voix de femme heureuse monte dans l'air glacé comme un chant triomphal. Jeanne se rendort le sourire au cœur et l'esprit tranquille. Oui, elle a pris la bonne décision.

* * *

— Cécile ! Vite, faut que tu reviennes à la maison avec Madame Cliche.

Sans avoir frappé, Gilbert entre comme un courant d'air dans la cuisine de Mélina. Le manteau à moitié attaché, les joues rougies par le froid et la course qu'il vient de s'offrir, le regard fou. Cécile lui tourne le dos. Elle prend un thé chaud avant de repartir avec Mélina. Jérôme ne la quitte pas des yeux, tout heureux de l'avoir avec lui pendant quelques instants. Elle éclate de rire en se retournant vers son frère.

— Ben voyons donc, Gilbert. Maman sait que je suis ici. C'est elle qui m'a demandé de...

— C'est pas ça. C'est... Ça va pas à la maison. Juste après que tu soyes partie, maman s'est mise à saigner... Pâpâ est allé chercher le doc. Mais moi j'ai pensé à toi pis à la mère de Jérôme. Je pense que vous pouvez arriver plus vite que le docteur.

Gilbert a à peine le temps de finir sa phrase que Cécile et Mélina ont leur manteau sur le dos, prêtes à partir. La vieille jument poussée au grand galop, le chemin du retour se fait dans le plus grand silence. Que les grelots, indécents, qui brisent le calme de cette matinée ensoleillée et glaciale.

Cécile se tord les mains d'inquiétude. Elle sait maintenant ce qui attend sa mère. Les douleurs, l'angoisse plus forte que la vie elle-même, quand on ne contrôle pas la situation la peur s'en mêle… Il est trop tôt pour que ce petit bébé-là vienne au monde. Ce n'est que dans un mois qu'il devait arriver. Dès son entrée dans la maison des Veilleux, habituée d'aider ses voisines à accoucher, Mélina prend le contrôle de la situation. Tout en enlevant son manteau, elle se dirige vers l'évier pour se laver les mains et ordonne, avant de se précipiter dans la chambre de Jeanne :

— Préparez-moi plein de guenilles propres pis des bacs d'eau chaude. Grouillez-vous ! Quand un bébé se pointe un mois plus tôt que prévu, il y a des risques, mais si on fait vite, peut-être bien que toute va se passer pour le mieux. Ça serait pas le premier p'tit qui nous arriverait en avance.

Pourtant, en entrant dans la chambre, devant les draps rougis par le sang de Jeanne, Mélina comprend qu'elles seront chanceuses de sauver le bébé. Mais pour elle, malgré ce qu'en dit le curé, c'est la mère qui a le plus d'importance. Et elle sait que le Docteur Poulin pense de la même façon. Redressant les épaules, Mélina se dessine un sourire avant d'approcher du lit de Jeanne.

— Comme ça, c'est à matin que vous avez décidé de nous donner votre paquet ? Inquiétez-vous pas, on va vous aider… J'vas commencer par vous mettre des oreillers en dessous des jambes.

Mais Jeanne n'est pas dupe. Jamais elle n'a connu de travail qui commençait comme celui-là. Il y a tant de sang dans son lit et si peu de douleurs pour l'accompagner…

— Je saigne beaucoup, hein, Mélina ?

Le mot est faible. Jeanne repose dans une mare de sang. Pourtant, Mélina s'empresse de la rassurer :

256

— Un peu, oui. Je vous mentirai pas. Mais on va s'occuper de ça. En remontant vos jambes, ça va aider à ralentir pis à contrôler toute ça. Avez-vous des contractions?

— Un brin. Mais elles sont pas tellement fortes. Pas assez, en tout cas, pour faire naître un bébé. Pis je sais de quoi je parle... J'vas le perdre, mon p'tit, hein? C'est ça qui se passe, j'en suis sûre. C'est de ma faute aussi. Si je l'avais voulu...

— Ben voyons donc, Jeanne. Parlez pas comme ça. Vous allez pas le perdre votre bébé. Si vous nous aidez comme il faut, toute va ben se passer. Le docteur s'en vient avec le nécessaire, pour qu'il puisse venir au monde cet enfant-là. Je vous parie que dans une heure, vous allez le tenir dans vos bras. En attendant, j'vas changer vos couvertes. Vous allez voir comme vous vous sentirez mieux, après.

Au même instant, elle entend la voix du médecin qui vient d'entrer dans la maison. Le cœur de Mélina fait un bond de soulagement. Si elle est rompue à faire des accouchements sans problèmes, la situation actuelle lui échappe.

— L'eau est-elle à bouillir? Oui? Parfait. Amenez-moi des couvertures que vous ferez chauffer quelques minutes sur le bord du fourneau... Je ne veux personne dans la chambre, à part Mélina et Cécile. C'est elle qui va venir nous porter ce que je vais demander. C'est bien compris?

D'un seul regard, lors de ses visites à Jeanne, Arthur Poulin a vite deviné le but véritable du voyage de repos de Cécile. Après quarante ans de pratique, il a l'œil aiguisé. Alors, il se dit que la vue d'un accouchement ne devrait pas lui faire peur.

— Dès que les couvertures sont chaudes, tu me les apportes. Je peux compter sur toi, Cécile?

L'assurance de la voix de la jeune fille vient confirmer ce qu'il suspectait.

— Oui, docteur. Vous pouvez compter sur moi... Docteur ?

— Oui ?

— Faites tout ce que vous pouvez pour que ma mère souffre pas trop... S'il-vous-plaît...

— Bien sûr... Bien sûr...

Mais la souffrance est loin d'être sa préoccupation du moment. L'odeur du sang, qui surprend ses narines quand il entre dans la chambre, lui arrache cette pensée : « Je vais tout faire pour ne pas la perdre, ta mère. Tout. Même me battre contre le bon Dieu, s'il le faut. »

C'est presque un miracle quand, une heure plus tard, le cri d'un nouveau-né emplit la maison. Fou d'inquiétude, Eugène fait les cent pas dans la cuisine. Ce vagissement, bruit pourtant familier chez les Veilleux, lui fait monter les larmes aux yeux.

— Je le savais bien que le bon Dieu pouvait pas nous lâcher comme ça. Torvis que je suis content d'entendre pleurer ce bébé-là, moi !

Quelques instants plus tard, Cécile paraît dans l'embrasure de la porte de la chambre des parents. Tout contre elle, un minuscule nouveau-né. Un sourire tendre et maternel transfigure son visage. C'est comme si tout un mois de sa vie venait de s'effacer subitement. Elle marche sur un coussin d'espérance, enfin comblée. Le bébé agrippe le petit doigt de Cécile, le gardant bien serré dans sa menotte.

— Vous avez un autre fils, papa. Il est pas gros, mais il a respiré tout seul. Le docteur dit qu'il a des chances de s'en tirer... Louisa, va chercher un tiroir de commode pis mets un oreiller dedans. On va lui faire un p'tit lit. Le docteur m'a dit de l'installer sur la porte du fourneau pour qu'il aye plus chaud. Vite, dépêche-toi. Venez... venez voir, papa, comme il est beau !

Pendant que Louisa se précipite à l'étage, Eugène approche de Cécile pour voir son nouveau fils. Mais, pour lui, il n'y a rien qui ressemble autant à un bébé qu'un autre bébé. L'important, c'est qu'il vive... Depuis qu'il est entré dans la cuisine et, se voyant interdire l'accès à sa chambre, Eugène n'a cessé de prier pour Jeanne et l'enfant. Mais, à voir le nourrisson si calme dans les bras de sa grande sœur, il comprend qu'il n'a pas à s'inquiéter pour lui. Il se retourne aussitôt vers la porte de sa chambre.

— Je veux voir Jeanne. Qu'est-ce qu'il fait le doc, coudon ? Pourquoi est-ce qu'il vient pas nous voir ? Pourquoi est-ce qu'il veut pas que je rentre la voir ? Le sais-tu, toi, Cécile ? D'habitude, je peux...

Et, sans attendre véritablement de réponse, ni prendre le temps de terminer sa pensée, il se dirige vers la porte close. Vers sa chambre maintenant silencieuse. Cécile a un geste de la main pour le retenir.

— Non, papa. Il faut pas entrer dans la chambre. Le docteur dit qu'il a pas fini avec maman. Ça... C'est plus dur que les autres fois.

— Comment, plus dur ? Ça se peut pas que ça soye dur. Ta mère a toujours eu ses p'tits comme une chatte.

— Mais là c'est pas pareil, papa. Maman a perdu pas mal de sang. Il y avait un problème... Attendez que le docteur vienne vous chercher. Ça serait peut-être mieux... Venez aider Louisa pour installer le bébé.

À peine le temps de coucher le nouveau-né que Mélina paraît à son tour.

— Cécile, ta mère veut te voir.

Eugène se retourne vivement.

— Comment, Cécile ? C'est pas elle qui va aller voir Jeanne, c'est moi. J'ai le droit de...

Mais le long regard de Mélina, à la fois triste et catégorique, lui coupe la parole et les jambes, l'arrête net dans son élan.

— Non, Eugène. Pour le moment, Jeanne veut voir Cécile. Pis tu vas respecter ça.

— Oui, Eugène. Tu vas respecter ce que Jeanne veut... Toi, tu vas venir dehors marcher avec moi. Envoie, mon homme, mets ton capot et viens. Tu verras ta femme après.

Arthur Poulin vient de paraître à son tour. Les traits curieusement creusés, comme s'il avait prématurément vieilli et ridé dans l'heure qui vient de s'écouler. Abattu, n'y comprenant rien, mais devinant que c'est grave, Eugène reste planté au beau milieu de la cuisine, les bras ballants.

— Mais qu'est-ce qui se passe ? Quelqu'un va-t-y enfin me dire ce qui se passe icitte à matin ?

Le médecin pousse un long soupir. Il sait qu'un premier combat vient d'être perdu. La vie de Jeanne ne tient plus qu'à un souffle. Celui de la dernière volonté, de l'ultime moment avec les siens. Arthur Poulin a perdu son combat contre la mort. Ou contre Dieu, il ne le sait trop. À chaque fois, il se pose les mêmes questions qui restent invariablement sans réponse. Devant les visages défaits de Gilbert et de Louisa, les jacassements insouciants du petit Jean-Pierre et les jeux d'enfants de Béatrice et des jumeaux, il sait qu'il a un autre combat à livrer : celui de parler à Eugène et de lui faire accepter ce qui se passe. Le vieux médecin comprend surtout qu'il n'a pas le droit de perdre, cette fois-ci. Trop de gens innocents en dépendent...

— Viens avec moi dehors, mon Eugène. Je vais

t'expliquer ce qui se passe. Et toi, Cécile, ne fais pas attendre ta mère. Elle n'arrêtait pas de dire qu'elle veut te voir. Que c'est important.

Intimidée, le cœur battant à tout rompre, Cécile entre dans la chambre de sa mère. Jeanne semble dormir, le visage livide, les yeux renfoncés et les narines pincées. Au bruit de la porte qui se referme, elle entrouvre les yeux. Sa voix n'est qu'un souffle.

— Cécile ? Viens, viens ma grande que je te voie comme il faut... Assis-toi sur le bord du lit pis donne-moi ta main... J'ai deux choses à te dire avant de m'en aller...

— Voyons, maman. Parlez pas comme ça. Le docteur serait avec vous, s'il pensait qu'il y a encore du danger. J'vais bien m'occuper de vous, pis vous allez voir que vous...

Affolée, Cécile comprend ce que sa mère est en train de lui dire et elle ne peut s'y résoudre. Pourtant, elle a entendu le médecin dire que sa mère s'était pratiquement vidée de son sang. Curieusement, Jeanne ne semble pas affligée. Elle a même un sourire pour elle. Ce sourire si doux qu'elle ne réserve qu'aux moments de grandes émotions. Lentement, elle pose une main tremblante sur la joue de sa fille. Tout doucement, elle essuie les quelques larmes qui se sont mises à couler, puis elle laisse glisser ses doigts jusque sur la bouche de Cécile.

— Chut... Laisse-moi finir, Cécile. Je le sais, va, que je suis en train de mourir... Il y a certaines choses qu'on a pas besoin d'apprendre dans les livres pour les reconnaître quand leur temps est venu... Je te l'ai déjà dit, Cécile : je suis fatiguée... J'ai pas assez de forces pour me battre. Ça fait trop longtemps que je suis fatiguée...

Épuisée par l'effort de ces quelques mots, Jeanne ferme les yeux, essaie de reprendre son souffle. Maintenant, c'est la main de Cécile qui caresse ses longs cheveux défaits, déjà grisonnants du labeur et des déceptions d'une vie, retenant à grand-peine les sanglots de détresse qui lui gonflent la gorge. Ses yeux débordent de larmes et c'est à peine si la jeune fille distingue les traits de Jeanne dans le brouillard qui noie son regard. En elle s'élève une brusque envie de se blottir tout contre sa mère, comme lorsqu'elle était petite, et lui redire, encore et encore, à quel point elle l'aime. Combien elle a toujours besoin d'elle. Mais elle n'ose pas, retenue par l'évidente fragilité de la vie de Jeanne. Comme l'oisillon tombé du nid qu'on n'ose tenir trop serré dans sa main, de peur de le blesser. Mais Jeanne aussi a un grand besoin. Assez fort, assez présent dans son cœur pour s'accrocher à la vie encore quelques instants. Il y a tant de choses qu'elle aimerait dire avant qu'il ne soit trop tard. Tant d'amour qu'elle n'a pas pris le temps de donner... Au prix d'un grand effort, comme revenant d'un lointain voyage, Jeanne pousse un long soupir avant d'ouvrir les yeux et de fixer Cécile.

— Faut pas pleurer, ma Cécile. Chacun a son chemin à suivre. Le mien s'arrête icitte, mais il a été beau. Malgré toute ce que je t'ai dit l'autre jour, je regrette rien... Non, ma fille, je regrette rien parce qu'à ma manière, je le sais ben, je vous ai toutes aimés. Oublie jamais ça, ma p'tite fille : il y a rien de plus important que d'aimer. Rien de plus beau que de savoir aimer les siens pis de prendre le temps de leur dire. C'est peut-être là mon seul regret. J'ai pas pris assez le temps de vous dire que je vous aimais... Mais je vous ai aimés, Cécile, vous autres les enfants, pis votre père... Je le sais que ça va être difficile pour vous autres... Avec toute l'ouvrage, pis les p'tits... Ça va être pas mal dur pour ton père. Aidez-le du mieux que vous pourrez. Je le connais, tu sais, ma grande. Même s'il a l'air indépendant, comme ça, il va avoir besoin de toutes ses enfants. Pis de toi surtout, ma grande. Mais, malgré ça, je veux pas que tu gaspilles ta vie à cause de tes frères pis de tes sœurs... T'as des choix à faire. Faut pas que tu l'oublies. On n'a rien qu'une vie, ma Cécile. Rien qu'une... C'est ça que je veux dire, ma fille. C'est pas de ta faute, ce qui arrive là... Pas de la faute à personne. T'as le droit d'être heureuse, toi aussi. Tu le mérites bien, ma Cécile... Approche, approche-toi. Je vois pus tellement bien... Je veux... Je veux te dire aussi que le p'tit qui vient d'arriver, c'est le tien... Je sais pas si tu vas réussir à reprendre ta fille, mais celui-là, il est bien à toi...

Un éclair de surprise, entremêlé de joie traverse le chagrin de Cécile. Ainsi donc, sa mère savait... Elle savait pour Juliette et ne lui en avait fait aucun reproche.

— Vous saviez que...

— Oui... C'est Mélina qui me l'a dit... On... On n'avait pas le droit de t'enlever ta fille comme on l'a faite, ton père pis moi. Je te demande pardon... Dis-moi que tu me pardonnes, Cécile.

— Maman, dites pas ça. Arrêtez de parler de même, vous allez vous fatiguer pour rien. Je veux pas... Je veux pas que vous...

— Non, Cécile. Ça sert à rien. Toute est fini pour moi... Je veux seulement que tu me dises que tu m'en veux pas. J'ai besoin de le savoir pour partir tranquille.

— Vous le savez bien que je vous aime, maman. Pis que même si j'ai pas toujours compris, je vous en ai jamais voulu, à vous. J'ai rien à pardonner, maman. Parce que ce que vous avez fait, c'est pour mon bien que vous l'avez fait. Ça, je l'ai compris l'autre jour.

— Merci, ma grande. Moi aussi, je t'aime gros. Aime ben fort mon p'tit garçon. Astheure, c'est un peu le tien. Aime-le... Aime-le, comme s'il était à toi... Je te demande juste de lui dire, quand il sera plus grand, que je l'aimais, moi aussi... Maintenant, va chercher ton père...

Et son regard, en prononçant ces derniers mots, retrouve toute sa vivacité. L'éclat de jeunesse d'une femme devant l'homme qu'elle a choisi.

C'est la tête au creux de l'épaule de son mari, en lui redisant qu'elle l'avait beaucoup aimé, que Jeanne s'en est allée. Tout doucement, comme elle a vécu avec, en plus, au creux du cœur, la grande chaleur d'un amour qu'elle n'a pas toujours compris mais qu'elle sait partagé. Aux cris de leur père, tous les enfants, les plus grands qui ne vont plus à l'école comme les petits qui ne peuvent encore comprendre ce qui vient d'arriver, tous se sont précipités dans la chambre des parents. Eugène, leur père, celui qu'ils avaient toujours vu grand et invincible, l'immense et froid Eugène se balance machinalement, comme un vieillard sénile, tenant le corps de sa femme tout contre lui, la tête enfouie dans son cou. Gémissant et pleurant comme un enfant. Sa raison d'être n'est plus. Comment, comment arriver à vivre sans elle? Il y a bien les enfants, comme le lui a dit le docteur. Mais les enfants, c'est à deux qu'ils ont été faits et c'est à deux qu'ils y voyaient. Chacun à sa manière... Comment, maintenant, être à la fois le père et la mère? La douleur de n'être plus qu'un homme seul, isolé dans la tourmente, le plie en deux. Discrets, à deux pas dans la cuisine, Mélina et Arthur se signent tristement. Dans son lit improvisé, sur la bavette du poêle, le nouveau-né dort paisiblement.

C'est l'arrivée des écoliers, pour l'heure du dîner, qui interrompt brutalement ce moment sans substance où ils ont été plongés. Comme toujours, Gérard entre le premier en secouant bruyamment ses bottes sur le plancher. C'est en se retournant qu'il aperçoit le tiroir sur le bord de la porte du fourneau.

— Aye ! Venez voir vous autres. Le bébé est arrivé.

Mélina vient à lui.

— Chut ! pas si fort, Gérard…

— Excusez-moi. Maman se repose, hein ?

Alors, sachant que la vérité, même difficile à entendre, sera toujours la meilleure façon de dire les choses, Mélina lui met la main sur l'épaule.

— Non, Gérard. Ta mère dort pas. Viens t'assire, il faut que je te parle…

Après que Mélina et le médecin ont fait la toilette de Jeanne et que Cécile, les mains hésitantes, a recoiffé ses cheveux en torsade, comme ils étaient habitués de la voir, ils se retrouvent tous dans la cuisine. C'est l'heure du repas, mais personne n'a faim. Même les plus jeunes, devant la tristesse des grands, en oublient de demander le dîner. Le Docteur Poulin n'a plus rien à faire ici, sinon de voir une dernière fois au bébé qui dort toujours. Pour lui aussi, il est inquiet. Un prématuré, c'est si fragile, si déroutant. En l'auscultant, il s'aperçoit que le souffle est irrégulier et que le cœur bat trop vite. Ce n'est qu'un poupon, mais déjà il a à se battre pour défendre sa vie. Soucieux, il fait signe à Mélina de le rejoindre. Sa voix est presque un murmure quand il s'adresse à elle.

— Cet enfant-là n'est pas encore sauvé. Il a de la difficulté à respirer… Tu ne connaîtrais pas une bonne nourrice qui pourrait s'en occuper ? Il n'y a rien de mieux que la chaleur d'une mère et son lait pour aider ces petits-là à s'en sortir. Madame Lemieux, dans le troisième rang ?

— Sûrement pas, docteur. C'est tout juste si elle arrive à nourrir son gars. Mais, laissez-moi faire… Je pense que je peux arranger ça.

Un long regard fait de compréhension mutuelle les unit pour un instant. Tout un dialogue qui se tisse silencieusement entre eux.

— D'accord, Mélina. Je me fie sur toi… Mais fais gaffe : Eugène est plus que bouleversé… Bon. Pour l'instant, je ne peux rien faire de plus ici. Je vais partir. J'ai d'autres patients qui attendent ma visite. Je vais revenir demain, pour voir au petit…

Curieusement, c'est par une matinée pluvieuse que la famille Veilleux est réunie pour les funérailles de Jeanne. Le froid s'est envolé le jour de sa mort, comme si elle l'avait emporté avec elle. Gisèle et Napoléon sont venus de Québec avec leurs deux garçons. Les deux familles, les Veilleux et les Rhéaume, sont réunies comme au matin des noces, presque vingt ans plus tôt. Les Cliche aussi sont là, comme plusieurs paroissiens présents. Quand le malheur frappe un des leurs, les Beaucerons ont toujours serré les coudes. Cela fait partie de ce qu'ils sont. Dès que la nouvelle a fait le tour du village, aussi vite qu'une traînée de poudre, les victuailles se sont accumulées sur la table des Veilleux et les gens se sont succédés pour veiller le corps de Jeanne. Pour soutenir Eugène et sa famille. Leur peine est sincère. Après la cérémonie, tout le monde se retrouve chez Eugène, rejoint Mélina restée à surveiller le petit Gabriel.

— Le nom de votre mère, c'était Jeanne Gabrielle. Son fils va s'appeler comme elle. Même si c'est le nom du père de ton promis, Cécile.

C'est la seule façon qu'a trouvée Eugène pour dire au revoir à sa Jeanne. Depuis trois jours, il n'est que l'ombre de lui-même. Une âme perdue qui rôde interminablement dans la maison, en quête d'un abri pour y déposer sa peine. Un fantôme qui serre des mains, qui répond aux sympathies comme un pantin sourd. Lui, si vaillant, n'a même pas trouvé le courage d'aller à l'étable, s'en remettant aveuglément à ses deux fils aînés. Plus rien n'a de sens. Plus rien n'a d'importance en dehors de sa douleur. C'est comme indifférent à tous ceux qui l'entourent qu'Eugène laisse la porte grande ouverte derrière lui, pour permettre aux parents et aux amis de le suivre. Dans la cuisine, Mélina tente de calmer un petit Gabriel affamé et rouge de colère. C'est en souriant que le Docteur Poulin s'approche d'eux.

— Mais il a de la voix, le jeune homme. C'est bon signe, ça. Il s'accroche. Tiens bon, mon bonhomme.

Après s'être réchauffé les mains près du poêle, Cécile vient prendre le bébé dans ses bras. Depuis la mort de sa mère, elle n'a d'yeux que pour lui, le cœur chavirant à chaque fois qu'elle le tient tout contre elle. Quand elle relève la tête, son regard croise celui du médecin. Ce secret entre eux. Si lourd à garder. Immédiatement, la rougeur lui monte aux joues.

— Excusez-moi, docteur. Je... Je pense qu'il y a un peu trop de monde ici, pour un si p'tit bébé. Je... J'vais aller en haut avec lui. C'est l'heure de son boire...

Elle se précipite vers l'escalier comme une voleuse prise en flagrant délit, le regard vissé sur la pointe de ses souliers. Persuadée que toutes les têtes se sont retournées vers elle, devinant, décidant et jugeant. Dans le couloir des chambres, elle se heurte à Gérard qui n'en finit plus de faire les cent pas, les yeux rougis, les mains enfoncées dans les poches de son pantalon.

— Gérard! Excuse-moi, je t'avais pas vu.

— Pas grave, Cécile. Toi avec, t'es pas capable de rester en bas ? Il y a du monde icitte comme on a jamais vu.

Puis, remarquant le petit paquet de couvertures bleues que Cécile tient amoureusement tout contre son cœur :

— Où est-ce que tu vas comme ça avec le p'tit ?

— Euh… Il y a trop de monde en bas, pis il a faim. Il crie comme un défoncé depuis qu'on est revenus du cimetière. Comme je l'ai dit au docteur, j'vais lui donner à boire dans ma chambre pour qu'on soye plus tranquille, lui pis moi. Ça crie trop fort pour un nouveau-né dans la cuisine.

Gérard reste silencieux un moment. Serait-ce là l'instant où il pourrait enfin tout dire ? Avouer ce qu'il sait depuis plus d'un mois ? Comme un grand besoin en lui de retisser le lien de confiance qui existait, avant, entre eux.

— Tu vas lui donner à boire ? T'es ben sûre de ça ? J'en doute, moi.

— Mais qu'est-ce que t'as, coudon, à matin ? Puisque je te dis que c'est l'heure de son boire…

Gérard a un petit sourire. Pauvre Cécile ! Elle a l'air d'une petite fille prise en train de faire un mauvais coup et qui cherche à se défendre, même si elle sait qu'elle a tort. Il fait un pas vers elle et met la main sur son épaule.

— Moi, ça me fait rien, rapport que j'ai tout deviné quand t'es revenue de la ville. Mais si tu veux pas que ça jase en bas pis dans toute la paroisse après, t'aurais mieux fait de monter la bouteille avec toi.

À ces mots, Cécile comprend l'énormité de l'oubli qu'elle vient de faire. Même s'il y a peu de chances que quelqu'un se soit aperçu de quelque chose. D'un coup, ses yeux se remplissent de larmes. Quand Mélina lui avait demandé si elle avait encore assez de lait pour nourrir le bébé, son cœur avait bondi comme un fou. Ainsi donc, c'était bien vrai que ce petit garçon allait être le sien ? Ce n'était pas uniquement des mots de réconfort que sa mère avait eus avant de mourir ? Comme une façon de se faire pardonner. Une dernière tendresse entre elles, une accalmie venue de nulle part et qui disparaîtrait au moment où sa mère mourrait. Non. C'était bien plus que cela. Sa mère devait deviner ce qui allait suivre. Comme une certitude, encore plus forte, que l'intuition avait dû éclairer les derniers instants où Jeanne pouvait encore voir à sa famille. Cécile allait donc allaiter ce petit frère qu'elle lui avait confié. Elle aurait le droit de lui conter mille et une fables. Elle pourrait l'endormir contre elle et s'éveiller à ses pleurs. Elle allait pouvoir l'aimer. Tout simplement. Mais ça devait rester un secret. Eugène était trop misérable pour ajouter à sa peine. Oui, un beau secret d'amour et de vie. Entre le docteur, Mélina et Cécile. Mais voilà que tout s'effondre. Par sa faute. À cause de l'émotion de ce matin pas comme les autres. À cause de l'étourdissement causé par le bruit indécent qui monte de la cuisine. Jamais un étranger entré par erreur dans leur maison pourrait croire qu'on est à vivre des funérailles. Ça jase et ça rit comme à une noce. Les larmes qui brouillent son regard en sont de détresse à l'état pur. Qu'on ne vienne pas lui enlever cet enfant-là aussi ! Cécile en deviendrait folle... Elle ne pourrait le supporter. Pas après tout ce qu'elle vient de vivre en deux mois. De grosses larmes roulent sans retenue sur ses joues. Incapable de résister à la tristesse de cette sœur qu'il aime comme une mère, Gérard entoure ses épaules d'un bras protecteur.

— Pleure pas, Cécile. On a bien d'autres raisons pour brailler, astheure. J'vas pas le dire ce qui se passe entre toi pis Gabriel. Pis ce qui s'est passé avant, pendant que t'étais à Québec. C'est même correct que tu puisses aider notre p'tit frère à s'en sortir... Va dans ta chambre pis j'vas aller chercher la bouteille en bas, pour toi... Crains pas, Cécile. À nous deux, on va réussir à garder ça secret. Ça va même être plus facile de même...

En peu de mots, à peine quelques phrases, Gérard lui confirme exactement ce qu'elle avait besoin d'entendre, ramenant tout doucement, instinctivement, la complicité qui a toujours existé entre eux. Après un long soupir tremblant, elle a un sourire pour celui qu'elle apprend à connaître à chaque jour un peu mieux.

— Comme ça, tu savais ? Comment t'as pu...

— On avait rien qu'à regarder pour voir. Combien de fois est-ce qu'on a vu la mère se remettre de ses couches... Pis c'est pas grave... C'est probablement parce que je t'aime gros, que j'ai pu remarquer ça... Les autres ont rien vu, j'en suis sûr. Envoye... File dans ta chambre avant que le monde vienne voir comment ça se fait qu'il braille encore, lui-là.

Et, comme l'adolescent se retourne déjà pour se rendre à la cuisine :

— Gérard ?

— Oui ?

— Je t'aime, moi aussi.

Un large sourire traverse le visage boursouflé et rougi de Gérard. Ensemble, tous les deux, ils sont capables d'affronter bien des orages. Et de réussir à s'en sortir indemnes.

— Je le savais, imagine-toi donc...

Il n'y a qu'une fois bien à l'abri dans sa chambre, la porte barrée, qu'elle pousse un profond soupir de soulagement. Ainsi donc, son malcommode de jeune frère (elle n'ose plus dire petit frère) avait tout deviné. Elle aurait dû s'en douter. Avec Gérard, on peut s'attendre à tout. Et, c'est tant mieux… Tous ces secrets, en si peu de temps, venaient à bout de son courage. C'est un réel soulagement pour Cécile de savoir qu'elle peut compter sur quelqu'un. Surtout sur Gérard. Elle se permet de sourire au poupon. Jamais on n'a vu de si beau bébé.

— Viens, mon p'tit bonhomme. On a faim, hein ? Ça sera pas long, mon bébé. Maman Cécile est là…

Tout son être, toute son âme, n'aspiraient qu'à ce contact chaud et doux d'un tout-petit. À la seconde où le médecin l'a mis dans ses bras, Cécile a compris qu'elle était faite pour aimer cet enfant. Enfin, enfin un bébé, là, au creux de ses bras. Qu'importe qu'il s'appelle Juliette ou Gabriel. C'était l'instant qu'elle attendait depuis des mois. Un visage. Enfin, elle avait un petit visage tout chiffonné à aimer, à contempler de toute l'ardeur de sa maternité trahie, déçue. Son cœur haletant depuis plus d'un mois n'attendait que ce signe pour se remettre à battre fortement. Gabriel, le tout petit Gabriel, a besoin d'elle et de personne d'autre. Elle est sa source de vie. Depuis deux jours, depuis que Mélina lui a parlé, il n'y a rien d'autre qui existe. Même la mort de sa mère lui apparaît aujourd'hui comme un signe du destin. Incontournable. Inviolable.

Bien assise dans la berceuse, le bras calé sur un gros oreiller, Cécile dégrafe son chemisier. Depuis son retour à la maison, malgré les bandages serrés, Cécile avait un mal fou à empêcher les montées de lait. Désormais, elle n'a plus à s'en soucier. La petite bouche gourmande a tôt fait de repérer ce qu'il appelait à pleins poumons. Le silence revient aussitôt dans la chambre. Un cocon douillet à peine dérangé par les rires qui montent de la cuisine. Dans l'animation qui habite la maison depuis le décès de Jeanne, personne ne s'est aperçu de rien. Pas même son père. Et, avec la complicité de Gérard, Cécile n'a plus de crainte. Le secret sera bien gardé. Et puis, Mélina a promis à Cécile de parler à Eugène. Plus tard, quand le moment sera venu. Les deux petits poings pressés contre son sein, Gabriel tète goulûment. Cécile le regarde, émue, incapable de mettre un nom sur ce qu'elle ressent. Ce drôle d'amour en elle pour un bébé qui n'est pas le sien, mais qui a quand même un lien de sang avec elle. Ce grand vertige qui tourbillonne dans son âme sans savoir où se poser. Ce si grand vertige qui lui fait oublier tout ce qui n'est pas la douceur du moment vécu. La seule chose dont elle est certaine, maintenant, c'est que personne ne viendra lui enlever cet enfant. Pas lui. Il n'y a aucune raison pour qu'on vienne lui arracher Gabriel. Qui pourrait savoir la relation qui existe vraiment entre Cécile et son petit frère ? Qui pourrait lui reprocher l'attachement qu'elle ressent envers un si petit orphelin ? Non, personne, jamais, n'aura l'idée de la séparer de ce bébé. De toute façon, elle ne le permettrait pas. Sa mère lui a demandé de l'aimer comme s'il était le sien et c'est ce qu'elle va faire. L'aimer de tout l'amour refoulé en elle.

Alors, le cœur remis à l'endroit et ses craintes envolées, brisant le silence, tout doucement, et dominant le brouhaha qui vient d'en bas, le lapin blanc et ses rubans viennent isoler Gabriel et Cécile de leur envoûtement naïf.

13

Un mois. Gabriel a à peine un mois de vie et, par deux fois déjà, le Docteur Poulin a eu peur de le voir rejoindre sa mère. Les poumons n'étaient pas prêts et le petit cœur a eu à se démener comme un fou pour continuer son chemin. Ce matin, c'est la première fois que le médecin ose un sourire après avoir examiné le bébé.

— Eugène, je pense que cette fois-ci, c'est la bonne. Les poumons sont clairs.

Inquiet, Eugène a assisté à l'examen du médecin en se berçant nerveusement dans la chaise de Jeanne. En entendant ces mots, il bondit sur ses pieds comme un diable qui sort de sa boîte, se précipitant, la main tendue, vers le docteur.

— Vous êtes ben sûr de ça ? Ouais ?... Merci, docteur. Je sais pas ce que je pourrais vous dire pour...

Sans cesser de sourire, Arthur prend la main d'Eugène et la serre vigoureusement. Mais il ne peut s'empêcher de retenir un avertissement :

— Ne pars pas en peur, Eugène. Gabriel reste un bébé fragile. Il ne pèse pas encore cinq livres ! C'est un vrai miracle qu'il soit en vie. Pourtant, si vous continuez à le dorloter comme vous le faites, j'ai bon espoir qu'il va s'en tirer. Tout ce dont il a besoin, c'est de l'amour et de la chaleur. Mais fais-toi pas d'illusions, Eugène. Ça peut prendre bien des mois, peut-être même des années, avant qu'il soit comme les autres enfants de son âge. Il a du temps à rattraper, lui là !

— Inquiétez-vous pas. De l'amour, il en a à revendre... Je passe des heures à le bercer, ce p'tit-là. J'ai jamais faite ça avant, vous saurez. Mais lui, c'est pas pareil... C'est comme si je devais ça à ma Jeanne... C'est fou, hein ? Me v'là rendu un vieux sentimental. C'est le monde viré à l'envers.

— Pas du tout, Eugène. C'est même une très bonne chose d'agir comme tu le fais. Pour toi et pour Gabriel. Il n'y a que de cette façon que vous pouvez vous en sortir tous les deux. Et avec les soins que Cécile lui donne, ce bébé-là ne peut rien demander de plus. Et j'ai l'impression qu'il le sait, le p'tit bonjour !

— Oh oui, qu'il le sait! C'est tout juste s'il ronronne pas quand Cécile le prend dans ses bras. Je pense même qu'hier il lui a fait un sourire... C'est gros comme mon poing, pis déjà il sait reconnaître son monde...

Arthur Poulin a un sourire pour Cécile qui se tient à deux pas, en retrait. Un sourire qui veut dire beaucoup, entre eux.

— C'est évident, Eugène, qu'il doit commencer à reconnaître sa sœur. Pour lui, c'est elle sa mère. C'est Cécile qui le lave, le change, qui lui donne ses boires. Pour un petit comme lui, c'est toute sa vie. Il n'y a que ça qui ait de l'importance... Continuez ce que vous avez commencé, tous les deux, et je serais prêt à parier ma dernière chemise qu'il va devenir un beau garçon comme tous tes autres fils, Eugène. Un autre Veilleux dont tu vas être fier. Comme tu peux être fier de ta Cécile. Ce n'est pas toujours facile de s'occuper nuit et jour d'un bébé qui n'est pas le nôtre. Elle a bien du mérite, ta fille. N'oublie jamais ça, Eugène. Jamais.

Depuis la mort de sa mère, c'est la première fois que Cécile se sent vraiment heureuse. Les mots du médecin sont un véritable baume sur sa vie bouleversée. Depuis un mois, elle avance, les yeux fixés sur son avenir, sans y voir quoi que ce soit. Le cœur déchiré entre deux amours. Une grande partie de sa pensée est restée à Québec, auprès d'une petite fille aux cheveux noirs et bouclés, et, maintenant, une autre partie de sa vie est ici, avec Gabriel. Eugène, maladroit, a un sourire ému pour sa fille.

— C'est vrai, docteur, que ma Cécile fait toute son possible pour le p'tit... C'est probablement grâce à elle s'il est encore en vie pis qu'il va s'en sortir... Merci, Cécile. Merci ben gros pour toute ce que tu fais pour lui, pis pour moi.

Émue, la jeune femme vient poser une main sur le bras de son père.

— C'est rien, papa. C'est juste normal que je m'en occupe. C'est parce que je l'aime, papa, ce p'tit garçon-là. Comme vous pourrez jamais savoir comment...

C'est à ce moment qu'Eugène lève les yeux vers Cécile. Le même regard de nuit que le sien. Des yeux scintillants de larmes, qu'Eugène essaie de contenir.

— Oui, Cécile. Je pense que je le sais... Malgré tout ce que tu peux croire. Je suis peut-être rien qu'un vieux grognon ou un vieil égoïste, mais, malgré cela, je pense que je peux savoir comment tu l'aimes, ce bébé-là. Pis le pourquoi avec...

* * *

Le printemps est de retour. Avril est là, avec ses rigoles d'eau boueuse et ses oiseaux jaseurs. Des filets de fumée s'élèvent dans le ciel de la Beauce, poursuivant les rares nuages qui s'attardent au-dessus de chacune des cabanes à sucre. Timidement, la nature s'éveille de sa longue hibernation. La vie éclate de partout, reprend ses droits dans un paysage qui est le sien. Pourtant, Jérôme est malheureux. Depuis cette noire journée où leur vie à tous a été bouleversée, Cécile n'a jamais reparlé du mariage. Pas un mot. Rien. Il sait bien tout ce qu'elle fait pour le petit Gabriel. Lui aussi a été mis dans le secret. Et il accepte tout cela. Pour un cultivateur comme lui, il n'est que normal d'aider la vie. Mais il ne comprend pas que cela puisse remettre leurs projets en question. C'est de leur vie à deux dont il était question. Le mariage de Jérôme Cliche et de Cécile Veilleux. Et voilà que, maintenant, il a l'impression d'être devenu le témoin d'un spectacle à la mise en scène bâclée. Un spectateur. Rien de plus… Et il ne voit pas comment il en serait autrement. Lui et Cécile doivent se marier dans trois semaines et personne n'en parle. Même sa mère a haussé les épaules quand Jérôme lui en a glissé un mot inquiet.

— Je sais pas trop, mon gars. Des noces quand on est en grand deuil, j'ai jamais vu ça, moi. Ça se fait pas tellement…

En entendant sa mère, sa tristesse s'est immédiatement transformée en fureur. Une colère sourde à tout raisonnement.

— Pis moi, maman? Qu'est-ce que je suis, moi, dans tout ça? Un accessoire? Pis la conscription? Est-ce qu'il y a quelqu'un qui pense encore à la guerre, ici?

La dernière phrase, qu'il venait de prononcer sur le ton du défi, a blessé Mélina. Un direct à la poitrine qui lui a coupé le souffle. Comment peut-il oser croire que personne ne pense à lui? Il faut qu'il soit bien malheureux pour ne pas voir plus loin que ça. Mélina a eu un sourire à la fois triste et déçu.

— Oui, Jérôme, il y a quelqu'un qui pense à la guerre. Il y a moi pis ton père. Pis, quand on y pense, c'est le cœur lourd, tu sauras. T'es notre gars, notre seul enfant, pis on t'aime plus que notre propre vie. L'aurais-tu oublié, Jérôme ? Mais, que veux-tu, on peut rien y faire. Faut respecter le deuil des Veilleux. C'est à Cécile de t'en parler, du mariage. Pas à nous autres à leur dire quoi faire. Faut attendre, mon gars. T'as rien que ça à faire. Fais-toi z'en pas. Je suis certaine que Cécile y pense, elle aussi. Pis probablement encore plus que toi...

Oui, Cécile y pense. Le cœur torturé, écorché vif. Et, depuis les aveux de son père, sa malhabile déclaration, elle est encore plus meurtrie. Où est-elle, sa place ? Que doit-elle faire ? Haletante, le cœur aux abois comme jamais, elle laisse les jours se bousculer sans arriver à se décider à parler à Jérôme. Pourtant, il n'y a qu'avec lui qu'elle pourrait le faire. En espérant qu'il la comprenne et puisse l'aider.

C'est par un bel après-midi de printemps qu'elle se décide enfin. Presque un an, jour pour jour, après celui où ils se sont donnés l'un à l'autre. En y repensant, Cécile se rapproche de Jérôme, le cœur gonflé de tendresse pour lui. Pourquoi, pourquoi faut-il que la vie soit si compliquée ? La promenade est belle, aujourd'hui. Presque sereine. Comme une douceur dans l'air qui porte à la confidence. Qui donne envie d'être bien. Cécile se fait lourde au bras de Jérôme.

— Ça fait déjà un an, Jérôme. T'en rappelles-tu ? Dans la cabane du père Croteau ? Il faisait beau comme aujourd'hui...

Le jeune homme se met à sourire. Si elle lui parle ainsi, c'est qu'elle a sûrement autre chose en tête. Son cœur fait un bond d'espérance.

— Et comment, si je m'en rappelle. Je pense même juste

à ça depuis quelque temps... Pas toi ? J'ai tellement hâte de pus être obligé d'attendre, Cécile. J'ai tellement envie que tu soyes là tout le temps, avec moi. Chez nous... Qu'est-ce qu'on attend encore ? On était supposés de se marier, nous deux, dans trois semaines. Pis, astheure, pus personne en parle. Pourquoi faire que t'en parles pus, toi, Cécile ? Tu... M'aimes-tu encore ?

C'est plus fort que lui. Il n'a pu retenir toutes ses inquiétudes, ses envies. Mais, contrairement à ce qu'il espérait, Cécile ne montre aucun enthousiasme. Elle ralentit le pas avant de lui répondre.

— Bien sûr que je t'aime, Jérôme. Comment peux-tu penser comme ça ? Tout ce que tu viens de dire, je le sais. Pis je comprends ce que tu ressens. Moi aussi, j'ai hâte. Mais c'est pas si simple... Si ça dépendait juste de moi, je crois que je sais ce que je ferais. Mais...

— Comment, si ça dépendait juste de toi ? De qui ça peut dépendre d'autre ?

— D'un paquet de monde... Oublie pas que ma mère vient tout juste de mourir... Je peux pas demander à mon père de faire une noce tusuite. Ça aurait aucun sens...

— On n'a rien qu'à faire ça entre nos deux familles. J'y tiens pas, moi, à avoir toute la parenté. C'est pas ça qui est important.

— Oui, peut-être. Pour le mariage, ça pourrait s'arranger. Moi aussi j'y ai pensé. Mais il y a autre chose, Jérôme. Il y a Gabriel...

— Quoi, Gabriel ? Il aura juste à venir avec nous autres. La maison est ben assez grande pour lui avec. Je suis certain que ma mère...

— Ben voyons donc, Jérôme ! Tu penses pas vraiment à ce que tu viens de dire là ? Pis mon père, lui, dans tout ça ?

As-tu juste pensé à lui une minute en disant ça ? Il serait pas capable de laisser son p'tit gars.

En entendant les derniers mots de Cécile, Jérôme a un instant de recul. Comment peut-elle tenir compte ainsi de son père, après tout ce qu'il lui a imposé depuis un an ? La rancœur qui couve en lui depuis des mois refait surface d'un seul coup.

— Ton père ? T'es pas sérieuse, Cécile ? Pas après ce qu'il nous a faite ! Ça l'a pas dérangé, lui, de t'obliger à laisser notre...

— Mais ça a rien à voir, Jérôme. C'est pas pareil pantoute...

— Comment, pas pareil ? C'est la même maudite affaire, Cécile...

— Mais non, Jérôme. C'est pas la même affaire, comme tu dis. Pour mon père, si je partais avec Gabriel, ça serait comme de lui enlever sa femme encore une fois. Il serait pas capable de survivre à ça. C'est à cause de Gabriel que mon père arrive à passer au travers de son malheur pis qu'il reprend même goût à la vie. Je peux pas lui demander d'abandonner son p'tit, ça c'est bien clair. Mais il y a toi que j'aime... D'un côté, je peux pas partir à cause de Gabriel qui a encore besoin de moi. Pis de l'autre côté, il y a toi. Qu'est-ce que je dois faire, Jérôme ? Penses-tu que j'ai le choix ? La seule chose qui est sûre, pis ça c'est le docteur qui l'a dit, c'est qu'on doit continuer ce qu'on a commencé si on veut qu'un jour Gabriel soye comme les autres p'tits gars de son âge. Pis ça, il y a rien que moi qui peux le faire.

À ces mots, Jérôme s'est arrêté pour de bon. La colère gronde en lui, disputant toute la place laissée disponible par la déception. Il a mal entendu. C'est impossible... Il n'ose croire ce que Cécile est en train de lui dire. Pas après tout ce qu'ils ont vécu ensemble ! De déceptions comme d'espérances. De passion et d'attente. Sa voix est vibrante et sourde quand il répond.

— Mais ça a pas de bon sens, ce que tu dis là. Pis Juliette, elle ? As-tu juste pensé une seconde à notre fille ? On parle pas de ton frère ou de ta sœur, là. C'est de notre p'tite fille dont on parle.

Cécile relève la tête vers Jérôme, les yeux brouillés d'une eau tremblante. Comment peut-il insinuer qu'elle ne pense pas à Juliette ? Cela n'a aucun sens. C'est bien malgré elle que sa vie a pris une autre voie. Une direction imprévue, subite, dérangeante. Le cœur serré, les mots de sa mère, lui disant qu'on ne sait jamais ce que la vie nous réserve lui reviennent à l'esprit. Dieu qu'elle avait raison ! Raison aussi de la mettre en garde, d'essayer de lui faire comprendre que tout n'est pas facile entre deux êtres. Malgré l'amour, malgré la confiance. Aujourd'hui, elle est une femme torturée par la voie qu'elle doit prendre. Blessée dans ses choix les plus profonds. Pourtant, elle aime profondément Jérôme. Plus que tout au monde. Comment, comment arriver à lui faire saisir tout ce qui a transformé sa vie depuis la naissance de Gabriel ? Comment lui expliquer ce qui fait vibrer son âme ? Elle met tout l'amour qu'elle a pour lui dans la voix qui lui répond.

— Je le sais, Jérôme... Il y a Juliette... Dans mon cœur maintenant, il y a Juliette pis Gabriel... Mais, des fois, je me demande s'il y a une différence entre les deux... Des fois, je me demande si Juliette a été autre chose qu'un rêve. Pour toi, Jérôme, Juliette est-elle autre chose qu'un rêve ?

Mais, pour l'instant, c'est Jérôme qui a l'impression de rêver. Il s'accroche aux épaules de Cécile et la secoue comme pour la réveiller.

— Bien sûr que c'est autre chose. C'est ma fille. C'est notre fille. Ça a pas d'allure ce que tu dis là. Juliette, un rêve ! Ben voyons donc, Cécile ! C'est l'enfant qu'on a faite ensemble, pis qu'on veut aller chercher le plus vite possible. As-tu déjà oublié toutes nos beaux projets ? C'est bien plus Gabriel qui est un rêve pour toi, Cécile. C'est juste ton frère. Faudrait peut-être que tu y penses sérieusement...

D'un coup sec, Cécile se dégage. Elle voit bien que Jérôme ne parle pas le même langage. Un monde les sépare. Celui qui sépare habituellement les hommes des femmes. L'intuition du raisonnement. Pourquoi ne veut-il pas voir que Gabriel a autant d'importance à ses yeux ? Lui, elle l'a vu naître et l'a tenu dans ses bras à peine trente secondes plus tard. Et, pour elle, c'est presque vital. C'est ce petit bébé-là qui a comblé le vide immense causé par la naissance de Juliette. C'est lui qui a permis à sa vie de reprendre un sens. D'un seul pleur, il a parlé à son cœur. Intuitivement. Un lien d'amour indiscutable. Comme un coup de foudre. Illogique, irrationnel, mais bien réel. Cécile pousse un profond soupir en haussant les épaules. Et, en posant ce geste, elle a l'impression d'être à l'extérieur d'elle-même, se regardant hausser les épaules, voyant à travers elle une vieille religieuse revêche. Non, jamais elle n'oubliera sa fille. C'est Jérôme qui ne comprend pas et il est injuste à son égard. Il est un homme, lui, et il a les deux pieds bien enfoncés dans le gros bon sens. Bien sûr qu'il a raison, en disant que Gabriel n'est que son frère. Et puis après ? Qu'est-ce que cela peut changer dans l'amour que Cécile a pour lui ? Semblable à l'amour qui la rattache à sa petite fille. Oui, Juliette est enracinée dans son cœur et sa vie pour l'éternité. Et, pour Cécile, cela n'a jamais été remis en question. À nouveau, elle hausse les épaules, admettant que lorsqu'on pose ce geste, c'est qu'on a atteint une limite. Celle de l'ignorance, de l'intolérance, de l'impatience, de la défense. Peu importe… Une limite qu'on n'est pas prêt à franchir, quel qu'en soit le prix.

— Bien moi, je le sais pus. On m'a dit que j'avais eu une belle p'tite fille. Mais je l'ai jamais vue. J'étais même pas là quand elle est venue au monde. Je dormais…

— Tu penses pas vraiment ce que tu viens de dire là, Cécile ? Dis-moi que c'est pas vrai ce que je viens d'entendre ? Ça se peut pas.

— Comment pourrais-je t'expliquer autrement ? Je le sais pus, Jérôme… D'un côté, il y a Gabriel qui est bien vivant pis qui a besoin de moi. Pis de l'autre, il y a un bébé que je connais pas. Que j'ai jamais vu. C'est pas facile, tu sais…

En voyant le visage torturé de Cécile qui se confie à lui, Jérôme se met à trembler. Il a peur. Peur de ce qu'elle peut décider. Peur de cette volonté farouche qu'il devine à travers son désarroi. Pourtant, il l'aime. Il l'aime et ne demande pas mieux que de la comprendre. Même si cela est difficile. Et par-dessus tout, il y a la guerre. Il ne veut pas partir, ne veut pas quitter sa ferme. C'est tout de suite qu'il désire la vie à deux dont ils rêvent depuis si longtemps, déjà. Avec ou sans Juliette… Il se penche vers elle. Plonge son regard noisette dans l'océan de ses yeux.

— Oublie les bébés pour une minute, Cécile. Il y a pas seulement eux autres dans tout ça. Avant les bébés, il y avait nous deux. Ça aussi, ça veut dire quelque chose, non ? Il y a toi, pis il y a moi aussi. Si on se marie pas, Cécile, j'vas être obligé de m'enrôler. J'aurai pus le choix. Y as-tu pensé à ça ?

Alors Cécile comprend qu'il n'a pas saisi tout ce qu'elle a tenté de lui faire voir. Bien sûr qu'elle y pense à l'armée ! Elle a même l'impression qu'il n'y a que cela dans sa vie depuis quelques semaines. Elle comprend surtout que Jérôme ne pourra pas l'aider à prendre une décision. Ils ne voient pas les choses de la même façon. En ce moment, elle se sent aussi seule qu'à l'instant où elle a appris que Juliette n'était plus à la pouponnière. Abandonnée, démunie, vidée.

— Je le sais, Jérôme. Pis c'est ça qui rend la décision si difficile à prendre : savoir que tu vas être obligé de t'en aller à Québec. Comment peux-tu croire que ça me fait pas de peine ?

— De la peine ! Elle dit que ça lui fait de la peine… Pis quand tu dis Québec, tu rêves en couleur, ma pauvre Cécile. C'est peut-être pas mal plus loin que ça, que j'vas me retrouver. Mais on dirait que ça te fait rien. Je pensais pourtant que tu m'aimais, Cécile. Pas que je te faisais pitié…

— Mais je t'aime, Jérôme… Plus que tout le reste. C'est toi qui veux rien voir. Je… Je pensais que tu me comprendrais. Pis sers-toi pas de la guerre comme d'un prétexte. Il y a rien qui nous dit que tu vas aller de l'autre bord. Il y en a bien des gars dans l'armée qui restent ici, par choix. Si tu veux pas traverser dans les vieux pays, t'as rien qu'à pas y aller. Le problème est pas vraiment là, tu penses pas ? Je voudrais tellement que tu me comprennes !

Mais Jérôme est fermé à toute compréhension autre que celle de savoir que Cécile est prête à le laisser partir. Comment ose-t-elle lui demander de l'aider à choisir quand il est bien évident que son choix est déjà fait ? Jamais Jérôme n'a été aussi déçu. Dérouté. Qu'est-elle devenue sa douce, sa fragile Cécile ? Où donc se cache la jeune fille indécise qui s'en remettait à lui pour décider de leur vie ? Qui donc lui a donné cette force qu'il ne soupçonnait pas ? À quelle source puise-t-elle, maintenant ? Jérôme a peur. Intimidé devant elle comme devant une inconnue plus forte, plus grande que lui. Exactement comme lorsqu'il l'avait retrouvée à Québec. Pourtant, la douleur qui lui fouille le ventre est de celles qui accompagnent une peine d'amour. Alors, par pudeur, il cache sa peur et sa déception sous le couvert de la colère.

— Comprendre ? Tu me demandes de comprendre que tu veuilles sacrifier notre mariage pour ton père qui, lui, a pas hésité à sacrifier notre fille ? T'es prête à ce que je parte pour la guerre, pis tu dis que tu m'aimes ? Non, Cécile, je comprends pas. Pas une miette, à part de ça. Pis je sais même pus si j'ai envie de comprendre.

— Je t'en supplie, Jérôme. Es...

— Non, Cécile. Je suis pus capable de rien entendre pour astheure... J'ai juste envie de brailler tellement je comprends pas. Pis j'ai surtout pas le goût de le faire devant toi... Salut, Cécile. Je pense qu'on a pus rien à se dire, pour l'instant...

Et, sans un regard pour elle, sans un geste, Jérôme se détourne et s'élance vers chez lui. Les yeux agrandis par la douleur, Cécile le voit disparaître à la croisée des chemins. Le temps fige sa course. La grosse roche au carrefour du deuxième rang et de celui du Bois de Chêne commence à montrer sa falle au soleil, luisante de glace fondue. La gadoue ruisselle sous les bottes de Cécile et les larmes inondent sur ses joues. Les oiseaux chantent peut-être à tue-tête, essayant de détruire tout autre bruit alentour. Pourtant, c'est le son rauque d'un sanglot s'éloignant qui remplit la tête, le cœur et toute la vie de Cécile Veilleux.

Depuis un mois, elle devinait confusément que sa voie avait changé, esquissée par sa mère mourante. Puis, il y a eu les mots de son père, cet homme impassible et froid dont elle commence à peine à deviner la vulnérabilité, la tendresse. Et voilà que celui sur qui elle comptait pour l'aider vient de lui faire faux bond. Pourtant, là encore, elle comprend sa déception et sa colère. Elle comprend surtout qu'elle est seule.

Tout doucement, elle revient sur ses pas, les yeux brouillés de larmes. Elle entrevoit le chemin de sa vie qui avance, encore et toujours, tortueusement dans l'ombre. Viendra-t-il, un jour, ce temps de joie qu'elle espère et qui semblait si proche, il y a un mois à peine ? Pourquoi n'y a-t-il que les larmes et le doute qui lui soient réservés ? Mais, à travers son chagrin, voilà que l'incertitude s'estompe légèrement. À peine un soupçon en elle qui se traduit par un soupir tremblant. Elle entend sa mère lui confiant Gabriel, disant qu'elle méritait d'être heureuse. Alors ? Pourquoi chercher ailleurs qu'en elle-même ? Le fait de parler à son père et tenter de lui montrer le point de vue de Jérôme n'amènerait aucune solution. Il n'y a qu'en elle, au plus profond de son cœur, que Cécile peut trouver une réponse. D'un côté, il y a Eugène et Gabriel, de l'autre, il y a Jérôme et Juliette. Et entre les deux, il y a elle, Cécile Veilleux. N'est-il pas temps de penser enfin à elle ? Que veut-elle vraiment ? Comment a-t-elle pu croire que Jérôme l'aiderait alors que la décision ne lui appartient pas ? Ce n'est pas lui qui a porté un bébé pendant neuf mois et qui a souffert pour le mettre au monde. Non, personne ne peut vraiment savoir ce que ressent Cécile. Personne.

Sans qu'elle n'ait eu besoin d'y penser, ses pas l'ont ramenée instinctivement devant la maison de son père. Cette grande demeure blanche et noire au toit de tôle n'a-t-elle pas été le symbole de l'amour et du réconfort au fil des années ? Malgré tout ce qui vient de se passer. Cela, aussi, a son importance...

Se penchant, Cécile prend une poignée de neige pour frotter son visage rougi à cause des larmes. Puis, redressant les épaules, elle marche d'un pas résolu vers la maison.

Et, venant du plus profond de son âme, elle entend la tante Gisèle lui répéter que la vie a trop de prix pour s'en remettre aux opinions des autres. Il est temps que Cécile se décide. Elle, et elle seule, peut le faire. Ni Jérôme, ni son père, n'ont quoi que ce soit à dire. Cécile n'a qu'à écouter son cœur, si elle veut être heureuse. Il n'y a que lui qui soit sincère. Les autres n'auront qu'à s'accommoder de ses choix. Alors, rassurée, Cécile ouvre la porte de la cuisine en repensant tout d'un coup à la lettre que Rolande vient de lui faire parvenir. Une lettre toute joyeuse où sa jeune amie lui confie, étonnée, que son père essaie d'être gentil avec elle. « Depuis un mois, il n'a pas remis les pieds à la taverne », lui dit-elle. « Je crois que je peux enfin espérer que tout cela soit en arrière de moi. Ça fait du bien de retrouver une famille normale. Et toi, Cécile ? Est-ce que tu te maries toujours à la fin d'avril ? J'ai hâte d'avoir de tes nouvelles... » Oui, il y a aussi Rolande, maintenant, dans sa vie. Le cœur gonflé de tendresse en repensant à elle, Cécile se promet de lui écrire. « Ce soir », pense-t-elle en refermant la porte derrière elle. « Ce soir j'vais lui envoyer de mes nouvelles. »

Une bonne odeur de sirop d'érable mis à cuire pour faire de la tire lui arrache enfin un sourire.

— Cécile, enfin te v'là !, lui lance Gérard tout heureux de la voir, un chaudron de sirop bouillant à la main. Les autres viennent de sortir pour taper la neige dans le tonneau, au coin de la galerie. Prends-toi une palette, pis viens nous rejoindre. La première fois de l'année où on mange de la tire, c'est toujours la meilleure.

14

Un autre départ. La déchirure d'un au revoir. C'est ce matin, dans quelques instants que Jérôme prend le train pour Québec. Émus, déchirés, Mélina et Gaby lui font leurs adieux à la maison.

— J'ai pas envie de me mettre à brailler devant toute la paroisse, grogne Gaby, faussement bougonneux. Je t'aime, mon gars. Fais ben attention à toi, pis donne de tes nouvelles de temps en temps.

— Promis, papa... Je... J'vas m'ennuyer de vous deux.

Mélina, pendue au bras de son mari, dévore Jérôme des yeux. Son grand, son fils qui part pour l'armée. Son cœur tremble de peur pour lui et d'ennui, devant les longs mois sans sa présence. Mais, en même temps, une vague de fierté se glisse dans la voix émue qui lui fait ses adieux.

— Moi aussi, j'vas m'ennuyer, Jérôme. J'vas prier ben fort pour que c'te maudite guerre-là arrête bientôt... Envoye, viens m'embrasser pis va chercher ta fiancée... Elle avec doit trouver ça dur, à matin.

— Maman... Merci pour toute, maman. Je pense que c'est toi qui avais raison : Cécile, c'est la fille la plus merveilleuse du monde...

Pourtant, il en a fallu du temps pour que Jérôme admette que Cécile était justifiée d'agir comme elle le faisait. Bien des orages et des nuages avant que revienne le soleil. Mélina avait même dû intervenir pour lui faire entendre raison. Ils avaient pris place sur la galerie. C'était la première fois que la douceur de ce nouveau printemps permettait de le faire. Mélina était à sortir quelques chaises de la cuisine d'été quand elle avait vu Jérôme revenir des champs. Sur l'heure du midi, en pleine semaine, la chose était plutôt inattendue... Mais quand il était entré dans la maison en claquant la porte et sans lui adresser la parole, elle avait compris qu'il était temps d'intervenir. Sans plus attendre, aujourd'hui. Avant que l'incompréhension et la rancune ne dressent une barricade infranchissable entre son fils et Cécile. Patiente, elle avait attendu que Jérôme ressorte de lui-même de la maison. Les confidences ne se forcent pas. Elles se cueillent comme le fruit mûr sur la branche. Finalement, Jérôme était venu la rejoindre. Et là, sans pudeur, il avait enfin consenti à tout lui conter : sa peur, sa colère, sa tristesse. Mélina avait pris un instant avant de lui répondre. Il ne fallait surtout pas refermer la porte qui venait à peine de s'entrouvrir.

— Pourquoi dis-tu que Cécile te comprend pas ? J'ai l'impression, moi au contraire, que c'est toi qui comprends rien. Pis là, c'est ta mère qui te parle. Celle qui a le plus peur de te voir partir pour l'armée. J'veux pas que tu partes, Jérôme. Pas pantoute. Pourtant, je te dis que tu devrais être fier de marier une femme comme Cécile.

— Marier ? Quand ça, marier ? Dans un an, dans dix ans ? Quand la guerre va finir ? J'ai le temps de mourir cent fois, d'ici là.

— Parle pas comme ça, Jérôme. Je te dis juste que Cécile est une femme de cœur. Une femme comme il y en a pas beaucoup. C'est sûr que, pour elle aussi, c'est pas mal dur toute ce qui vous arrive. Tu penses pas qu'elle aimerait pas mieux se marier pis aller chercher sa fille ? Tu crois pas qu'elle serait pas plus heureuse de voir sa mère vivante ? Essaye donc de lire entre les lignes, pour une fois. Même si c'est difficile, tout ça. Jeanne a confié le p'tit Gabriel à Cécile pour qu'elle s'en occupe à sa place. Cécile a-t-y le droit de renier une promesse faite à sa mère mourante ?

Mais Jérôme restait encore et toujours fermé à toute miséricorde. Il se sentait perdu. Où était-elle passée la Cécile qu'il croyait connaître et qu'il aimait tant ? Celle qui avait besoin de lui pour tracer le chemin de leur vie ?

— Cécile peut continuer à s'occuper de son frère icitte... Je suis sûr que tu serais pas contre, maman.

— Ben non, que je serais pas contre. Mais Eugène, lui ? T'as-tu juste remarqué comment il regarde c'te p'tit-là ?

— Eugène ? Encore lui ? Faut-y dérouler le tapis rouge quand il nous rend visite ? Il en a pas faite de manières, lui, quand il a décidé pour nous autres. Ben oui, j'ai vu comment il regarde le p'tit Gabriel. Pis ? Il a pas hésité à nous enlever notre fille, lui, juste à cause qu'il avait peur des racontars. Je comprends pas que Cécile aye pu prendre une décision comme celle-là sans m'en parler. Il me semble que...

Mélina n'aime pas les injustices et, là, elle trouvait que son fils avait dépassé les bornes. Il avait l'air d'un enfant gâté refusant de prêter ses jouets.

— Tais-toi, Jérôme. T'es injuste quand tu parles comme ça. Si Cécile ne t'a pas consulté, c'est peut-être que tu ne cherchais pas tellement à la comprendre. Cécile est pus une gamine, Jérôme. La vie s'est chargée d'en faire une femme... Pis, quand tu parles des racontars, c'est malheureusement pas aussi simple que ça. Il y avait aussi que Jeanne pis Eugène avaient peur. Peur que Cécile se marie avec toi juste parce qu'elle attendait un p'tit. Pis ça, Jeanne a été ben claire là-dessus : il en était pas question pour elle. Elle voulait pas que sa fille soye malheureuse pendant toute une vie à cause d'une erreur de jeunesse. Des fois, Jérôme, il faut regarder plus loin que les apparences. Eugène aime sa fille. Il y a pas de doute là-dessus. Malgré toute ce qu'on a pu penser. Il voulait pas d'un mariage obligé pour sa fille.

— Mais Cécile pis moi, c'était pas ça. Pis tu le sais, maman.

— Oui, je le sais. Pis Jeanne avec l'a compris. Comme Eugène. Mais juste après, quand Cécile est revenue de la ville… Tu sauras, mon gars, que j'avais même dit à Jeanne que vous vouliez aller chercher votre fille pis elle était ben d'accord avec ça. Je l'ai vue pleurer à cause qu'elle disait que toute était de sa faute… Pauvre femme… Mais, finalement, c'était de la faute à personne. Il y a des affaires de même, dans la vie… Même si on fait toute pour les arranger, on dirait que quelqu'un s'amuse à les détricoter en arrière de soi. C'est le destin, je crois ben. Pis ça, mon gars, il y a personne qui peut y échapper. Personne… Pour l'instant, Jérôme, tu devrais te lever d'icitte pis courir jusque chez Cécile. Comme je la connais, elle doit se morfondre à attendre après toi. Ça fait combien de jours que tu la boudes, hein ? Cécile doit t'espérer encore plus que le jour où votre fille est née. Encore ben plus…

Jérôme n'avait pas répondu, visiblement ébranlé par les propos de sa mère. Mais, un bon matin, il a admis que le plus important pour lui était de garder l'amour de Cécile. À n'importe quel prix… Savoir qu'elle l'aimait, qu'elle l'attendrait, lui, Jérôme Cliche et personne d'autre. C'est en pleurant qu'il lui a demandé pardon. Et c'est en pleurant qu'elle s'est jetée dans ses bras. Maintenant, c'est étroitement enlacés qu'ils attendent le train de midi, faisant les cent pas sur le quai de la gare. Silencieusement, lentement.

Nul mot ne saurait traduire tout l'amour du monde en si peu de temps. Le ciel est gris et lourd de l'orage qui ne saurait tarder. Quand le sifflement de la locomotive leur parvient à travers l'écho des nuages, Cécile se met à trembler. Même si elle sait qu'elle n'aurait pu agir autrement, elle est bouleversée de voir Jérôme s'en aller. Elle a peur des mois qui viennent sans le réconfort de sa présence. Plongeant une main hésitante dans une poche de sa robe, elle tend un bout de ruban à Jérôme.

— Tiens, c'est pour toi.

— Pour moi ? Qu'est-ce que c'est ?

— C'est un morceau de ma robe de mariée. Je l'ai coupé pour que tu saches que je t'attendrai tout le temps qu'il faudra... J'ai... J'ai brodé nos initiales dessus... Je t'aime tellement, Jérôme. J'aurais tellement voulu que tout se passe autrement...

— Chut ! On a dit qu'on en parlerait pus jamais. Je veux que tu... Que tu...

Jérôme s'interrompt. L'émotion est trop forte. Les mots s'accrochent dans sa gorge, l'empêchant de poursuivre. Alors, de tout l'amour qu'il ressent pour elle, il soulève Cécile dans ses bras et la tient enlacée tout contre lui jusqu'à ce que le train s'immobilise à leur hauteur. Ce n'est qu'au moment où le contrôleur se met à crier pour appeler les retardataires qu'il se décide, à contrecœur, à la reposer sur le sol.

— Je t'aime, Cécile. Oublie jamais ça. Je t'aime pis je te jure que j'vas revenir.

— Moi aussi je t'aime, Jérôme. Je suis sûre qu'on va vieillir ensemble. Il y aura toujours nous deux, à quelque part dans le monde... Vite, embarque, le train commence à rouler.

Un dernier baiser fougueux, sensuel, trop rapide. Des doigts qui se quittent à regret... Cécile distingue à peine le train, tellement il y a de larmes dans ses yeux. Les bras au-dessus de sa tête, elle n'arrête de saluer que lorsque le wagon de queue se confond avec les rails. De grosses gouttes de pluie se mettent à tomber. Levant le front pour permettre à l'orage de partager sa peine, Cécile se hâte vers la maison paternelle, les seins lourds, presque douloureux. Gabriel doit sûrement l'appeler à pleine voix pour son boire du midi.

ÉPILOGUE

Un an plus tard, à Southampton, Angleterre,
le 6 juin 1944.

C'est à quatre heures trente, ce matin-là, que Jérôme se fait réveiller. Tout comme ses camarades du régiment de la Chaudière. Ils sont plusieurs à venir de la Beauce. Tous des jeunes, comme lui. Pas des héros ni des fanfarons. Non. Rien que des gars qui ont juré de faire de leur mieux pour que cesse le massacre. Et Jérôme sait que c'est aujourd'hui que tout va se jouer. Il est prêt. Depuis quatre mois qu'ils sont en Angleterre, tous ces jeunes soldats savaient qu'un jour comme celui-ci allait arriver. C'est pour cela, et uniquement pour cela qu'ils sont ici. C'est même avec fierté qu'ils se sont portés volontaires pour quitter Valcartier. Jérôme comme les autres. Il n'est pas homme à regarder en arrière. Les deux dernières années s'estompent maintenant dans la brume. Non pas que Jérôme renie quoi que ce soit. Pas du tout. Simplement, il préfère se tourner vers l'avenir. En arrivant au camp pour faire son service militaire, il a vite compris que le monde avait besoin de jeunes comme lui pour s'en sortir. Alors Jérôme a dit : « Prêt ! » Malgré les risques, malgré la peur. Depuis qu'il est dans l'armée, sa vie a pris une toute autre dimension. Celle des grandes croisades et des convictions profondes. Le regard qu'il jette autant sur les années derrière lui que sur celles à venir n'est plus tout à fait le même. Oui, depuis qu'il est dans les rangs de l'armée, il a compris ce qui a motivé Cécile, ce qui l'a poussée à prendre les décisions qui ont été les siennes. Et il a finalement tout accepté. Du plus profond de son âme et de l'amour qu'il a pour elle. Cette force invisible qui le guide à son tour. Cette certitude sans équivoque, sincère et viscérale, qui le soulève hors de lui-même, qui le mène plus loin que tout ce qu'il aurait pu imaginer. Quand il a quitté la Beauce, en ce matin de juin 1943, Jérôme n'acceptait pas encore totalement les bouleversements de sa vie. Comme un fond tenace de rancune qui refusait de se diluer dans sa bonne volonté. C'est à contrecœur qu'il quittait sa ferme, sa famille. Qu'il renonçait, pour un temps, à son mariage avec Cécile. Quand il a pris le train, un an plus tôt, jamais il n'aurait pu croire qu'il se porterait volontaire pour aller se battre en Europe. Jamais. Pourtant, quand on a fait l'appel, il a été le premier à faire le pas en avant. Sans la moindre hésitation. Plus qu'un devoir, c'était une obligation morale pour lui. Un choix réfléchi et sincère. Pouvoir se dire, un jour, quand tout serait fini, qu'il avait fait l'impossible pour libérer le monde de cette guerre insoutenable. Pour Cécile, pour ses parents. Pour Juliette, aussi. Cette petite fille inconnue à qui il parle souvent, le soir, avant de s'endormir. Pour qu'elle puisse grandir dans un pays de paix, libre et généreux. Même s'il ne la connaît pas et ne la connaîtra probablement jamais. Peu lui importe… Il veut continuer à être capable de se regarder dans une glace sans rougir. Il veut que Cécile soit fière de l'homme qu'il est. Comme lui est fier de la femme qu'il va épouser.

C'est au moment de quitter la cantine, quand Jérôme voit l'aumônier s'avançant à l'avant de la salle pour s'adresser à eux, qu'il comprend l'énormité de la mission qui les attend. Les dangers probables qui les guettent. Avec une foi et une ferveur insoupçonnées, il joint sa prière à celle de ses compagnons. Il reçoit, comme tous les autres, l'absolution générale donnée à tous ceux qui partent pour le front.

— Dans quelques heures, plusieurs d'entre nous seront partis pour le grand voyage. Que Dieu nous garde...

Ce sont les derniers mots de l'aumônier à leur intention. Oui, que Dieu les garde ! Cette nuit, ils jouent le tout pour le tout. Ils le savent et en ont accepté les risques. Après un bref moment de silence chargé d'émotion et de souvenirs, c'est la ruée vers les dortoirs pour finir de se préparer. Enfin, c'est le départ. Le moment qu'ils attendaient tous. Cette mission en terre de France. Le seul but de leur voyage. Eux, les petits Canadiens, ils vont aider à libérer la France et le monde. Les péniches d'embarquement les attendent sur la plage. Ils seront escortés par des navires de guerre. Deux heures à genoux, à geler dans les péniches tourmentées par la forte houle de la Manche. Deux longues heures à combattre le mal de mer et les odeurs de moisissure qui montent de leurs uniformes déjà trempés par les embruns. Deux heures interminables à ne voir que le paquetage du gars accroupi devant soi. Deux heures à se soutenir les uns les autres, à prier silencieusement, à raconter les moments d'importance qui ont traversé sa vie et à sursauter lorsqu'une autre péniche éclate, frappée par les obus en forme de bouteille qui flottent sur la crête des vagues. Et la peur qui les rejoint, qui s'infiltre en eux par tous les pores. Cette peur maladive, incontrôlable, au goût de mer. Salée comme les larmes. Le regard anxieux qui voudrait s'évader, reconnaître les lieux rapidement étudiés sur les cartes aériennes et qui se heurte au mur de fumée qui enveloppe la plage. Il ne reste que l'inconnu devant soi. Devant sa vie. Et tous ceux que l'on aime, loin, si loin d'ici...

— N'oubliez pas, les boys! Quand la rampe de débarquement touche le fond, on se dépêche de prendre chacun une bicyclette et on se rend, chacun pour soi, à un brise-lames. Pas question de quitter la plage tant que Bernières est pas libérée. C'est un ordre. Tout le monde a bien compris?

— Une bicyclette! On s'en fout-tu de leur bicycle! On fait même pas la différence entre le ciel pis la terre, tellement il y a de fumée icitte, pis il nous dit de prendre un bicycle! Hey! Cliche! Ousque t'es?

— Ici, Gadbois. Juste en arrière de toi... On reste ensemble, okay?

— Okay. Dès que la rampe râpe le fond, on fonce ensemble jusqu'au premier brise-lames. Après, on verra... Ça y est! Je pense que c'est le temps. On y va?

— On y va... Comment est-ce qu'elle s'appelle ta blonde, encore?

— Gertrude... Pourquoi tu me demandes ça?

— Pour rien. Juste pour penser à d'autre chose qu'au bruit des mitrailleuses...

— Maudit que l'eau est frette... T'es-tu encore là, Cliche?

— Comme ton ombre. Envoye, avance. Je pense qu'on va réussir à...

À quelques pas devant eux, un obus de mortier vient d'éclater. La bicyclette de Pierre Gadbois fend l'air et va atterrir, plusieurs pieds plus loin, en pièces détachées. Le corps du jeune soldat retombe sur Jérôme, le protégeant en même temps de la décharge.

— Pierre...

— J'ai mal, Jérôme. J'ai mal à ma jambe... Ils m'ont eu, les salauds...

— Arrête de grouiller, Gadbois. J'vas essayer de t'amener plus haut sur la plage, pour demander de l'aide... Hey, les gars ! Il y a un blessé icitte...

Mais, sur la plage, c'est la confusion totale. Ordre a été donné de ne pas s'occuper des blessés. L'arrière-garde s'en chargera. Des soldats dépassent Jérôme et Pierre sans s'occuper d'eux. Sans même leur jeter un regard. C'est chacun pour soi, comme l'a dit le lieutenant. Et ce bruit infernal qui les entoure, qui déforme la réalité... Rien ne ressemble à ce que Jérôme avait imaginé. Plié en deux, il se met à traîner son compagnon, presque à quatre pattes pour ne pas offrir de cible à l'ennemi. Puis il rampe dans l'eau glacée, les vêtements alourdis, les bottes détrempées. Et Gadbois qui est lourd, si lourd. Ses gémissements se font de plus en plus faibles. Épuisé, Jérôme se laisse enfin tomber, à l'abri dérisoire d'un rocher un peu plus gros que les autres.

— Crains pas, Gadbois. M'en vas aller te chercher du secours. Un infirmier ou...

— Non. Pars pas. Laisse-moi pas tuseul. Ça va aller, Cliche. C'est juste ma jambe qui me fait mal. Ma jambe droite... J'ai dû recevoir un éclat d'obus dans la jambe droite... Pas grave, Cliche. Pas trop grave... J'ai juste frette, Jérôme... J'ai juste ben frette...

Le reflux de la vague vient de monter jusqu'à eux. Rassemblant tout ce qui lui reste de force, Jérôme se redresse légèrement pour essayer de voir où il pourrait aller se remettre à l'abri. En se penchant pour reprendre son copain sous les bras, il s'aperçoit, avec horreur, que Pierre n'est plus qu'un corps avec une tête. Et deux bras qui s'agrippent à lui... Sa jambe droite, c'est uniquement dans sa tête qu'elle lui fait mal, maintenant. Ravalant ses larmes de rage et de désespoir, Jérôme se recouche à côté de lui.

— Ta veste est toute déchirée, vieux frère. C'est pour ça que tu gèles de même. J'vas te passer la mienne. Ça va te réchauffer... Pis après, on va donner un dernier coup de cœur ensemble pour remonter sur la plage. Là, il y a sûrement des infirmiers qui vont pouvoir t'aider. Laisse-toi aller, Pierre... Pour toi, la guerre est finie... Tu peux te reposer, astheure...

Pour Jérôme, aussi, la guerre vient subitement de finir. Plus rien de ce qui se vit ici n'a de sens ou d'importance. Mais bon sang de bon soir, qu'est-ce qu'il a pensé en se portant volontaire? Qu'il allait régler le conflit à lui tout seul? Sans expérience, avec comme seule notion de combat ce qu'on lui avait appris? Sans la moindre idée de ce que c'est que d'être obligé de tuer froidement, simplement pour défendre sa vie? Tuer pour ne pas être tué... D'un seul coup, la guerre est devenue une absurdité à laquelle il ne veut plus être mêlé. Pour lui il n'y a que Gadbois, son copain, en train de mourir, le corps à demi arraché, sur une plage de Normandie. C'est pour cela qu'ils sont venus ici? Pour se faire tuer, massacrer? Pourtant, Jérôme ne peut laisser son ami derrière lui et s'enfuir pour tenter de sauver sa peau. En ce moment, là, à genoux, sur une plage mouillée, la guerre vient de finir pour Jérôme Cliche. Il n'entend plus le sifflement des armes ni les cris de douleur qui montent dans le petit matin. Il n'y a plus personne autour de lui. Jérôme ne voit plus rien. Que le regard enfiévré de Gadbois qui s'accroche désespérément au sien. Se relevant, il enlève son manteau et sa chemise, arrachant boutons et chaîne marquée à son matricule pour faire plus vite. Pierre est en train de mourir et il a froid. Rien d'autre n'a d'importance pour lui. Soulevant le corps de son ami, Jérôme commence à glisser ses vêtements sous ses épaules.

— Crains rien, mon vieux. M'en vas te sortir d'ici. Pense à Gertrude, pense à ta blonde pis laisse-moi faire...

C'est à ce même instant qu'éclatent des rafales de mitrailleuse. Le corps de Pierre Gadbois tressaute comme une marionnette à fils mal dirigée. Jérôme a à peine le temps de pencher son regard surpris sur lui qu'une douleur incroyable lui traverse la jambe et lui fouille le ventre. Il retombe aussitôt sur les galets humides, les yeux grands ouverts sur la mer qui le sépare de chez lui. Que le nom de Cécile qui s'inscrit comme un grand feu d'artifice sur l'écran noir de sa pensée avant le grand plongeon dans le vide. Lentement, ses yeux se referment. Sur son front, à la limite de la frange de ses boucles noires rasées, une fleur rouge va s'élargissant. Une fleur aux pétales flétries que la mer s'entête bêtement à laver.

Un peu plus loin, sa chemise s'éloigne au rythme des vagues. Entre les deux jeunes soldats, la veste de Jérôme, poussée et ramenée par la marée, retenue sous le corps déchiré de Pierre Gadbois...

CORRESPONDANCE

Juillet 1944

Ministère de la Défense nationale
Ottawa, Canada

Monsieur Gabriel Cliche
Comté de Beauce, Québec
Canada

Monsieur,

Nous avons le regret de vous informer que suite aux opérations tenues en date du 6 juin dernier, sur la plage de Juno, en Normandie, France, votre fils, Jérôme Alexandre Cliche, est porté disparu. Le Major T... du régiment de la Chaudière a retrouvé sur la plage une veste qui semble bien être celle de votre fils mais n'a pu identifier aucun corps qui aurait pu être le sien. En conséquence, nous vous avisons, par la présente, que pour l'instant et jusqu'à preuve du contraire, nous tenons votre fils pour disparu. Les effets personnels lui appartenant et restés à Southampton lors de l'embarquement vous seront remis à une date ultérieure qui ne saurait tarder. Dans l'éventualité d'un changement à son statut, et quel qu'il soit, soyez assuré que nous vous en ferons part dans les plus brefs délais.

Nous sommes conscients de l'anxiété qui doit être la vôtre devant l'incertitude qui entoure la disparition de votre fils Jérôme. Nous partageons cette inquiétude et vous assurons que nous tenterons tout ce qui est en notre pouvoir pour le retracer.

Veuillez accepter nos...

Southampton, le 30 mai 1944

Mon amour,

Le temps s'étire à ne plus finir quand je suis loin de toi. Cela va faire quatre mois que je ne t'ai pas vue et je m'ennuie comme tu peux pas t'imaginer. La photo que tu m'as donnée et que je garde toujours dans la poche de ma veste est toute froissée et racornie, tellement je la prends souvent pour la regarder. Ici, à part l'entraînement, il y a pas grand-chose qui se passe. Le jour, on a pas le temps de s'ennuyer mais, quand le soir arrive, on arrête pas, les gars et moi, de parler de nos blondes ou de nos fiancées. Des fois, j'aurais même envie de leur dire que j'ai une petite fille. Comme notre lieutenant qui nous parle de ses trois enfants. Mais ça serait trop compliqué à expliquer, ça fait que je garde ça pour moi. Et pour toi quand je t'écris.

Là, je suis installé dans mon lit. Je suis chanceux parce qu'on m'a donné le lit du haut. Comme ça, je peux t'écrire sans que personne puisse lire dans mon dos. J'aime mieux ça de même parce que je peux vraiment tout te dire. Comme le fait que j'ai pas mal envie de toi. Il y a pas une nuit où je m'endors sans penser à toi. Sans songer qu'on pourrait s'endormir dans le même lit. Tu peux pas savoir comment j'ai hâte de revenir à la maison. Je te jure qu'on attendra pas des mois avant de se marier. Au diable la parenté et la réception! Quand je reviens, on se marie. On a déjà assez perdu de temps, nous deux. On a bien des nuits à rattraper.

Et vous autres, à la maison, comment ça va? Le petit Gabriel doit bien être rendu un grand garçon, maintenant! A-t-il commencé à marcher? Dans ta dernière lettre, tu me disais qu'il se faufilait partout à quatre pattes et que ça paraissait quasiment plus qu'il avait été un bébé prématuré. Lui avec, j'ai bien hâte de le revoir. Même si l'an dernier j'étais pas sûr de pouvoir l'aimer. Comme si c'était de sa faute, à lui, tout ce qui nous est arrivé. C'est bien toi qui avais raison, ma Cécile. Des fois, on fait pas exactement tout ce qu'on veut dans la vie. Il y a des forces en dedans de nous qui nous poussent à aller là où on pensait jamais vouloir aller. Je pense qu'on va avoir bien des choses à se dire, quand je vais revenir. Bien des choses à mettre au point ensemble. Comme de te demander pardon pour toute la peine que je t'ai faite l'an dernier quand tu m'as dit que tu voulais rester encore un bout de temps chez ton père. Si tu savais comme je t'en ai voulu pour ça... Maintenant, c'est après moi que j'en ai. Maudit que j'étais bête! C'est toi qui avais raison, Cécile. Rien que toi. J'ai tellement hâte de te prendre par la main et de te parler en te regardant droit dans les yeux. Ça vient plate, tu sais, de toujours attendre des semaines avant que tu me répondes. C'est là que je comprends tout ce que tu as vécu, seule à Québec. Là, c'est toi qui étais loin de la maison. Tant qu'on reste chez nous, l'inconnu nous fait quand même moins peur.

Je ne sais pas, au juste, ce qui nous attend ici. Je sais seulement qu'on est venu pour donner un grand coup. On se prépare pour ça. Mais rien de plus... Personne, à part les commandants, sait quand tout cela va avoir lieu. Ça fait qu'inquiète-toi pas si tu n'as pas de mes nouvelles pendant un bout de temps. Dès que je vais avoir la possibilité de t'écrire, je te jure que je vais le faire le plus vite possible. J'ai confiance que tout va bien se passer. On est tous dans une forme superbe. Tu devrais me voir! Tu aurais de la difficulté à me reconnaître. En arrivant ici, j'ai retrouvé des copains de classe. Te souviens-tu de Pierre Gadbois de St-Joseph? Et de Philippe Lacroix? Avec eux, je me sens un peu moins seul, un peu moins loin de chez nous. Des fois on se rappelle quand on était des ti-culs à l'école et ça nous fait rire. C'est rare qu'on a l'occasion de rire de bon cœur ici.

À part ça, il y a pas grand-chose à dire. Je pourrais prendre encore dix pages pour te dire combien je t'aime mais je pense que ça serait pas encore assez. Je t'embrasse bien fort, ma Cécile. Dis bonjour à ta famille pour moi. Vous me manquez tous beaucoup. Je vais te laisser ici pour avoir le temps d'écrire à mes parents avant qu'on nous ferme la lumière. Je t'aime, je t'aime, je t'aime...

Jérôme

P.S. Je pense de plus en plus souvent à Juliette. Je sais pas pourquoi, mais le soir juste avant de m'endormir, c'est elle que je vois. Elle te ressemble, j'en suis certain. Dès que je vais être de retour, on va tout faire pour la retrouver. Je te le jure... À bientôt ma belle à moi...

Québec, 22 septembre 1944

Mon bel amour,

J'ai l'impression que je suis en train de devenir folle. Rien n'est pire que l'incertitude et l'attente. Pourquoi est-ce que je t'écris, au juste? Je ne le sais pas moi-même... La lettre que tes parents ont reçue de l'armée ne nous laisse pas beaucoup d'espoir. À peine l'illusion que tu pourrais être encore vivant. Mais moi, je ne veux pas y croire. Il y a en moi une flamme pour nous deux qui refuse obstinément de s'éteindre. Mon père a bien essayé de me faire comprendre que je m'entête envers et contre tout bon sens. Mais c'est plus fort que moi... Et, quand j'ai reçu ta dernière lettre, un mois jour pour jour après celle de l'armée, je l'ai vue comme un signe. La preuve *que tu es encore vivant, quelque part. Peut-être blessé ou prisonnier. Mais bien vivant. Je sais bien qu'autour de moi, les gens me regardent avec pitié. Comme si j'étais devenue une malade qui n'a plus toute sa raison. Je les laisse faire. Maintenant, je garde pour moi tous mes espoirs. Surtout avec tes parents. Parler de toi ne fait que raviver leur peine. Ils sont persuadés que tu es mort et que ton corps a été emporté par la marée. Moi, je me refuse de penser à toi comme cela. Alors, pour réussir à partager un peu ce que je ressens, j'ai pris l'habitude de confier tout ce que je pense à un cahier. Tous les soirs, avant de m'endormir, je lui parle comme je le ferais si tu étais là. Ça me permet de survivre. J'en suis rendue là... Plus rien n'a de sens si tu es mort. Tout ce qu'il y a eu de beau et de vrai dans ma vie de femme, c'est avec toi que je l'ai connu. Comment arriver à continuer si tu n'es pas là ? Je lis et relis ta dernière lettre et c'est là que je puise le peu de courage qui me permet d'avancer.*

C'est un peu pour tout cela que je me permets de te dire que je ne suis peut-être pas d'accord avec toi quand tu affirmes que c'est moi qui avais raison. Devant la tournure des événements, il y a tellement de choses qui sont devenues une incertitude pour moi. À commencer par ma propre vie. Tout ce qui me paraissait essentiel et incontournable, il y a un an à peine, n'a plus du tout la même importance. Gabriel a grandi et je ne regretterai jamais de l'avoir aidé à s'en sortir. Non. Mais, justement, il a grandi et maintenant il n'a plus besoin de moi. En fait, j'ai l'impression que plus personne n'a besoin de moi. Je me sens tellement inutile. Si tu savais à quel point tu me manques, Jérôme. À quel point je m'ennuie de

Juliette. Ma mère m'avait confié Gabriel et, pendant des
mois, je le voyais vraiment comme le bébé que j'avais mis
au monde. Mais, pour lui, je ne suis que la grande sœur.
Jamais il ne m'a appelée maman et jamais il ne le fera.
Et, aujourd'hui, je suis prête à le comprendre. Même si
c'est difficile à accepter... C'est toi qui avais raison de me
mettre en garde. Maintenant, Gabriel n'a d'yeux que
pour papa. Comme tous les petits garçons de son âge qui
rêvent de ressembler à leur père. Je le répète : c'est toi qui
avais raison. Je sais bien que ces mots-là arrivent un peu
tard, mais il fallait que je les dise. À toi, pour que tu
puisses me pardonner le mal que je nous ai fait.
Pourtant, je te jure que je croyais bien faire. Jamais je n'ai
voulu de mal à qui que ce soit. Encore moins à toi...
J'espère que tu le sais. C'est probablement pour cela que
je me suis enfin décidée à t'écrire. Même poste restante en
Angleterre... Comme cela, si tu reviens, un petit peu de
moi t'y attendra. J'aurais tellement besoin de savoir que
tu vas me lire. Jamais, jamais de toute ma vie je ne me
suis sentie aussi seule, abandonnée. Jamais je n'ai eu
aussi envie de demander pardon à quelqu'un. Pardon,
Jérôme. Pardon d'avoir choisi autre chose que nous deux.
Même si je le faisais pour bien faire. Même si en agissant
ainsi je désirais rester fidèle à maman. Pauvre maman !
Je suis certaine qu'elle n'aurait jamais voulu que je sois
malheureuse comme je le suis présentement. À travers
tout ce que je vis en ce moment, j'ai surtout compris que
les morts n'ont pas besoin de nous. Le message qu'ils
nous laissent est une chose dont on peut user selon nos
émotions à nous. On n'a pas à détruire l'essentiel de
notre vie pour répondre aux attentes d'une personne
qui n'est plus là. C'est maintenant que je comprends

vraiment le sens des paroles de maman. Aujourd'hui, Gabriel a repris la place qui a toujours été la sienne, finalement : il est le treizième enfant de Jeanne Rhéaume et d'Eugène Veilleux. Et, moi, je suis leur fille aînée. Et, dans le fond, c'est bien normal que tout arrive comme cela. On ne pourra jamais m'empêcher d'avoir une tendresse spéciale pour mon petit frère. Mais je n'ai pas le droit de l'obliger à voir en moi la mère que je ne suis pas. Je serais injuste de lui imposer cela. Alors, je ne sais plus où est ma place. J'ai l'impression que je suis de trop, dans ce coin de pays que je voyais comme le nôtre. J'ai l'impression que je dérange, avec mes espoirs que plus personne ne comprend. Mon père et Gabriel ne voient que leur petit monde à eux. Tes parents n'ont surtout pas besoin de ma présence qui leur rappelle trop la tienne. Louisa est capable de se débrouiller toute seule, maintenant. Même Gérard a quitté la maison, le mois dernier. Oncle Adrien, le frère de papa, lui a trouvé une place comme apprenti chez un menuisier de Montréal. Gérard est parti fier comme un coq au milieu d'une basse-cour. Que me reste-t-il ? Pas grand-chose… Je suis devenue celle qui promène un regard triste sur le bonheur des autres. C'est pour cela qu'en ce moment je suis chez tante Gisèle. Tu sais à quel point j'ai de l'affection pour elle. Je crois que s'il existe quelqu'un sur terre qui peut m'aider, c'est elle. Je pourrais me trouver un emploi à Québec, même si ma tante pense que je serais mieux de retourner aux études. Je ne sais pas encore…

En ce moment, je suis assise sur la Terrasse. Je t'écris face au fleuve, comme s'il était un lien entre nous deux. Je regarde vers l'île d'Orléans et je me dis que tu es là, juste au bout de l'eau. Ici, il me semble que c'est plus facile de penser à toi et à Juliette. J'y venais souvent, quand j'étais enceinte, et de me retrouver assise sur le même banc qu'en ce temps-là me permet de voir l'avenir avec un peu plus de sérénité. Même si cela reste bien difficile. Dans les plus sombres moments, je me dis que j'ai une fille bien vivante. Et là, ce n'est pas juste un espoir qui fait battre mon cœur. C'est une certitude. Je le sais de toute la force de mon instinct. Exactement comme au soir où je la cherchais dans la pouponnière et que je ne la trouvais pas. Sans jamais l'avoir vue, j'étais certaine que je saurais la reconnaître. Et, aujourd'hui, je sais qu'elle est là, pas loin, dans la même ville que moi. Pour elle, j'ai envie de faire quelque chose de ma vie pour qu'elle puisse être fière de moi. De la même façon que tu me disais vouloir aller te battre pour elle. Pour qu'elle puisse avoir une vie meilleure… Je comprends, maintenant, ce que tu voulais dire. Et à mon tour, je te dis que nous allons fouiller le monde pour la retrouver. Le jour où tu vas revenir, nous allons connaître notre petite fille. Je te jure que nous allons réussir, mon amour. J'ignore où tu es. J'ignore si tu es encore vivant, mais je veux y croire. Je veux croire que notre vie à deux ne s'arrête pas là. Je veux croire que nous allons nous retrouver et reprendre là où nous avons laissé. Je t'aime tant, Jérôme. En attendant de te revoir, j'ai envie de faire de belles choses dans ma vie. Pour moi, c'est vrai. Mais pour toi et pour Juliette aussi. Je confie mes espérances et mon amour aux vagues qui glissent devant mes yeux pour qu'elles les portent jusqu'à toi. Je t'embrasse de toute la distance qui nous sépare.

Ta Cécile qui t'aime

La délivrance

À papa...

Te souviens-tu des pique-niques de la paroisse ?

Des étoiles de mer à Hampton Beach ?
De ma première truite sur un lac du parc
des Laurentides ?

Merci d'avoir si bien partagé mon enfance...

NOTE DE L'AUTEUR

Et voilà! C'est ici que je vais quitter mes personnages. Et je vous avoue que j'ai le cœur gros. N'oubliez pas que cela fait près de deux ans que je partage leur existence et je les aime. Cécile, Rolande, Jérôme... Des vies difficiles, mais sincères, qui n'aspirent qu'à un peu de bonheur. Tout comme vous. Il y a aussi Dominique et Charles que vous rencontrerez. Et le petit Denis...

Ensemble, nous les suivrons dans leur quête de chaleur humaine, de compréhension, de joie. Non, décidément, je n'arrive pas à les abandonner facilement. Alors je m'installe, avec vous. Pour une dernière fois, lisant par-dessus votre épaule, je vais partager leurs peines et leurs joies. On y va? Moi, je suis prête.

La liberté n'est pas de faire ce que l'on veut,
mais de vouloir ce que l'on fait.

BOSSUET

« Heureux », même au singulier, a des allures de pluriel.
On ne peut pas être vraiment heureux tout seul.

GILBERT CESBRON

Ne croyez pas que l'amitié permette de dire toute la
vérité. La franchise utilisée sans discernement fait plus de
mal que les mensonges... Tant que vous ne vous mentez
pas à vous-même, il n'y a aucun mal à dissimuler
quelque chose à un ami.

DAVID BROWN,
« The rest of your life is the best of your life ».

Partie I

1945 – 1946

1

Québec, printemps 1945

À pas lents, Cécile Veilleux revient chez sa tante Gisèle qui habite toujours sur la rue Saint-Olivier, à Québec. Il fait une température idyllique, en ce mois de mai 1945. Malgré cela, Cécile l'apprécie à peine. Tout juste une profonde respiration par-ci, par-là, prenant conscience, presque surprise, de l'arrivée du printemps. Mais rien de plus, elle qui disait préférer le printemps à toute autre saison. Pourtant, il faut la comprendre... En seulement quelques mois, parmi tout ce qui avait du prix à ses yeux, bien des choses ont changé. Modulées par le cours de jours que nul n'avait prévu ainsi. Il ne reste qu'un grand vide en elle. Un vide qu'elle n'arrive pas à combler. Cela fait maintenant presque un an qu'elle habite à la ville. Depuis la curieuse disparition de Jérôme, son fiancé, lors du débarquement en Normandie, elle n'est pas retournée chez son père dans la Beauce. Quand Gabriel et Mélina Cliche, les parents de celui-ci, avaient reçu la lettre officielle de l'armée annonçant que leur fils était porté disparu, en juillet dernier, Cécile avait fui le village et ses souvenirs pour se réfugier chez « ma tante » Gisèle. Orpheline de mère, Cécile comptait sur la présence de cette tante qu'elle affectionnait particulièrement depuis son séjour chez elle, lors de sa grossesse. Oui, s'il y avait quelqu'un qui puisse l'aider, c'était bien la tante Gisèle. Car depuis deux ans, la vie de Cécile Veilleux ne ressemblait guère à ce qu'elle avait espéré. Une bourrasque aussi imprévue que brutale avait tout balayé ne lui laissant, au cœur, qu'une amertume sans nom, qu'un désespoir insondable tant il était profond. En quelques mois à peine, elle avait connu la douleur d'une grossesse inattendue, l'abandon d'une petite fille qu'elle rêvait de garder, la mort soudaine d'une mère qu'elle chérissait et le départ, pour la guerre, d'un fiancé dont on avait perdu la trace lors du débarquement. Depuis un an, elle n'a reçu aucune nouvelle de lui. Et cette disparition, à ses yeux, est bien plus pénible que la certitude de son décès. Ce flottement de l'attente qui se greffe, à certains jours, sur son espoir de le retrouver vivant et, à d'autres moments, sur la conviction qu'il est bel et bien mort… Cette inquiétude incessante quand elle pense à lui… Toute sa vie, maintenant, oscille comme un pendule, entre l'espérance de le revoir un jour et la crainte que tout soit fini entre eux. Avant même d'avoir vraiment commencé. Jérôme, son Jérôme, disparu, peut-être prisonnier ou malade… Le lieutenant de sa division leur avait confirmé avoir reconnu sa veste sur la plage. Mais rien d'autre. Alors Cécile garde espoir en se répétant, inlassablement, qu'un corps ne peut disparaître sans laisser de traces. Elle veut y croire, se refusant d'écouter ceux qui, trop nombreux, suggèrent que la marée aurait très bien pu… Non, Cécile cultive farouchement ses convictions et l'assurance de son instinct. Contre tout bon sens. Malgré les conseils de son père. Malgré les supplications de sa tante qui ne sait à quel saint se vouer pour lui faire entendre raison. Personne, autour de Cécile, ne croit encore au retour du jeune soldat. Ni chez elle, dans la Beauce, ni ici, à la ville, chez sa tante Gisèle et son oncle Napoléon Breton.

Avec une volonté à toute épreuve, la jeune fille a donc

repris les études abandonnées à la fin de sa neuvième année quand son père avait décidé qu'elle aiderait sa mère à la maison. Et, pour ce faire, elle travaille le vendredi soir et le samedi, à la Pâtisserie Simon de la rue Saint-Jean, pour s'offrir des cours privés au collège de Bellevue. À vingt et un ans, Cécile est consciente qu'elle n'a pas de temps à perdre. Elle n'a pas envie, non plus, de se retrouver dans une classe régulière, aux côtés de gamines de treize ou quatorze ans. Intelligente et studieuse, elle est sur le point de compléter son cours classique. Sœur Sainte-Monique s'occupe spécialement d'elle, ce qui permet à Cécile de mettre les bouchées doubles. Encore un an de patience et elle pourra se présenter à l'École normale afin de devenir professeur. Et, pour y parvenir, elle a réglé sa vie comme du papier à musique : cours le jour, études le soir, travail la fin de semaine. À l'occasion, elle se permet une escapade de quelques heures. Une halte chez *Kerhulu*, pour un café et un gâteau, en compagnie de Rolande, cette jeune amie rencontrée à la crèche deux ans auparavant et qu'elle retrouve à chaque fois avec un plaisir renouvelé. Jamais rien d'autre... Ni cinéma, ni théâtre. Le bonheur des autres, même fictif ou artificiel, la blesse trop cruellement. Alors, elle se refuse une évasion dont elle aurait pourtant grand besoin. L'ombre de ce jeune fiancé disparu au combat recouvre encore toute sa vie de son aile sombre et ce n'est que dans le tourbillon d'une existence volontairement débordante qu'elle arrive à se détacher, pour quelques heures, de l'obsession qui hante sa pensée. Mais, chaque nuit, c'est dans les larmes qu'elle trouve le sommeil. Les larmes du regret. Ce repentir qui répète, lancinante évidence, que tout est de sa faute. Si elle avait voulu se marier, aussi...

Ses pas l'ont naturellement ramenée jusqu'à la haute

maison grise qui fait la fierté de sa tante. D'une main éner-gique, elle ouvre la porte menant dans le vestibule.

— Ma tante, je suis revenue !

Tout en grimpant l'escalier en courant, Cécile lance son salut habituel. Quand elle paraît dans la porte de la cuisine, Gisèle se retourne en souriant. Son inimitable sourire, à la fois pincé et chaleureux… Du bout de son pouce enfariné, elle repousse ses lunettes.

— Bonjour, ma poulette… Pas trop fatiguée de ta journée ?

— Oui, un peu… Il fait tellement chaud dans la salle, au collège… Mais c'est pas grave, ça achève. Sœur Sainte-Monique a dit que j'vais pouvoir commencer mes examens la semaine prochaine. Pis toi ? Rien de nouveau à la maison ?

Conversant toujours, Cécile se dirige vers le garde-manger, selon son habitude quotidienne. Gisèle revient alors à la tarte qu'elle a commencée.

— Non. Icitte, y a rien de ben drôle à raconter. Mais au radio, par exemple, y'ont dit, à midi, que les alliés sont en train de gagner du terrain…

Puis, revenant face à Cécile, elle poursuit, convaincante, l'index pointé au plafond :

— Ça sent la fin d'la guerre, ma fille. Pis à plein nez à part de ça.

En entendant ces mots, Cécile se met à rougir. Indécise, elle reste un instant immobile, une main tremblante posée sur le loquet de la porte du garde-manger. Le mot « guerre » est encore et toujours une épine plantée douloureusement dans son cœur. Mais les suppositions de sa tante sont telle-ment remplies d'une joyeuse espérance ! Cécile se met à rire. Enfin, enfin une raison pour laisser éclater au grand jour ses espoirs les plus fous.

— Finie ? La guerre serait sur le point de finir ? Comme

ça, si Jérôme est prisonnier, il va être libéré ?

C'est au tour de Gisèle de rougir. Afin de cacher son embarras, elle se retourne contre l'armoire en toussotant et se met à rouler la pâte avec vigueur, camouflant ainsi à la fois sa déception et son impatience. « Pôv'tite fille. Quand c'est qu'a' va comprendre que... » Sa pensée s'arrête là. C'est que Gisèle aime tendrement sa petite Cécile. Et voit en elle la fille qu'elle n'a pas. Surtout depuis le décès de Jeanne, sa belle-sœur, la mère de Cécile. C'est pourquoi elle s'oblige à lui répondre sur la même lancée, sans se retourner, s'efforçant de donner à sa voix un enthousiasme qu'elle est loin de partager. Mais, philosophe, elle se dit que le temps des larmes viendra bien assez vite, et tout seul. Elle en est persuadée.

— Si y'est prisonnier, oui. C'est ça que ça veut dire, la fin de la guerre... Mais en attendant, viens donc m'aider à préparer le souper. Poléon pis les garçons vont arriver betôt pis j'ai rien de faite encore. Prends-toi une pomme pour ta collation pis sors les patates en même temps...

Tout le Canada reste suspendu au bout des ondes qui, au fil des heures, permettent de suivre l'évolution des alliés. L'Amérique entière retient son souffle... Et Cécile encore plus que tous ceux qui vivent auprès d'elle.

En ce beau matin clair de mai, la jeune fille est partie très tôt de la maison, avant même le réveil du reste de la famille Breton. C'est aujourd'hui qu'elle commence ses examens. Elle est assise à sa table de travail, comme tous les jours. Inconfortable sur la petite chaise de bois, dure et droite, dans une pièce minuscule, étouffante, qui servait auparavant de salle de pratique pour les leçons de piano. Il fait chaud, en cette matinée, et la concentration de Cécile a peine à suivre sa bonne volonté. D'autant plus que les nouvelles, hier soir, semblaient très bonnes. On parlait d'un règlement du conflit dans les jours à venir, sinon dans les heures suivantes. L'esprit vagabond, incapable de se concentrer sur sa copie, Cécile se lève pour venir à la fenêtre. Un soleil bien franc éclabousse le verger du couvent d'une averse d'étincelles brillantes. « Comme chez nous », songe alors la jeune fille en imaginant l'imposante plantation de pommiers, à la ferme de son père. Un long soupir tremblant lui gonfle la poitrine. Que fait-elle ici, à la ville ? Ce n'est pas ce qui était prévu pour sa vie. Et, revoyant en pensée la ferme paternelle, les études ont brusquement beaucoup moins d'attrait. En ce moment, elle devrait être la femme de Jérôme. Elle devrait habiter la grande maison blanche et rouge des Cliche sur le rang du Bois de Chêne, à deux milles exactement de la demeure de ses parents. Peut-être aurait-elle déjà un enfant ou deux ? Une grosse boule de tristesse lui encombre la gorge et embue son regard. Cécile s'ennuie. Les lettres, qui parviennent pourtant régulièrement de la Beauce, ne suffisent plus à rassurer son cœur, à désaltérer sa grande soif d'affection. En elle surgit l'envie impétueuse de tous les revoir, ses nombreux frères et sœurs, son père et les parents de Jérôme. Elle a surtout le besoin irrésistible de serrer tout contre elle son petit frère Gabriel. Cet enfant qui a bouleversé sa vie et l'a amenée à prendre de cruelles décisions. S'il n'avait pas été là, ce petit bout d'homme, jamais Jérôme ne se serait enrôlé dans l'armée. Mais sa mère, morte en couches, le lui avait confié et Cécile ne pouvait se résoudre à l'abandonner. C'est pour lui, ce petit frère né beaucoup trop tôt et qu'elle allaitait secrètement comme s'il était le sien, c'est par amour pour cet enfant que Cécile avait choisi de rester chez son père au lieu de se marier avec Jérôme et tenter de retrouver leur fille comme ils en avaient convenu.

Le petit Gabriel avait pris toute la place laissée vacante dans le cœur de Cécile quand elle était retournée dans sa famille, abandonnant sa petite fille derrière elle. Laissant à la ville, où elle avait caché sa grossesse, une enfant qu'elle aimait plus que sa propre vie. Juliette, qu'elle l'appelait... Mais à la seconde où le médecin avait mis Gabriel dans ses bras, l'esprit de Cécile avait basculé. C'est ce petit visage qui avait parlé à son cœur. Lui et nul autre. Dans la tête de Cécile, Gabriel, le petit frère, et Juliette, la petite fille, se sont aussitôt confondus. Brusquement, la jeune femme ne voyait que lui, ce bébé minuscule et si dépendant...

Pendant que, incapable de retenir les larmes qui se sont mises à couler sur ses joues, Cécile s'enfonce dans la douleur des souvenirs, la cloche de la chapelle du couvent se met à carillonner gaiement. Presque aussitôt suivie par celle, beaucoup plus forte et grave, de l'église du Saint-Sacrement. D'un gong, elles éteignent l'écran des souvenirs. Cécile sursaute violemment. Essuyant rapidement son visage, elle se précipite vers le couloir à l'instant même où sœur Sainte-Monique, aussi souriante qu'excitée, arrive en courant pour la rejoindre. Elles butent l'une contre l'autre. Cécile n'a pas le temps de demander le pourquoi de cette agitation que, déjà, la religieuse, tremblante de joie contenue, lui prend les mains avec affection et s'empresse de la renseigner.

— Mademoiselle Veilleux! C'est merveilleux... La guerre est finie! La guerre est finie... Vous... vous êtes en congé jusqu'à demain. Excusez-moi, mais je dois me rendre à l'infirmerie pour rassurer mes consœurs. À demain...

Et, se retournant aussi vite qu'elle était apparue aux yeux de Cécile, elle lance:

— Oh! sœur Saint-Judes, attendez-moi... Êtes-vous au courant? La guerre est finie!

Et, dans le froufroutement de leur longue robe noire, les deux religieuses disparaissent au coin du corridor, devisant joyeusement et s'exclamant. Interdite, Cécile reste un instant immobile. Comme si les mots entendus n'arrivaient pas à faire leur chemin jusqu'à son cœur. Finie… La guerre est finie. La phrase qu'elle attend depuis un an. Qu'elle appelle du plus profond de sa solitude, le soir, quand elle pleure sur sa vie déchirée. Elle s'était toujours imaginé qu'elle sauterait de joie à cette annonce. Pourtant, elle n'arrive pas à se réjouir. Comme si elle se devait de rester sur la défensive. D'un coup, tous les espoirs soigneusement entretenus au fil des mois s'estompent derrière une angoisse presque palpable… Et s'il ne revenait pas ? À peine un instant, quatre mots en apparence inoffensifs et pleins de joie, et voilà brusquement que l'attente devient insoutenable devant la brièveté de l'échéance. C'est bientôt qu'elle saura vraiment… Elle a tellement peur de savoir maintenant ! Comme elle a toujours eu peur de savoir, finalement… Les mains tremblantes, elle réunit ses affaires éparpillées sur le pupitre et les enfouit machinalement dans son cartable. Elle n'a en tête qu'un seul désir : rejoindre au plus vite sa tante Gisèle. Confier l'inquiétude frémissante qui lui fouille le ventre et fait débattre son cœur à l'unique personne susceptible de comprendre son désarroi… La tête à des milles de Québec, survolant en pensée une plage au bout du monde, Cécile grimpe dans l'autobus. Elle n'arrive pas à contrôler le frémissement de ses mains, de son corps tout entier. Ce n'est qu'une fois arrivée devant la demeure de son oncle, lieu de tendresse et d'affection, que Cécile réussit enfin à se calmer un tant soit peu. Prenant alors une profonde inspiration, elle attaque le long escalier intérieur. Une marche à la fois, lentement, comme si chaque pas lui coûtait. Toute la famille Breton est déjà réunie au salon, écoutant religieusement la voix lointaine du premier ministre confirmant l'heureuse nouvelle. En entendant les pas de Cécile dans le couloir, Gisèle se relève et vient à elle.

— Ma poulette ! Te rends-tu compte ? Enfin, le cauchemar est fini... Viens, viens t'assire avec nous autres... Mais qu'essé que t'as, coudon ? T'es ben blême, ma belle.

C'est en prononçant ces derniers mots que Gisèle devine le bouleversement de Cécile. Brusque, aussi vive de parole que de geste, la tante Gisèle n'en demeure pas moins une femme de cœur. Une femme pour qui les émotions ont une grande importance dans la vie. Même celle de tous les jours... Prenant alors sa nièce par le bras, elle la conduit jusqu'au divan l'obligeant à s'asseoir entre ses deux fils, Raoul et Fernand, qui n'osent intervenir devant l'évidente tristesse de leur cousine. Puis, sans autre formalité, Gisèle s'installe à même le plancher, devant Cécile, les mains posées sur ses genoux tremblants.

— C'est aujourd'hui que ton attente vient de changer d'allure, hein ma belle ? Faut pas t'en faire avec ça, ma Cécile. C'était ben évident que ça allait arriver un jour ou l'autre. Y a toujours un boutte à chaque espérance pis à chaque misère.

Tapotant les cuisses de Cécile d'une main sèche qui se veut malgré tout maternelle, Gisèle enchaîne :

— Mais j'te comprends, ma belle. J'comprends toute c'que tu dois ressentir en dedans de toi... C'est pas facile, je l'sais ben, de vivre dans l'incertitude comme tu l'fais depuis un an. Mais ça achève, tu vas voir.

Sortant de son mutisme, Cécile pose sur sa tante un regard à la fois étrangement vide et fiévreux.

— Mais s'il revenait pas, ma tante ?

Gisèle retient un soupir de soulagement. C'est la première fois que Cécile ose parler ainsi. À chaque occasion où, toutes deux, elles s'entretenaient du jeune fiancé disparu, Cécile refusait obstinément d'envisager autre chose que son retour. S'emportant même, elle naturellement si douce, devant l'entêtement de sa tante qui persistait à la mettre en garde contre son espérance aveugle. Oui, Gisèle est soulagée. Et, en ce moment, la voix qui répond à la jeune femme se module d'une douceur insolite dans la bouche de l'autoritaire Gisèle. Ne l'aime-t-elle pas comme sa propre fille ? Ne souffre-t-elle pas devant ses larmes ?

— Pôv'tite fille… Si Jérôme revient pas, ça sera juste que c'était là son destin à lui. C'est pas toi ou personne d'autre qui peut y changer quetchose… Je l'sais ben, va, que tu t'imagines que toute est de ta faute. J'ai les yeux clairs, Cécile. Mais faut pas que tu penses de même, ma belle. Y a rien de vrai dans ça. T'as faite ce que ton cœur pis ta conscience te disaient de faire. Un point c'est toute. Y a personne qui peut te reprocher ça. Pis toi non plus, y faudrait pas que tu te fasses des blâmes.

Les paroles de Gisèle rejoignent si bien ce que pense Cécile ! Les larmes lui viennent aussitôt aux yeux.

— Mais si on s'étaient mariés, Jérôme pis moi, on en serait…

Gisèle l'interrompt d'un geste de la main.

— Pis si Gabriel était mort à cause de ça, hein ? Tu viendras pas me dire que tu t'en serais pas voulue. Voyons donc, Cécile, c'est pas de même que ça marche dans la vie… T'as faite pour le mieux… Pis Jérôme avec… Anyway, c'est pas toi qui as pris la décision de partir pour les vieux-pays. C'est Jérôme tu seul qui a choisi. C'est pas un reproche que j'y fais, comprends-moi dans le bon sens, Cécile. Ben au contraire ! C'que j'en dis, c'est juste que ton fiancé était un homme de devoir. Y'a faite c'que sa conscience y dictait de faire. Exactement comme toi. Garde toujours ça dans ton cœur, ma belle. Quoi qu'il arrive...

Pendant un instant, Cécile reste silencieuse, fermant les yeux sur les ambivalences que le discours de Gisèle a fait naître en son cœur. Et là, devant elle, se précise l'image d'un grand jeune homme, souriant sous ses boucles noires. Jérôme... Beau, si beau dans son uniforme militaire. Une crampe lui traverse le ventre. Il lui manque tant ! Ce vide en elle, dans toute sa vie... Comme si elle ne parlait à personne, Cécile laisse tomber dans un souffle, sans ouvrir les yeux :

— Mais qu'est-ce que j'vais devenir, moi, sans lui ?

Repoussant d'une main énergique son fils Fernand, Gisèle vient s'asseoir tout contre Cécile et lui entoure les épaules d'un bras protecteur.

— Ça sera à toi de décider, ma poulette. Juste à toi. Y a pas personne sur terre qui peut choisir à ta place... Pas personne...Je te l'ai déjà dit, Cécile. Pour les choses importantes, c'est au fond de soi qu'on peut trouver une réponse. Pas ailleurs...

Alors, se redressant, Cécile ouvre les yeux. Elle pose un regard douloureux sur sa tante avant de murmurer d'une voix sourde :

— Ben, je suis pas sûre que mon cœur sait me dicter les bonnes choses à faire... Je suis pas certaine du tout que j'aurais dû l'écouter, il y a deux ans. Non, pas certaine du tout...

En l'entendant parler de la sorte, Gisèle comprend surtout qu'un compromis est en train de naître dans le cœur de Cécile. L'attente se fait raisonnable. Sans répondre, elle prend la tête de la jeune fille pour la poser sur son épaule et se met à la bercer tout doucement, comme elle l'aurait fait avec un enfant qui a mal...

* * *

Partout, dans la ville, l'allégresse est grande. Les cloches sonnent et les sirènes hurlent. Les écoles et les bureaux ont fermé leurs portes jusqu'au lendemain. Les rues fourmillent de gens souriants qui s'apostrophent en riant. Les écoliers sortent des classes en se bousculant.

— V'nez-vous-en chez nous ! On va fêter ça ensemble, les filles, lance Denise Lavoie, une belle grande jeune fille de quinze ans. Chus sûre que maman nous a faite une surprise pour célébrer ça.

Les trois inséparables, Denise, Rolande et Ginette, reviennent ensemble de l'école, comme elles le font chaque jour, beau temps mauvais temps. Rolande, aujourd'hui plus petite et beaucoup moins jolie que ses compagnes, se hâte d'approuver.

— Oké. C'est toujours le fun d'aller chez vous. Ta mère, c'est pas une mère comme les autres. On dirait... on dirait qu'a' l'a le même âge que nous autres... Donne-moé deux menutes pour me changer, pis j'arrive. À tusuite...

Chez elle aussi, la famille est réunie pour entendre le premier ministre à la radio. Mais, à la cuisine, cette fois. Sa mère, habituellement taciturne, affiche un large sourire.

— Rolande ! C'est-y une bonne nouvelle, ça, à matin ? Les sœurs avec vous ont donné congé ?

— Bonjour, moman. Ben oui, les sœurs ont décidé que ça valait la peine de fermer l'école pour le reste de la journée. Pis vous, allez-vous à l'arsenal aujourd'hui ?

— J'croirais que oui… Entécas, j'ai pas eu de call me disant que c'était fermé…

Et délaissant, pour un instant, le poste de radio vert pomme qui trône royalement au centre de la table, Janine Comeau lance un regard de fierté sur la grosse boîte noire qui jure outrageusement sur le mur fleuri jaune de la cuisine.

— C'est-i l'fun d'avoir un téléphone dans maison, hein Rolande ?

L'adolescente n'a pas le temps de faire remarquer à sa mère que le téléphone ne change pas grand-chose à sa vie, Janine Comeau interdisant formellement à ses trois enfants de l'utiliser, persuadée que l'usure croît avec l'usage. Une ombre paraît dans la porte moustiquaire et une voix forte lance joyeusement :

— Salut la compagnie !

Maurice Comeau vient d'arriver à son tour, balançant sa boîte à lunch d'une main nonchalante. Il entre d'un pas incertain.

— Pis, les enfants, l'école est fermée ?

Sans vraiment attendre une réponse qu'il connaît déjà, il fait un pas de plus pour venir lancer sa boîte en fer-blanc sur la table. Puis, il se retourne et, hésitant à peine un moment, tend la main pour venir ébouriffer les cheveux de sa fille. Cela fait combien de temps, au juste, qu'il n'a pas posé ce geste ? Allant même jusqu'à ignorer la présence de Rolande, à l'occasion. La gamine ne peut réprimer un frisson. La voix trop haut perchée de son père la ramène brusquement deux ans en arrière, à l'époque où Maurice Comeau passait tous les jeudis soirs à la taverne du quartier avec ses amis. Et cette main qui s'attarde sur sa tête, lourde, si lourde tout d'un coup… Elle lui rappelle l'horreur de certains soirs où son père, complètement ivre, lui montrait à quel point il l'aimait... D'un bond, elle se soustrait à la caresse insistante sur ses boucles sombres et s'élance vers l'escalier.

— Moman, j'vas me changer pis j'm'en vas chez Denise. A' nous a invitées à dîner, Ginette pis moé. J'peux-tu y aller ?

— Pas de trouble, ma fille...

Janine a tout juste pris conscience de ce que Rolande lui demandait, la voix légèrement confuse de son mari la ramenant, elle aussi, quelques années en arrière... Alors, se retournant, Janine s'approche de Maurice, les sourcils froncés sur son regard suspicieux, le nez pointé à l'avant, les narines dilatées.

— Ma parole, t'as bu, toé... Me semblait que t'avais juré de pus jamais mettre les pieds à taverne ?

Un courant électrique traverse la cuisine, picossant Maurice au passage, l'enveloppant d'un inconfort soudain. Pourtant, malgré le fait qu'il soit habituellement colérique quand il a bu, il prend le parti d'en rire.

— Ben voyons donc, Janine ! C'est pas la fin d'la guerre, toués jours. Tu vas pas me reprocher quèques bières avec mes chums ?

Janine a un profond soupir. Elle sait bien que ce ne sont pas quelques bières qui font mal au commun des mortels. Mais avec ce qui s'est passé, il y a quelques années, elle ne peut plus avoir confiance en lui... Elle n'a jamais su si ce que Rolande affirmait était vrai, mais tout au fond d'elle-même, le doute subsiste, enraciné pour toujours dans son cœur de mère. Alors, pour ne pas prendre de risques inutiles, elle avait donc exigé que Maurice ne mette plus jamais les pieds à la taverne. Et il avait accepté. Lui promettant de ne plus boire. Devant la bonne volonté évidente de son mari, Janine avait même pensé que Rolande avait raison. À peine une cabriole des émotions. Oui, peut-être bien, après tout, que Rolande a dit la vérité… Puis elle s'était dépêché d'oublier le drame. Incapable d'y souscrire complètement, sa fierté de femme y puisant un malaise certain. C'est pourquoi elle n'avait jamais poussé plus loin son questionnement et avait préféré conjurer le mauvais sort qui semblait s'être abattu sur sa famille en se disant que tant que Maurice ne boirait pas…. Et la vie avait continué. Quand Rolande était revenue de la crèche où elle avait vécu sa grossesse, Janine avait décidé de passer l'éponge. Jusqu'à ce matin, donc, les jours s'écoulaient normalement dans la demeure de Maurice Comeau. À jeun, il est un bon père, un gentil mari. Meilleur, en fait, que bien des hommes du quartier. Et, devant ce nouvel ordre des choses, avec le temps, même Rolande semblait avoir oublié.

Janine ne peut retenir un second soupir. Allons-nous donc tout recommencer ? Une disgrâce comme celle qu'ils ont vécue, que Maurice soit coupable ou non, c'est suffisant pour toute une vie. Mais alors qu'elle s'apprête à donner son opinion à son mari, celui-ci la devance. Ce n'est que lorsqu'il a bu que son impatience naturelle devient violence. Et, devant le silence persistant de sa femme, il comprend que son geste n'est pas accepté. « Sacrament, pense-t-il choqué, faudrait quand même pas exagérer. » Il vient de perdre subitement le peu de tolérance qui persistait en lui. Il n'aime pas qu'on le contredise. C'est pourquoi, devant la mine butée de sa femme, il lui lance à la figure, incapable de se contenir plus longtemps :

— Si c'est toute c'que t'as de beau à m'dire à matin, j'm'en vas y retourner, à taverne… Y a toujours un boutte à s'faire écœurer de même. Pis c'est pas toé qui vas m'en empêcher. T'as-tu ben compris, Janine ?

Jacques et Rémy, les jeunes frères de Rolande, assis à un bout de la table, se tiennent silencieusement la main. Avec, au creux du ventre, une curieuse crampe, en pensant qu'il va revenir plus tard, encore plus soûl... Personne, dans la famille, n'aime que Maurice aille à la taverne.

Quand il revient enfin, sur le coup de quatre heures, Janine est partie pour le travail. Les trois enfants sont à la cuisine en train de se faire des sandwiches pour le souper. Au moment de quitter la maison, Janine avait eu un instant d'hésitation. Rolande venait de rentrer de chez Denise et s'apprêtait à monter à sa chambre. Résolument, Janine était revenue sur ses pas et, prenant Rolande par l'épaule pour la retenir, l'avait obligée à la regarder droit dans les yeux avant de lui dire :

— Y fait beau, aujourd'hui. Fait que, après souper, tu iras au parc avec tes frères. Moé, je reviens vers onze heures. Pis j'vous donne la permission d'écouter le radio jusqu'à temps que je revienne. C'est pas un jour ordinaire... C'est ça que tu diras à ton père, si y pose des questions. C'est moé qui vous a donné la permission de veiller, tous les trois ensemble.

Pourtant, malgré cela, en entendant la porte claquer dans son dos, Rolande sursaute. Mais personne ne semble s'en apercevoir. Surtout pas Maurice, qui se laisse tenter par la première chaise venue.

— Sacrament qu'y fait chaud, icitte ! C'est fin, les jeunes, d'être là pour attendre vot' père... Popa aime pas ça quand y a parsonne qui l'attend...

Cette dernière phrase, en apparence inoffensive, fait trembler la jeune fille. C'est toujours ce qu'il lui disait, quand il venait la rejoindre dans sa chambre... « Popa aime pas ça quand y a parsonne qui l'attend... » Il lui semble brusquement qu'à eux seuls, ces quelques mots résument les longs mois de terreur, de douleur et de désespoir qu'elle a vécus. Comme si le temps venait subitement de s'effacer et que rien n'était changé... Sans dire un mot, elle se hâte de mettre les tartines dans une assiette, qu'elle dépose sur la table. Puis, se retournant pour prendre le pot de jus, elle vient s'asseoir entre ses deux frères, le plus loin possible de son père. Pourtant Maurice, compte tenu de son état, vogue à des lieux d'ici, insouciant de la présence de ses enfants. La tête embrouillée et l'estomac barbouillé, il ne pense qu'à la douceur de son lit. En baillant, il échappe un rot gras qui empeste l'alcool. Rolande se fait toute petite sur sa chaise. Pourtant, contre toute espérance, son père semble de bonne humeur. Il fait un clin d'œil à ses enfants, en se grattant vigoureusement le crâne. Et ceux-ci ne peuvent réprimer un sourire. En cet instant, il est un peu à l'image de l'homme qui faisait rire les trois gamins quand il avait un peu trop bu. Oui, quand Rolande était toute petite, son père était drôle quand il prenait quelques bières. C'est beaucoup plus tard que la violence avait remplacé sa bonne humeur exagérée. Quand Rolande avait vieilli et n'était plus tout à fait une enfant. Mais, en ce moment, il semble bien qu'il n'y a que Rolande qui se souvienne... On dirait que chez Maurice, un blocage de l'esprit et du souvenir l'empêche de revenir dans le temps. À le voir agir, on pourrait jurer que ces mois d'horreur n'ont jamais existé. Depuis qu'elle est revenue de la crèche, après la naissance de son fils, à aucun moment Rolande n'a eu le moindre reproche à faire à son père. Nulle allusion, aucun geste. Comme si tout cela n'avait été qu'un cauchemar dans l'esprit d'une petite fille émotive. Bâillant à nouveau, Maurice refait un clin d'œil et grommelle en se relevant :

— J'pense que j'vas aller me coucher. Chus fatigué sans bon sens... Pas d'folies, les jeunes...

Chancelant, il repousse sa chaise et se dirige vers l'escalier. Dormir ! Il ne pense qu'à dormir. Cependant, avant de quitter la cuisine, un instant d'incertitude traverse l'esprit vacillant de Maurice. En lui vient de monter un manque à combler. Comme un rappel d'une autre époque. Un vertige lointain enfoui dans quelque repli obscur de sa mémoire, quelque chose dont il n'arrive pas tout à fait à se rappeler... Sans même le décider, il se retourne pour fixer Rolande. Elle est debout, face à l'évier, et lui tourne le dos. Son regard flou s'attache à sa nuque, descend le long de son dos, file sur ses jambes fines. Rien... Il ne se passe rien, ni dans le cœur, ni dans le corps de Maurice. Tout cela n'était qu'un mauvais rêve, finalement... Et son esprit chavirant pousse même la confusion jusqu'à lui souffler qu'il n'était rien arrivé entre sa fille et lui. Ce n'était qu'une histoire de bonnes femmes, tout ça... Il monte donc à l'étage des chambres, le pied lourd mais le cœur léger. Plus rien, dorénavant, ne l'empêchera de retourner à la taverne avec ses chums. Non, vraiment plus rien... Révolu le temps des excuses et des inventions toutes plus saugrenues les unes que les autres pour s'excuser auprès de ses amis ! Janine n'a qu'à se bien tenir. Ce n'est sûrement pas elle qui va venir lui mettre des bâtons dans les roues. Le carême de Maurice Comeau vient de finir, en même temps que la guerre...

2

Voilà plus d'un mois que la guerre est terminée. Il n'y a pas une seule journée, depuis deux semaines, sans que la gare ne déverse son lot de jeunes soldats revenant de l'enfer. Et, peu à peu, la vie reprend son cours normal dans plusieurs familles. Incapable de rester en place, Cécile dirige sa promenade du soir vers la gare du Palais, à l'heure où, habituellement, le train en provenance d'Halifax fait son entrée. Le cœur tremblant, se tordant les mains d'impatience et d'inquiétude, elle arpente le quai de la gare. En vain... Jour après jour, des dizaines de jeunes hommes s'échappent des wagons. Heureux et souriants, certes, mais avec le regard grave. Malheureusement, Jérôme n'est jamais du voyage. Cécile regarde passer devant elle tous ces beaux garçons tenant une femme ou une mère à leur bras. Elle voudrait tant les arrêter, leur demander s'ils ne connaissent pas Jérôme Cliche, s'ils ne l'ont pas vu... Invariablement, elle rebrousse chemin, sans jamais oser leur parler, la tête basse et le cœur meurtri. Pourtant, tout au fond d'elle-même, Cécile est persuadée qu'un jour elle va le revoir. Au plus profond de son âme, l'espoir est tenace. Comme un instinct animal qui rejette toute abdication. Même devant ce qui semble bien être la réalité... Cependant, au fil des soirées qui s'effacent, l'évidence d'un retour est de plus en plus improbable. Alors, au même rythme, l'enthousiasme de Cécile se dilue. Malgré l'opiniâtreté de sa conviction, après deux semaines de ce manège, Cécile baisse les bras. Elle est épuisée. L'ambivalence de ses émotions a fini par venir à bout de sa volonté. Et en ce moment, c'est à pas lents qu'elle refait la route remontant à la haute ville. Devant sa quête stérile, à chaque jour répétée, elle a décidé que ce soir serait le dernier.

— Ma tante, je pense que je vais continuer mes vacances chez papa.

Cécile vient d'entrer dans la maison de sa tante. Abattue, les cheveux collés à son front par la sueur. L'air est lourd d'une canicule qui refuse de battre en retraite. Avant tout fille de la campagne, Cécile n'éprouve plus le moindre réconfort à se rendre à la gare tous les soirs. Il manque d'air à la ville. Tout lui semble poussiéreux, aride… Elle n'aspire plus, maintenant, qu'à un peu de fraîcheur. Entendre à nouveau le chant des hirondelles contre la grange, plonger dans la rivière quand le soleil se fait impitoyable. Brusquement, la Beauce lui manque. Levant les yeux de sa revue, Gisèle lui adresse un large sourire.

— Bonne idée, ça, ma belle. Chus sûre qu'Eugène va être ben aise de te revoir. C'est long, pour un père, un an sans voir sa fille. Si tu veux, m'en vas aller te mener à l'autobus demain midi.

Bien plus que l'ennui de son frère Eugène, c'est la morosité de Cécile qui inquiète Gisèle. Depuis que les cours ont cessé, la jeune fille tourne en rond, inlassablement, entre la visite matinale du facteur et sa randonnée quotidienne à la gare. Même les âmes les mieux intentionnées ne peuvent résister à un tel régime. Plus que tout, Gisèle désire que Cécile se change les idées. Il lui faut se replonger dans ce qui était son monde, si elle veut un jour guérir de cette attente maladive. De cela, Gisèle est convaincue. Renouer avec ses racines, faire le point, apprivoiser la vie qui se présente à elle. Et, comme la tante Gisèle n'aime pas voir les choses traîner en longueur…

— Envoye, Cécile ! Monte au grenier pour chercher ta valise. Si t'es pour partir, aussi ben profiter de ce que le temps est au beau pour faire le voyage.

Et, se relevant, elle vient jusqu'à la jeune femme qui n'a pas encore bougé, pose une main sur son bras.

— Ça va te faire du bien, ma belle, de retrouver les tiens. On a beau t'aimer comme une fille, Poléon pis moi, j'sais ben, va, que c'est pas pareil… Pis, on a rien qu'à te regarder pour voir que l'air de la campagne te manque. T'es pâle à faire peur… Allez, ouste ! Monte en haut !

Donnant l'exemple, elle se précipite dans le couloir, en lançant derrière elle :

— M'en vas aller chercher ce qui est à toi sur la corde à linge, pis j'te rejoins dans ta chambre…

Eugène Veilleux a accueilli sa fille à bras ouverts. Depuis la mort de sa femme, l'homme taciturne et autoritaire qu'il était a changé du tout au tout. La perte de Jeanne lui a fait comprendre que la vie passe beaucoup trop vite. En réalité, bien plus vite que tout ce qu'il aurait pu imaginer… Alors, il a compris aussi qu'il doit en profiter avant qu'il ne soit trop tard. Peu à peu, au contact de ses enfants, en particulier du petit Gabriel, il a appris à se laisser conquérir. Il a consenti à révéler ses sentiments, à partager autre chose que le pain quotidien avec cette famille qu'il aime plus que tout. Ses enfants. Ceux de Jeanne, aussi. Et c'est surtout pour elle qu'il a changé, Eugène. Pour continuer de lui montrer son amour à travers la famille qu'ils avaient faite à deux. Pour être, maintenant, à la fois le père et la mère… Aussi, quand il a vu la silhouette de sa fille aînée dans la porte de la cuisine, il s'est élancé vers elle.

— Bonté divine ! Cécile ! Hé, Louisa, viens voir qui c'est qui est là... Mais rentre, Cécile. Viens icitte que je t'embrasse...

Ouvrant bien grand les bras, Eugène recueille, tout contre lui, celle qui a permis à l'homme démoli qu'il était de reprendre pied quand sa Jeanne est décédée, il y a maintenant plus de deux ans. C'est beaucoup grâce à Cécile si sa vie a eu droit au second souffle. Avec tendresse, il la tient bien serrée entre ses bras quand, soudain, il s'aperçoit que la jeune femme s'est mise à pleurer. Alors, d'une main malhabile, il se met à lui frotter le dos. Comme Cécile, elle-même, lui a appris à le faire avec le petit Gabriel, bébé, quand il avait le hoquet. Sa lourde main de cultivateur se fait douceur pour calmer les sanglots de sa fille.

— Ben voyons donc, Cécile. Qu'est-ce que c'est que ce gros chagrin ? T'ennuyais-tu de nous autres à ce point-là, ma fille ?

Mais Cécile est incapable de répondre. La chaleur de son père a fait renaître en elle tant de souvenirs ! Ce bras d'homme, lourd et chaud, autour de ses épaules. Cet amour qu'elle sait de lui et celui de Jérôme qui lui est désormais refusé... La contradiction de ses sentiments les plus intimes a finalement le dessus sur le courage de Cécile. C'est une grande partie de sa vie qu'elle déverse ainsi sur l'épaule de son père. Toutes les déceptions, les espoirs les plus insensés, les craintes douloureuses qui ont marqué sa vie depuis quelques années... Subitement, aussi brutale que la foudre frappant l'arbre isolé, Cécile a compris, en mettant le pied dans la cuisine de son enfance, que, dorénavant, plus rien ne serait pareil à ses rêves. Il lui faudra faire le vide en elle et autour d'elle pour arriver à s'en sortir. Vivre le deuil de sa vie pour renaître enfin à l'avenir. Savoir reconnaître où est sa place. Et, surtout, l'accepter.

Peu à peu, les larmes tarissent. En reniflant, Cécile s'écarte de son père. Lui fait un pauvre petit sourire sans joie.

— Excusez-moi papa. C'est pas exactement comme ça que j'aurais...

— Chut! Dis rien Cécile. Je comprends ce que tu vis. Moi avec, j'ai passé par là. Pis y a pas ben ben longtemps de ça... Viens... viens t'assire, ma fille.

Et quand Eugène lui désigne la berceuse de Jeanne pour s'asseoir, Cécile comprend que le temps qui passe n'efface pas tout. Ici, elle a gardé sa place. C'est avec un long soupir qu'elle s'installe auprès du gros poêle éteint. Au même instant, Louisa, sa sœur, paraît dans l'escalier. Reconnaissant Cécile, elle dévale les marches à toute allure.

— Cécile! Tu parles d'une belle visite! T'aurais dû nous prévenir...

Dans les bras de la jeune fille, un gamin de deux ans regarde la visiteuse, les sourcils froncés. Le bébé dont Cécile gardait souvenir est maintenant un petit homme bien solide. Gêné, il enfouit son visage dans le cou de Louisa. Mais dès qu'il entend la voix de son père, il relève la tête.

— Viens icitte, Gabriel. Papa veut te parler.

Visiblement, un lien particulier unit ces deux êtres. Aussitôt, le bambin se met à gigoter comme un petit diable pour échapper à l'étreinte de Louisa et, sans perdre un instant, il court rejoindre Eugène. Le regard qu'il lance à son père est plus éloquent qu'un long poème d'amour. Doucement, Eugène place sa main sur la petite tête blonde qui lui arrive à peine aux genoux.

— Gabriel, là, dans la chaise berçante, c'est Cécile. Ta grande sœur Cécile.

Mais, pour un enfant de cet âge, les mots d'Eugène ne veulent pas dire grand-chose. Intimidé devant une dame qu'il ne connaît pas, il se contente de lui jeter un regard en biais, à demi caché derrière le pantalon de son père. Comprenant alors ce que doit ressentir Cécile devant ce petit frère qu'elle aime comme un fils, Eugène plie les genoux et vient placer sa tête à la hauteur de celle de Gabriel. Le prenant tendrement par les épaules, Eugène plonge son regard dans celui de l'enfant. Cécile est peut-être bien sa grande sœur, tout comme Louisa ou Béatrice, mais Eugène sait qu'il doit être juste envers sa fille aînée. Cécile, c'est beaucoup plus que cela dans la vie de Gabriel...

— Gabriel, elle, c'est maman Cécile...

— Maman ?

— Oui, Gabriel. Maman Cécile... C'est elle qui s'occupait de toi quand t'étais un tout petit bébé.

— Gabriel bébé ?

— Oui, mon bonhomme. C'est maman Cécile qui a pris soin de bébé Gabriel. Va, mon grand. Va lui dire bonjour. Ça va sûrement lui faire plaisir.

Jamais Eugène n'a utilisé le mot « maman » en parlant de Cécile. À aucun moment, jamais. Quelle est l'intuition qui lui suggère cette expression, à cet instant précis, alors que Cécile en a tant besoin ? Quel curieux hasard lui fait employer exactement les mêmes mots, destinés à son petit frère dans l'intimité de sa chambre quand elle l'allaitait ? La jeune femme en a les larmes aux yeux... Pendant ce temps, hésitant entre sa crainte d'une inconnue et le désir de plaire à son père, le petit garçon avance lentement vers Cécile. À son tour, celle-ci se met à genoux sur le plancher, pour être à sa hauteur. Le regard embué, elle lui tend les bras.

— Bonjour, Gabriel. Tu te rappelles pas de moi ?

Le gamin se contente de hocher la tête, les sourcils froncés. Ne voulant surtout pas l'effaroucher, Cécile ramène les mains sur ses genoux et, tout doucement, se met à fredonner la berceuse du lapin blanc qu'elle lui chantait chaque soir pour l'endormir. Peu à peu, au fil des notes qui glissent de l'un à l'autre, le visage de Gabriel se détend. Dans son cœur, quelque chose de très vague, mais aussi de très doux, lui dit qu'il peut avoir confiance. À la fin du chant, lui offrant un beau sourire, il fait le dernier pas qui les sépare.

Cécile a renoué avec les siens. Le plaisir toujours présent de vivre avec sa famille. Comme un soulagement intense qui guette chacun de ses réveils. La douceur d'un monde prévisible, rassurant, dans l'uniformité des jours. Même si, en un an, tout le monde a bien changé, les liens qui ont toujours uni les enfants Veilleux sont restés les mêmes. Aussi solides, aussi vrais. Il ne manque que Gérard, maintenant âgé de seize ans, pour que son bonheur soit total face à la famille. Entre lui et Cécile, un lien particulier existait. Mais aujourd'hui, apprenti-menuisier, il habite Montréal chez l'oncle Adrien, le frère de son père. Malgré cette absence, comme l'avait espéré Gisèle, Cécile est plus calme. Presque apaisée. Elle retrouve ses rires de jeune femme devant les pitreries de ses frères et sœurs. Et son cœur, persuadé que la vie ne lui réservait que des larmes en partage, se surprend à soupirer de plaisir, parfois même de bonheur, devant le petit Gabriel qui a adopté la jeune femme sans réserve. Du matin au soir, dans la maison ou au jardin, il répète vigoureusement et sur tous les tons « maman Cécile ». Le mot le plus simple qui soit, que tous les enfants du monde gazouillent avant même de savoir parler, lui aussi, maintenant, il peut le dire pour un oui ou pour un non. Et, à chaque fois, Cécile est là pour l'écouter, pour jouer avec lui, pour le prendre dans ses bras. Comme un juste retour des choses. Cette dette que Gabriel lui remet sans le savoir. Ce goût de la vie dans ce qu'elle a de plus pur renaissant dans le cœur de Cécile...

Et les jours filent... L'été bat son plein de soleil et de chaleur. Juillet courtise tous et chacun de ses longues journées. À part la messe du dimanche, Cécile ne quitte jamais la ferme paternelle. Comme à l'abri des intempéries et des malheurs, elle ne se lasse aucunement de regarder vivre sa famille. N'est-elle pas là cette place qu'elle essaie désespérément de trouver ? Que veut dire exactement ce bonheur qui chante en elle quand elle pose les yeux sur Gabriel ? Et cette satisfaction ressentie devant un bon repas préparé pour tous les siens ? Pourquoi chercher plus loin ? Pourquoi s'entêter à découvrir en elle quelque chose qui n'y est peut-être pas ?

Assise à l'ombre d'un pommier chargé de fruits encore verts, Cécile regarde, pensive, les deux lettres que Louisa vient de lui remettre. Elle n'arrive pas à se décider à les lire. Devinant confusément ce qu'elles contiennent. Gisèle, tout comme Rolande, doivent vouloir connaître la date de son retour à la ville. Et, justement, Cécile ne sait plus du tout si elle a envie de retourner à Québec. Pourquoi le ferait-elle ? Pour qui, surtout, le ferait-elle ? En réalité, rien ne l'oblige à poursuivre ses études. Rien ni personne... N'est-elle pas bien, ici, avec sa famille et le petit Gabriel ? Incapable de fournir une réponse catégorique à ses interrogations, Cécile enfouit les lettres dans la poche de son tablier. En fait, pour l'instant, elle n'a pas vraiment l'intention d'en prendre connaissance et, encore moins, d'y répondre. Alors... Fermant les yeux, elle appuie sa tête contre le tronc rugueux et se laisse aller à la joie du chant des oiseaux. Comme ce bruit lui a fait défaut, à la ville ! Comme tout ce qui vit et vibre, ici, creuse un vide inexorable en elle quand elle en est séparée. Le frissonnement du vent sur les feuilles, le meuglement des vaches dans le pâturage, le cri des enfants qui courent dans le verger… Oui, comme tous ces bruits la plongent dans l'essence de ses plus beaux souvenirs ! Mais est-ce suffisant pour occuper un cœur et toute une vie ? Un long soupir soulève les épaules de Cécile. Pourtant, là maintenant, elle aurait envie de dire oui. Elle est épuisée par toutes ces questions qui virevoltent presque sans arrêt dans sa tête. Elle voudrait être capable de rayer les années derrière elle. Ne garder que ce qui est beau et clair… Effacer tout le reste et repartir à zéro. Oh ! oui, si on pouvait tout oublier… Oublier qu'elle a eu une petite fille avec un homme aujourd'hui disparu. Oublier que sa vie aurait dû être tout autre et que Gabriel n'est pas son fils. Oublier la mort de sa mère et la déception de Gisèle et Rolande si elle ne revient pas. Oublier, oublier… S'endormir et ne jamais se réveiller ou, alors, le faire dans la peau d'une autre.

Bercée par la brise, Cécile s'est assoupie. Elle sursaute quand elle sent une présence à ses côtés. Eugène la regarde en souriant.

— Tu dormais ou tu jonglais, ma fille ?

Sans attendre de réponse, l'homme grisonnant se laisse tomber à côté de Cécile, appuie, à son tour, le dos contre le tronc de l'arbre et étire ses longues jambes en soupirant.

— J'ai pus vingt ans. Je commence à trouver ça pesant, l'ouvrage de ferme… Mais, que veux-tu ? C'est la vie…

Puis, regardant sa fille, il lui fait à nouveau un large sourire. Depuis quelque temps, Eugène sourit de plus en plus souvent. Comme s'il devait, coûte que coûte, rattraper le temps perdu.

— Sais-tu que j't'envie ma Cécile ? Torrieux que j'aimerais ça avoir encore vingt ans !

— Vous m'enviez ?

Cécile échappe un rire.

— Il y a pas de quoi, papa. Vraiment pas... Vous
rendez-vous compte de ce que vous dites ?

Ouvrant ses deux mains, Cécile en regarde les paumes.
Elle les tient devant elle, les bras tendus. Vides. Elles sont
vides, ses mains, désespérément vides... Sa voix n'est qu'un
filet ténu quand elle poursuit, le menton tremblant :

— J'ai rien, papa. J'ai pus rien... La vie m'a tout enlevé.
J'ai peut-être vingt ans, comme vous dites. Mais des fois,
j'ai l'impression d'en avoir cent, tellement je suis fatiguée
d'attendre après la vie. Si... si vous saviez comme je m'ennuie de Jérôme pis de ma petite...

Rouge comme un coquelicot, Cécile se tait brusquement. Jamais il n'a été question de sa petite fille entre elle
et son père. La seule fois où il a abordé le sujet avec elle,
c'est un soir, dans la grange, pour lui faire part de sa décision concernant l'adoption de ce bébé qu'elle attendait.
Mais, rien de plus. À aucun moment, ils n'en ont parlé
depuis son retour de la crèche. Jeanne, sa mère, partageait
son secret. Et Gérard aussi avait tout deviné quand elle était
revenue de la ville. Mais, à sa connaissance, personne
d'autre dans la famille n'est au courant. Et son père ne lui
en avait plus soufflé mot à partir du moment où il avait
décidé pour elle que jamais un enfant illégitime ne viendrait
salir le nom des Veilleux. Même si Jérôme et Cécile étaient
prêts à se marier. Non, jamais Eugène n'avait eu le courage
d'en reparler avec Cécile. Pas un mot. Parce qu'à ce
moment-là il ne voulait pas que sa fille bâtisse sa vie sur
une erreur. Il ne savait pas encore que certaines phrases

peuvent tout éclaircir… Un regret dans sa vie de père. Une douleur quand il repense à cette époque. Mais, voilà… Aujourd'hui, il n'est plus le même homme… La mort de sa femme l'a éveillé à une réalité bien différente de celle qu'il croyait être la bonne. Encore malhabile à jongler avec les mots, il se racle la gorge un moment avant de répondre. Posant sa grande main calleuse sur celle, menue et douce, de Cécile et laissant son regard voguer sur la soie des plants de maïs qui ondulent avec le vent, il reprend là où Cécile s'est interrompue. De sa voix grave, qui autrefois grondait d'autorité et qui, maintenant, gronde de chaleur.

— Ta p'tite fille… Tu peux l'dire, Cécile. Ta mère m'en avait parlé. J'sais même que t'aurais décidé de l'appeler Juliette, si tu l'avais gardée… Ouais, j'sais toute ça. Mais c'est pas le fait de pas l'avoir avec toi ou ben de pus rien savoir de Jérôme qui fait que ta vie est finie…

Brusquement, Eugène voudrait tant aider sa fille ! Réparer l'erreur commise, même si la vie l'a pris au mot et a tout bouleversé. Aujourd'hui, il est conscient qu'il ne peut qu'aimer et tendre la main. Jamais il ne pourra redonner à sa fille ce que le destin lui a enlevé. À cause de lui, en partie. Pourtant, Dieu lui est témoin qu'il ne pensait jamais que… La voix de Cécile, de colère teintée, vient interrompre sa réflexion :

— Ah non ? Pas finie, ma vie ? Vous êtes pas sérieux quand vous dites ça, papa ? Ben voyons donc !

À ces mots, Eugène comprend que les torts causés à sa fille sont encore plus grands que ce qu'il imaginait. À lui, maintenant, de l'encourager. Elle qui a tant fait pour l'aider, quand sa Jeanne est morte.

— Oh ! oui, j'suis sérieux, Cécile. Pis en sacrifice à part de ça ! Oublie pas que moi avec j'ai connu l'enfer, ma p'tite fille. Tu sais pas c'que c'est, toi, de perdre sa femme après vingt ans de vie commune…

— Vingt ou deux ans, qu'est-ce que ça change? C'est pas ça qui fait que j'ai moins mal.

— C'est pas ça que j'veux dire, Cécile. Pas ça pantoute… Batince que c'est dur, par boutte, d'essayer d'expliquer… Pour la douleur, j'suis ben d'accord avec toi, Cécile. Chacun vit ça à sa manière. Pis y a pas une façon de faire qui soit meilleure qu'une autre… C'est ben sûr! Mais viens pas dire que la vie t'a toute enlevé. Ça, c'est pas vrai. T'as encore ta jeunesse pis d'la santé, Cécile. T'as aussi plein d'monde qui t'aime autour de toi. À commencer par nous autres, icitte. Pis y a « ma tante » Gisèle et « mon oncle » Napoléon qui tiennent ben gros à toi. Non, t'as pas l'droit de dire que la vie t'a toute enlevé. T'as pas l'droit… Si moi, à cinquante-quatre ans, j'peux encore dire qu'y me reste ben des belles choses à découvrir, toi, Cécile, tu peux pas croire que toute est fini.

Cécile demeure silencieuse un instant. Puis d'une toute petite voix, elle constate:

— Vous au moins, papa, vous avez des beaux souvenirs en arrière pour vous aider à regarder l'avenir. Mais moi? Qu'est-ce que j'ai, à part des larmes, en arrière de moi? Pas grand-chose. Avec maman, vous avez connu…

— Avec ta mère, ma Cécile, le meilleur était encore à venir… Ça faisait pas ben ben du temps qu'on avait appris à se parler, elle pis moi. Ça fait que, quand tu dis les beaux souvenirs, moi j'ai envie de répondre les regrets. Pis ça, ma fille, j'en ai à plein, tu sauras. Mais ça m'empêchera pas de vouloir vivre. Faut jamais laisser le ver gruger toute la pomme, Cécile. Les regrets, faut que ça serve à quelque chose. Moi, j'ai décidé que ça me servirait à mieux aimer mes enfants. Toi y compris, ma fille.

En entendant son père s'ouvrir à elle de la sorte, Cécile se rappelle ce que sa mère lui avait confié quelque temps avant sa mort. Il est vrai que la vie n'a pas été facile pour ses parents. Un mur de silence se dressait entre eux, menottant l'amour qui existait pourtant, malgré tout, entre Eugène et Jeanne. Et, en y repensant bien, Cécile se dit que l'amour qui l'unissait à Jérôme était peut-être plus limpide. Oui, le souvenir de leur amour restera pour elle quelque chose de merveilleux. Jamais rien ne pourra éteindre la flamme qui brille toujours en elle! Ni le temps qui passe, ni même un autre amour. Mais c'est bien peu pour avoir envie de poursuivre son chemin. Surtout que, pour l'instant, c'est en solitaire qu'elle se voit emprunter la route devant elle. Elle qui avait tracé sa vie avec Jérôme, entourée d'une famille nombreuse... Comment faire, alors, pour puiser le courage d'avancer? Prenant entre ses mains celle de son père, Cécile lui demande, sans oser le regarder:

— Alors dites-moi, papa, comment vous faites, vous, pour encore sourire à la vie? Parce que moi, j'y arrive pas vraiment. Il y a ben juste ici, avec vous tous, que j'arrive à croire que tout est pas fini pour moi. Mais, encore là, j'ai des doutes.

Eugène ne répond pas immédiatement. À son tour, il repense à Jeanne, sa femme, qu'il avait tant aimée malgré les apparences. Que de temps perdu... C'est en soupirant qu'il reprend:

— Faut juste attaquer les journées une après l'autre. Pis demander au bon Dieu de nous donner Sa force. Sans Lui, Cécile, j'sais pas si j'aurais été capable de traverser toute ça. Mais Y m'a pas laissé tomber... Vois-tu, le bon Dieu a permis qu'une certaine Cécile aide un petit Gabriel à vivre.

Pis moi, c'est là que j'ai trouvé une première raison de continuer à m'battre. C'est grâce à toi, Cécile, si ma vie a repris du sens... Astheure, c'est avec toute ma famille que j'ai envie de continuer mon chemin. Le plus longtemps possible...

Cécile retient son souffle. Son père ne vient-il pas de lui donner un espoir, en même temps qu'un beau souvenir ? Il est vrai, malgré tout, qu'il a été beau ce temps où Cécile apprenait à connaître son père à travers l'amour qu'ils ressentaient tous deux pour Gabriel. N'est-ce pas là un signe ?

— Moi aussi, papa, j'aurais envie de vous dire que j'ai le goût de continuer ici, avec vous. Pis avec Gabriel. Les études, je sais pas si c'est aussi important que ça...

Mais, contrairement à ce que croyait Cécile, Eugène ne bondit pas de joie à sa proposition. Il se contente de la regarder longuement avant de répondre. Pour une fois, Eugène a envie de regarder plus loin que le moment présent. Ne penser qu'à Cécile. Obliger son cœur qui vient de bondir à la pensée d'avoir sa fille ici, avec lui, de se tenir sagement dans l'ombre.

— Attention, ma fille. Les études, c'est un peu un cadeau que tu te fais. Pense à ça ben comme faut... Pas sûr, moi, que ta place est icitte. Rappelle-toi ta mère ! Son plus grand rêve, c'était de te voir poursuivre des études.

Cécile reçoit les mots de son père comme une épine de plus en son cœur. Pourquoi lui rappeler son amour pour son petit frère, si c'est pour le lui enlever aussitôt après ? Et puis, qu'importe ce que pensait Jeanne ? C'est de Cécile dont il est question en ce moment. De son avenir à elle. De ses choix et de ses besoins.

— Vous voulez dire que vous voulez pas de moi dans...

— Fais-moi pas dire ce que j'ai pas dit, Cécile, interrompt vivement mais affectueusement Eugène. C'est ben sûr que ta place sera toujours icitte. Mais faut pas que tu regardes juste en arrière si tu veux avancer...

Sur ces derniers mots, Eugène se relève en grimaçant.

— T'es pas obligée de toute décider astheure...

Puis, après quelques pas, il se retourne vers elle.

— M'en vas te demander une faveur, Cécile.

— Laquelle ?

— Avant d'arrêter ton choix, tu vas aller faire un tour chez les parents de Jérôme. Tu...

— Non !

— Pourquoi ? Je comprends pas que tu y soyes pas encore allée. Eux autres avec, y'ont envie de te voir. C'est Gaby qui me le disait encore hier... Fais au moins cet effort-là. Pis après, j'te promets que j'vas respecter ta décision. Promis.

Et, sans rien rajouter, Eugène se dirige vers l'étable. Cécile reste un moment songeuse. Pourquoi lui demander de revoir les parents de Jérôme ? Que pourront-ils changer dans sa vie maintenant ? Incapable de répondre à cette interrogation, Cécile se relève à son tour et revient vers la maison. Avant d'ouvrir la porte, elle hausse cependant les épaules. Comme pour se libérer d'un fardeau. Elle a l'impression de tourner en rond... Son père ne va-t-il pas, encore une fois, prendre la décision à sa place ? En soupirant, elle entre dans la cuisine. Pour l'instant, il y a le dîner à préparer.

Et les jours continuent de filer sans que Cécile se décide à rendre visite aux parents de Jérôme. Une crainte entremêlée de pudeur la retient à chaque matin, quand elle se dit qu'il serait temps d'y aller. L'été commence à donner quelques signes d'essoufflement. La brise est plus fraîche et les ombres plus longues. Août est à deux pas... Deux autres lettres lui sont parvenues de Québec et elles ont aussitôt rejoint les premières, bien rangées dans un coin du tiroir de la commode qu'elle partage avec Louisa. N'est-ce pas Gisèle qui lui a dit qu'elle trouverait une réponse au creux de ses émotions? Alors Cécile refuse de lire les lettres, de peur que l'ennui de Gisèle ou de Rolande ne vienne influencer sa décision. Quand elle choisira de repartir ou de rester, ce sera parce qu'elle aura tranché pour le mieux, selon ses besoins à elle. De plus, elle évite de rester seule avec Eugène. Elle n'a surtout pas besoin qu'il décide de sa vie, comme il l'a fait autrefois.

Finalement, c'est par un moyen détourné qu'elle se hasarde jusque devant la maison des Cliche. En promenant Gabriel dans son carrosse, se répétant que si elle aperçoit quelqu'un elle n'aura d'autre choix que d'arrêter. Mélina, assise sur la galerie, lui fait un large signe du bras, à l'instant où elle paraît en haut de la butte menant à leur demeure. Heureuse et soulagée de voir que Cécile s'est enfin résolue à venir. Cette dernière, surprise de ressentir un tel soulagement devant la tournure des événements, descend la route d'un pas léger et emprunte le large sentier conduisant à la maison blanche et rouge qui hante si souvent le sommeil de ses nuits, tout comme ses rêves éveillés. Mélina s'élance à sa rencontre.

— Cécile! Enfin! Si tu savais comment j'avais peur que tu repartes pour la ville sans venir nous voir.

Devant Mélina, Cécile comprend subitement ce qui l'avait toujours retenue. C'était la crainte de souffrir et de faire mal. À cause de tous ces souvenirs qui les unissent. Les beaux comme les douloureux. Mais, devant le sourire de la mère de Jérôme, ses réticences fondent comme neige au soleil. Cécile se laisse tenter par la douce chaleur de ces deux bras qui se tendent vers elle. Sans dire un mot, elle se blottit tout contre Mélina.

— Ma p'tite Cécile. Si tu savais… Si tu savais…

Mais Cécile sait. Elle devine très bien ce qui peut se passer dans le cœur de Mélina. Si elle, Cécile, a perdu un fiancé, Mélina, c'est son fils unique qu'elle ne reverra probablement plus jamais. Et, sachant ce que représente la perte d'un enfant aimé, Cécile comprend que la douleur de Mélina est au moins aussi forte que la sienne. Sinon plus… Sans chercher à briser le silence qui s'étire entre elles, les deux femmes se laissent aller à la tendresse de ces retrouvailles, l'une comme l'autre. C'est une petite voix colérique qui les rappelle à l'ordre :

— Veux débarquer !

Les deux femmes éclatent de rire en même temps, à travers les larmes qui se sont mises à couler.

— Pauvre Gabriel… On est en train de l'oublier, lui-là. Viens, mon grand, viens voir Mélina.

Sans hésitation, Mélina se penche sur Gabriel et le soulève. Maintenant l'enfant bien calé contre sa hanche et prenant Cécile par la main, elle les entraîne vers sa maison.

— Astheure que t'es là, Cécile, y'est pas question que tu repartes tusuite. Viens t'assire, ma belle. Viens, qu'on jase un brin, comme on le faisait avant.

La conversation reprend entre elles, comme si les deux femmes ne l'avaient interrompue que la veille. Des études de Cécile à la récolte de maïs qui s'en vient, de Gérard installé à Montréal à Gabriel qui grandit, le quotidien de leur vie respective tisse une toile entre elles. Une toile aussi fine que celle de l'araignée, en apparence fragile, qui ne touche que la superficie des choses. Puis, brusquement, un long silence étire son malaise entre Cécile et Mélina. Comme si après avoir épuisé les banalités, elles n'avaient plus rien à se dire. Un peu plus loin, dans l'herbe folle, Gabriel s'amuse à poursuivre un papillon en criant de joie. Devant tant de simplicité heureuse, Cécile ne peut réprimer un long soupir.

— C'est pas facile, hein Cécile ?

Ces quelques mots vont au cœur de la souffrance de Cécile. Sa souffrance devant la disparition de Jérôme, surtout que celle qui la poursuit depuis la conversation avec son père. Son avenir à elle, si fragile dans son obscurité. Comme suspendu à portée de doigts, mais en même temps si précaire...

— C'est pire que tout ce que j'ai pu vivre avant, souffle-t-elle finalement. Pire encore que le jour où Juliette est venue au monde. J'ai tellement l'impression que Jérôme est encore vivant. C'est fort, en moi, Madame Cliche, cet appel que je ressens... Si j'avais de l'argent, je crois que je prendrais le bateau pour traverser en France. Voir cette plage de Normandie, rencontrer les gens qui auraient pu...

Et, devant ce rêve, lui aussi irréalisable, Cécile se tait. Il y a tant et tant de choses qui sont impossibles dans sa vie. Brusquement, elle se demande si cela vaut la peine de continuer. Mélina respecte son silence. Puis de sa voix douce, elle reprend, comme si elle ne parlait qu'à elle-même :

— Qu'est-ce que ça donnerait, d'aller en France ? Je pense que ce serait courir au-devant de plus grandes misères encore.

Puis, se retournant vers Cécile :

— Faut faire confiance à la vie, ma belle. Moi aussi...

— Confiance à la vie ? l'interrompt Cécile. Comment voulez-vous que je lui fasse confiance ? Jusqu'à date, elle m'a laissée tomber plus souvent qu'autrement. Vous...

vous me faites penser à « ma tante » Gisèle. Elle aussi prétend qu'il faut regarder en avant. Pis mon père avec...

— Ils ont raison, Cécile. Même si je viens de passer la pire année de toute ma vie, je te dis que ta tante Gisèle a raison... Cécile, regarde-moi ben dans les yeux... Y a un an, quand on a reçu la lettre de l'armée, Gaby pis moi on pensait vraiment que notre vie venait de finir. Te rends-tu compte de ce que ça signifiait pour nous deux ? On avait eu juste un fils, pis v'là que le bon Dieu avait décidé de le reprendre. Ça n'avait aucun sens ! Pourquoi est-ce qu'on aurait continué, veux-tu ben me le dire ? Qu'est-ce que ça donne de travailler et d'aimer une terre quand on sait qu'elle va mourir en même temps que nous autres ? J'pense ben, Cécile, qu'on a eu droit à une visite en enfer, Gaby pis moi... Pourquoi est-ce qu'on a pas toute laissé tomber ? Je serais ben en peine de te le dire, Cécile. Par habitude, probablement. J'vois pas d'autre chose que ça. L'habitude...

Pendant un moment, l'absence de Jérôme les rejoint toutes les deux. Chacune à sa manière. L'absence qui se fait lourde, presque présence dans le vide qu'elle suscite. Puis Gabriel éclate de rire devant une talle de bleuets et le temps reprend sa dimension normale. Mélina se retourne vers Cécile.

— Oui, c'est l'habitude qui nous a sauvés. À défaut d'autre chose. Pis, alors qu'on s'y attendait pus, la vie nous a rattrapés...

Mélina fait à nouveau une pause. Il y a des mots qui doivent être bien pesés avant d'être dits. Ces choses essentielles qui se doivent de visiter le cœur avant d'être prononcées. Avant d'être confiées comme un trésor. Car, si elle attendait cette visite de Cécile, c'était uniquement pour lui annoncer ce qui fait chanter sa vie. Pour qu'à son tour la jeune femme ose croire que rien n'est perdu. Ni pour elle, ni pour personne. Prenant la main de Cécile, elle ajoute :

— Oui, Cécile, la vie nous a rejoints, Gaby pis moi... À l'hiver, on va avoir un autre enfant... Te rends-tu compte ? Ça fait vingt-deux ans que j'prie comme une perdue sans jamais rien recevoir. Pis me v'là enceinte, à quarante-deux ans... C'est juste ça que j'veux te dire, ma Cécile. Fais confiance à la vie. Regarde en avant de toi, pis en dedans de toi... La réponse à tes questions est juste là, Cécile. Le bon Dieu t'a faite cadeau d'une belle intelligence. Pis ça, c'est pas donné à tout le monde. Ça fait que j'pense que c'est par là que tu dois t'en aller. C'est par là que ta vie à toi doit passer... Le reste viendra ben tu seul. Oublie pas ce que je viens de te dire, Cécile. La vie, c'est ben plus fort que nous autres. Oui, ben plus fort...

3

Assise derrière la cabane à patins du parc, déserte à cette époque de l'année, Rolande regarde le temps passer. Le temps merveilleux d'un bel après-midi d'août qui se fige dans un brouillard de chaleur pour envelopper gens et choses... Et Rolande reste là, le regard immobile, l'esprit tout embrouillé, l'âme aux abois. C'est son refuge, quand elle veut avoir la paix. Quand elle veut prendre le temps de penser sans être dérangée. Le dos appuyé sur le bois dépeinturé, les genoux relevés, elle se ronge les ongles en fixant le vide. Qu'aurait-elle d'autre à fixer, en ce moment, Rolande ? En recevant le courrier, tout à l'heure, et comprenant que Cécile continuait de l'ignorer, Rolande avait naturellement pris la direction du parc. Se sauvant avant que sa mère ne la retienne pour quelque corvée que ce soit. Elle avait à réfléchir... Loin des cris de ses jeunes frères et des lamentations de sa mère. Elle est toujours impatiente, Janine, quand elle sait qu'elle doit travailler le soir.

Mais les idées se refusent à paraître clairement dans l'esprit de Rolande. La peur, celle qu'elle croyait disparue à jamais, cette peur plus forte que tout raisonnement, la possède jusqu'au fond du ventre. « Pourquoi c'est faire que popa a recommencé ? » Il n'y a que cette phrase qui la harcèle jusqu'à lui faire venir les larmes aux yeux. Pourtant, elle en connaît bien la raison. Oh oui ! qu'elle le sait. Elle n'arrête pas de se le répéter depuis un mois. Tout est de sa faute. Bien de sa faute... Elle savait, Rolande, que son père déteste revenir dans une maison silencieuse quand il a fait un détour par la taverne. Pourtant, malgré cela, elle ne l'a pas attendu...

Depuis le fameux jour de la fin de la guerre, Maurice avait repris ses habitudes du jeudi. Une dizaine de bières avec ses chums du quartier, à la taverne, avant de revenir à la maison. À chaque fois qu'il rentrait dans la cuisine, si Rolande était seule, elle tremblait de peur. S'efforçait de garder son calme pour ne pas le contrarier. Mais, invariablement, il se contentait de lui caresser les cheveux. Jamais rien d'autre... Et même quand Janine ne travaillait pas, Maurice s'approchait de Rolande, lui ébouriffait la tête, puis montait se coucher. Alors Rolande avait conclu qu'il était redevenu un père normal. Pourquoi pas? En fait, depuis deux ans, rien ne s'était produit. Et, en plus, que sa mère soit là ou pas ne changeait rien à son attitude. Oui, Rolande croyait sincèrement que son père avait changé. C'est pour cela qu'au mois de juin, en pleine période d'examens, elle était montée se coucher avant son arrivée. Sans vraiment y penser, la tête remplie de ses notes d'histoire et de géographie. C'est ce soir-là qu'un souffle empestant l'alcool l'avait tirée du sommeil. Qu'une voix colérique lui avait reproché son absence.

— Rolande... Pourquoi t'as pas attendu popa?

Et tout avait recommencé comme avant. Ses cheveux qui sentent trop bon, sa peau qui est trop douce... Les mêmes mots qu'il y a deux ans. La même main qui s'attarde sur sa tête et descend le long de sa gorge, pendant que l'autre cherche sous sa robe de nuit. Les mêmes reproches de ne pas l'attendre...

— C'est de ta faute, Rolande. Pourquoi t'es pas restée en bas, aussi ? Pourquoi tu m'as obligé de venir t'embrasser icitte, au lieu de rester dans cuisine. Tu l'sais, Rolande, ça...

Et son père est devenu presque fou, quand sa main a frôlé un sein rond et ferme. Un sein qu'elle n'avait pas encore, il y a deux ans, et que Maurice découvrait avec ravissement. Brusquement, il avait arraché le drap et remonté sa robe de nuit.

— Pis en plus, astheure, t'as un vrai corps de femme.

Les mains de Maurice tremblaient d'excitation, fébriles. Sa voix pâteuse délirait :

— Pourquoi que tu sens si bon, Rolande ? Maudit que t'es belle astheure, ma p'tite chatte. Sois gentille avec popa. Juste une fois... Juste à soir, Rolande... Maudit que ça sent bon dans ta chambre. J'peux pas me retenir. Chus pas capable...

Mais, devant les tremblements convulsifs de sa fille, devant les mains affolées qui tentaient de le repousser et de remonter le drap, la voix s'était faite agressive. La main caressante avait agrippé les cheveux.

— Viens pas jouer à la sainte-nitouche avec moé. Je l'sais que t'aime ça. Toutes les femmes aiment ça... T'es ben comme toutes les autres : tu fais toute pour m'exciter, pis après tu veux pus...

Jamais Maurice Comeau n'avait été aussi brutal avec elle. Utilisant son corps comme celui d'une traînée payée pour donner exactement le plaisir qu'on veut avoir. Comme s'il lui reprochait maintenant d'avoir ce corps de femme qui éveillait ses envies. Comme si à travers la douleur infligée à Rolande, il cherchait à la punir d'être une femme... Alors Rolande n'avait rien dit. À cause de la honte de ce que son père lui avait fait et lui avait demandé de faire. À cause, aussi, de la peur de ce qu'il pourrait lui faire encore. Qu'une lettre envoyée à Cécile pour lui demander de revenir le plus vite possible ou, tout au moins, de lui répondre, « parce que ça va moins bien chez nous. » Rien d'autre. Puis Janine avait pris ses vacances et son père aussi. Tout était rentré dans l'ordre pendant le mois de juillet. Rolande avait pourtant envoyé une seconde lettre. Il lui fallait parler à Cécile avant que sa mère ne reprenne le travail. Mais Cécile n'a toujours pas répondu. C'est pour cela que, cet après-midi, Rolande est venue se cacher en arrière de la cabane. On est jeudi et sa mère travaille ce soir. Et Rolande n'a surtout pas envie de faire face à son père quand il reviendra de la taverne. Qu'elle soit à la cuisine ou dans sa chambre n'a plus la moindre importance. La peur avale toute la vie de Rolande.

Lentement, elle redresse la tête, s'attarde sur ce paysage qu'elle connaît par cœur. Autour d'elle, rien n'a bougé. Depuis deux ans, c'est toujours le même parc, les mêmes balançoires qui grincent, les mêmes cris d'enfants joyeux. Il n'y a qu'elle qui ait changé. Tout doucement, à l'abri des regards indiscrets derrière la cabane, Rolande promène une main impassible sur ses seins, descend sur son ventre, s'attarde sur ses cuisses, remonte puis recouvre son sexe. Indifférente, insensible, comme touchant le corps de quelqu'un d'autre... Puis, un long frisson la ramène à la réalité. Pourquoi n'est-elle pas un garçon ? Mais, à cela, il n'y a pas de réponse. Reprenant sa pause recroquevillée, les genoux relevés entre ses bras, Rolande appuie sa joue contre son épaule. C'est ridicule d'avoir de telles pensées ! Tout est ridicule, finalement. Elle est fille et fille elle restera. Pourquoi s'entêter à poser des questions sans réponse ? Pas plus qu'elle n'a à attendre de solution de la part de Cécile. Pourquoi avoir espéré une lettre ou une visite qui saurait régler son problème? Que pourrait-elle changer à sa vie, Cécile? À part l'écouter et peut-être comprendre... Non, personne ne peut faire quoi que ce soit pour Rolande. Pas même sa mère. Que pourrait-elle faire, Janine? S'enfuir, seule, avec les enfants? Mettre Maurice à la porte? Mais, alors, de quoi vivraient-ils? Et, bien entendu, cela c'est uniquement si Janine accepte de croire sa fille. Rolande se rappelle très bien la réaction de sa mère, il y a deux ans, quand elle a su que sa fille était enceinte. Comment elle s'est transformée en furie quand la gamine a osé murmurer le nom de son père...

Tout d'un coup, Rolande a l'impression de se mesurer à un géant incroyablement plus grand qu'elle. D'être perdue dans une forteresse immense, un labyrinthe dont elle ne trouvera jamais la sortie. Tourner en rond, d'un jeudi à l'autre, en espérant que sa mère soit présente au moment où Maurice reviendra. Sursauter à chaque fois qu'elle entendra le bruit de ses pas sur le gravier de l'entrée... Tout reprendre à la case départ, comme il y a deux ans. Non, Rolande ne veut plus vivre à moitié. Elle ne veut plus attendre, ne veut plus espérer, ne veut plus rien du tout. Que la paix. Que le silence autour d'elle. Et le repos. À quinze ans, Rolande est fatiguée. De son corps de femme, de ses cheveux de bébé qui sentent bon, de ses seins qu'elle n'a pas voulus, de son sexe fait expressément pour recevoir celui de son père. Alors, la question sans réponse lui encombre à nouveau l'esprit, lourde de toute l'injustice du monde. Pourquoi, pourquoi n'est-elle pas un garçon comme Rémy et Jacques? Jamais son père ne s'en est pris à ses frères. Jamais. Alors il doit avoir raison quand il dit que tout est de la faute de Rolande. C'est à cause de ce corps de femme qu'elle n'a pas choisi mais qui est le sien. Non, il n'y a pas de solution et Rolande le sait bien. Elle n'a pas envie de briser la vie de ses deux frères. Et, si elle parle à sa mère, c'est probablement ce qui va se produire. La famille Comeau ne sera plus qu'un lambeau de famille. Que des êtres confrontés à survivre tant bien que mal. Avec tout ce que ça implique. Rolande ne pourra sûrement pas continuer à étudier pour devenir médecin comme elle en rêve. Non... Si elle parle à Janine, Maurice n'aura pas le choix de partir. Rolande devra prendre le chemin de l'usine pour aider sa mère à boucler les fins de mois. Pour finalement se marier dans quelques années, faute de mieux, à un autre homme qui lui fera subir les mêmes outrages que son père. Non, ça jamais! Plus jamais un homme ne mettra la main sur le corps de Rolande. Plus jamais! Alors, que lui reste-t-il, à Rolande, pour s'en sortir? De quel côté se tourner pour trouver une solution? Y a-t-il seulement une solution? Un long sanglot lui gonfle le cœur lorsqu'elle aperçoit, devant elle, la spirale sans fin de la peur revenue. Mais, brusquement, elle entend sa mère répétant à ses frères qu'on trouve toujours une réponse quand on se donne la peine de chercher... Il y a toujours une réponse à tout. Rolande en est convaincue. Alors, les sourcils froncés sur sa réflexion, Rolande pousse un grand soupir. À elle de la trouver, cette solution, puisque c'est elle qui est au cœur de la question. Longuement elle reste immobile, le regard vague. Puis, un triste sourire éclaire brièvement ses traits. Oui, il y a une fin à son problème. Une seule... Pendant un moment, elle reste encore sans bouger, les sourcils toujours froncés comme si elle se devait de ne pas faire d'erreur. Mais l'évidence lui saute maintenant aux yeux. La cause de la situation, c'est elle. Alors le dénouement doit obligatoirement passer par elle... Sans plus chercher, Rolande se relève et revient lentement jusque chez elle. Debout sur le trottoir, elle fait une pause, regarde intensément la maison de briques rouges. Deux larmes coulent doucement sur ses joues. Mais aussitôt qu'elle prend conscience de leur présence, Rolande les essuie d'un geste rageur et, d'un pas décidé, elle se dirige vers l'arrière de sa demeure. Ce soir, quand son père reviendra, le problème sera réglé. Rolande n'aura plus jamais peur, sa mère pourra partir travailler l'esprit tranquille, son père n'aura plus l'occasion de lui faire le moindre reproche et ses deux frères pourront grandir dans une famille normale...

Quand elle entre dans la cuisine, Janine est à préparer le souper que les enfants mangeront plus tard. Sans se retourner, elle lance :

— C'est toé, Rolande ?

Puis, sans attendre de réponse :

— J'ai faite un hachis avec le restant de poulet. T'auras juste à le réchauffer. Vous prendrez des biscuits pour dessert...

Rolande se contente de grogner, en guise de réponse. Mais, alors qu'elle se dirige vers l'escalier, Janine vient vers elle, l'oblige à s'arrêter.

— Rolande... Je... Quand chus au travail, toute va-t-y à ton goût à la maison ?

À ces mots, l'adolescente comprend alors que sa mère l'a crue, en fin de compte. Même si elles n'en ont jamais reparlé. Même si rien, jusqu'à ce jour, ne laissait supposer une telle chose. Sinon le réconfort d'un sourire à l'occasion. Ou encore une parole gentille. Mais jamais rien de vraiment concret qui aurait pu aider la confidence... L'espace d'une seconde, Rolande aurait envie de confier sa tête, si lourde, à l'épaule de sa mère. Tout comme avant, oser croire que

Janine possède la recette magique qui remettrait la vie à l'endroit sans blesser personne... Oui, en elle jaillit l'envie folle de lui crier sa peur et sa révolte. Pleurer contre la poitrine de sa mère son grand besoin de tendresse. Pendant une seconde, le temps suspend son cours. Le temps d'un battement de cœur et des paupières qui se referment finalement sur le secret honteux. Si honteux, que même les mots refusent de passer le seuil de ses lèvres. C'est que Rolande n'est plus tout à fait une enfant. Elle n'a plus treize ans et peut deviner, maintenant, toute la honte qui envahirait sa mère, à son tour. Cet échec dans sa vie de femme, d'épouse... Alors, devant cette mère qui, à sa façon, essaie de lui montrer son amour, Rolande continue de se taire. Elle ne veut pas lui faire de peine. Pas comme cela, à travers cette humiliation abjecte. Elle s'oblige même à lui sourire.

— Ça va, moman. Je... In... Inquiètez-vous pas, y en aura pas de problème.

Non, ce soir, il n'y aura plus aucun problème pour Rolande... Mais Janine a déjà tourné les talons, n'entend pas le cri de détresse de sa fille à travers ces quelques mots maladroits. Elle doit partir, elle est même en retard... Alors, silencieusement, Rolande monte l'escalier pour aller dans sa chambre.

Jamais Rolande n'a été aussi gentille que ce soir avec Jacques et Rémy. Riant avec eux tout au long du souper. Leur permettant même d'aller au parc avant que la vaisselle ne soit faite.

— Allez ! Profitez-en pendant que chus de bonne humeur. M'en vas la faire tu seule, la vaisselle. Y en a pas tant que ça...

Hésitant à peine un instant, elle ajoute :

— Moman m'a même dit que vous pourrez rester

jusqu'à la fin de la partie de balle, ce soir. Les finales s'en viennent, pis ça va sûrement être une bonne partie.

— Wow ! c'est l'fun. Pis toé, Rolande, tu viens pas ?

— Peut-être plus tard. Mais chus pas sûre... Je... J'ai mal à tête. J'vas me coucher un peu. Ça fait que si j'viens pas, faites pas de bruit en rentrant pis couchez-vous. Je... j'peux-tu avoir confiance en vous autres ?

Jacques lui fait un large sourire, prêt à promettre la lune, s'il le faut, pour jouir d'une longue soirée de liberté.

— Promis, la sœur. On va faire comme t'as dit. Je... J'vas même m'occuper de Rémy. Promis...

C'est au tour de Rolande de leur faire un grand sourire. Mais, sentant une boule d'émotion qui lui monte dans la gorge, elle leur pousse dans le dos, faussement bourrue.

— Allez... déguerpissez avant que j'change d'idée. Oh ! oui, en arrivant au parc, tu diras à Ginette de pas venir me chercher. Si j'dors, j'veux pas qu'a' vienne me réveiller...

Longtemps, Rolande reste sur la galerie pour saluer Jacques et Rémy qui remontent la rue en gambadant, se retournant à tous les cinq pas pour lui faire un large signe du bras. Ce n'est que lorsqu'ils ont disparu qu'elle revient à la cuisine, les yeux pleins d'eau. Brusquement, elle s'arrête et fixe le téléphone. Comme un appel à la raison qui se fait entendre dans son âme... Si Cécile n'a pas répondu à ses lettres, c'est peut-être qu'elle est de retour chez sa tante et qu'elle ne les a pas reçues ? Oui, c'est sûrement cela... Comme l'assoiffé du désert découvre l'oasis, elle se met à chercher frénétiquement dans le bottin. Oui, bien sûr. Pourquoi n'y a-t-elle pas pensé avant ? Les mains tremblantes, elle s'y reprend à deux fois pour réussir à signaler le numéro correctement. « Bonjour. Ah ! c'est toi, Rolande... Mais non, Cécile est pas revenue... » Rolande n'a pas entendu le reste des propos de la tante Gisèle. Elle a raccroché avant. De toute façon, qu'est-ce que la présence de Cécile aurait changé à la situation ? Consciencieusement, l'adolescente range la cuisine. Comme sa mère aime la retrouver quand elle rentre du travail. Curieusement, les larmes ont disparu. Que le vide en ce moment dans l'esprit lessivé de Rolande. Qu'un grand, grand vide vertigineux, soutenu par une force incroyable, qui la soulève hors d'elle-même. Le courage du désespoir. Ensuite, elle monte à sa chambre et, là aussi, range les quelques babioles qui traînent. Quand tout lui semble parfait, elle erre pendant un moment à travers les chambres. Puis revient au rez-de-chaussée, passe au salon, s'attarde longuement sur une photo d'elle, toute petite, assise entre son père et sa mère... Un long tressaillement lui traverse le corps. Avec un haussement d'épaules, elle quitte la pièce pour revenir à la cuisine et se rendre dans la cour. Au loin, quelques cris d'encouragement fusent au-dessus du terrain de balle et viennent la courtiser. Rolande a un instant d'hésitation. Elle se retourne et laisse son regard voler par-dessus l'enfilade des cours et des cordes à linge. Comme il serait bon d'être une enfant comme les autres et n'avoir qu'à s'amuser ! Une crampe au creux du ventre, elle repense à Denise et Ginette. Sûrement qu'elles assistent à la partie avec la bande de copains. Peut-être même sont-elles déçues de ne pas voir Rolande se joindre à eux... Oui, peut-être... Profitant d'une volte-face de ses émotions, à cause de cette peur en elle devant sa décision, Rolande se dit qu'elle pourrait peut-être faire semblant. Jouer à la petite fille heureuse et subir, en silence, les outrages de son père. Pour quelques années encore... Le temps d'être assez vieille pour pouvoir s'en sortir toute seule. Peut-être, oui, qu'elle aurait assez de force pour faire cela. Le soleil qui se couche au bout de la rue est si beau, ce soir. Tout rouge et encore chaud... Et ces cris de joie qui montent, là-bas, au-dessus du parc. La tentation de tout oublier se fait grande. Mais, brusquement, un visage de nouveau-né s'impose à sa pensée. Son fils... Il a plus de deux ans, maintenant. Où est-il ? Quelqu'un veille-t-il sur ce petit bébé qu'elle aurait voulu aimer mais qu'elle a tant détesté ? Alors, subitement, en repensant à lui, sa peur change de visage. Ce n'est pas ce qu'elle va faire qui est terrible. Dans le fond, ce n'est qu'un mauvais moment à passer. Rien de plus. Qu'un tout petit instant de peur et de souffrance. Bien peu de choses à côté de ce qu'elle vit quand son père vient la rejoindre... Un tout petit instant pour mettre fin à une vie d'horreur. Et, surtout, maintenant qu'elle y repense, ne plus jamais craindre de redevenir enceinte. Le souvenir des mois d'humiliation qu'elle a dû subir à la crèche vient mettre un terme à sa réticence. Sans plus d'incertitude, elle entre dans le hangar. Une longue corde de lin semble n'attendre qu'elle. Rolande savait qu'elle était là, cette corde que son père utilisait pour leur faire une balançoire quand ils étaient jeunes... Les mains glacées malgré la chaleur qui règne dans le garage, tremblante de la tête aux pieds, Rolande la ramasse. La regarde longuement comme si elles avaient à faire connaissance, l'une avec l'autre. Malgré qu'elle soit décidée, Rolande est triste. À cause de la peine qu'elle va causer autour d'elle. Ginette, Denise... Jamais ses amies ne pourront comprendre pourquoi Rolande a voulu en finir comme ça. Rolande la rieuse, la première de classe... Un sanglot lui fait courber la tête et échapper la corde. Puis, c'est le visage de Cécile qui lui vient en tête, à côté de celui de sa mère, et la tristesse se dissipe. À elles, Rolande serait incapable de jouer la comédie et ne pourrait leur cacher la vérité. Non, pas à elles. Comment continuer dans de telles conditions ? Rolande ne veut pas d'une vie à l'usine, comme celle de sa mère. Et c'est ce qui risque d'arriver si jamais Janine venait à savoir... Il y a tant de choses sans issue dans sa vie. Alors, en soupirant, Rolande se dit que ces deux femmes, qui ont tant d'importance à ses yeux, vont comprendre. Elles savent la peur et le dégoût que Rolande a connus. Elles lui pardonneront et leur chagrin sera sûrement moins grand. C'est à cet instant que l'adolescente se redresse. C'est la seule solution... Traînant alors le lourd escabeau, elle vient le dresser en plein milieu de la pièce, tant bien que mal, péniblement, et le place sous la grosse poutre transversale. Les mains hésitantes, elle passe la corde autour de son cou. Le soleil, glissant à travers la vitre sale, lui fait fermer les yeux. Elle a peur... Elle ne sait plus... Elle voudrait tant, tout d'un coup, que sa mère soit là. Prévenue par un mystérieux instinct. Mais, venue de nulle part, au lieu du parfum de sa mère, c'est une senteur de bière qui vient la narguer. Alors elle serre les dents. Elle a un dernier soupir. Ce n'est qu'un tout petit moment difficile à passer... Du plus profond de sa rage et de sa détresse, elle souhaite que ce soit son père qui la trouve. À chacun son tour d'avoir peur... D'un coup de pied rageur, elle repousse l'escabeau qui tombe avec un bruit sec juste sous ses pieds. Aussitôt, elle se met à tourner mollement, oscillant de droite à gauche au bout de la corde. Cette même corde qui tenait la balançoire de son enfance.

* * *

Après quelques nuits d'insomnie, Cécile en est arrivée à un compromis avec elle-même. Elle a décidé de retourner à la ville. Un an, juste un an. Le temps de terminer son cours au collège de Bellevue. «Après, on verra», se dit-elle en regardant filer le paysage de la Beauce. Pour faire changement, elle a choisi de voyager par le train, malgré le coût plus élevé que l'autobus. Comme si tout, à partir de cette décision, se devait de changer dans sa vie. Le nez à la fenêtre, elle s'amuse à découvrir sous un angle nouveau le paysage qui lui est maintenant familier. Fidèle au poste, Gisèle l'attend à la gare. Souriante, les deux bras en l'air, comme si sa haute stature ne suffisait pas à la rendre visible dans une foule. Cécile vient à elle, émue, heureuse, finalement, de la retrouver. Pleine de bonne volonté, la jeune femme a choisi de donner une chance à la vie. Une année de sursis pour lui prouver à elle, Cécile Veilleux, que Mélina, son père et Gisèle ont raison. Malgré toute la meilleure foi du monde, elle en doute encore…

— Cécile, ma poulette!

«Ma tante» Gisèle n'a jamais su être discrète. Son accueil chaleureux et bruyant fait se retourner quelques têtes qui sourient en voyant Cécile, «la poulette». Mais la jeune femme ne s'en soucie guère. Depuis le temps qu'elle vit aux côtés de Gisèle, Cécile, timide de nature, commence à s'y faire. Surtout que maintenant, elle la connaît bien et aime très sincèrement cette tante toute en voix, aux allures de commandant, mais au cœur débordant. Elle s'élance vers elle, les bras tendus.

— Ma tante! Si tu savais comme je suis contente de te revoir…

Puis, après une longue accolade, Cécile se recule d'un pas et lui fait un sourire malicieux. Et, tout en reprenant sa valise, elle ajoute même:

— Je pense que tu as raison, finalement. Quand la ville

se met à nous tenir, c'est dur de la faire lâcher. Je pensais pas que je m'ennuierais comme ça de cette senteur de poussière... même si j'aime mieux l'odeur des vaches, conclue-t-elle en riant.

La remontée vers la haute ville se fait sous le signe de la joie. Cécile est volubile, alignant, à l'intention de sa tante, ses projets pour l'année à venir. Elle veut reprendre une vie pleine d'activités, pour ne pas avoir le loisir de trop penser. S'occuper le corps et l'esprit pour peut-être, un jour, arriver à repartir à neuf.

— Pour l'instant, je m'installe dans ma chambre, fait-elle en grimpant le long escalier de la maison de la rue Saint-Olivier. Puis, après le souper, je vais aller à la pâtisserie pour leur dire que je suis de retour et prête à reprendre mon travail. J'espère qu'ils ont encore besoin de quelqu'un... Avec le voyage en train, mes économies ont fondu. Il ne me reste presque plus rien. C'est un peu pour cela que j'ai pas attendu la fin de l'été pour revenir...

— Parle-moi de ça, une femme de décision. T'as ben faite, ma Cécile, l'interrompt vivement Gisèle. D'autant plus que je commençais à trouver la maison ben grande sans toi...

Et, comme Cécile attaque le second escalier menant aux chambres:

— Oh! oui, pendant que j'y pense... Y a Rolande qui t'a appelée hier soir. Elle voulait te parler. C'est drôle, mais j'ai l'impression que c'était important...

Cécile s'arrête un instant, au beau milieu de l'escalier. Oui, ici à Québec, il y a aussi Rolande... Elle hésite, se retourne même pour redescendre vers la cuisine afin de lui rendre son appel tout de suite. Puis, elle hausse les épaules. Dans un premier temps, elle a bien d'autres chats à fouetter si elle veut attaquer l'année du bon pied. Et, le plus important, c'est de voir à se trouver un emploi. C'est essentiel, si Cécile doit poursuivre ses études. Ne fût-ce que pour un an... Rolande lui manque, c'est vrai. Et de savoir que sa jeune amie a tenté de la rejoindre ajoute à sa détermination de voir la vie en rose... Alors, elle lance derrière elle, en continuant finalement son ascension:

— Ah oui? Rolande? Ça me fait plaisir de savoir ça... Je... Je vais l'appeler demain. On ira prendre une marche sur la Terrasse ensemble... Pour l'instant, il faut que je me prépare à l'année qui s'en vient.

Et, sans plus s'en faire, Cécile regagne la chambre qui est la sienne depuis si longtemps. Une chambre à elle toute seule. Un refuge comme il n'y en a pas vraiment chez son père, dans la Beauce. Avec douze frères et sœurs, les coins tranquilles n'existent pas chez Eugène... Après avoir déposé sa valise sur le lit, elle vient à la fenêtre et en ouvre les deux battants. Sur la gauche, la vue donne sur les toits de la basse ville et sur les Laurentides, tout au loin... Prenant une profonde inspiration, Cécile étire un long sourire. En ce moment, elle a l'impression qu'elle vient de rentrer à la maison.

Ce n'est qu'en s'éveillant, le lendemain, qu'elle se rend compte qu'elle n'a pas encore annoncé la bonne nouvelle de Mélina à sa tante. Pourtant, elle sait que les deux femmes s'entendent très bien. Alors, sans hésiter, et malgré l'heure matinale, elle s'élance hors de son lit. La bonne odeur du café lui révèle que Gisèle est déjà éveillée. Dévalant l'escalier, elle entre en coup de vent dans la cuisine. Debout devant le comptoir, Gisèle prépare des oranges pour le déjeuner.

— Cécile? Déjà debout? Ben viens, d'abord, m'en vas te...

Mais Cécile l'arrête d'un geste de la main.

— Non, pas tout de suite. Je... j'ai pas faim pour l'instant. C'est juste qu'hier j'ai oublié de te dire une bonne nouvelle. Mélina, Mélina Cliche va avoir un bébé...

Un léger silence enveloppe la cuisine. Puis Gisèle se retourne, un large sourire étirant ses lèvres minces malgré le regard incrédule qui se glisse au-dessus de la monture de ses lunettes.

— Mélina ? T'es ben sûre de...

— Oui, l'interrompt Cécile. C'est elle-même qui me l'a appris. Je... je suis tellement contente pour elle. Surtout depuis que...

Brusquement, l'enthousiasme de la jeune femme vient de retomber. Et les mots qu'elle voulait dire restent en suspens dans sa gorge. Pourtant, il va lui falloir un jour prononcer à vive voix ce qu'elle se répète, au fond du cœur, depuis qu'elle a su pour ce bébé. Baissant les yeux, elle reprend dans un souffle :

— Surtout depuis qu'on sait que Jérôme n'est plus là...

Voilà, c'est fait. Pour une première fois, Cécile a réussi à dire ouvertement ce que son espérance nie encore et toujours. Pourtant, elle n'a pas le choix. Si elle veut survivre à tout cela, ce n'est que par l'acceptation qu'elle peut y parvenir. Malgré tout, elle n'a pas pu dire le mot « mort ». Il est trop absolu, définitif, sans appel... Au plus profond de son âme, un instinct brutal et exigeant s'y refuse obstinément. Mais, petit à petit, elle commence à se faire à l'idée qu'elle ne le reverra plus. En entendant ces mots, Gisèle a tout de suite reposé son couteau et est venue jusqu'à elle. Elle devine le bouleversement qui doit agiter l'âme de Cécile. Prenant alors son visage entre ses mains, Gisèle la couve de son regard bienveillant.

— Ma poulette... J'vois que t'as faite un gros boutte de chemin pendant le mois chez ton père. Un ben gros boutte...

Et, sans plus, elle pose la tête de sa nièce contre son épaule, lui caressant la joue du bout du doigt. Les mains osseuses et sèches de « ma tante » Gisèle sentent l'orange et le soleil. Sentent bon la vie...

Quand, quelques heures plus tard, Cécile paraît à nouveau dans la cuisine, elle a retrouvé son entrain. Décidée à bien planifier l'année à venir, elle s'oblige à ne plus jamais se laisser abattre. Elle doit, envers et contre tous, foncer droit devant elle et essayer, le plus possible, de ne garder du passé que les choses belles et heureuses.

— Ma tante, je sors. Je vais me rendre au collège pour rencontrer sœur Sainte-Monique et voir avec elle comment va se passer la prochaine année. Comme on est samedi, je ne devrais pas trop la déranger...

— Bonne idée. Tu fais juste un aller-retour?

— Oui, pourquoi?

— Ben, t'achèterais-tu *Le Soleil* en revenant? J'ai toutes les draps à laver pis j'aurai pas le temps d'aller le chercher.

— Pas de problème, ma tante. Je vais arrêter à la tabagie en revenant... À tantôt!

Cécile ressort de la tabagie d'un pas léger. Le ciel est gris et lourd, mais cela ne l'affecte aucunement. Tout doucement, Cécile Veilleux recommence à vivre. Ce qui lui paraissait un véritable casse-tête, il y a deux semaines à peine, est en train de se placer de lui-même. Comme si, d'un coup, tous les morceaux de sa vie s'emboîtaient facilement les uns dans les autres. On accepte avec plaisir de la reprendre comme employée occasionnelle à la Pâtisserie Simon, sœur Sainte-Monique a eu une larme ou deux en retrouvant Cécile au parloir et l'air empoussiéré de la ville ne lui semble plus si étouffant… Le cœur allégé, lui semble-t-il, Cécile revient vers la demeure de la rue Saint-Olivier, le journal demandé par sa tante replié sous le bras. C'est en attaquant le long escalier intérieur menant au premier étage que la jeune femme pose un regard distrait sur le gros titre du matin. Brusquement, elle s'arrête, le cœur battant la chamade. Un entrefilet, là, dans le bas à droite. Cette gamine dont on parle… Et sa tante, hier, qui disait que Rolande avait appelé, elle qui n'appelle jamais… Mon Dieu, c'est impossible! Montant les marches deux par deux, Cécile entre en coup de vent dans la cuisine. Gisèle sursaute en l'entendant arriver.

— Bonté Divine, Cécile! T'es ben pâle… Qu'essé qui s'passe, pour l'amour?

Mais Cécile est incapable de répondre. D'une main hystérique, elle montre le journal avant de se précipiter vers sa chambre. Les lettres de Rolande. Il lui faut absolument lire les lettres de Rolande pour dissiper le malentendu. Tout cela n'est qu'un cauchemar. Combien, combien d'adolescentes habitent sur la 3e Rue? Trois, cinq, dix? Frénétiquement, elle ouvre le premier tiroir de son bureau. Les quatre lettres reçues chez son père sont là, sagement couchées sur ses robes de nuit. N'attendant qu'elle pour remettre la vie à l'endroit. Repoussant celles où elle reconnaît l'écriture agressive de la tante Gisèle, Cécile s'empare des deux autres et, sans prendre le temps de s'asseoir sur son lit, déchire le papier de l'enveloppe de la première d'entre elles. Celle reçue au mois de juillet… Son regard fou, anxieux, ne fait que survoler les lignes, s'emparant d'un mot de-ci, de-là. Que des lignes banales racontant un été ordinaire. Puis, alors que Cécile se permet de respirer à fond, à la toute fin, une phrase… Une seule phrase qui lui coupe à nouveau le souffle pendant que son cœur se remet à lui galoper jusque dans les oreilles. «Cécile, j'aimerais que tu reviennes ou que tu m'écrives bientôt parce que chez nous, ça va moins bien...» Le château de cartes de sa vie vient encore une fois de s'écrouler... Cécile, tremblante, est effondrée. Nul besoin de lire l'article du journal pour savoir de qui il est question... «Ça va moins bien chez nous...» Tout est là. Sans rien dire, ces quelques mots sont aussi clairs que la plus directe des accusations. Cécile connaît bien le drame qui a traversé la vie de son amie... Bousculant Gisèle venue à sa rencontre, elle se précipite dans l'escalier. Elle manque d'air... Brusquement, Cécile suffoque.

— Attends, Cécile, attends-moi... Faut pas que tu partes de même. La p'tite Rolande avait...

Mais Cécile n'écoute pas. Le nom de Rolande, lancé au loin par Gisèle qui essaie de la rattraper dans l'escalier, vient à lui seul confirmer l'impensable... Comme une folle, Cécile se précipite dans la rue, fonce droit devant elle sans réfléchir. «Rolande, Rolande, Rolande...» Que ce nom qui scande chacun des pas de sa course.

L'œil sec, le cœur cherchant à défoncer sa poitrine, les jambes flageolantes, Cécile se laisse tomber sur un banc de la Terrasse. Elle a couru tout au long de la rue Saint-Jean, sans même s'en rendre compte, bousculant les gens sur son passage. C'est là, devant ce fleuve à qui elle a déjà confié bien des larmes et des espoirs, que la vie de Cécile vient s'arrêter. Qu'elle vient buter sur la folie à l'état pur. Une vie essoufflée, fatiguée d'avoir toujours à se battre. Qu'a-t-elle fait, Cécile, pour ne mériter que les larmes? Rolande avait besoin de son amie, et elle, Cécile, n'a même pas cherché à savoir. Trop occupée par sa petite personne. Trop centrée sur ses chagrins à elle... Brutalement, Cécile se sent coupable de tous les crimes de l'humanité. Pourquoi, pourquoi faut-il, à chaque fois où elle essaie de se fier à son cœur pour agir, qu'elle ne sème que la désolation autour d'elle ? Si elle s'était mariée à Jérôme, si elle avait ouvert la lettre de Rolande... N'y aura-t-il donc que du désespoir dans sa vie ?

Incapable de pleurer et la gorge serrée, étouffée par l'horreur de ce drame, Cécile reste prostrée, à regarder le fleuve sans le voir. Encore une fois, tout est de sa faute. Si elle était restée à la ville au lieu de s'enfuir chez son père, si au moins elle avait pris connaissance de la lettre de Rolande, si elle l'avait appelée avant de partir... Si, si, si... Les regrets incontournables de la culpabilité...

Se relevant, Cécile vient s'accouder au garde-fou. Plus bas, le traversier fait route vers Lévis. Il fend l'eau noire du fleuve en cette journée sans soleil, lourde et humide sous un ciel de plomb. Le remous qui suit le bateau. Puis, l'eau lisse, calme, reposante... L'impénétrable surface glauque de l'eau qui a probablement englouti l'homme qu'elle aimait. Qu'attend-elle pour le rejoindre avant de causer encore plus de drames autour d'elle ? Qu'attend-elle pour enfin, à son tour, connaître la paix et la délivrance ? Elle n'aurait qu'à prendre le traversier et se pencher au bastingage. Se pencher de plus en plus pour rejoindre Jérôme... Étourdie, Cécile se cramponne à la rampe de bois verni, ferme les yeux. Tous ces cris de joie autour d'elle. Et la fanfare, un peu plus loin, qui ajuste ses notes pour le concert de midi... Que font-ils ici, ces gens heureux ? D'un geste désespéré, Cécile se met les mains sur les oreilles. Elle ne veut plus entendre rire. Elle ne veut plus savoir qu'ailleurs il peut y avoir du bonheur. Le bonheur n'est pas fait pour elle. Plus maintenant. Plus jamais.

L'esprit en déroute, Cécile s'apprête à revenir sur ses pas pour rejoindre l'escalier Casse-cou qui descend vers le port, quand une voix joyeuse brise son élan. Suspend les rires, les gestes et même la tristesse de Cécile...

— Juliette, veux-tu bien m'attendre, petite démone...

Contre la cheville de Cécile, un gros ballon rouge vient s'arrêter. Juliette... Brusquement, plus rien dans la tête et le cœur de Cécile. Rien d'autre que ce nom magique. Juliette ! En se retournant, elle pose les yeux sur une gamine d'environ quatre ans. Une frimousse espiègle, aux boucles sombres et au regard d'azur. Une petite fille comme le sera probablement la sienne, dans deux ans. Derrière, une jolie jeune femme, aux mêmes boucles sombres que l'enfant, arrive, toute essoufflée.

— Excusez-la, madame... J'ai bien de la...

Mais Cécile l'interrompt par un sourire tendre qui contredit son regard tourmenté :

— Non, madame. Non, ce n'est pas grave.

Et, pliant les genoux, elle ramasse le ballon.

— Tiens, Juliette, tu as un très beau ballon. Et, aussi, un très joli nom. Oui, un très, très joli nom... C'est... c'est sûrement le ciel qui t'envoie...

Et, sans plus donner d'explication, sans un au revoir, Cécile se relève, leur tourne le dos et reprend sa marche vers le port. C'est bien là, n'est-ce pas, qu'elle a dit qu'elle s'en allait ? Avec en tête, maintenant, un nom de plus. Juliette... Oui, il y a aussi Juliette...

Pendant plus de deux heures, Cécile a regardé les flots, appuyée à la rambarde du pont supérieur du traversier. Elle fixe les remous qui se forment, se cassent et se brisent avant de glisser uniformément derrière le bateau. Pendant un long moment, elle est restée l'œil sec et la tête vide, comme hypnotisée par le mouvement incessant de l'onde sombre. Elle n'aurait qu'un geste à faire pour rejoindre Rolande... Un long frisson secoue ses épaules quand le nom de Juliette, s'emmêlant à celui de Gabriel, s'impose, autoritaire, à sa pensée. C'est à cet instant que les larmes paraissent, presque timides, puis se font insistantes et inondent son visage. Un chagrin interminable qui prend sa source plus de deux ans en arrière, à la mort de sa mère, et qui se perd devant elle jusqu'aux limites de l'éternité... Tous ces deuils qui ont traversé sa vie... Jeanne, Jérôme, et maintenant Rolande. Oui, la mort de Rolande se fait délivrance pour elle. Le signal tant attendu pour enfin pleurer tous ceux qu'elle chérissait et qu'elle a perdus au fil des années. Jamais, avant, Cécile n'avait versé de larmes sur eux. Que les regrets et les espoirs fous qui étaient arrosés de ses pleurs. Mais voilà que, maintenant, elle sanglote durement sur chacun de ceux qu'elle a aimés et qu'elle accepte enfin de voir partir. Sur un bateau qui fait la navette monotone entre Québec et Lévis, Cécile accepte finalement de regarder la réalité en pleine face. Froidement, sincèrement. C'est ici, maintenant, qu'elle avait rendez-vous avec sa vie. Il lui faut pleurer ses morts pour exorciser le mal qui la grugeait. Pleurer jusqu'à rendre le cœur blessé et l'âme torturée qui étaient les siens. Pleurer jusqu'à laver le regard qui, doré-navant, se tournera vers l'avenir. Faire le point avec son passé et laisser les regrets derrière elle. Pour ne plus y reve-nir. Jamais...

C'est au moment où un rayon de soleil, déchirant un ciel désespérément gris, vient frapper la surface de l'eau que Cécile relève le front. Le paysage, auparavant grisâtre, éclate de couleurs. L'eau noire se teinte de toutes les nuances du ciel. Un bleu féerique parsemé d'étoiles brillantes. Alors, dans sa tête, lui revient le cri de la jeune mère de tout à l'heure.

« Juliette… » Oui, il lui reste sa fille. Ici, quelque part dans la ville. Une bambine probablement heureuse, aimée. Portant, à ce moment-là, le regard sur l'horizon qui se perd vers l'est, Cécile se fait le serment de retrouver son enfant un jour. Pour elle et pour Jérôme. Comme ils souhaitaient le faire ensemble. Il n'y a plus qu'elle, Cécile, qui puisse un jour dire à Juliette à quel point elle a été voulue et aimée par ses parents. Juliette… Puis, cette mise au point essentielle étant faite, Cécile pousse un profond soupir de soulagement. Elle se sent plus légère. Libérée de cette culpabilité incontrôlable qui la poursuivait sans relâche depuis plus d'un an. Non, Cécile n'est pas coupable. Ni aujourd'hui, ni hier, car elle a toujours été sincère avec elle-même et avec la vie. Ne voulant que le meilleur pour tout le monde. Comme le disait Gisèle, c'est Jérôme qui a pris la décision de partir. Pour les mêmes raisons que Cécile a choisi de rester chez son père, finalement. Pour aider la vie à être meilleure… Puis, son esprit se tourne vers Rolande. Là, c'est une douleur cruelle qui l'attendait. Elle lui transperce le cœur. Non plus un regret, mais la tristesse pure et dure. Celle que l'on a quand on perd un être cher. Quand la vie s'amuse à vous blesser sans raison véritable et que le destin se fait de marbre, insensible au chagrin de ceux qui restent. Cécile revoit le visage ingrat de sa jeune amie, sa détermination devant la vie, son sourire éblouissant quand elle parlait de devenir médecin… Pauvre Rolande ! Elle n'aura pas eu le temps de réaliser son grand rêve. Pourquoi a-t-il fallu que cela lui arrive ? Que doit penser sa mère, aujourd'hui, devant l'évidente détresse qui a poussé sa fille à vouloir en finir ? Que de rêves d'absolu qui s'éteignent en même temps que Rolande! Alors, tout doucement, un mirage vient éclairer la douleur de Cécile. Comme le rêve d'une autre qui s'offre à elle. Qui se fait tentation, puis nécessité... Si pour Jérôme Cécile fait le serment de retrouver sa fille, pour Rolande elle aurait envie de dire qu'elle va prendre la relève. Devenir médecin en souvenir de sa jeune amie. Pour que sa mort ne soit pas inutile. Pour qu'elle ne soit pas uniquement un abandon face à la vie. «Repose en paix, petite Rolande. Tu l'as bien mérité.» C'est le cœur rempli de ces mots que Cécile quitte enfin le bateau, revient à pas lents vers la haute demeure grise de la rue Saint-Olivier. À longues enjambées calmes et sereines. Le soleil a repris ses quartiers dans le ciel encore moutonneux et le passé a enfin repris sa place. Derrière elle. Même si les larmes reviendront sûrement la courtiser encore, elles ne seront plus une lamentation stérile sur ce qui aurait pu être. Non. Dorénavant, les larmes de Cécile seront l'apaisement de sa tristesse, l'acceptation de sa vie. Avec tout ce qu'elle comporte d'imprévu, de fragilité, d'abandon. Oui, accepter la vie telle qu'elle est. Tout simplement, tout naturellement. Maintenant, Cécile a envie de regarder l'avenir. Bien en face. Fixer résolument le but à atteindre. Un jour, elle sera médecin et Juliette, sa petite fille, sera fière d'elle. En attaquant le long escalier, Cécile redessine un sourire. À partir de ce moment, sa vie a enfin un sens. Et grimpant les marches deux par deux, selon son habitude, elle lance en entrant dans la maison:

— Ma tante, je suis revenue...

4
Caen, France, février 1946

Dans le jardin gelé du monastère, une ombre grise avance contre le vent. Quotidiennement, à petits pas, elle suit le sentier qui sillonne les plates-bandes à demi cachées par une neige récente. Quelques squelettes de fleurs fanées narguent la froidure et valsent, roides et sèches, dans la bise glaciale. Un peu plus loin, à flanc de coteau, le verger se devine à ses arbres rabougris et tortueux. Épuisé par ces quelques pas à l'extérieur, l'homme enveloppé d'une bure de laine à capuchon s'arrête un instant, s'appuyant contre sa canne. Le temps de reprendre son souffle et de humer l'air à la recherche de cet indice qui annonce le printemps. Son visage lisse d'homme encore jeune est marqué par les rides de la souffrance et ses sourcils broussailleux sont froncés en permanence sur sa recherche au creux de souvenirs qui se refusent à lui. Sa vie ne date que de quelques mois, une quinzaine tout au plus. Il a ouvert les yeux au monde un beau matin d'octobre 1944. Avant cela, c'est le noir absolu. Trouvé à demi nu sur une plage, au lendemain du débarquement, sans papier et gravement blessé au ventre, à la tête et aux jambes, les Résistants l'ont confié aux moines du monastère. Anglais, Allemand, Américain? Personne ne le savait. Pendant des mois, on a veillé son coma. Gardant secrète sa présence entre les vieux murs de pierres. La guerre faisant encore rage et ne sachant de quelle nationalité il était, on préférait s'en remettre à la

Providence pour décider de son sort. Persuadé, finalement, qu'il n'en sortirait jamais. Puis, un matin, il a ouvert les yeux.

C'est là que sa vie a commencé. Cet homme grand et fort, bâti pour prendre la vie à pleins bras, n'était plus qu'un enfant. Craintif, démuni, incapable de marcher, de parler, de se rappeler. Patiemment, on lui a tout appris. On l'a appelé Philippe.

Quand la guerre s'est terminée, on a tenté de découvrir sa patrie. Sans résultat probant. Que des promesses de recherche qui sont restées sans réponse !

À chaque semaine, un médecin vient le rencontrer. Essaie, avec lui, de retrouver le fil d'Ariane qui permettrait de remonter dans le temps, de revenir à l'époque où il avait un nom, une famille, une vie. Mais nulle lueur ne parvient à donner le moindre espoir. Incapable de se concentrer longtemps, fatigué au moindre effort, Philippe est un vieillard avant l'heure. Impassible, il regarde les jours filer sans y trouver à redire. Se contentant aisément de l'existence frugale qu'il mène auprès des moines. Se répétant inlassablement, jour après jour, qu'après la froidure revient un temps plus doux. Une grande paix l'envahit quand il aide au verger. L'odeur des pommes est la seule chose qui éclaire faiblement son esprit tourmenté. Cette senteur sucrée, de la fleur au fruit, ramène en lui un état d'éveil. Comme un retour à quelque chose d'important. Mais, chaque fois qu'il essaie de saisir le souvenir, celui-ci se dérobe, glisse, lisse et froid, comme une truite hors de l'eau et Philippe retombe dans la nuit de ses pensées qui ne débordent jamais du quotidien. Il aime qu'on le guide, qu'on lui dise ce qu'il a à faire et il conçoit une grande fierté quand on le félicite ou quand on le remercie. La vie, pour Philippe, est une suite de petits plaisirs de table, de sommeil confortable, de sourires amicaux. S'il comprenait le sens du mot heureux, il pourrait dire, oui, qu'il est un homme heureux. Placide, satisfait, content.

Reprenant sa marche, il refait à rebours le chemin emprunté et revient jusqu'à la porte de service qui mène au vestiaire. Lentement, à gestes courts et saccadés, il réussit à retirer sa cape, l'installe de guingois sur un crochet et se dirige vers sa chambre. En hiver, il passe la plus grande partie de son temps le nez à sa fenêtre, inspectant le verger, attendant impatiemment qu'on lui dise que le temps des travaux est enfin arrivé. Parce qu'il sait que réapparaîtra alors cette grande chaleur au cœur. Et que, peut-être un jour, il se souviendra pourquoi il aime tant les pommiers.

Partie II

1953 – 1956

5
Toujours à Caen, sept ans plus tard...

Harassé et fourbu par une longue journée au verger, Philippe vient d'entrer dans sa chambre. Les pommiers sont enguirlandés de fleurs, le sol saupoudré de pétales et l'air ambiant du monastère saturé de leur parfum sucré. Alors, Philippe est heureux. Quand revient le temps du travail agricole, il est toujours satisfait. D'une joie profonde, presque viscérale, qui part du ventre et fait même trembler ses mains, parfois. En sifflotant une chanson de Charles Trenet, entendue en allant à la ville avec Don Paulo, le directeur de la communauté, Philippe retire ses vêtements poussiéreux pour faire un brin de toilette avant les prières et le repas du soir. Ensuite, il retrouvera Don Paulo dans son bureau pour leur partie de dames quotidienne. Aussi loin qu'il s'en souvienne, Philippe a toujours apprécié que son horaire soit clairement établi devant lui. Ce qui fait qu'en ce moment, il est un homme heureux. Du mois d'avril au mois d'octobre, ses journées sont régulières et chargées, ce qui le rassure. D'autant plus que le printemps est devenu le temps de l'année qu'il préfère. Celui qu'il attend chaque fois avec impatience, ayant alors l'impression d'être très près de son ancienne vie. Comme un bonheur vague et discret qui s'ajoute à son contentement habituel devant la simplicité de la vie monastique. Un rappel vertigineux que son existence n'a pas vraiment commencé à l'automne de 1944. Quelque chose, en lui, essaie désespérément de s'accrocher à cette senteur de fleurs de pommiers en même temps qu'il ne veut pas vraiment savoir. C'est si loin d'ici, avant. Pourtant, malgré les années qui passent, rien ne change, rien ne s'efface. À chaque printemps, revient le supplice, malgré tout attendu, de l'odeur des fleurs de pommiers. Comme une lueur grisâtre, dans son esprit, qui s'éveille régulièrement avant de se fondre invariablement à la noirceur quand il tente de l'attraper. C'est devenu un jeu, pour lui, maintenant qu'il a compris que le souvenir se dérobe toujours. Toutefois, depuis presque neuf ans, ce n'est pas faute de ne pas avoir essayé. Avec le médecin de Caen, qui venait, à l'époque, pour tenter de l'aider. Puis avec Don Paulo, devenu un ami au fil du temps. En 1948, c'est lui qui a remplacé l'ancien directeur. D'origine italienne, Don Paulo est un homme jovial, expansif, prompt au rire. C'est beaucoup grâce à lui si Philippe a semé un peu de clarté dans son esprit. Comme un tableau sombre parsemé de touches claires, très légères. Il est maintenant capable de certaines abstractions et de raisonnements de plus en plus logiques. De parties de dames en lectures assistées, de discussions sur l'avenir du verger en promenades à la ville voisine, le directeur du monastère n'a négligé aucune tentative afin de réveiller ses souvenirs. Patiemment, délicatement, comme on travaille une œuvre d'art.... Non, vraiment, Don Paulo n'a omis aucune avenue pour venir en aide à Philippe. Et, de fil en aiguille, lui aussi s'est attaché à l'homme droit et fier qu'est Philippe. Malgré les hésitations de l'intelligence, le directeur a vite compris que l'inconnu, entré chez eux en pleine guerre, était assurément un homme de devoir et de droiture. Un homme de cœur, aussi. Probablement a-t-il laissé derrière lui une famille, peut-être même une épouse. En dépit des cicatrices qui fleurissent en son front, Philippe est un bel homme. De ceux qui attirent les femmes… Et, malgré les ratées évidentes qui le frappent régulièrement, celui-ci reste un être entier, attachant. C'est pourquoi, entre eux, l'amitié est totale, sincère. À un point tel que Philippe lui a demandé, à quelques reprises, d'entrer lui aussi dans les ordres. Devenir moine à part entière et non seulement un visiteur de longue durée… Il lui semble que ce serait logique, compréhensible, dans la lignée de l'attachement qu'il ressent à l'endroit du directeur. Pourtant, Don Paulo a toujours repoussé ses demandes, lui alléguant qu'on entre au monastère par vocation. Même si son amitié lui dicterait, bien égoïstement, de l'accueillir parmi eux. Toujours, il s'oblige à regarder la situation du point de vue de Philippe. Il n'est pas encore prêt à faire don de sa liberté et de sa vie. Sa recherche, même involontaire, au fond de la noirceur de ses souvenirs est trop tenace encore et prouve qu'il n'est pas vraiment maître de sa destinée. Don Paulo voudrait tant que l'inconnu disparaisse de la vie de Philippe pour qu'il puisse faire un choix affranchi de toute contrainte ! Que ce soit une décision éclairée par le cœur et la foi. Mais Philippe en est-il capable ? À chaque fois qu'il aborde ce sujet, le directeur ressent de la tristesse, tourmenté entre son désir de lui donner un peu de bonheur et son instinct lui dictant que son ancienne existence refera probablement surface, un jour ou l'autre. On ne peut rayer une vingtaine d'années derrière soi, comme on efface un tableau noir. Et le médecin qui a suivi Philippe a toujours été constant dans son opinion : il se peut qu'un bon matin Philippe se réveille à son passé. Comme il se peut que l'ombre persiste jusqu'à sa mort. Personne ne peut le prédire… Mal à l'aise d'avoir à lui répondre invariablement par la négative, Don Paulo laisse le temps passer et prie

pour que Dieu lui envoie un message. Et qu'il soit clair...
Alors, en attendant, il ne sait quoi au juste, Don Paulo se
convainc qu'en toute conscience, il ne peut agir autrement.
S'il fallait, un jour, que Philippe se rappelle une famille,
une femme peut-être... Déchiré par une décision qu'il
prend au nom d'un ami, Don Paulo désirerait tant lui ouvrir
grand les bras ! Garder auprès de lui cet ami qui, dans sa
fragilité et sa naïveté, lui enseigne l'acceptation et la joie de
vivre. Si simplement, avec tant de vérité. Oui, Don Paulo se
retient pour ne pas donner suite à la requête de Philippe.
Même si ce dernier lui assure qu'il n'a pas d'autre but, dans
la vie, que d'offrir ses services à la communauté. Il aime la
vie qu'il y mène. Et, à chaque fois, Don Paulo est un peu
plus meurtri. Car, si Philippe a retrouvé une certaine luci-
dité, il reste un homme vulnérable, incapable de jugement
réel. Il préfère s'en remettre aux autres pour statuer de ses
agissements et disposer de son temps. Alors, quand Don
Paulo lui dit qu'il n'est pas prêt à devenir un des leurs,
Philippe l'accepte de bon gré. Il sait tant de choses, Don
Paulo... Il ne doit sûrement pas se tromper quand il affirme
que le temps n'est pas encore venu. Et ce dernier, par respect
pour cet homme blessé par la vie, se refuse encore de l'accueillir comme un postulant. Se disant qu'après tout,
Philippe ne semble pas en souffrir. C'est en se répétant cela
qu'il arrive à puiser un peu de réconfort dans son
tourment.

Philippe a fini de se préparer. Répondant à la cloche qui
convie les moines à la prière, il se dirige en claudiquant
vers la chapelle austère et sombre, à l'autre bout du bâti-
ment. Depuis deux ans, Philippe n'a plus besoin de canne
pour se déplacer. Mais sa jambe gauche restera toujours un
peu raide. En arrivant devant la porte de bois travaillé, il

hésite un instant. Puis, selon son habitude, se tient en retrait, le temps que tous les moines passent devant lui. Il n'est pas un des leurs et n'aime pas tellement la chapelle. Trop dépouillée, rigoureuse, presque ascétique. Que les tuiles de céramique des arches soutenant le plafond qui illuminent la pièce de milliers de couleurs. Alors, quand il prie, Philippe ferme les yeux et se concentre sur sa prière. Incapable de suivre les litanies en latin que psalmodient les religieux, il se contente de mots simples en reconnaissance de la vie qui est la sienne. Jamais il n'a pensé de demander à Dieu d'ouvrir son esprit, d'éclairer ses souvenirs. Et, plus le temps file, et moins Philippe a envie de savoir. Comme une crainte en lui lorsqu'il se redit que la vie était tout autre avant. Mais, avant quoi? Il sait qu'il a été blessé à la guerre mais, de cela non plus, il n'a aucun souvenir. Tout ce qu'il comprend, c'est son amour de la senteur des pommiers, de l'odeur acidulée qui règne dans les caves où l'on fabrique le cidre. Il se plaît à vivre le chatouillement que suscitent ces odeurs, se répétant, comme on le lui a souvent suggéré, que cet engouement vient sûrement de son passé. Rien de plus... Un jeu agréable qui revient chaque année. Qu'il attend, certes, mais qu'il ne veut pas gagner. Il est bien de cette existence simple, sans complications. Pourquoi chercher ailleurs ce qu'il a déjà trouvé ici? Confusément, c'est ce qu'il se répète à chaque printemps. Se laisser agacer par la lueur qui traverse son esprit, y prendre un certain plaisir, puis la laisser s'évanouir sans remords. Surtout, ne pas s'acharner... De toute façon, il est tellement fatigant d'avoir à se forcer l'esprit sans jamais rien saisir. Tellement, tellement épuisant de se battre pour rien... D'autant plus que si Philippe arrive à se laisser porter par ses émotions, il serait bien incapable de les exprimer clairement. À lui-même comme aux autres. Ce n'est que l'instinct qui le fait avancer. L'instinct et le plaisir qu'il ressent devant les gestes simples du quotidien. Rien d'autre n'a d'importance à ses yeux.

Quand il arrive, de son pas malhabile, après le souper, pour rejoindre Don Paulo dans son bureau, Philippe trouve la porte grande ouverte mais personne pour l'accueillir. C'est inusité… Indécis, il reste immobile dans l'embrasure de la porte. A-t-il le droit de pénétrer dans une pièce où il n'est pas convié ? Du regard, lentement, il fait le tour du bureau. Doit-il attendre ici, entrer s'asseoir ou bien retourner à sa chambre ? Il lui est difficile de prendre une décision, ayant toujours peur de déranger. Un éternuement le fait sursauter et reculer d'un pas. Derrière le pupitre massif du directeur, paraît une tête échevelée et poussiéreuse. Don Paulo ! Philippe pousse un soupir de soulagement.

— Oh, Philippe ! Entrez, mon ami. Entrez ! Je ne vous avais pas entendu arriver…

Et, se redressant, Don Paulo époussette d'une main énergique sa soutane brune. Arborant un large sourire, Philippe se glisse jusqu'à la table basse, devant la fenêtre, où un damier attend en permanence le bon vouloir des joueurs.

— On joue aux dames, ce soir, Don Paulo ?

Mais, contrairement à son habitude, le directeur ne se frotte pas les mains de plaisir anticipé en s'approchant de lui. Appuyant ses poings sur le bureau, il regarde longuement Philippe avant de parler.

— Pas tout de suite, Philippe. Venez ici. Je crois que nous devons d'abord discuter.

— Oh ! Vous voulez qu'on parle du verger avant de jouer ?

Le regard de Philippe, habituellement éteint, se met à briller. Il aime bien s'entretenir avec Don Paulo. Surtout quand il est question du verger... Avec lui, il a l'impression d'être quelqu'un d'important. Quelqu'un de respecté. Aussitôt, il vient prendre place sur le fauteuil qu'il considère comme le sien, depuis le temps qu'il s'y assoit, presque chaque soir... Excité, il se frotte les mains contre les cuisses de son pantalon.

— Alors ? De quoi on parle, Don Paulo ?

— De vous, Philippe. De vous...

Un éclair de peur traverse les yeux noisette.

— De moi ? Est-ce que j'ai fait quelque chose qui vous a déplu ? J'ai... J'ai oublié de ranger mes outils ?

Alors, le directeur a un sourire. Comme devant un enfant turbulent mais plein de bonne volonté. Il se hâte de le rassurer.

— Non, Philippe. Qu'est-ce que vous allez imaginer là ? Vous êtes un ouvrier modèle. Et vous le savez... Non. Ce que j'ai à vous dire est beaucoup plus important que cela.

Et, tirant de sa poche un mouchoir grisâtre :

— Regardez ce que j'ai trouvé dans le fond de l'armoire...

Lui tendant le carré de satin, il poursuit :

— Il y avait là une boîte. Probablement oubliée par mon prédécesseur. Une boîte à votre nom. Il n'y avait pas grand-chose, hormis de vieux sous-vêtements. Et ce morceau de satin épinglé à l'intérieur de votre gilet...

Philippe tend une main hésitante, presque tremblante. Malgré sa simplicité, il comprend qu'il tient là un morceau de son autre vie. Celle qui s'échappe malicieusement à chaque fois qu'il tente de la saisir. Longuement, les sourcils froncés, il examine le bout de tissu. Le palpe et le retourne.

— Il est tout sale...

Puis, doucement, il le pose sur sa cuisse et laisse son doigt suivre les nervures du satin.

— C'est doux... comme un morceau de rideau... Vous dites que c'est à moi, Don Paulo ?

Alors le directeur fait le tour de son pupitre et vient s'asseoir tout près de lui.

— Oui, Philippe. Il n'y a aucun doute. Ce carré de satin vous appartient.

Respectant son ami, Don Paulo laisse le silence revenir s'installer entre eux. Il sait que Philippe a besoin de temps pour apprivoiser les choses nouvelles, déroutantes. Pourtant, il sait qu'il tient peut-être là le chaînon manquant qui permettrait enfin aux souvenirs de surgir. Après un moment, sa main longue et fine vient serrer affectueusement l'épaule de Philippe.

— Avez-vous vu ? C'est un peu délavé, mais je crois qu'il y a des initiales de brodées. Regardez, Philippe. Regardez bien...

Lentement, comme s'il avait peur de brusquer quoi que ce soit, Philippe reprend le tissu dans ses mains. L'approche de son visage pour le sentir, puis, levant le bras, le tient à la hauteur de ses yeux, devant la fenêtre, à contre-jour...

— Oui, c'est vrai. Il y a quelque chose d'écrit dessus... Quatre lettres... J, C, C, V... Pourquoi, il y a deux C, Don Paulo ? C'est quoi, ces lettres-là ? Qu'est-ce qu'elles ont à voir avec moi ?

Sachant qu'il s'agit là d'un moment important pour Philippe, le directeur prend bien son temps afin de choisir les bons mots. Ceux qui pourraient aider sans effaroucher.

— Je crois, Philippe, qu'il s'agit probablement d'initiales. Celles d'un nom...

— D'un nom ? Mon nom, vous voulez dire ?

— Peut-être bien, oui…

— Mais, pourquoi quatre lettres ? J'avais un nom compliqué alors ? Je n'en veux pas, moi, Don Paulo. Mon nom, c'est Philippe. Et cela me suffit.

— Oui, peut-être bien… Vous avez raison, Philippe. Les noms simples sont souvent les plus beaux. Mais, pour me faire plaisir, regardez encore ces lettres. Vous êtes bien certain qu'elles ne représentent rien pour vous ?

Philippe veut bien essayer, pour faire plaisir au directeur. Reprenant le tissu à deux mains, il le pose bien en évidence devant lui sur le bureau, et se penche, les sourcils à nouveau froncés.

— J, C, C, V… Joseph ? Joseph, Charles… Non, Jean-Claude…

Puis, se tournant vers Don Paulo :

— Comment voulez-vous que je trouve ? Je ne sais même pas si mon nom était français ou anglais. C'est le docteur qui me l'a dit. Je peux aussi bien être Anglais qu'Américain ou Canadien. Peut-être même Français. J'aimerais vous faire plaisir, mais je ne peux pas trouver comme ça. C'est trop difficile. C'est trop compliqué pour ma tête. Elle ne veut rien voir, ma tête…

À ces mots, Don Paulo s'aperçoit que la panique est en train de gagner Philippe. Lorsqu'il se met à parler vite et fort, c'est qu'il perd le contrôle. Habituellement, quand une telle chose se produit, le directeur se hâte de changer le sujet de la conversation. Pourtant là, maintenant, il aurait envie de pousser encore plus loin. Il a l'impression que c'est aujourd'hui ou jamais que le miracle doit se produire. Il enchaîne aussitôt.

— Faites un effort, Philippe. Tout ce que vous avez

toujours voulu savoir est là, entre vos mains. Vous n'avez pas le droit d'aban-donner aussi vite, sans vous battre.

— Sans me battre... Oui... me battre... On m'a dit que je me suis déjà battu. Les canons qui tonnent, l'eau froide... L'eau, en Normandie, est toujours froide, je le sais.... Oui, cela je le sais... Mais ces lettres, je ne sais pas. J, C, C, V... Comment je peux savoir quand il n'y a rien dans ma tête. Rien que le noir, avant le monastère... J, C, C, V. Jasmin, peut-être. Ou Jean-Christophe. C'est un beau nom, Jean-Christophe... Peut-être bien que j'aimerais ça m'appeler Jean-Christophe...

Alors, tentant le tout pour le tout, voyant que Philippe semble s'être légèrement calmé, Don Paulo suggère :

— Et si c'était les initiales de deux noms ?

— Deux noms ? Pourquoi faire ?

— Le vôtre et celui d'une dame qui tient à vous. Qu'en pensez-vous ?

— Une dame ? Pourquoi une dame penserait à moi ? Je ne connais pas de...

Philippe se tait brusquement, s'agite un moment sur sa chaise et parcourt la pièce du regard comme s'il était perdu. Puis, il reprend le satin dans le creux de sa main, le regarde longuement. Comme il est doux... Alors, il fait un sourire en murmurant :

— Oui, une dame... Vous avez sûrement raison, Don Paulo. Il n'y a que les dames qui ont des robes avec du si beau tissu. Si doux... C'est une dame qui me l'a donné. C'est certain, vous avez raison...

Puis, relevant la tête vers son ami :

— Ma mère, peut-être ?

Et, à la pensée soudaine d'une mère, quelque part, qui le pleure, les larmes lui montent aux yeux. Il renifle, essuie le bord de ses narines du revers de son chandail. Il n'y avait jamais pensé d'une façon aussi claire, mais c'est vrai qu'il doit avoir une mère. Alors Philippe est triste à la pensée qu'elle puisse être malheureuse à cause de lui. Il ne veut pas lui faire de peine. Ce n'est pas sa faute, s'il ne se rappelle rien... Don Paulo s'est relevé. Après quelques pas dans le bureau, il vient se poster derrière Philippe, pose doucement ses longues mains sur les épaules légèrement voûtées du jeune homme. Habituellement, ce ne sont pas les mères qui remettent un morceau de satin au soldat qui part. Ce sont les épouses ou les fiancées.

— Non, Philippe. Je ne crois pas que ce soit votre mère qui vous a remis ce bout de tissu. On dirait... on dirait un morceau de robe de mariée...

À ces mots, Philippe redresse la tête, oubliant aussitôt l'idée de sa mère. Il se frotte longuement le visage du plat de la main, puis tourne un regard imprécis vers le religieux.

— Une robe de mariée ? Je... J'aurais une femme ? Mais non, c'est impossible. Je... Je n'aurais pu oublier une telle chose. C'est impossible...

Le cœur de Philippe se met à battre de façon désordonnée, presque folle. Pourquoi, pourquoi est-ce que sa tête ne veut pas se souvenir ? Où sont-ils cachés tous ces moments qui devaient avoir de l'importance pour lui, avant ? Malgré tout, ignorant son désarroi, Don Paulo poursuit, le pousse dans ses derniers retranchements.

— Pourtant, Philippe, vous avez oublié même votre nom.

À ces mots, le regard de Philippe s'éteint à nouveau. Et, pour un moment, prend les teintes de la déception.

— Oui, c'est vrai.

Devant une telle vérité, criante de logique évidence, Philippe retombe dans son mutisme. Brusquement, la déception fait place à la tristesse. Pourquoi Don Paulo cherche-t-il tant à lui faire mal, ce soir ? Qu'importent ce tissu et ces lettres puisque lui ne se souvient de rien ? Il devine que le supérieur voudrait bien qu'il fasse un effort. Oui, cela il le comprend. Mais il n'en a pas envie. Tout d'un coup, il se sent fatigué. Si fatigué... Et puis, cela fait long-temps, maintenant, que la guerre est finie. Beaucoup, beau-coup trop longtemps pour que ça vaille la peine de... Au lieu de persister dans sa quête au creux des souvenirs absents, Philippe repose le tissu devant lui, le plus loin possible. Hors de sa portée. Puis, se retournant, il fixe Don Paulo, le visage ridé par la concentration. Jamais ce dernier ne lui a vu une expression si proche de la normale. Si consciente, si clairvoyante.

— Je ne veux pas trouver, Don Paulo. Ni maintenant, ni jamais. Ça fait trop longtemps que la guerre est finie. Oui, bien trop longtemps...

— Mais pourquoi, Philippe ? Si quelqu'un vous attend quelque...

— Non, Don Paulo. Personne n'attend longtemps comme ça. Personne. Pas même moi... Je ne veux pas, Don Paulo. Je ne veux pas savoir où était ma vie avant ici. Jamais... Promettez-moi de ne plus jamais m'en reparler. Je ne veux pas. Je veux rester ici, avec vous. C'est là que je désire ma vie. Pas ailleurs ! Promettez-moi, Don Paulo, de ne pas chercher pour moi. Je ne veux pas. Je ne veux pas... C'est ici qu'est ma vie. Avec vous et les pommiers. Je veux juste garder les pommiers comme souvenirs. Rien d'autre. Promettez, Don Paulo. Promettez de ne rien faire de plus...

Puis, revenant à sa pose habituelle, légèrement voûtée,

tout en frottant machinalement ses mains sur les jambes de son pantalon, Philippe continue en murmurant :

— C'est doux, un souvenir qui sent les pommes. Peut-être une femme qui faisait de la tarte aux pommes... Mais, c'est loin tout ça, maintenant. Si loin... Ma... ma femme doit faire des tartes pour quelqu'un d'autre... Mais moi, je ne m'en souviens pas... Que les pommes dans ma tête. Je n'ai besoin de rien d'autre. Je veux seulement garder les pommes. Oui, juste les pommes...

6
Québec, automne 1953

Octobre est là. Le temps est beau mais frais. Contre le vent, à pas rapides, Cécile revient de l'Hôtel-Dieu. Chaque jour, quand la température le permet et dès que son tour de garde est terminé, elle revient ainsi jusque chez sa tante Gisèle. Mais, aujourd'hui, la promenade a une saveur particulière. À la fois douce et mélancolique. Piquante comme le vent d'automne et réconfortante comme la chaleur des rayons du soleil qui frôle la laine de son chandail. Oui, une promenade bien différente. Un rituel dédié à la souvenance et à la rupture... C'est que demain elle prend l'autobus pour la Beauce. Car, samedi matin, en grandes pompes, elle épouse Charles Dupré, un médecin qu'elle a rencontré lors de son internat. Plus âgé qu'elle de quatre ans, il occupe un poste de chercheur à l'hôpital où elle travaille.

Quand elle arrive au carré d'Youville, Cécile ralentit sa marche, laissant enfin, derrière le mur de la porte Saint-Jean, la fraîcheur désagréable de la brise. C'est la dernière fois qu'elle emprunte ce trajet et la nostalgie se couple à son envie de retrouver sa tante. Que d'heures elles ont partagées ensemble ! Que de tristesse pleurée sur son épaule et de rêves vécus à deux, sur le balcon qui donne dans la cuisine. Elle se revoit, presque gamine, arrivant de son village natal, craintive devant les mois à venir. Le devoir qu'elle avait de cacher sa grossesse auprès d'une tante

qu'elle connaissait à peine et qui lui faisait si peur, étant la
sœur de son père. Cependant, l'accueil bourru et chaleureux qui l'attendait avait fait fondre rapidement ses réticences. En deux mots, Gisèle lui avait fait comprendre
qu'elle acceptait, sans équivoque, cet état que son père
qualifiait de honteux. Jamais sa tante ne lui a fait le moindre
reproche. Elle l'a même aidée quand elle a finalement connu
Jérôme et qu'elle a su qu'ils voulaient se marier et retrouver
leur fille. Un soutien total. Puis, plus tard, quand son fiancé
est parti pour la guerre, c'est encore sa tante Gisèle qui l'a
soutenue, lui insufflant son propre goût de vivre quand
Cécile sombrait dans le désespoir. Oui, sa tante a été un
appui indéfectible à chacun des moments importants de sa
vie. C'est encore elle qui l'a poussée à accepter les invita-
tions pressantes de Charles ou qui faisait taire les cousins
quand elle avait à étudier. En remontant la rue d'Aiguillon,
Cécile a un sourire attendri. En fait, dans sa vie, elle a eu
deux mères : Jeanne la douce, la silencieuse, qu'elle n'a
appris à connaître vraiment qu'à la toute fin de son existence, à peine quelques mois avant sa mort et Gisèle qui,
elle, n'a pas tardé à se faire connaître. Une femme directe,
incisive, mais en même temps aimante et attentive. Et dire
que Cécile avait peur de venir habiter chez elle ! Si
aujourd'hui Cécile accepte de se marier avec Charles Dupré,
c'est grâce à la tante Gisèle. Sans elle, Cécile est convaincue
qu'elle serait encore et toujours une jeune femme éplorée,
persuadée que Jérôme l'attend quelque part en France. Que
de trésors de patience Gisèle a dû déployer pour amener
Cécile à comprendre que la vie continuait malgré tout.
L'amener à accepter la disparition de ce jeune fiancé qu'elle
aimait plus que tout, puis se faire à l'idée qu'il était bel et
bien mort. Sinon, jamais l'armée n'aurait envoyé cette lettre

de condoléances à Mélina et Gabriel Cliche. « Y sont pas fous, quand même, Cécile. Arrête de t'faire des illusions », avait-elle grondé quand, à court d'arguments, elle avait perdu patience. Cécile avait fini par plier l'échine. Avec réticence, d'abord. Puis, les études prenant toute la place disponible dans sa vie, elle avait recommencé à sourire, n'ayant plus le temps de se complaire dans ses espérances stériles. Et, un jour, Charles était venu s'asseoir à sa table, dans la salle à manger de l'hôpital. Un sourire les avait unis pendant un instant. Puis, le jeune homme s'était relevé cérémonieusement pour se présenter. Tout naturellement, la conversation s'était imposée. Ils avaient parlé des patients de Cécile et de ses recherches à lui. Un même goût de savoir et d'étudier les habitait et c'est avec plaisir qu'ils se retrouvaient, chaque midi, devant un repas vite avalé avant de reprendre le travail. Les confidences étaient rapidement venues. Presque spontanément, tant Charles et Cécile se découvraient de points communs. Lui était veuf depuis presque cinq ans et Cécile lui avait parlé de son Jérôme, les yeux brillants de fièvre. Alors Charles avait compris que Cécile était encore blessée par cette disparition et il s'était promis de ne rien brusquer. De laisser le temps faire son œuvre. Cécile lui avait aussi parlé de Rolande, cette amie disparue bien trop jeune pour qui elle avait fait le serment de devenir médecin. Omettant cependant de dévoiler le lieu et les circonstances de leur rencontre. Juliette restait pour elle un secret trop précieux pour qu'elle puisse le partager avec qui que ce soit. Même avec cet homme merveilleux qui commençait à prendre une place certaine dans son cœur et dans sa vie. Juliette, c'était toute sa jeunesse. Ses rêves envolés, ses espoirs déçus et, cela, elle avait choisi de le garder pour elle. Sa douceur à elle, ses folies d'adolescente... il n'y a que Jérôme qui pourrait encore les comprendre et les partager. Alors... Pourtant, elle aimait Charles. Profondément, sincèrement. Mais d'un amour paisible, raisonnable, qui n'avait rien à voir avec le vertige qui l'emportait quand elle était dans les bras de Jérôme. Et puis, elle n'avait plus dix-huit ans. Après deux ans de fréquentations sages et assidues, Charles avait enfin osé faire la grande demande. Et, contre toute attente, Cécile avait dit oui. Elle n'est plus une enfant et sait se montrer raisonnable. Un amour comme celui qu'elle a connu avec Jérôme ne se présente qu'une fois dans une vie. Maintenant, elle est prête à l'accepter. Bientôt, elle va avoir trente ans. Il est donc normal que la sagesse remplace la fougue de ses vingt ans. Il est temps de songer à fonder une famille, elle qui se languit de tenir à nouveau un petit être dans ses bras. Elle en a assez de jouer les tantes gâteau. C'est mère qu'elle veut être. Du plus profond de son âme...

En arrivant dans le vestibule de la demeure de son oncle, Cécile se laisse tenter par l'envie folle de grimper les marches de l'escalier comme elle le faisait avant. Deux par deux...

— Ma tante ! Je suis là !

Et, sans attendre, elle se précipite vers la cuisine. Gisèle est devant son fourneau, brassant énergiquement une sauce. Avec les années, ses cheveux ont blanchi et ses épaules voûté. Mais sa langue n'a rien perdu de son acidité. Se retournant vers Cécile, le temps de s'assurer que c'est bien elle qui vient d'entrer (ses oreilles ne sont plus tout à fait ce qu'elles étaient), elle lui fait un large sourire avant de revenir à son chaudron.

— Bonjour, ma poulette. Pis, le grand jour approche ?

Et, égale à elle-même, sans attendre de réponse, elle enchaîne :

— J'ai fait ton repas préféré, ma belle : saumon pis sauce aux œufs. Avec de la crème caramel pour dessert... Raoul va v'nir souper avec nous autres pis Fernand va nous rejoindre pour le dessert avec Francine. Les enfants ont la grippe pis ils aiment mieux ne pas les sortir. Ils vont les faire garder par Madame Dion.

Mais Cécile n'a pas vraiment écouté ce que lui disait sa tante. En elle, il y a tant de souvenirs, bons et mauvais, qui se rattachent à cette maison. Émue, elle vient tout près de Gisèle, lui entoure les épaules de son bras. Avant, Gisèle était beaucoup plus grande qu'elle. Maintenant, l'âge les a rapprochées.

— Je vais m'ennuyer de tout ça, tu sais, ma tante.

Gisèle est consciente du bouleversement qui doit agiter Cécile. Elle n'est pas femme de sentiments pour rien. Mais elle est aussi une femme d'action. Alors, sans tomber dans la nostalgie des souvenances, elle bouscule Cécile un tantinet. Puis, se remet à grogner, la menaçant un instant de sa cuiller de bois.

— Ben faudrait pas, Cécile. C'est astheure que ta vie commence, ma belle. Ta vraie vie de femme. Faut pas laisser les regrets v'nir gâcher ton plaisir. Garde toutes tes souvenirs ben précieusement dans ton cœur pis fonce drète en avant de toi. Y a rien que de même qu'on peut être heureux.

Cécile comprend le message à peine voilé que lui envoie sa tante. Le passé est le passé et ce n'est jamais par là qu'on peut avancer dans la vie. Elle a fini par l'admettre. Mais, en ce moment, ses soupirs se font entendre à un autre niveau. C'est comme un trait qu'elle trace dans son existence. Elle est convaincue que plus tard, beaucoup plus tard, quand elle reverra le cheminement de ses jours, il y aura avant son mariage et après celui-ci. C'est pourquoi elle poursuit, en répondant à sa tante :

— Je le sais. C'est même toi qui me l'as appris. Comme tu m'as appris à faire confiance à mes intuitions. Je sais tout cela, ma tante. Mais j'ai envie de te dire que c'est ta maison que je vais garder le plus solidement dans mon cœur. Cette cuisine qui sent toujours bon, cette chambre, en haut, qui est mienne depuis maintenant dix ans. Puis l'odeur de la pipe de « mon oncle » Napoléon. Les cris des cousins qui passaient leur temps à se chamailler. Ça aussi, c'est ma vie. Autant et sinon plus que celle dans la Beauce.

Gisèle se met à renifler. Si elle est indéniablement une femme de cœur, elle n'aime pas laisser voir ses émotions. Sa pudeur naturelle la pousse à devenir grognon quand elle sent le besoin de se défendre. Bourrue, elle repousse Cécile d'une main autoritaire.

— Arrête de me parler de même. Tu vas m'faire brailler... Pis tu l'sais que j'haïs ça... Pis ôte-toi donc de mes chaudrons. C'est un souper de fête en ton honneur que j'prépare là. T'as rien à faire icitte ! Allez, ouste ! Va prendre un bon bain pis fais-toi belle... Tu... tu sens rien que l'hôpital... Envoye ! Disparais !

Malgré l'émotion qui lui serre la gorge, Cécile échappe un rire. Sur une pirouette, elle sort de la cuisine et monte à l'étage pour chercher du linge de rechange. Puis elle veut, avant le souper, faire le tri de toutes les choses qui encombrent ses tiroirs. Disposer de celles, inutiles, qui ne serviront plus, et mettre en caisse souvenirs et vêtements qu'elle prendra en revenant de son voyage de noces. En entrant dans sa chambre, entendant les oiseaux qui s'interpellent joyeusement sous la corniche, sentant la brise fraîche qui entre par la fenêtre laissée souvent entrouverte, Cécile comprend que c'est bien plus qu'un trait qu'elle trace dans sa vie. Elle a brusquement l'impression que c'est une nouvelle vie qu'elle va entreprendre bientôt. Quelque chose qui n'aura rien à voir avec tout ce qu'elle a connu jusqu'à maintenant... Elle n'a plus envie de prendre un bain... S'approchant de sa commode, elle ouvre le dernier tiroir et s'installe sur le plancher pour en faire l'inventaire. C'est là, plié proprement tout au fond sous une pile de vieux chandails, que l'attendait son passé. Une jupe rafistolée, les coutures de côté à demi défaites pour installer un élastique... La jupe qu'elle portait quand elle attendait son bébé. D'une main incertaine, elle la tire à elle, la déplie, la tient devant elle à bout de bras. Que de souvenirs rattachés à cette jupe bien ordinaire, en coton noir ! D'un geste instinctif, elle la serre contre son cœur. Elle se revoit, la laissant glisser à ses pieds, Jérôme tout près d'elle, frémissant. Tous les deux, ici, dans cette même chambre et cet amour qu'il y avait entre eux, si puissant. Plus grand que tout ce qu'elle a pu vivre ou espérer... Immédiatement, deux larmes glissent sur son visage. Larmes de regret, de tristesse. De révolte aussi. Pourquoi est-ce que la vie n'accepte pas de la laisser tranquille, pour un instant ? Permettre à l'oubli de faire son nid dans son cœur, à la paix de réconforter son âme ? Comment peut-elle offrir de partager la vie de Charles en gardant un tel secret ? Il a le droit de savoir... Pourtant, Cécile sait qu'elle ne parlera pas. Juliette, tout comme Jérôme, c'est ce qu'il y aura toujours de plus important pour elle. De plus précieux. Les plus beaux moments de sa vie, malgré la douleur au corps et au cœur. Et si son fiancé disparu apparaissait là, devant elle, c'est lui qu'elle épouserait. Sans l'ombre d'un doute. Jérôme... Incapable de retenir la peine immense qui monte en elle,

Cécile se jette sur son lit, enfouit son visage dans l'oreiller pour étouffer les sanglots durs et bruyants qu'elle ne peut retenir. Puis, lentement, les larmes s'espacent et une grande lassitude remplace les regrets. Se retournant sur le dos, elle fixe le plafond, suivant des yeux la longue lézarde qui traverse la pièce de part en part. Combien de fois a-t-elle analysé cette fissure, machinalement? Combien d'heures passées ici à essayer de comprendre sa vie? Et voilà qu'elle s'apprête à tourner la page... Tout d'un coup, Cécile a l'impression d'être infidèle. Et cela la met mal à l'aise. Non pas à Charles, qu'elle aime sincèrement, à sa manière. Mais infidèle à ce qu'aurait dû être sa vie. Comme si elle reniait Jérôme et Juliette. La vie qu'ils rêvaient de bâtir ensemble... Où est-elle, maintenant, cette petite fille qu'elle avait promis de retrouver? Elle a dix ans. À qui ressemble-t-elle, finalement? A-t-elle conservé ses boucles sombres qui ressemblaient à celles de son père? Un long soupir gonfle la poitrine de Cécile. Que ne donnerait-elle pas pour savoir! Juste un peu... C'est à ce moment que l'idée survient. Brutale comme une envie, subite comme un besoin. Sans chercher à décortiquer cette impulsion, Cécile se relève, fébrile. Sans prendre le temps de se changer, elle attrape au vol son manteau et file vers l'escalier.

— Ma tante, je sors pour quelques minutes...

Et, sur ce, elle dévale l'escalier et fonce dans la rue. C'est au pas de course qu'elle se rend jusqu'à la rue Saint-Jean, qu'elle passe devant la Pâtisserie Simon, sans la voir. Elle ne s'arrête que devant une enseigne noire, en marbre. Docteur Simard, gynécologue... Oui, sûrement que lui peut l'aider. C'est en arrivant devant la secrétaire, consciente tout d'un coup de tous ces regards de femmes attendant leur tour et qui se posent simultanément sur elle, que Cécile s'aperçoit qu'elle n'a pas de rendez-vous. Pourtant, malgré sa timidité naturelle, elle hésite à peine un instant. Il lui faut savoir, si elle veut être vraiment libre de dire oui, samedi, devant Charles et devant Dieu...

— Je... Bonjour... Je n'ai pas de rendez-vous, mais j'aimerais rencontrer le Docteur Simard.

Devant le regard sévère de l'infirmière qui la dévisage et, avant que celle-ci ait pu émettre quoi que ce soit, brillamment inspirée, elle ajoute, d'un trait :

— C'est important... Je suis médecin.

À ces mots, le froncement de sourcils qui avait accueilli sa requête se transforme en sourire.

— Pardon, docteur. Je vais voir ce que je peux faire...

Quinze minutes plus tard, Cécile entre dans le bureau attenant à la salle d'examen. La pièce n'a pas changé. La même table d'examen, les mêmes fauteuils... Oui, brusquement, Cécile remonte dans le temps. Elle a à nouveau dix-huit ans et se tient immobile, légèrement intimidée devant le grand homme sévère qu'est le Docteur Simard. En apercevant le gros stéthoscope rond, lové sur lui-même sur la table de métal blanc, Cécile doit se retenir pour ne pas se remettre à pleurer. L'instant le plus merveilleux de sa vie, c'est ici qu'elle l'a vécu. Quand le médecin lui a permis d'entendre battre le cœur de son enfant. Le Docteur Simard vient à elle, en lui tendant la main.

— Bonjour... Docteur Veilleux, je crois ?

En entendant cette voix chaude et grave, Cécile sursaute. Non, elle n'a plus dix-huit ans. Elle est une femme, maintenant, et elle veut tenter de mettre un terme à son passé pour être honnête envers l'homme qu'elle a choisi pour partager l'autre partie de sa vie. Prenant une profonde inspiration, elle fait un pas en avant. Mais, avant qu'elle ait pu répondre, le médecin fronce les sourcils et la devance.

— L'infirmière m'a dit que vous êtes médecin. Je ne connais pas de Docteur Veilleux. Pourtant, en vous regardant, j'ai l'impression que votre visage m'est familier…

À ces mots, Cécile comprend qu'il ne sert à rien de tourner autour du pot. Alors, elle se décide, sans trop réfléchir à ce qu'elle veut dire. La seule chose qui ait de l'importance, en ce moment, c'est de tout tenter pour essayer de savoir à quoi ressemble la vie de sa fille. À son tour, elle relève la tête vers l'homme grisonnant qui se tient devant elle et lui tend la main, soutenant franchement son regard.

— Oui, docteur, nous nous connaissons… J'ai eu un enfant, il y a maintenant dix ans. Et j'aimerais savoir ce qu'est devenue ma petite fille…

Devant le geste de recul du médecin, son soupir à la fois agacé et las, elle s'empresse de rajouter :

— Non pas pour essayer de la reprendre, mais juste savoir… Je… je me marie samedi et j'ai besoin de savoir ce qu'elle est devenue. J'ai envie de tracer une ligne dans ma vie. Savoir que je quitte une étape importante sans avoir rien négligé…

Puis, avec un rire d'excuse, elle conclue :

— C'est peut-être complètement idiot, mais c'est plus fort que moi…

C'est au tour du Docteur Simard de lui faire un grand sourire. Chose plutôt surprenante chez cet homme qu'elle ne se rappelle pas avoir vu sourire. Tendant le bras pour lui offrir un siège, il nie ce qu'elle vient juste d'affirmer.

— Non, ce n'est pas idiot. C'est même tout à fait normal. Mais venez, venez vous asseoir… Ainsi donc, vous êtes médecin, maintenant, et vous dites que vous allez vous marier… Avec le père ? Sans indiscrétion, bien sûr.

Une onde douloureuse traverse le regard de Cécile. Mais elle est prête à tout dévoiler. Raconter sa vie, si cela peut mettre le médecin en confiance.

— Non... Jérôme est mort à la guerre. C'est pour cela que j'ai besoin d'être rassurée. J'ai l'impression que je vais abandonner mon enfant une seconde fois... Mais, laissez-moi vous expliquer...

Le médecin a pris tout le temps nécessaire pour écouter l'histoire de Cécile. Puis, longuement, il s'est frotté le visage de ses longues mains de chirurgien.

— C'est embêtant... Habituellement, je ne donne jamais suite à de telles demandes. Et elles sont nombreuses, croyez-moi... Non pas que je renie les mères naturelles, s'empresse-t-il d'ajouter en entendant le soupir à peine retenu de Cécile. J'ai toujours respecté les femmes qui arrivent à cet état d'abnégation leur permettant de confier leur enfant à l'adoption. Oui, beaucoup de respect. Cela demande un tel amour... Mais je respecte tout autant celles qui, incapables de concevoir, accueillent dans leur vie et leur cœur un petit être qui n'est pas le leur. Je peux vous assurer que ces mères adoptives sont admirables elles aussi... Je ne sais pas... Laissez-moi penser. Maintenant que vous m'avez parlé, je me rappelle très bien votre cas. Et je vous crois sincère quand vous dites que vous ne voulez pas chercher noise à la famille de votre fille... Je connais bien sa mère adoptive. C'est une patiente à moi, presque une amie. Je crois qu'elle acceptera que je vous renseigne sur votre enfant. Revenez demain matin... Oui, demain matin, vers dix heures. Et ne vous en faites plus pour votre petite fille. Elle est très heureuse. Dans une famille qui l'aime. De cela, je me porte garant...

C'est en ressortant du bureau que Cécile s'aperçoit que

le médecin ne parlait plus à la première personne du pluriel, ainsi qu'il le faisait avant, quand elle était sa patiente. Comme si maintenant, tous les deux, ils appartenaient à un même monde et que les liens étaient ainsi plus faciles à créer. Remplie d'espoir, le cœur soulagé, Cécile revient chez sa tante Gisèle. Prête, maintenant, à profiter du souper de fête que la famille de Napoléon Breton se prépare à lui offrir. Et en plus, demain, quand elle prendra l'autobus pour retourner chez son père, elle aura l'assurance que Juliette est une petite fille heureuse et en santé. C'est tout ce qu'elle veut connaître, finalement. Être certaine que Juliette ne manque de rien. Comme elle l'a promis à Jérôme...

* * *

— Vous dites, docteur? La... la mère de Dominique veut avoir de ses nouvelles? Je... Laissez-moi y penser. Je vous rappelle un peu plus tard...

Thérèse Lamontagne reste un instant immobile, l'acoustique du téléphone pressé contre sa poitrine. Puis, lentement, elle raccroche. Dans la cour arrière, elle entend les cris de joie de Claude et Francine, ses deux plus jeunes enfants, des jumeaux de sept ans. Dominique est à son cours de piano et ne reviendra que pour le souper, dans une heure. À pas lents, elle vient au salon, s'assoit dans le premier fauteuil venu. Pendant que le médecin lui parlait, tout à l'heure, elle n'avait qu'une envie. C'était de lui fermer la ligne au nez pour ne pas entendre ses paroles. Du plus profond de l'amour et de l'attachement qu'elle ressent pour Dominique, elle ne peut se résoudre à dire quoi que ce soit. Un grand cri d'alerte monte dans son cœur. Dominique, c'est sa fille à elle. Un petit bébé qui n'avait pas encore un jour quand elle est entrée dans leur famille, dans leur vie. Et qu'elle aime tout autant que si elle était de son propre sang. Qu'elle a attendue pendant des mois comme n'importe quelle autre mère. Qu'elle a veillée, nourrie, amusée... Dominique, sa Dominique... Bouleversée, Thérèse n'arrive pas à penser de façon cohérente. Que la peur en elle devant cette femme inconnue qui, elle aussi, aime sa fille. Une pointe de jalousie, féroce et douloureuse, lui fait refermer les bras contre sa poitrine. Pourquoi elle, Thérèse Lamontagne, n'a-t-elle pu porter ses enfants? Brusquement, elle aurait envie de crier sa douleur. Elle ne veut pas qu'on lui enlève sa fille. Elle ne veut même pas partager son affection, ses rires et ses ambitions d'enfant. Dominique, c'est sa fille à elle et à personne d'autre... C'est ainsi que René, son mari, la trouve en entrant du travail. Prostrée, le regard humide.

— Mon Dieu, Thérèse, que se passe-t-il? Rien de grave, j'espère? Les enfants n'ont rien?

Un hochement de tête vient le rassurer. Puis, un regard brillant de larmes contenues se pose sur lui.

— Je ne sais pas... Je ne veux pas savoir.

Et, brusquement, elle éclate en sanglots. René recueille tout contre lui une femme tremblante. Doucement, il lui caresse les cheveux.

— Si les enfants n'ont rien, le reste n'a pas d'importance. Viens t'asseoir et raconte-moi ce qui te bouleverse comme ça. À deux, nous trouverons sûrement une solution...

Thérèse réussit, tant bien que mal, à lui conter l'appel du médecin. Comment il lui avait expliqué qu'habituellement il ne donne jamais suite à de telles requêtes mais, que là, il croyait sincèrement que la mère naturelle avait besoin de connaître quelques détails sur la vie de sa fille. Il avait parlé du père mort à la guerre et de la détresse de la jeune femme qui, à la veille de son mariage, avait l'impression d'abandonner sa fille une seconde fois. Mais, d'un même souffle, il lui avait assuré que si elle désirait se taire, il comprendrait. C'était à elle, Thérèse, de prendre la décision.

— J'ai peur René. Je... J'ai peur qu'après elle veuille la retrouver... Dominique, ce n'est plus sa fille. C'est la nôtre, n'est-ce-pas ? C'est nous qui l'avons recueillie, aimée, élevée... Je... Je ne veux pas que cette femme débarque chez nous en faisant valoir des droits qu'elle n'a plus... Je...

D'une main calme, à la fois tendre et ferme, René la fait taire. Que de crainte dans ces quelques mots !

— Non, Thérèse... Je ne crois pas que la mère va frapper demain à notre porte. Au contraire... Tu ne penses pas, toi, que c'est là la preuve que Dominique était une petite fille aimée avant même de venir au monde ? Si sa mère pense encore à elle, et de façon aussi précise, c'est qu'elle ne veut que le meilleur pour elle. Non ? Moi, au contraire, je crois que c'est de notre devoir de la rassurer.

En reniflant, Thérèse pose un regard inquiet sur son mari.

— Mais si elle veut plus que cela ?

— Plus ? Pourquoi plus ? Non, je ne pense pas.

Se relevant, René vient à la fenêtre du salon qui donne sur une large avenue bordée d'arbres centenaires. La vie lui a toujours souri. Une femme merveilleuse, un emploi stable et bien rémunéré, une famille unie... La seule ombre au tableau, c'est que ses enfants ne sont pas de lui. Une épine à sa fierté d'homme. Stupide, il en convient. Mais quand même bien réelle ! Mais cela, c'est son secret et personne ne s'en doute. Pas même Thérèse... Comme il aime profondément ces trois enfants qu'ils sont allés chercher à la crèche et que, lui aussi, a attendus et désirés, jouant le jeu jusqu'au bout en excusant sa femme, trop fatiguée, disait-il, pour sortir de leur maison quand approchait la date prévue de l'accouchement. Même si parfois, il lui arrive de regretter qu'ils ne soient pas de son sang. Il aimerait retrouver en eux les yeux de sa mère ou le nez de son frère... Pourtant, personne ne s'en doute, car tout le monde croit que ces trois enfants sont les leurs. Mais, bien caché au fond de son cœur, oui, René aurait aimé avoir des enfants. Comment alors refuser de donner quelques nouvelles de Dominique à la femme qui, elle, n'a pas eu le choix de la garder ? Du plus profond de sa déception à lui, il comprend ce qui motive la mère de Dominique. Avec un long soupir, il se retourne, fait quelques pas vers sa femme.

— Je crois que tu es injuste, Thérèse, quand tu dis que la mère de Dominique n'est plus sa mère. Ce n'est pas vrai, tu sais. Elle sera toujours sa mère, celle qui lui a donné la vie.

Thérèse a un soupir tremblant. Elle sait bien, tout au fond d'elle, que René a raison. Ce n'est que la peur qui l'a fait divaguer. Malgré la crainte qui lui fait battre le cœur, elle aurait envie de s'excuser.

— Oui, c'est vrai... Mais je les aime tellement ces enfants ! Je n'arrive même plus à me dire qu'ils ne sont pas de moi. C'est... c'est comme si cela n'avait plus la moindre importance à mes yeux. Tu... tu n'es pas comme ça, toi ?

C'est la première fois qu'ils en parlent entre eux depuis des années. Depuis, en fait, le jour où, surmontant enfin leur désespoir de ne pas avoir d'enfants, ils avaient décidé d'en adopter pour fonder quand même une famille. René hésite un instant, puis il revient face à la fenêtre. Il aimerait parfois confier sa tristesse à quelqu'un. La partager avec Thérèse, cette femme merveilleuse avec qui il partage tout le reste. Mais il a peur de lui faire de la peine. De la blesser. S'ils n'ont jamais pu concevoir, c'est à cause d'elle. Le médecin était formel... Alors il s'oblige à ravaler ce qu'il aimerait tant dire, se force à sourire à sa femme. Celle qu'il aime plus que tout...

— Je pense que tu t'en fais pour rien, Thérèse. On n'est pas obligés de donner notre adresse et notre numéro de téléphone, tu sais. Mais pense un peu à ce que doit ressentir une femme qui a mis un enfant au monde et qui ignore tout d'elle. Ce doit être affreux à vivre, tu ne crois pas ?

Thérèse a alors un sourire. Son mari a raison. Elle s'est laissée emporter par une crainte idiote. Une émotion incontrôlable qui a paralysé son habituelle générosité. Se relevant, elle vient se blottir contre René.

— Oui, tu as raison. Je vais rappeler le Docteur Simard et lui dire qu'il peut parler de nous à la mère de Dominique. Lui dire qu'elle est en parfaite santé, qu'elle adore jouer du piano, qu'elle a un frère et une sœur...

Puis, après un bref silence, elle ajoute :

— Si on lui donnait la photo de Dominique dans le jardin ? Tu sais, celle où elle est si jolie avec sa robe de soleil et sa petite chaudière ? Ça... ça n'engage à rien. Elle n'avait que trois ans sur cette photo... Jamais elle ne pourrait la reconnaître aujourd'hui.

Retrouvant, à ces mots, la femme qu'il a toujours admirée, René se penche vers elle et vient effleurer ses lèvres d'un long baiser amoureux. Un rire amusé les fait sursauter.

— Oh, Oh! Les amoureux sont seuls au monde… J'espère seulement que vous avez pensé au souper. C'est que je meurs de faim, moi!

Une belle fille élancée, toute en jambes, aux boucles sombres et indisciplinées les regarde en souriant. René fait un sourire complice à sa fille. Dieu qu'elle est belle, leur petite Dominique! Et gentille avec ça… Alors, qu'importe qu'elle soit de lui ou pas? Éclatant de rire à son tour, il lui fait une grimace gamine.

— Tu parles d'une façon de s'adresser à ses parents! File au jardin avant que je sévisse, jeune fille. Le souper va être prêt dans quelques instants.

Sur un rire en cascade, Dominique s'envole vers le jardin, rejoindre son frère et sa sœur.

Le vendredi matin, quand Cécile quitte à nouveau le bureau du Docteur Simard, elle ne porte plus à terre. Tout contre elle, bien à l'abri sur son cœur, elle garde la photo amateur où une bambine sourit de toutes ses dents, l'air espiègle et heureux. Sous les boucles sombres héritées de son père, le regard ne peut tromper. Juliette est la copie conforme de Jérôme. Même aujourd'hui, si jamais elle la croisait dans la rue, Cécile est convaincue qu'elle saurait la reconnaître. Exactement comme au jour de sa naissance quand elle s'est présentée à la pouponnière, cherchant de son regard anxieux un bébé qui était déjà parti vers sa destinée. Loin, si loin d'elle…

C'est avec un sourire radieux qu'elle dit oui à Charles. Devant Dieu et devant les hommes. Le ciel n'en finit plus de pleurer sa désolation, mais Cécile ne s'en soucie pas le moindrement du monde. Sa fille est heureuse et elle épouse un homme bon et sensible. Tout ce qu'elle souhaite, c'est d'être à la hauteur de cet amour qui s'offre à elle. Et quand le prêtre leur souhaite que Dieu bénisse leur union à travers les enfants qui viendront, elle redit oui dans le secret de son cœur. Elle a fait ce qu'elle devait faire pour être sincère avec elle-même et avec Jérôme. Maintenant, elle est prête à écrire le deuxième tome de sa vie. Et elle le voit avec une ribambelle d'enfants...

7

Québec, juillet 1956

Incommodée par la chaleur lourde et humide qui tapisse leur chambre, Cécile ouvre un œil endormi. Le jour n'est encore qu'une lueur opaline sur l'horizon et découpe à peine l'entrelacement des branches du vieil érable, établi, bien avant leur arrivée, sur le parterre de la demeure. Refermant les yeux, Cécile se roule en boule sur le côté, bien décidée à se rendormir. C'est à cet instant, grognant et toussant, que Charles se retourne sur le dos, repousse le drap d'un geste inconscient et se met à ronfler. Alors Cécile pousse un soupir discret. Sa nuit vient de finir... Résignée, elle se lève délicatement, sachant pertinemment que le sommeil se refusera à elle dans de telles conditions. Elle enfile silencieusement un jeans, un large chandail en tricot de coton et, sandales à la main, quitte la chambre à pas feutrés. Suivant le long couloir encore sombre, elle emprunte le large escalier, descend dans le hall et se dirige vers la cuisine, située à l'arrière. Attrapant une orange au vol dans le bol de faïence posé en permanence sur la table, elle sort enfin de la maison. On est samedi. Nulle obligation ne viendra donc bousculer son horaire.

La ville dort encore, amortie sous la touffeur de l'air. Seuls les oiseaux ont envahi la place et festoient gaiement pour saluer le lever du soleil, que l'on devine derrière le toit des maisons voisines. Machinalement, Cécile emprunte le sentier qui contourne la maison et vient s'asseoir sur la longue galerie ornant la façade de leur demeure. Patiemment, à gestes précis, elle se met à éplucher son orange en soupirant d'aise. Cela fait longtemps qu'elle n'a pas assisté au lever du jour... L'odeur acidulée du fruit, accouplée à celle plus lourde et soutenue du parterre de roses qu'elle soigne amoureusement, lui font fermer les yeux. Elle a toujours été sensible aux parfums, Cécile. Ceux d'un repas fumant, d'une fleur, de l'hôpital... Alors, brusquement, surgi de la profondeur de ses souvenirs, un autre matin parfumé s'impose à sa pensée. De façon si brutale qu'elle ouvre vivement les yeux, surprise de ne pas voir le verger de son père s'étaler devant elle. Pendant un instant, elle aurait juré qu'une senteur de fleurs de pommiers était venue la courtiser, chatouillant ses narines et son esprit ensommeillé. Oh oui ! Comme elle se rappelle maintenant cette aube de soleil et de chaleur humide au matin de ses dix-huit ans. Une aurore en tous points semblable à celle-ci, remplie de la promesse d'une journée parfaite. Sauf qu'à l'époque, c'est la peur qui l'avait éveillée et non seulement la chaleur... Incapable de rester en place, Cécile se relève, descend de la galerie et se dirige vers le trottoir. Sans hésitation, elle tourne à sa droite. Au bout de la rue, vers le sud, les Plaines étendent leur verdure invitante...

Assise sur un banc de bois installé sur un promontoire qui domine le fleuve, Cécile laisse voguer son regard au gré des flots. L'onde chatoie dans tous les tons de bleu et brille de mille paillettes aveuglantes. La journée sera belle de soleil et de chaleur. Tout comme celle du mois de mai 1942... Celle où, presque une gamine encore, elle avait parlé à Jérôme, lui annonçant qu'elle attendait un enfant. Leur enfant... Involontairement, ses yeux se portent vers l'est, un peu plus loin que la pointe de l'île d'Orléans, là où la mer et le ciel se confondent. Au bout de l'eau, il y a l'Europe. Il y a la France... et Jérôme... Malgré le temps qui passe, Cécile n'oublie pas complètement. Jérôme a gardé une grande place dans son cœur. Et en dépit des demandes répétées de Charles, qui aimerait tant emmener sa femme à Paris, Cécile a toujours refusé. Se trouvant mille et une excuses pour remettre le voyage à plus tard... Si un jour elle va en France, elle sera seule pour faire le voyage. C'est essentiel pour elle. Presque vital... Son pèlerinage dans le passé ne concerne qu'elle. Même si elle se sait injuste envers son mari en pensant de la sorte. Mais c'est plus fort que tout raisonnement. Si un jour elle va en France, ce sera pour aller se recueillir sur la tombe du soldat inconnu, en Normandie. Pas ailleurs... En soupirant, Cécile ramène son regard devant elle. Échappe un long bâillement en s'étirant. Le petit matin est trop beau pour se laisser aller à de tristes souvenirs. Elle a à peine trente-deux ans et une vie bien remplie devant elle, un métier qu'elle adore, un mari qu'elle aime tendrement, même si, finalement, elle ne le voit pas tellement. Plus présent dans son laboratoire qu'à la maison, Cécile doit bien souvent se contenter de rencontres entre deux portes ou de baisers rapides dans le cou. Mais qu'importe? Elle aussi a un métier passionnant qui lui demande de longues heures de disponibilité. Pourquoi, alors, se complaire dans des regrets inutiles? En souriant, elle revoit les dernières années. Malgré tout, Charles est un bon mari. Un homme tendre, attentionné et Cécile croit sincèrement être une bonne épouse. Une complicité au-delà des mots enveloppe leur quotidien d'une amitié qui se soude harmonieusement à ces petits riens qui font la vie belle et bonne. Une immense tendresse les unit l'un à l'autre. Oui, une grande affection...

Pourtant, malgré cela, Cécile ressent un vide en elle. Comme un manque qu'elle voudrait tant combler mais que Charles, homme de science et de recherche, homme de silence et d'études, est incapable de satisfaire. La seule passion de son mari, c'est la recherche. Cette absence de flamme dans leur couple la fait souffrir, elle qui a connu l'ivresse dans les bras de Jérôme. Et la comparaison involontaire, qui s'impose quand elle y repense, lui fait serrer les lèvres sur la plus grande déception de sa vie. Une déception anéantissant ses espoirs les plus légitimes. Ceux qui auraient peut-être permis enfin de conjurer le passé... C'est qu'après trois ans de mariage, Charles et elle n'ont toujours pas d'enfants. De mois en mois, Cécile espère du plus profond de son cœur. À chaque mois, la tristesse et le dépit l'attendent quand elle s'aperçoit que la nature ne coopère pas. Néanmoins, Charles en parle de cet enfant, tout comme elle. Mais, encore une fois, sans passion... Semblant se résigner, même s'il conseille parfois à Cécile de voir un médecin. Ce point d'ombre, dans leur relation, chatouille aussi la susceptibilité de son mari. Même s'il joue les indifférents, Cécile voit bien, à son regard, qu'il est déçu. À moins qu'il ne soit tout simplement inquiet.... Alors, elle ne dit rien. Se montre désappointée, mais sans plus. Pourtant, si quelqu'un avait pu voir les larmes inondant son cœur à chaque fois que le rêve s'efface... Malgré tout, elle se tait. Elle n'ose plus rien dévoiler de ce qu'elle a vécu jadis, même si, avec le temps, elle aimerait détruire tout silence, tout secret entre elle et Charles. Oui, très sincèrement, Cécile serait prête à confier son lourd secret à l'homme qui partage sa vie. Mais elle a peur de le blesser, lui qui répète, à chaque fois qu'ils en parlent, qu'elle devrait consulter un spécialiste. Obstinément, Cécile refuse, sachant que Charles serait alors touché dans son amour-propre. Sans qu'il l'énonce clairement, Cécile sent bien qu'il est convaincu que le problème vient d'elle, parlant en termes médicaux de trompes bouchées, d'infection ancienne, de malformation malheureuse qui aurait pu... Cécile sait qu'il n'en est rien. Régulièrement, elle consulte le Docteur Simard qui lui confirme, à chaque visite, que tout va pour le mieux. De toute façon, n'a-t-elle pas déjà enfanté ? N'a-t-elle pas donné le jour à un magnifique bébé ? Alors non, Cécile ne parlera pas à Charles. Elle le respecte trop pour lui faire quelque mal que ce soit. Et le connaissant comme elle le connaît, l'amertume de se savoir peut-être stérile serait une catastrophe pour son mari. Son seul défaut, c'est sa prétention, son orgueil démesuré. Justifié peut-être, à bien des égards, mais légèrement suffisant, parfois même agaçant. Non, jamais son mari n'accepterait une telle chose. C'est pourquoi, sachant que le sujet des enfants est la seule pomme de discorde entre eux, Cécile se taira. Jusqu'à la mort, s'il le faut... Mais cela ne l'empêche pas de se dire que la vie est injuste parfois. Et si cruelle !

Quand elle revient chez elle, Charles est déjà debout, sifflotant joyeusement devant le poêle où il prépare le déjeuner. Il accueille Cécile d'un large sourire.

— Bonjour, toi ! Tu es bien matinale aujourd'hui...

Un sourire moqueur lui répond.

— Je ne sais pas ce qui m'a éveillée aux aurores... On aurait dit un train qui traversait notre chambre. Qui s'installait même dans notre lit pour y finir la nuit. Non, je ne sais pas du tout ce qui s'est passé. C'est bien curieux...

Charles éclate de rire en rougissant légèrement.

— Pardon, jolie dame. Loin de moi l'idée de vous déplaire... Pourquoi ne pas me réveiller à ce moment-là ?

Alors Cécile s'approche de lui pour l'embrasser sur la tempe. Échevelé, encore en pyjama, il a l'air d'un grand adolescent malgré ses mèches poivre et sel. Oui, Charles est un merveilleux mari. Malgré ses nombreuses absences. Un mari qu'elle ne veut faire souffrir à aucun prix.

— Qu'importe, Charles. Le temps était splendide et le chant des oiseaux si invitant... Et puis, tu dormais si bien, je ne voulais pas te déranger. J'ai fait une magnifique promenade et je meurs de faim! Est-ce qu'on mange?

Plaisir suprême, Cécile a décidé que ce matin elle n'accompagnait pas Charles au terrain de golf. Le golf, c'est l'autre passion de son mari. Sa détente... Encore engourdie par toutes les pensées qui ont visité son esprit, au petit jour, elle a envie de s'offrir la plus belle des gâteries : jardiner. S'occuper de ses roses, en solitaire, avec, pour seule compagnie, le chant des oiseaux et le cri des enfants de ses voisins. Songeant à sa fille...

Absorbée par le désherbage de son immense roseraie, Cécile n'entend pas les pas qui remontent l'allée où Charles gare sa voiture, devant le garage. Une voix joyeuse la fait sursauter.

— Cécile? C'est bien toi qui se cache sous ce chapeau ridicule?

Le temps de se retourner, légèrement offusquée, et elle pousse une clameur de plaisir. Délaissant ciseaux et pelle, elle se relève, s'élance vers un grand jeune homme qui la dévore des yeux.

— Gérard! Ma parole, tu as encore grandi!

En riant, ils tombent dans les bras l'un de l'autre. Malgré la distance qui les sépare (Gérard habite toujours Montréal), malgré, aussi, les années qui filent beaucoup trop vite, rien n'a changé entre eux. Les liens particuliers de confiance et de compréhension qui ont marqué leur enfance et leur adolescence restent les mêmes. Aussi solides, aussi vrais. Gérard serre contre lui cette grande sœur qu'il aime comme une mère.

— Bonyeu que ça fait du bien de t'voir, Cécile ! T'es toujours aussi belle...

— Voyez-vous ça ! Espèce de vil flatteur... Mais moi aussi je suis contente de te voir. Tellement contente... Viens t'asseoir sur la galerie... Tu veux une bière, une limonade ?

En s'agaçant, comme ils le faisaient enfants, Cécile et Gérard ont préparé un goûter qu'ils partagent maintenant en tête-à-tête, installés à la table à pique-niques dans la cour. Charles a appelé pour dire qu'il dînait à son club, en compagnie de confrères rencontrés pendant la partie. Cécile soupire d'aise. Avoir Gérard tout près d'elle, sans témoin, est un plaisir fort rare. Les souvenirs déboulent leur joie entre eux et le temps file sans qu'ils le voient passer. C'est au moment où ils attaquent leur dessert que Gérard approche sa chaise près de celle de Cécile. Il a tant et tant de choses à lui confier... Et pour lui, il n'y a que Cécile, dans sa famille, qui puisse comprendre cette joie immense lui transportant l'âme.

— Cécile... Je sais pas trop comment dire... Nous... J'vas me marier.

La jeune femme éclate de rire.

— Toi ? Gérard Veilleux va se marier ? Mais c'est le monde à l'envers ! Il...

Devant le regard de son frère, sérieux et un peu triste, Cécile se tait soudainement. Elle n'est pas gentille avec lui. Ce n'est pas parce que son frère a eu une vie amoureuse plutôt turbulente qu'il n'a pas droit au bonheur. Ravalant les moqueries qui lui montaient aux lèvres, elle reprend doucement:

— Pardonne-moi, Gérard. Je ne voulais pas te blesser. Alors, ça y est? Tu as rencontré l'âme sœur?

Fier comme un paon, Gérard bombe le torse. Il savait bien que Cécile ne rirait pas vraiment de lui... Avec empressement, il ajoute:

— Oui, Cécile. Elle s'appelle Marie. Elle est belle comme le jour pis fine comme une soie. Chus sûr que tu vas ben t'adonner avec elle... Mais c'est pas toute...

Prenant tout son temps, il dévisage Cécile avec tendresse. Elle n'a pas vieilli, sa sœur. Brusquement, il a l'impression de revenir dans le passé. Comme il aurait envie de blottir sa tête tout contre elle et lui redire combien il l'aime! Dans un souffle, il lance d'une voix pleine de fierté:

— Marie pis moi, on attend un bébé...

Souriant, il attend une réaction de sa sœur. Un geste, un emballement, une démonstration d'enthousiasme. Pourtant, c'est un éclair de douleur que lui renvoient les prunelles d'azur. Brusquement, le soleil vient de s'éteindre pour Cécile. Un immense nuage noir enveloppe le jardin, la maison, la rue, toute la ville... C'est comme si Cécile venait de recevoir un coup de couteau en plein cœur. Cette nouvelle, remplie pourtant d'une joyeuse espérance normale et légitime, vient brutalement de la ramener plusieurs années en arrière. Gérard, son petit frère Gérard, va être père. Même lui, ce coureur de jupons impénitent, a le droit d'être père... Mais que se passe-t-il donc, aujourd'hui, pour que toutes les douleurs de son existence refassent surface en même temps? Incapable de partager la joie de Gérard, Cécile se relève et ramasse machinalement les assiettes et le pichet de limonade qui traînaient sur la table. Toujours sans répondre, elle entre dans la cuisine... Inquiet, Gérard la retrouve devant l'évier, les mains serrées contre sa poitrine comme si le souffle lui manquait et le regard brillant de larmes.

— Mais voyons donc, Cécile ? Qu'est-ce que j'ai dit de si...

D'une main tremblante, Cécile l'oblige à se taire. Et, toujours silencieuse, elle vient se blottir contre lui. Gérard, c'est sa famille, son enfance, les plus belles années de sa vie. Il est le seul de ses frères et sœurs à connaître l'existence de Juliette, sa petite fille... Alors, enfin avec lui, elle peut pleurer toute la déception qui la poursuit depuis son mariage avec Charles. Son envie, sa si grande envie d'avoir un enfant...

— Pardonne-moi, Gérard. Ce n'est pas ta faute. Non, pas ta faute... C'est juste que je trouve la vie si injuste...

Incapable de poursuivre, elle laisse couler sa révolte et sa tristesse sur l'épaule de celui qui a toujours été son complice au fil des années. Gérard laisse sa main courir dans les cheveux de sa sœur. Cette chevelure blonde qu'elle garde toujours aussi longue que du temps de leur jeunesse.

— Oui, je comprends, Cécile. Moi aujourd'hui j'vas me marier avec la femme que j'aime pis on va avoir un bébé qu'on désire toutes les deux comme des fous. Alors que toi avec Jérôme...

Il n'a pas besoin d'en dire plus. Ils se sont toujours compris à demi-mots, s'aidant mutuellement, se défendant l'un l'autre quand le besoin s'en faisait sentir... Un silence réconfortant, plus éloquent que toutes les plus belles paroles de consolation, les unit étroitement. Lentement, les larmes de Cécile s'espacent puis finissent par mourir dans un soupir tremblant. Elle lève un visage ravagé vers le jeune homme.

— Ça m'a fait du bien, petit frère, de pleurer comme ça. Tu sais, il n'y a qu'avec toi et tante Gisèle que je peux... Oh! Et puis, qu'importe? La vie est ce qu'elle est...

Revenant jusqu'à l'évier, Cécile s'asperge les yeux d'un peu d'eau froide. Si les larmes soulagent, elles ne changent cependant rien à la vie. Et elle non plus, Cécile Veilleux Dupré, n'est pas en mesure de modifier le cours de son existence. Il ne lui reste que la résignation. Oui, que la résignation... Se cambrant intérieurement, Cécile serre les poings. La vie l'a obligée à être forte et elle continuera de l'être. Même si c'est parfois difficile, bien ingrat... En ce moment, Gérard mérite son soutien et sa joie. Se retournant vers lui, elle s'efforce de lui sourire. Devant le visage de sa sœur, plus calme, plus serein, le jeune homme a un soupir de soulagement. Il a toujours été démuni devant les larmes de Cécile.

— Oui, c'est vrai que la vie est bizarre, des fois... Mais toi, Cécile? Qu'est-ce qui se passe avec Charles? Il... il veut pas d'enfants ou quoi?

À ces mots, Cécile lui refait un sourire triste.

— Ce n'est pas cela, Gérard. C'est tout simplement que ça ne marche pas. On a vraiment tout essayé...

— Mais Charles est-il allé voir un docteur? Avec deux médecins dans la famille, je comprends pas que...

Encore une fois, Cécile l'oblige à se taire. Le prenant par la main, elle l'entraîne jusqu'à la table pour qu'ils puissent s'asseoir. Avec lui, elle peut tout dire. Et Cécile sait qu'il va comprendre et être discret.

— Ce n'est pas si simple que ça en a l'air, Gérard... Tu vois, Charles ne sait pas pour Juliette.

— Il sait pas?

— Non. Quand... quand je me suis mariée, j'étais

incapable de révéler ce secret-là. C'est comme si j'avais été infidèle à Jérôme... C'est tellement difficile à expliquer... Puis, avec le temps, quand j'ai compris que nous n'aurions pas d'enfants, j'ai décidé de me taire. Par délicatesse pour Charles qui est persuadé que le problème vient de moi. Je sais que son orgueil souffrirait énormément s'il apprenait que... Je n'ai pas envie de lui faire de la peine, Gérard. Charles est un homme merveilleux et je l'aime... Qu'est-ce que ça nous donnerait de savoir que le problème vient de lui plutôt que de moi, hein ? Ce n'est pas ça qui nous donnerait un enfant. Alors, je préfère me taire.

— Mais dans ce cas-là, pourquoi est-ce que vous en adoptez pas un, bébé ? T'es ben placée pour savoir que...

Un nouvel éclat de douleur traverse le regard de Cécile. La seule dispute qu'il y a eue entre elle et son mari, c'est au moment où Cécile a parlé d'adoption. À ce sujet, Charles est catégorique. Réprimant un soupir, elle reprend :

— Charles ne veut pas en entendre parler... Si un enfant vient déranger un jour sa tranquillité, c'est qu'il sera de lui. Un point c'est tout. Je crois qu'il n'en souffre pas tant que cela de ne pas avoir de bébés dans la maison. Il se montre déçu quand il voit que je le suis. Mais cela ne va pas plus loin...

Cécile fixe Gérard, une tristesse poignante au fond des yeux. En même temps qu'une pointe de jalousie vient tourmenter son cœur. Si elle avait pu se marier, à l'époque... Si son père avait accepté que Jérôme et elle gardent leur enfant... Mais, dans ce temps-là, il fallait sauvegarder les apparences. Poussant à nouveau un profond soupir, Cécile met une main légère sur le bras de son frère.

— Tu es un homme chanceux de vivre ta vie selon ton cœur. Oui, bien chanceux...

Puis s'ébrouant, elle se relève. Il y a eu assez de chagrin pour toute la journée. Gérard était venu ici plein de joie et d'espoir, il ne doit pas en repartir meurtri.

— Quand est-ce que tu nous présentes ta fiancée, Gérard ?

Le jeune homme se met à rougir. C'est qu'il avait un plan bien tracé en se présentant chez sa sœur. Une grande nouvelle à lui apprendre, certes. Mais aussi quelques demandes en réserve... A-t-il le droit, maintenant qu'il sait ce qui se passe dans la vie de Cécile, a-t-il le droit de lui demander tout ce qu'il avait en tête ? Il hésite un instant. Mais, sachant que Cécile n'a jamais pu lui refuser quoi que ce soit, se disant que cela l'aidera probablement à oublier son tourment, il se décide d'un coup, se permettant même de rire en répondant. Il vient de se rappeler un certain soir de son enfance où, devant la tristesse de Cécile, il avait prétexté un gros mal de tête pour lui faire oublier sa tristesse.

— Ben... J'avais pensé venir souper avec elle, ce soir.

— Hein ? Ce soir ? Elle... elle est ici ? À Québec ? Mais pourquoi d'abord n'est-elle pas...

— Elle était gênée. Marie voulait que je te parle en premier. Elle attend à l'hôtel que je l'appelle.

Cécile le fustige du regard. Et, devant ces yeux coléri-ques, Gérard comprend qu'il a bien fait de parler. Cécile n'a pas changé. Elle reste celle pour qui le bonheur passe par celui des autres. Mais, en ce moment, Cécile est vrai-ment en colère contre son écervelé de frère. Comment peut-il laisser sa jeune fiancée aussi longtemps seule ? Cela fait maintenant plus de trois heures qu'il est ici. Le mena-çant du doigt, elle avance vers lui.

— Mais qu'est-ce que tu attends, espèce de grand fou ?

Vite, va la chercher. J'ai hâte de la connaître...

Puis, alors que Gérard se relève à son tour, elle ajoute en le fixant droit dans les yeux, sa douceur naturelle lui étant revenue autant dans le regard que dans la voix:

— Je suis heureuse pour toi, Gérard. Sincèrement... Je te souhaite tout le bonheur du monde avec ta femme et ton bébé... Aime-les très fort, mon grand. Très, très fort. Il n'y a que ça d'important dans la vie. Que ça. C'est maman qui me l'a dit juste avant de mourir. Et elle avait bien raison...

8

L'été s'est finalement envolé. Laissant derrière lui un souvenir tout en douceur et en soleil. Septembre est là avec sa rentrée scolaire, le plaisir des souliers neufs, des cahiers qui sentent bon l'encre fraîche et des livres à l'odeur d'imprimerie. Toute à la joie de préparer son sac d'écolière, Dominique est dans sa chambre. Un vieux restant de belle saison folâtre dans la cour et se faufile, polisson, jusqu'à ses rideaux qui ondulent dans la brise. Dominique a toujours aimé la rentrée scolaire. Et, cette année, le plaisir d'apprendre se joint à celui de découvrir un monde nouveau. Elle entre en Éléments latins, au collège Jésus-Marie, pour entreprendre son cours classique. La tunique de serge bleu marine et la chemise blanche attendent patiemment dans sa garde-robe le moment où ils pourront partager la joie de la gamine. En chantonnant, Dominique revérifie le contenu de son sac, s'amuse un instant à sentir les livres neufs, passe une main complice sur leur couverture toute propre puis, avec un soupir d'impatience, replace le tout dans le cartable de cuir brun. Encore deux jours avant le grand moment... Le matin tant attendu où elle se retrouvera dans la vaste cour de récréation avec quelques centaines d'autres filles. Toutes des inconnues... En y repensant, une vague inquiétude se greffe à sa joie, l'entortille et fait battre son cœur un peu plus fort. Une nouvelle école porte invariablement sa part de mystère et d'appréhension entre ses murs. Dominique n'échappe pas au rituel admis et de bon aloi réservé aux « nouvelles ». Les mains moites, le cœur affolé, les craintes habituelles de ne pas se faire d'amies, d'être la risée des anciennes... Oui, Dominique connaît la peur de l'inconnu en même temps qu'elle sait fort bien qu'habituellement elle n'a aucune difficulté à s'intégrer à un groupe. Elle n'a donc aucune raison de s'en faire. N'empêche que...

Pour chasser l'anxiété et tenter de créer une espèce de lien avec son nouveau collège, Dominique décide d'enfiler son costume. Si elle se sent à l'aise dans ses vêtements tout neufs, le reste devrait suivre sans difficulté. Elle en est persuadée... C'est en retirant son pantalon qu'elle s'aperçoit qu'il est taché de sang. Inquiète, elle retire son sous-vêtement pour constater que, lui aussi, est maculé d'une tache brunâtre. Affolée, elle attrape la serviette de toilette accrochée derrière la porte de sa chambre, l'attache autour de ses reins et se précipite vers la salle de bains... Brusquement, elle a envie de se laver. Peut-être s'est-elle frappée sans en prendre conscience ? Son affolement n'a d'égal que son ignorance. Que lui arrive-t-il ? Serait-elle atteinte d'une grave maladie ? Réprimant ses larmes à grand-peine, Dominique referme la porte derrière elle et pousse le verrou. Se sentant à l'abri, elle donne libre cours à son anxiété et un flot de larmes inonde aussitôt son visage. C'est le bruit de l'eau coulant dans le bain, à cette heure incongrue, qui attire Thérèse.

— Dominique ? C'est toi ?

— Oui. Je... Je...

Dominique n'a jamais su mentir à sa mère. Mais pourtant, en ce moment, la gêne l'empêche de poursuivre. Une gêne inexplicable qui lui fait monter le rouge aux joues. Malgré cela, elle se décide finalement à entrouvrir la porte et présente un visage bouffi à sa mère.

— Mais voyons donc, ma puce! Qu'est-ce qui se passe? Pourquoi est-ce que tu pleures comme ça? T'es-tu fait mal?

— Je... Je ne sais pas. Je... J'ai trouvé du sang dans...

Dominique avale péniblement sa salive, incapable de poursuivre. Convaincue que sa mère va la gronder. Pourtant, Thérèse la regarde avec un curieux sourire. À la fois triste et attendri. Un peu confuse, aussi, d'avoir toujours remis à plus tard une conversation qu'elle aurait dû avoir depuis longtemps avec sa fille.

— Je crois que j'ai compris, Dominique... Tu... Tu n'as pas à t'inquiéter. C'est... c'est normal, tu sais.

— Normal?

— Prends un bain, cocotte. Ça va aider à te détendre. Je... Je vais te donner ce qu'il faut pour protéger tes vêtements puis après, tu viendras me rejoindre dans ma chambre. Nous allons discuter un peu.

— Je... Je ne suis pas malade?

— Mais non, ma puce. Pas du tout. C'est... c'est juste que tu es une femme maintenant. Allez! Prends un bon bain chaud et viens me retrouver.

L'explication donnée par sa mère a suffi à rassurer Dominique, à calmer ses inquiétudes les plus folles. Et son angoisse s'est aussitôt transformée en fierté. Puis la curiosité a repris le dessus.

— Mais pourquoi, maman, est-ce qu'on saigne comme cela à tous les mois? À quoi ça sert tout ça?

Et voilà, on y était! C'est un peu pour éviter ce genre de questions que Thérèse avait omis de parler à Dominique. Pourtant, elle se doutait bien qu'un jour elle ne pourrait y échapper. En soupirant, elle met la main sur le bras de Dominique et tente de trouver les mots les moins gênants.

Jamais elle ne s'est sentie aussi mal à l'aise...

— C'est le signe que maintenant tu peux avoir des enfants, Dominique. Quand... quand tu rencontreras un homme que tu aimeras, tu pourras avoir des enfants avec lui.

— Alors toi aussi, tu saignes comme cela à tous les mois?

— Oui, moi aussi. Et Francine, ta petite sœur, sera comme nous dans quelques années. Comme toutes les femmes du monde...

Du fond de son cœur, Thérèse souhaite que Dominique se contente de cette explication simpliste. Mais la jeune fille est d'une curiosité insatiable. Elle n'est pas première de classe pour rien! Les sourcils froncés sur sa réflexion, elle poursuit:

— Alors tu dis que lorsqu'on rencontre un homme que l'on aime, c'est grâce à ça qu'on peut avoir des bébés... C'est un peu drôle, tu ne trouves pas? Je ne comprends pas tout à fait. Toi, maman, tu nous a eus avec papa parce que vous vous aimiez?

Comment peut-on affirmer à une adolescente de treize ans que c'est cela, mais en même temps que c'est tout autre? Comment dit-on à une gamine ce que c'est que d'aimer et d'avoir envie de faire l'amour? Et que parfois, malgré l'amour, il n'y a pas d'enfants? C'est pour cette seule raison que Thérèse avait toujours remis à plus tard cette conversation délicate. Maintenant, elle n'a plus vraiment le choix.

— Oui, c'est certain que si nous avons des enfants, papa et moi, c'est parce que nous nous aimons. Mais, en même temps... Mon Dieu que ce n'est pas facile!

Pourtant, malgré sa confusion, de mots en mots, d'images en images, Thérèse arrive à tout dévoiler à

Dominique. Comment il arrive que l'on ait envie de faire l'amour avec quelqu'un... Cette attirance entre deux êtres qui exalte la gêne et la pudeur pour en faire du désir... Ce plaisir que l'on ressent de se donner l'un à l'autre... Un long sourire accueille sa pénible explication. Mais Dominique n'a pas envie d'en rester là. Elle trouve absolument merveilleux, en ce moment, que ses parents se soient aimés à ce point... Qu'ils aient eu envie de faire l'amour pour leur donner la vie. Elle voudrait que sa mère lui raconte tout ce qui entoure sa naissance, les mois d'attente et la joie ressentie à son arrivée.

— Papa et toi vous avez donc fait l'amour et après, moi, Claude et Francine on est nés. C'est bien cela que tu m'as expliqué ?

Thérèse a un instant d'hésitation. Jusqu'où doit-elle aller ? Que doit-elle dire et que doit-elle cacher ? Elle n'a jamais menti à ses enfants. Mais, en ce moment, la peur lui ferme l'esprit. Alors, avalant sa salive, elle acquiesce, espérant que le dialogue en restera là.

— Oui, c'est bien cela. Quand un homme et une femme s'unissent, il peut y avoir un enfant. Oui, il peut y avoir un bébé. Pas nécessairement à chaque fois, mais...

S'interrompant à nouveau, Thérèse se relève et va à la fenêtre. Non, jamais jusqu'à ce jour, elle n'a senti le besoin de mentir à ses trois enfants. À chaque fois qu'ils posaient une question, elle tentait de leur répondre avec des mots à leur portée, simples et imagés. Mais voilà que devant Dominique, elle n'arrive pas à révéler le secret entourant sa naissance. Pour elle, tout cela n'a plus vraiment d'importance. Au fil des années, elle a compris qu'avoir un enfant ce n'est pas seulement de le mettre au monde. C'est bien plus l'aimer envers et contre tout, le soutenir quand il en a besoin et l'aider à devenir un adulte à son tour. Oui, pour Thérèse, c'est cela être mère. Mais, devant le regard clair et candide de Dominique, elle doit admettre que c'est aussi autre chose. Jamais elle n'aurait cru qu'un jour elle se retrouverait face à un tel dilemme. Doit-elle tout dire à ses enfants ou plutôt préserver le secret de peur de briser les liens ? De peur de se voir rejetée par eux ? Naïvement, elle s'imaginait que personne ne saurait jamais. Que personne n'aurait jamais à savoir. Pourtant, en ce moment, elle sent qu'elle ne peut se dérober plus longtemps. Dominique a le droit de savoir. Comme mère, elle a toujours enseigné à ses enfants que la vérité est la seule avenue possible. Même si parfois elle est difficile à emprunter. Alors, en soupirant, elle revient s'asseoir sur le bout de son lit, tout près de Dominique. Et, de tout l'amour qu'elle a pour sa fille, Thérèse essaie de trouver les bons mots. Elle l'aime tant, sa petite Dominique ! Même si elle ne l'a pas portée pendant neuf mois, elle est un morceau de sa chair. Elle est sa vie et ses espérances, sa joie et sa fierté. Alors, par respect pour cette enfant qu'elle a toujours considérée comme sienne, Thérèse met toute sa tendresse dans sa réponse.

— Mais parfois, Dominique, même si on s'aime très, très fort, on n'arrive pas à faire des enfants. La… la nature est bien difficile à comprendre, tu sais. Bien capricieuse aussi. C'est un peu ce qui est arrivé avec ton père et moi. On s'aimait beaucoup, mais on n'arrivait pas à avoir de bébés. Alors, parce qu'on voulait avoir une famille comme tout le monde, parce que dans notre cœur il y avait plein d'amour à donner à un petit bébé, on a décidé d'aller te chercher.

Dominique n'est pas certaine de ce qu'elle vient d'entendre. Comment peut-on aller chercher un bébé ? Il y a bien Jacinthe, son amie, qui disait qu'il existe des endroits où l'on peut acheter des bébés, mais jamais Dominique ne l'avait crue. Néanmoins, devant ce que sa mère essaie de lui expliquer, elle a un recul, une hésitation. Comment une telle chose peut-elle être possible ?

— Me chercher ? On... on peut acheter des enfants ? On... Il y a des endroits où on peut avoir des bébés ? Je ne comprends pas. Et moi, qu'est-ce que j'ai à voir là-dedans ? Tu viens de me dire que toi et papa vous vous aimiez ! Je...

Bouleversée, Thérèse met une main tremblante sur le bras de sa fille. Comment lui faire comprendre à quel point elle l'aime ? Comment lui expliquer que c'est l'amour qui a fait qu'un jour Thérèse et René Lamontagne ont eu envie d'un petit être dans leur vie ? Comme tous les couples du monde.

— Laisse-moi terminer, Dominique. Papa et moi, on n'avait pas le choix. La nature a fait en sorte que je ne pourrais jamais avoir d'enfant dans mon ventre. Mais ce n'est pas une raison suffisante pour ne pas être mère... Quand nous nous sommes mariés, ton père et moi, on rêvait d'avoir des enfants. On ne pensait jamais qu'il y aurait des problèmes... Comme je te l'ai dit, parfois, quand une jeune femme fait l'amour, elle tombe enceinte. Après neuf mois, le bébé vient au monde. Ça, c'est dans la plupart des cas. Et quand le père et la mère sont ensemble, mariés et heureux, la venue d'un enfant est une grande joie. Mais tu sais, Dominique, une naissance peut aussi être une source de peine. Il arrive que la mère et le père ne soient pas mariés. Ils sont trop jeunes ou ne s'aiment pas assez pour envisager de vivre toute une vie ensemble, ou... Mais qu'importe ? Quand une mère attend un bébé qu'elle ne peut garder, elle le confie à la crèche pour que des parents comme nous, ne pouvant avoir d'enfants, puissent aller le chercher. C'est un...

Ces quelques mots ont fait fondre le sourire de Dominique. Parfois, en riant, elle et ses amies se demandaient d'où venaient les bébés. S'en doutant vaguement, n'y attachant finalement pas encore beaucoup d'importance. Puis, en l'espace d'une demi-heure, la jeune fille qu'elle était vient d'apprendre qu'elle est une femme. Un jour, à cause de cela, elle aura envie de faire l'amour et pourra donner la vie. Mais, d'un même souffle, on lui dit que dans son cas les choses se sont passées autrement... Elle n'est pas le fruit de l'amour entre son père et sa mère. Elle n'a été, en fait, qu'un bébé non voulu, une indésirable que sa mère avait abandonnée... Dominique a l'impression que sa vie vient de s'arrêter. Que tout ce qui avait de l'importance à ses yeux n'était que mensonge et tromperie. Plus rien des émotions de son enfance ne vibre dans son cœur. Un vent de révolte balaie toute la candeur de son amour pour ses parents. Comment pourra-t-elle continuer à leur faire confiance ?

— Ce que tu es en train de me dire, c'est que je ne suis pas ta fille ?

En entendant le ton de reproche que Dominique a employé, Thérèse sent l'inquiétude envahir son cœur. Elle ne veut surtout pas que sa fille s'imagine qu'elle n'était qu'une laissée-pour-compte.

— Mais non, Dominique. Être la fille de quelqu'un, ce n'est pas uniquement être du même sang qu'elle, voyons. C'est tout ce que nous partageons depuis tant...

Mais Dominique est fermée à toute compréhension. Une seule chose est désormais importante à ses yeux : elle n'est pas la fille de Thérèse et de René. Brusquement, elle a l'impression d'être une inconnue dans sa propre maison. Elle en veut à cette femme de ne pas être celle qui l'a mise au monde. Injustement, cruellement. Inconsciemment... Alors elle s'acharne, impitoyable.

— Ce n'est pas cela que je veux savoir. Est-ce que tu m'as portée dans ton ventre pendant neuf mois, oui ou non ?

— Non. Mais ce...

La réplique est sans appel. À son tour, Dominique se relève et, de la fenêtre, regarde la rue ensoleillée et les arbres frémissants dans la brise d'automne. Son monde, sa rue, sa maison... Mais rien de cela n'est plus vrai, car Thérèse n'est pas sa mère. Les parents qu'elle chérissait, en qui elle avait confiance, ne sont pas ses parents. Seule. Dans la réalité froide des faits, Dominique est seule au monde... Soudainement, elle est gênée de la conversation qu'elle vient d'avoir avec Thérèse. Terriblement embarrassée d'avoir abordé des choses aussi intimes avec une étrangère. Dominique n'écoute plus ce que lui dit Thérèse qui, torturée par la réaction de sa fille, essaie de lui expliquer le grand geste d'amour qu'a eu sa mère en la laissant à la crèche. L'adolescente laisse les mots glisser dans la pièce avant qu'ils s'envolent dans le jardin par la fenêtre ouverte sur la douceur de cette belle journée de septembre. Qu'importe ce que cette femme a à lui dire puisque pendant toutes ces années, elle l'a trompée. Jamais Dominique ne pensait qu'un jour elle souffrirait à ce point. Non, jamais. Profitant d'un instant de silence, elle sort de son mutisme pour poser la seule question qui ait de l'importance à ses yeux.

— Où est ma mère ? Je... je veux la voir.

Thérèse ne répond pas tout de suite. La hantise de sa vie ! Celle de se voir rejetée dans l'ombre au profit d'une inconnue qui avait eu la chance d'être mère. Les yeux pleins d'eau, elle tente de trouver les mots qui sauraient tout dire sans briser le lien existant entre elles. Mais c'est le vide... Qu'une douleur insoutenable qui lui fouille le cœur et lui arrache ses joies de mère les unes après les autres. Que des images de Dominique, bébé, qui lui encombrent l'esprit. Que l'amour qu'elle a toujours eu pour elle mais qui n'arrive plus à s'exprimer. En même temps que la peur de voir sa fille lui échapper lui oppresse la poitrine, elle comprend qu'elle doit à tout prix essayer de réconforter son enfant meurtrie. Sa fille doit savoir que sa mère l'aimait malgré le fait qu'elle l'ait abandonnée. Il n'y a que de cette façon que Dominique pourra réussir à vaincre sa colère et sa révolte. Savoir que le destin est parfois impitoyable et imprévisible. Alors, se laissant guider par l'amour autant que par l'angoisse qui l'habite, Thérèse lui dit d'une voix sourde :

— Ta mère t'aimait, Dominique. Comme toutes les mères du monde... Elle ne t'aurait jamais laissée, si elle avait eu le choix. Mais parfois, quand une femme met un enfant au monde, il y a des complications qu'on ne peut pas prévoir. C'est... c'est ce qui est arrivé à ta naissance. Ta... ta mère est morte, Dominique, te laissant seule au monde. C'est le Docteur Simard qui nous a demandé de t'accueillir chez nous. Comme cela faisait déjà des années qu'on essayait d'avoir un enfant sans y réussir, on est allés te chercher aussitôt qu'on l'a su. Tu... tu n'avais même pas un jour quand tu es arrivée ici.

Incapable de retenir ses larmes plus longtemps, Thérèse se relève et vient poser une main sur l'épaule de sa fille. Pitoyable réflexe de survie qui lui a dicté ce mensonge. Mais c'était plus fort qu'elle... Elle s'en veut et en même temps elle avoue, honteuse, qu'ainsi elle n'aura pas à craindre la présence de celle qu'elle a toujours vue un peu comme une rivale.

— Je t'aime, Dominique. Tout autant que si je t'avais mise au monde. Ce... ce n'est pas cela qui a de l'importance. Je t'aime, ma petite fille. Je n'ai jamais voulu te...

Dominique ne l'écoute plus. Tout ce qui reste dans son esprit et son cœur c'est que sa mère est morte. Peu lui importe maintenant que René et Thérèse Lamontagne l'aient toujours aimée. Que veut dire la chance d'avoir été recueillie dans une famille unie et heureuse si ce n'est pas celle qui lui était destinée ? Quelle importance qu'elle n'ait jamais manqué de rien puisque, maintenant, elle sait que sa mère lui manquera toujours ? En ce moment, Dominique est incapable de raisonner. Est incapable de laisser revivre les émotions de son enfance. Aujourd'hui, elle vient d'apprendre qu'elle est devenue une femme et qu'elle est orpheline. C'est trop. Beaucoup trop pour avoir envie de chercher un peu de réconfort dans les bras qui l'ont pourtant bercée et consolée depuis toujours. Repoussant la main légère posée sur sa tête, sans un mot, l'adolescente quitte la pièce et vient trouver refuge dans sa chambre. L'œil sec, la tête vide, l'âme déchirée... Et les sanglots bruyants qui traversent la cloison n'arrivent pas à briser son indifférence.

9

Caen, France, octobre 1956

Philippe est heureux. La cueillette des pommes va bon train, la cidrerie fonctionne à plein régime et c'est ce matin qu'il va à la ville pour rencontrer les différents marchands qui aiment avoir une partie de leur production dans leur étalage. Le boulanger, le charcutier, le poissonnier et même le maraîcher préfèrent leur cidre à tout autre... Et Philippe doit admettre, en rougissant toutefois — car il est encore et toujours un homme timide —, oui Philippe admet qu'il aime bien aller se promener à la ville. Voir des gens affairés, des jolies filles, des enfants souriants. Cela le change de la routine du monastère et, d'une fois à l'autre, il attend sa sortie avec impatience. Même si, et il en est conscient, il serait incapable d'échanger sa vie présente contre une autre. Il serait complètement perdu s'il avait à décider de ses gestes de chaque jour. Il aime se promener quand on lui dit que c'est jour de promenade, mais il aime tout autant cueillir des pommes lorsqu'on lui demande de le faire. Comme un enfant heureux de donner satisfaction autour de lui. Fier de voir qu'on est content de lui. Philippe est comme un enfant. Oui, cela il le sait. Au fil des années, il a compris que son esprit était lent. Comme si une partie de son esprit refusait de s'éveiller, au même titre que les souvenirs qui dorment en lui. Souvent, Philippe a l'impression qu'un autre être habite en lui. Un homme fort et grand qui n'attend peut-être qu'un signe pour se dégourdir. Qui se manifeste parfois, certains matins quand il s'éveille. Comme si l'autre lui s'étirait, essayant de prendre un peu plus de place que celle qui lui est généralement dévolue. Invariablement, l'enfant finit toujours par s'imposer. Cette crainte incontrôlable qui anéantit toute tentative de réveil! Un réflexe en lui. Philippe l'a compris et a accepté l'enfant qui vit dans sa tête. Sans malice aucune, il ne ressent ni révolte ni même agitation devant cet état de choses. Il est ce qu'il est et peu lui importe si avant la guerre il était tout autre. Il prend la vie comme elle se présente à son regard, dans sa belle simplicité, et est heureux de ce qu'elle a à lui offrir. La promenade menant à la ville est agréable. Souvent, lorsque la température le permet, Don Paulo et lui préfèrent se rendre à Caen à pied. Goûtant l'un comme l'autre, à un niveau différent certes, la joie d'une escapade. Comme mordre au fruit défendu sachant la chose permise pour un instant... Philippe n'a pas assez de ses deux yeux pour faire provision d'images colorées qui seront la joie de ses longues heures de solitude dans sa chambre. Pas assez de ses deux oreilles pour emmagasiner toutes les chansons joyeuses qui le courtisent quand ils passent devant les cafés et qu'il s'amuse ensuite à fredonner lorsque le silence se fait trop lourd. Curieusement, Philippe a une excellente mémoire pour retenir l'air et les paroles d'une chanson. Pendant que Don Paulo prépare les commandes, il s'assoit dans un coin reculé du commerce et il regarde partout, l'œil vif tel un furet, l'oreille aux aguets, les mains agitées frottant convulsivement son pantalon. Don Paulo sourit quand il surprend son manège, sachant fort bien que c'est là l'expression d'un plaisir profond chez Philippe. Les commerçants haussent les épaules. Pour eux, cet homme entre deux âges n'est que l'idiot du monastère. Personne ne connaît vraiment son histoire. Seulement qu'il a été blessé à la guerre, laissé pour mort et recueilli par les moines. Alors une ombre de respect se glisse dans leur indifférence et il l'accueille à chaque fois avec le sourire. Dans le fond, qu'importe qu'il soit là ou pas ? Il ne parle jamais, ou si peu, et ne dérange personne.

Pendant que Don Paulo discute livraison avec le boulanger, Philippe, assis derrière le comptoir, savoure les yeux mi-clos un croissant au chocolat que la patronne lui a offert. Il la trouve gentille, la patronne de la boulangerie. Elle s'appelle Marielle. Elle est blonde comme les blés et sent bon le pain frais et le lait. Puis, ses yeux d'azur ont toujours un sourire à lui offrir quand il accompagne Don Paulo. Un poste de radio, installé sur une tablette à côté des brioches, marmonne en sourdine une chanson qu'il ne connaissait pas : « C'est la valse brune du chevalier de la lune... ». Philippe se laisse aller à la douceur de la complainte, fermant les yeux pour se concentrer afin de retenir la mélodie. Mais alors que la musique se tait, une voix d'homme ajoute : « C'était là une nouvelle chanson de Madame Juliette Gréco. Il... » C'est comme si Philippe avait reçu une décharge électrique. Ce nom, Juliette... Ce nom lui éclate dans la tête comme un feu d'artifices. Juliette... Une bourrasque d'émotions brutales le soulève hors de lui-même. Une certitude absolue s'empare de son esprit. Il y a eu une Juliette dans sa vie. Et, cette fois-ci, ce n'est pas simplement une intuition, une vague prémonition qui s'amuse à l'agacer. Non. C'est une conviction profonde. Juliette... Et la patronne si blonde, si douce, avec son sourire de madone et ses yeux bleus qui le regarde gentiment. Brusquement, Philippe a l'impression qu'il a déjà connu la boulangère. Avant... Dans son autre vie. Une boulangère qui s'appelait Juliette... Cette odeur de pain qui l'enivre et celle des pommes, omniprésente dans sa vie... Cette attirance qui le guide vers ces odeurs, ce confort qu'il ressent... Une boulangerie et un verger... Mais, en répétant ces deux mots, le nom de Juliette s'impose, encore plus fort dans ses oreilles, plus lumineux sur l'écran de sa pensée. Des milliers de « Juliette » éclatent bruyamment dans sa tête. Et soudainement, douloureuse comme une brûlure, rapide comme l'éclair, passe l'image d'une maison blanche et rouge. Pareille à une flamme embrasant toute sa tête et sa pensée. Le temps d'un spasme. Une belle maison comme on en voit dans les campagnes... Alors, sans avoir à chercher, Philippe sait qu'il y a eu une ferme dans sa vie. Pas une boulangerie mais une ferme. Une évidence si puissante qu'il reste un moment surpris de ne pas s'en être souvenu avant. Fermant les yeux, il tente de faire revenir l'image. Mais elle se refuse à lui, s'estompe dans le brouillard de ses idées. Qu'une spirale qui sent les pommes, avec le nom de Juliette qui l'étourdit... Philippe se met à trembler, de tout son corps. Éperdu, fébrile, il cherche Don Paulo du regard. Mais ce dernier, en grande conversation avec le boulanger, lui tourne le dos. Alors Philippe referme les yeux pour éviter de tomber. Il est si étourdi, tout d'un coup. Sa tête fait si mal... Puis, aussi fulgurante que son apparition l'a été, le malaise s'en retourne. Subitement, d'un coup... Le tourbillon qui lui donnait la nausée se dissout peu à peu, les mains crispées sur ses cuisses se détendent. Lentement, Philippe lève le front. Rien n'a bougé dans la boulangerie. La propriétaire lui sourit en passant devant lui pour accueillir un client. Et Philippe lui rend son sourire. Le poste de radio chantonne maintenant le dernier succès de Gilbert Bécaud. La normalité des choses. Le calme rassurant de ce que l'on connaît bien. Pourtant, Philippe est endolori comme si on l'avait roué de coups. Et dans son cœur, dans sa tête, dans toute sa vie, tourne et retourne le nom de Juliette...

Sur le chemin du retour, il n'a pas desserré les lèvres, les yeux au sol fixant la pointe de ses souliers. Habitué à ses mutismes, appréciant lui aussi le silence soutenu simplement par les bruits de la nature, Don Paulo ne cherche pas à engager la conversation. Sans se douter que Philippe est à des lieux de la campagne française. Le cœur troublé, l'esprit en déroute. Lui qui ne voulait pas savoir. Qui ne désirait plus revenir dans le passé. À cause des années écoulées, de la crainte perpétuelle de ce qu'il risquait de découvrir. Philippe est bouleversé de voir que sa vie, si discrète jusqu'à maintenant, se décide finalement à soulever un coin de voile. Une crampe lui tord l'estomac. Il a peur. Une peur viscérale, sans raisonnement, froide. En arrivant au monastère, il bredouille une vague excuse et s'empresse de venir camoufler sa désolation dans la discrétion de sa chambre. De grosses larmes coulent sans retenue sur son visage meurtri. Maintenant que le dédale des souvenirs commence à s'éclaircir, il voudrait tout savoir. Un besoin, une envie instinctive en lui en même temps qu'une grande inquiétude. Que va-t-il faire si tout s'éclaire brusquement? Doit-il en parler à Don Paulo? Effrayé, tendu, il reste assis sur son lit, examinant sa chambre comme s'il la voyait pour la première fois. Essuyant machinalement son nez qui coule au revers de la manche de son chandail. N'être qu'un enfant. Il voudrait n'être qu'un tout petit enfant... Imperceptiblement, de minute en minute, le vide se fond à son angoisse et ses épaules s'affaissent, soulagées de reprendre leur pose habituelle. Le regard s'éteint tout doucement pendant que les sourcils se froncent dans la quête d'une mélodie. Se balançant d'un geste monotone, de gauche à droite, Philippe se met à fredonner, sans s'en rendre compte, le dernier succès de Juliette Gréco.

Et, le soir venu, il s'endort en tenant tout contre lui le carré de satin blanc.

Quand Don Paulo le lui avait remis, Philippe l'avait caché au fond d'un tiroir. Ce petit morceau de tissu lui faisait peur. Il supposait trop d'hésitation et de douleur dans sa fragilité. Par une curieuse cabriole de l'esprit, Philippe l'avait même oublié. Puis un jour, en cherchant un vieux chandail, il l'avait retrouvé. Perplexe, il l'avait longuement tenu dans le creux de sa main. C'était un beau matin de mai. Un de ces matins où Philippe était heureux, l'esprit plus clair, plus vif, comme il lui arrive parfois de l'être. Il avait alors décidé qu'il ne pouvait complètement effacer vingt ans de sa vie. Le carré de satin était là, fidèle sentinelle veillant sur ses souvenirs, réveillant un besoin qu'il n'arrivait plus à renier. Il l'avait donc lavé avec soin, repassé délicatement et, depuis ce jour, le carré de satin dormait en permanence sur sa table de travail. Chaque soir, avant de se mettre au lit, Philippe s'obligeait à le regarder. Avec respect. Trop de gens se cachaient derrière la douceur du satin pour le prendre à la légère...

Et hier, avant de s'endormir, il avait longuement suivi du doigt le « J » brodé au fil bleu pâle. Juliette...

Le jour n'est encore qu'une espérance. La cloche du monastère vient tout juste d'égrener deux coups. Deux heures. La nuit est sombre et froide. Recroquevillé sous ses couvertures, Philippe dort d'un sommeil agité. Il se tourne et se retourne sans cesse, grognant et gémissant. Le front strié de rides, comme sous l'effet d'une grande douleur ou d'un plaisir intense. En ce moment, Philippe est avec la boulangère. Ce n'est pas la première fois qu'il rêve de Marielle. À chaque fois, ils sont dans un champ immense, couvert de grands épis verts et barbus, d'une sorte qu'il ne connaît pas. Il lui donne la main et, ensemble, ils courent en direction du soleil. Les épis font la révérence comme s'ils les saluaient. Il est bien. D'un bien-être singulier qui lui donne une crampe dans le ventre. C'est très agréable quand la boulangère le rejoint ainsi. À chaque fois, c'est le même rêve, la même sensation de plaisir quand son sexe se met à durcir. Mais quand cela se produit, invariablement, la boulangère devient nuage et disparaît. Alors Philippe continue de s'élancer, seul, jusqu'à ce qu'il soit épuisé et tombe sur le sol... Mais voilà qu'aujourd'hui Marielle le retient. Elle lui fait signe qu'elle n'a pas envie de courir dans le champ. Elle se couche dans l'herbe, lui tend les bras. Sa robe est blanche, brodée de fils bleus, presque transparente, avec des rubans de satin si doux à toucher... Philippe ne peut résister au sourire de ses yeux couleur de ciel. À son tour il s'allonge auprès d'elle, laisse sa main glisser sur son corsage qui s'ouvre comme par magie sous la pression de ses mains... Et, tout d'un coup, ils sont nus. L'un contre l'autre. Le soleil est chaud. D'une chaleur étrange qui part de sa poitrine et l'enveloppe d'un voile d'irréalité, de sensualité. Un brouillard lumineux se glisse entre eux et le champ d'épis verts les soulève, les emportant dans un drôle de tourbillon qui lui donne le vertige. La boulangère, sans le quitter du regard, se met à effleurer son sexe qui durcit davantage, comme jamais cela ne lui est arrivé encore. Marielle lui sourit et Philippe est bien de ce sourire, de cette caresse lente et douce sur son corps... Mon Dieu, oui, comme il est bien! Il se rappelle mainte-nant qu'il a déjà connu pareille sensation. Avant. Il y a très,

très longtemps… Et le vertige qui le transporte si haut dans le ciel. Ce vertige qu'il a déjà connu. Intense, provocant, attirant et douloureux en même temps… En poussant un cri de plaisir, Philippe s'éveille en sursaut, le cœur battant la chamade et les mains tremblantes, inconfortable… Gêné, il s'aperçoit que son pyjama est détrempé. Jamais, avant, les rêves avec la boulangère ne se terminaient ainsi… Consterné, Philippe se relève, se hâtant de retirer son vêtement souillé. Son premier réflexe est de penser au directeur. Que va dire Don Paulo quand il saura ? Mais, aussitôt, Philippe hausse les épaules en avouant que cela ne le dérange pas. Non, pas du tout. Comme si ce rêve lui avait redonné une partie de sa confiance en lui. Comme si l'enfant dans sa tête était en train de devenir un homme. Et puis, il était trop bien, trop heureux pour que ce soit mal… Il vient à la fenêtre et en ouvre les deux battants. La nuit est opaque, sans lune ni étoiles. Philippe écoute grandir en lui un appel puissant. Le cri de détresse de son esprit qui voudrait tant s'éveiller. Qu'une sensation étourdissante et sans mots qui l'emporte loin, très loin de la France, de ce monastère, de son corps… La brise qui avait accompagné le jour s'est transformée, la nuit venue, en vent sournois, portant sur son souffle l'annonce de l'hiver. Malgré cela, insensible au froid qui l'agresse, Philippe reste longtemps à la fenêtre. Comme s'il avait besoin de faire provision d'air pur avant d'emprunter la route sombre et sinueuse qui se dessine devant lui. Un réflexe dans son esprit encore embrouillé. Il regarde, au loin vers l'ouest, les lumières d'une ferme étrangère qui clignotent à travers les branches d'un arbre secoué par la tourmente du vent… Quand il entend les quatre coups sonnés au clocher du monastère, Philippe sursaute, conscient tout à coup de son corps complètement glacé. En frissonnant, il revient jusqu'à son lit, se glisse entre les couvertures froides. Maintenant, les yeux grand ouverts sur la nuit, il se rappelle son rêve. C'est la première fois qu'il s'en souvient avec autant de précision. La main si douce qui le caressait, les seins blancs qui le frôlaient... Troublé, il se retourne sur le ventre pour camoufler un début d'érection, en murmurant un nom nouveau : Cécile... Oui, maintenant il s'en rappelle. Dans son rêve, quand la caresse de la boulangère l'avait foudroyé, c'est ce nom qu'il avait crié... Cécile...

Pendant plus de trois jours, Philippe a été malade. Les heures passées à la fenêtre dans le froid glacial d'une nuit d'octobre ont eu raison de sa santé, habituellement robuste. Inquiet, Don Paulo l'a veillé, écoutant son délire. Se demandant sincèrement si cet accès de fièvre n'était pas, en fait, une révolte du corps devant l'esprit. Un dernier soubresaut avant la clarté des souvenirs revenus. Car, dans son agitation, Philippe répète trois noms à l'infini : Jérôme, Cécile, Juliette... Murmurés inlassablement par les lèvres desséchées en raison de la fièvre. Et, tout en priant, Don Paulo remercie le ciel de lui avoir dicté la route à suivre. Maintenant que les nuages se dissipent dans la vie de Philippe, peut-être voudra-t-il reprendre là où la guerre l'avait laissé. Puis, pendant la troisième nuit, la fièvre a quitté Philippe. Son sommeil s'est fait calme et profond. Soulagé, Don Paulo a regagné sa chambre pour prendre un peu de repos lui aussi. Il se doute que la bataille n'est pas finie pour autant.

Philippe ouvre les yeux au premier appel de la cloche pour la prière du matin. Don Paulo est à ses côtés, lui tenant la main. Il ne sait combien de temps il a dormi mais, tout au long de son sommeil, il y avait une jeune fille à ses côtés. Une jeune fille toute blonde, au visage imprécis, qui lui tenait la main, comme le fait Don Paulo en ce moment, lui répétant de ne pas avoir peur. Qu'elle était là, pour lui, et qu'elle serait toujours là… Ils se tenaient debout, devant la grande maison blanche et rouge. La maison de son enfance… Maintenant, tout est clair dans sa tête. En se retournant, il aperçoit son pyjama roulé en boule contre le mur. Se souvient du rêve qui l'a emporté loin de la réalité du monastère. Du rêve qui a ranimé les souvenirs et l'homme qui sommeillaient en lui. Alors Philippe se met à rougir, oubliant pour un instant la révélation que lui ont fait ses jours de fièvre. Don Paulo, qui a suivi son regard, lui serre la main un peu plus fort.

— Ce n'est rien, cela, Philippe. C'est normal, vous savez…

Philippe ne répond pas. Qu'y aurait-il à répondre, de toute façon? Il le sait bien, lui aussi, que c'est normal. Ramenant les yeux sur la fenêtre, il fixe un moment le ciel noir et moutonneux, les rigoles qui coulent le long de la vitre. Les mêmes rigoles qui pleuraient avec lui quand il a pris le train pour Québec. Oui, maintenant tout a repris sa place dans sa tête. La Beauce, le campement en Angleterre, Pierre mourant dans ses bras… L'espace d'un sommeil et la vie de Philippe a basculé. Il n'est plus Philippe, ne l'a jamais été. Il est Jérôme, Jérôme Cliche… Pendant longtemps, il a eu l'impression que les vingt premières années de sa vie n'étaient qu'un trou noir étouffant, sans repères. Puis brusquement, ce matin, ce sont les douze années vécues au monastère qui deviennent le trou noir de son existence. Pour être bien certain que ce n'est pas uniquement un rêve, il plonge son regard dans celui de Don Paulo. Après un moment intense d'émotion, il énonce sa nouvelle réalité d'une voix monocorde:

— Je m'appelle Jérôme Cliche, numéro matricule 438527. Je suis né à Ste-Marie, au Québec, le quatre mai 1922. J'ai une fiancée qui s'appelle Cécile Veilleux et une fille que nous devons retrouver ensemble... Juliette... Elle s'appelle Juliette.

Épuisé, comme après un effort soutenu, Jérôme ferme les yeux. Deux larmes coulent doucement le long de ses joues, viennent mourir dans sa barbe de trois jours qui grisonne sur son menton. Pourquoi n'a-t-il pas retrouvé la mémoire en octobre 44, en même temps qu'il a ouvert les yeux ? Pourquoi la vie lui a-t-elle joué ce mauvais tour ? Il lui semble, tout à coup, qu'elle a été injuste envers lui, envers Cécile. Ils ne méritaient pas cela. Et, en repensant à sa jeune fiancée, il frissonne de désespoir. Où est-elle ? Qu'a-t-elle fait de sa vie ? Maintenant, il est trop tard pour réapparaître. Il ne peut revenir comme s'il ne s'était passé que quelques mois. Oui, il est bien trop tard... Mais, en même temps, il voudrait du plus profond de son âme que le rêve de l'autre nuit soit à nouveau réalité. Cécile... Et ses parents ? Sont-ils encore vivants ? Ont-ils gardé la ferme ? Alors, sans ouvrir les yeux, il s'accroche à la main de Don Paulo et laisse tomber dans un souffle :

— J'ai peur, Don Paulo. J'ai tellement peur de tout ça...

Puis, levant les paupières, angoissé et essayant de puiser dans le regard de son ami un peu de réconfort, une raison valable d'avoir envie de continuer à se battre, il répète d'une voix rauque, terrifiée :

— J'ai peur. Aidez-moi, Don Paulo. Je vous en supplie, aidez-moi.

Partie III

Étés 1957 et 1958

10
Québec, le 3 juillet 1957

En chantonnant, Cécile prépare sa valise et celle de Charles. En chantonnant, parce qu'il y a fort long-temps qu'ils ne sont partis ensemble. Depuis plus d'un an, le travail avale toute leur vie. Grignote impitoyablement le temps et l'envie de se retrouver à deux. Et voilà que, d'un coup, Charles a proposé de partir. Comme cela, sans raison apparente, sauf celle de visiter son frère Gérard, à Montréal. « Un petit voyage d'amoureux », a-t-il dit en riant. Pourtant, le rire sonnait faux à cause de ce visage hermétique qui est le sien depuis quelque temps… Malgré cela, le projet a pris forme et, dans quelques heures, ils partent pour Montréal. Ils ont décidé de s'offrir une semaine de vacances. Théâtre, restaurants, Jardin botanique… Ils savent qu'ils ont grand-besoin de cette évasion… D'un commun accord, sans même en avoir parlé, ils ont compris que cette escapade était nécessaire pour leur ménage. Charles est de moins en moins présent à la maison et leur vie commune tire de l'aile. D'amants sages ils sont devenus, au fil des ans, de bons amis qui se retrouvent parfois dans le même lit. Cécile se demande si l'absence d'enfants n'a pas éteint la flamme qui a déjà brillé entre eux. Même si cette flamme n'a jamais été aussi étincelante qu'elle l'aurait souhaité. Alors, quand Charles a parlé d'une semaine de repos à Montréal, une pointe d'excitation dans la voix, Cécile a tout de suite accepté. Soulagée de croire que son mari aussi sentait ce besoin en lui. Prendre le temps de vivre ensemble, eux qui ne font que se croiser à la porte de la salle de bain, le matin, avant de partir pour l'hôpital. Constater que le quotidien n'est pas seulement un tourbillon fou qu'ils mènent chacun pour soi. Espérer qu'entre eux il y a encore de l'amour. Cette attirance qui fait trembler le cœur... Car Cécile, qui rêvait d'une existence entourée d'amour et d'enfants, souffre terriblement de ce manque de contacts entre elle et Charles. Cette tiédeur qui enveloppe leur vie. Ce vide en elle, de plus en plus profond. Mais elle n'en dit rien. Qu'aurait-elle à lui reprocher, de toute façon? Charles n'est-il pas un bon mari? Il est vrai qu'à sa manière il est attentionné, l'a toujours été. Discret, courtois, prévenant... Jamais il n'oublie un anniversaire. Chaque vendredi soir il fait un détour par la boutique du fleuriste, juste au bout de la côte du Palais, sur la rue Saint-Jean, et revient de l'hôpital avec une gerbe de fleurs superbe et coûteuse. Souvent, quand il la voit fatiguée, il emmène Cécile au restaurant, au théâtre... Oui, Charles est un gentil mari... quand il est là. Mais, dans le fond, pourquoi serait-il différent? Qu'est-ce qui pourrait lui donner envie de passer plus de temps à la maison? « Pas grand-chose », constate Cécile. Alors, pour compenser, elle se donne corps et âme à son travail. Présente à ses patients comme s'ils étaient sa famille. Celle qu'elle n'aura jamais...

Le ciel est gris et lourd. Presque froid. La pluie attaque furieusement les carreaux et Cécile a un frisson en approchant de la fenêtre. L'horizon est bouché, sale. Un brouillard dense habille maisons et jardins et c'est à peine si Cécile distingue l'entrée de leurs voisins. Elle a un soupir de contrariété. Le voyage aurait sans doute été plus agréable sous un ciel bleu. Un bref instant de déception devant cette nature si peu favorable à un rapprochement, puis elle étire tout de même un sourire. Dans le fond, rien ne pourrait altérer sa bonne humeur. Peu lui importe la température, finalement, puisqu'elle sait fort bien que ce n'est pas cela qui va modifier leur projet. Charles est un bon conducteur et ils partent sitôt le dîner avalé, pour faire la route de clarté. Revenant vers son lit, Cécile ferme les deux valises et vient les porter dans l'entrée. Puis elle se dirige vers la cuisine pour préparer un repas léger qu'ils prendront à deux, avant de quitter Québec. Maintenant, c'est un large sourire qui illumine son visage. Dans quelques heures, elle pourra tenir Daniel dans ses bras. Le fils de Gérard, leur filleul...

* * *

— Cécile! Enfin vous v'là! Je me faisais du sang de cochon pour vous autres. Prendre la route avec un temps pareil.

Gérard étreint sa sœur avec soulagement, avant de tendre la main à son beau-frère. Puis, d'un coup de pied, il repousse la porte qui se referme en claquant sur une pluie diluvienne et un froid qui s'apparente bien plus à l'automne qu'à l'été. Même s'il n'est que sept heures, la nuit commence déjà à tomber. Le long couloir qui scinde son appartement en deux est déjà plongé dans l'ombre. Seule la lumière provenant de la cuisine, à l'autre bout du corridor, permet de distinguer les couleurs sombres des murs et du prélart.

— Venez, vous deux. Marie est dans cuisine en train de préparer un bon café...

Curieusement, Charles et Gérard ont immédiatement sympathisé, quand ils se sont connus au matin des noces de

Cécile. Pourtant, rien ne semble fait pour les rapprocher. Gueulard, remuant, instable, Gérard est l'opposé de l'homme calme, pondéré et tranquille qu'est Charles. Pourtant, à chaque occasion où ils se rencontrent, les deux hommes deviennent intarissables. S'intéressant, l'un comme l'autre, à un monde qui leur est totalement inconnu. En ce moment, ils parlent moteur, et Cécile, éberluée, entend son homme discuter de soupapes et de bougies comme un véritable mécanicien, lui qui tempête à la moindre avarie, proclamant haut et fort que la mécanique est pire qu'un casse-tête chinois. Amusée, elle voit les deux hommes se relever vivement de la table, repousser leurs chaises et redescendre dans la cour pour examiner la nouvelle auto de Gérard. À la pluie battante! Les deux femmes ont un sourire complice quand le bruit de leurs pas se fond au silence qui revient alors se déposer sur la cuisine. Marie, encore intimidée devant sa belle-sœur (pensez donc! une femme médecin!), tousse discrètement, puis se relève.

— Un autre café, Cécile?

Mais cette dernière n'a pas particulièrement envie d'étirer le temps. Le but premier de son voyage ce n'était pas de se retrouver seule avec Charles. Bien sûr, cela aussi a son importance. Mais au-delà de sa vie de couple, un fond tenace résiste au passage du temps. Ce cœur de mère qui bat toujours en elle. Cécile se retourne vers Marie, en souriant. Puis sa voix se fait cajoleuse.

— Non, merci. Pas de café... Je... Je sais bien que Daniel est couché, à cette heure-ci, mais est-ce que je pourrais le voir? Je ne ferai pas de bruit. Promis! Je...

Marie éclate de rire, l'interrompant, déposant sur un rond du poêle la cafetière qu'elle avait déjà en main. En ce moment, Cécile a l'air d'une petite fille quémandant une gâterie.

— Bien sûr, Cécile... Pis même si tu le réveillais, ça serait pas ben ben grave, tu sais. Y dormira plus tard, demain matin...

Daniel dort paisiblement en suçant son pouce. Sa petite chambre bleue et jaune sent bon le bébé, la poudre fine. Cécile approche à pas feutrés jusqu'au lit blanc, se penche vers son filleul. Émue, elle constate qu'en grandissant, il ressemble de plus en plus à Gabriel, son petit frère qu'elle a tant aimé même si, aujourd'hui, elle ne le voit plus tellement souvent. Le bébé grogne dans son sommeil. Après avoir tourné son visage vers elle, il fronce les sourcils, cherche un moment puis reprend son pouce. Cécile a l'impression de revenir à l'époque où Gabriel ne dépendait que d'elle, avec le silence complice d'un père et d'un frère qui faisaient tout leur possible pour lui permettre de l'allaiter en secret. Mêmes joues rebondies, mêmes cheveux blonds doux comme la soie... Mon Dieu, que tout cela lui semble loin maintenant! Comme si cette époque n'appartenait plus à sa vie. Que ce n'était qu'un rêve à la fois doux et terriblement sensible pour son cœur. Mère... Elle aussi a déjà été mère... Deux larmes silencieuses lui montent aux yeux, mais Cécile est incapable de les laisser couler. Elles restent là, au bout de ses cils, suspendues entre rêve et réalité. À ses côtés, Marie admire son fils un instant puis, levant les yeux, elle croise le regard de Cécile, brillant d'une eau tremblante. Alors elle lui fait un petit sourire, complicité muette, timide... Il n'y a aucun secret entre elle et Gérard. Et, discrète de nature, Marie n'en a jamais parlé avec Cécile. Pourtant, elle sait le drame qui a traversé la vie de sa belle-sœur. Cette petite fille abandonnée contre sa volonté... Tirant silencieusement la berceuse, elle vient la placer près du petit lit.

— Tiens, Cécile, assis-toé, murmure-t-elle doucement. Je... Moé avec j'aime ça le regarder dormir...

Et, discrètement, elle se retire de la chambre, en refermant délicatement la porte sur elle. Qu'y a-t-il de plus beau, de plus apaisant qu'un enfant qui dort ? Le regard que Cécile lui a lancé ne peut la tromper. Sa fille lui manque... Encore et toujours. Peut-on jamais oublier l'enfant qu'on a mis au monde ? Alors, en regagnant la cuisine, Marie se dit que la présence du petit Daniel devrait combler une part de sa tristesse...

Combien de temps Cécile est-elle restée auprès du bébé endormi ? Elle ne saurait le dire. C'est un peu comme si le temps avait arrêté sa course, lui donnant l'occasion de se repaître, de se rassasier. Des yeux et du cœur. C'est la porte s'ouvrant sur un Charles échevelé et détrempé, qui la tire de sa méditation, la ramène de son voyage au cœur de ses émotions les plus vives. Celles qu'elle doit s'obliger de garder endormies si elle veut survivre, si elle veut protéger ce qui reste de son couple. Elle en est convaincue... Mais le regard qui se lève vers Charles est aussi éloquent qu'un fervent plaidoyer. Il le reçoit avec une douleur au cœur qui le surprend un instant. Même s'il le connaît ce regard à la fois triste et accusateur... Bref revirement des émotions. À peine un soupir de surprise. Puis rassuré, il sourit. Non, rien n'est mort entre eux. Son cœur emballé et ses mains légèrement tremblantes en sont la preuve. Il aime Cécile et il est encore temps de tout reprendre au point de départ. Au moment où, amoureux, ils voyaient la vie devant eux comme un grand rire... En ce moment, le cœur de Charles bat la chamade tant il aime sa femme. Comme un spasme

à la fois douloureux et vertigineux. Si doux... Silencieusement, il la rejoint, plie les jambes pour se mettre à sa
hauteur, se penche sur le berceau. Un sourire ému, amusé,
se dessine sur son visage encore mouillé.

— Est-il assez beau, notre filleul, murmure-t-il attendri.

Mais Cécile ne répond pas. Si elle laissait les mots
mettre de la couleur sur ses émotions, c'est toute sa vie qui
déboulerait subitement entre elle et Charles. Et cela, elle
s'est jurée que ça n'arriverait jamais. Ravalant ses larmes,
elle se contente de hocher la tête, continuant de caresser,
du bout du doigt, la menotte potelée qui s'est glissée entre
les barreaux. Surprise, elle voit la main de son mari se
joindre à la sienne pour frôler la peau douce du bébé. Lui
qui ne montre habituellement aucune attirance pour les
tout-petits... Puis, dans un murmure :

— Viens, Cécile. Il se fait tard. Nous devons rentrer à
l'hôtel...

La voix de Charles vient de briser le charme. En soupirant, Cécile se relève pour suivre son mari.

Charles a choisi une très belle chambre, au Ritz Carlton.
Grande et luxueuse. À l'image de tous les cadeaux qu'il lui
offre. À peine son manteau retiré, éreintée, Cécile se laisse
tomber sur le lit, les bras en croix, et ferme les yeux sur
l'image du petit Daniel. Cette gravure de bébé endormi, si
calme, si paisible et qui ne l'a pas quittée depuis qu'ils sont
partis de chez Gérard, promettant de venir déjeuner avec
eux, le lendemain. Une douleur sourde lui presse le cœur
comme une main brutale écrasant toute chance de bonheur
dans sa vie. Elle sursaute quand son mari la rejoint, s'allonge près d'elle, l'embrasse dans le cou...

— Je t'aime, Cécile.

Alors elle ouvre les yeux, surprise. Il est rare que Charles se laisse aller à la tendresse. Son cœur bondit dans sa poitrine. Elle qui a tant besoin d'affection... Heureuse de sentir la chaleur de Charles tout contre elle, Cécile cale son visage contre l'épaule de son mari.

— Moi aussi, je t'aime Charles.

Étendant le bras, Charles vient fermer la lumière. Seule la lueur de la ville derrière la fenêtre éclaire leur chambre, les enveloppe dans un cocon paisible qui donnerait envie de se confier. Oui, maintenant, dans une chambre inconnue, loin de ce qui est sa vie, Cécile aurait envie de tout dire à Charles. Tant d'espoir trahi ravage son cœur en ce moment... Oui, elle voudrait vraiment être capable de tout dévoiler. Profiter de ce qu'il a appelé en riant « leur deuxième voyage de noces ». Ne rien négliger, ne rien laisser dans l'ombre. Repartir à neuf sur une base de complicité totale. Comme un besoin en elle d'être honnête et sincère jusqu'au bout. Pourtant, elle sait que les mots se refuseront à elle, comme si cette partie de sa vie n'appartenait pas à Charles. Ne serait jamais sienne. Cette peur en elle de le blesser... Malgré la tiédeur de leur union, Cécile sait qu'elle aime son mari. Alors, pour lui faire comprendre qu'elle tient à lui malgré tout, qu'elle a besoin de sa présence, elle se fait toute menue contre Charles. Et lui la presse bien fort dans ses bras. Sa petite Cécile... Sa toute petite Cécile, si douce, si tendre... Jamais il n'a eu autant besoin d'être près de quelqu'un. Jamais il n'a eu autant envie de dire « je t'aime » à quelqu'un. Lui, si calme, si pondéré en tout, sent grandir en lui l'envie de crier sur tous les toits qu'il a une femme merveilleuse, qu'il l'aime comme un fou mais qu'il n'arrive pas à la rendre heureuse. Un dur sanglot se forme dans sa gorge. Un petit garçon. Il n'est qu'un tout petit garçon qui aurait besoin qu'on le console. De la vie, de sa tiédeur, de ses erreurs. Pourtant, il referme encore plus son geste de protection autour des épaules de Cécile. La douce Cécile au regard triste. Ce n'est pas cela qu'il lui avait promis au matin des noces. Il voudrait tant la voir resplendissante de joie. Épanouie... Il n'est pas fou. Il sait bien que Cécile est malheureuse. Il le sent du plus profond de son être. Même s'ils s'aiment, se respectent, s'entendent bien... Même s'ils savent encore rire ensemble, et s'amuser, et jouer au golf, et sortir au restaurant. Mais cela ne suffit pas pour être heureux. Pas comme il le voudrait. Il a l'impression de ne vivre qu'en surface alors que c'est dans une autre dimension de l'âme que Cécile serait comblée. Lui aussi sent ce manque entre eux. Cette recherche au creux des émotions qui reste sans riposte, haletante... Alors Charles a peur. Persuadé qu'il n'est pas l'homme qu'elle espère. Oui, cela fait longtemps qu'il l'a compris. Et souvent il se répète que c'est Jérôme que Cécile a toujours recherché en lui. Un homme différent, qu'il ne connaît pas, et qu'il ne sera jamais. Cela l'attriste et le choque tout à la fois. C'est même un peu pour cela qu'il revient de plus en plus tard de l'hôpital. Pour ne plus se sentir coupable d'être ce qu'il est. Ne plus souffrir de ce regard abattu que Cécile promène dans leur grande maison silencieuse. Mais, ce soir, il a compris autre chose. Ce n'est pas d'un autre dont Cécile a besoin. Sentant son souffle court et chaud dans son cou, il sait bien qu'elle l'aime. Sincèrement. Une femme comme Cécile, quand elle dit l'amour, c'est que c'est vrai. Sans compromis. Non, c'est d'autre chose dont Cécile a besoin. Jamais avant il n'aurait voulu l'admettre aussi clairement. Mais ce soir, en voyant sa femme contemplant le petit Daniel, aussi immobile qu'une statue, comme pétrifiée, il a compris qu'elle avait raison. Il y a un manque dans leur vie.

Celui d'une présence qui serait un trait d'union entre eux. Comme tous les couples du monde, en ce moment, il aurait envie de voir son amour envers Cécile se concrétiser en un être qui serait d'eux. C'est la première fois qu'il le ressent avec autant d'acuité. Comme une douleur qui lui creuse le ventre. Il voudrait lui faire l'amour, follement, et savoir qu'ils sont en train de fabriquer leur enfant. Un soupir tremblant traverse sa pensée. Pourquoi sont-ils incapables d'avoir un bébé ? Pourtant, c'est la réalité. Leur réalité. Il semble bien que ce soit impossible. Et si cela le peine et l'agace, maintenant, il se fout de savoir la cause du problème. Qu'importe ? Tout ce qu'il désire c'est voir Cécile heureuse. Et être heureux avec elle. Tout simplement… Se rapprochant d'elle, il la prend dans ses bras, frôle doucement ses longs cheveux.

— Cécile, j'aimerais qu'on ait un enfant… Un petit bonhomme qui ressemblerait à Daniel… Qu'en penses-tu ?

Cécile n'ose plus respirer. A peine à croire ce qu'elle vient d'entendre. Charles ? Charles est en train de lui dire qu'il veut un enfant. Pourtant, encore le mois dernier… Elle se revoit dans leur grande cuisine. La fenêtre s'ouvre sur le chant des oiseaux, les cris de joie des petits voisins. Et son mari qui dit, de sa voix catégorique quand il est certain d'avoir raison :

— Prête pour le golf, Cécile ?

Puis, après un bref moment de silence :

— Te rends-tu compte de ce que ce serait si on avait un bébé ? Tu ne pourrais pas m'accompagner. Dans le fond, c'est peut-être une bonne chose ce qui nous arrive. On aime tant sortir, nous deux…

Et finalement, en sortant de la pièce :

— Je t'attends dans l'entrée. Je sors nos sacs…

Est-ce bien le même homme qui vient de lui parler ? Serait-il là ce bonheur qui la nargue depuis tant d'années, se tenant toujours à deux pieds, presque irréel, refusant de se laisser saisir à plein bras ? Ce bonheur qu'elle appelle sans relâche aurait-il enfin décidé de se tenir à portée de main, d'être enfin disponible ? Elle n'est pas habituée au bonheur, Cécile, se contentant depuis toujours de vivre pleinement ses petites joies sans attendre autre chose de l'existence. Elle se met à trembler. Ce peut-il, survivre à une si grande joie, brutale et imprévue, presque douloureuse ? Elle se soulève sur un coude. Dans la pénombre, elle voit le regard de Charles qui brille étrangement, comme s'il pleurait. Et, du coup, toute sa maternité endormie s'éveille, frémissante. Elle se sent forte et grande. Prenant la tête de l'homme qu'elle aime, elle la pose sur son épaule en se recouchant. Caresse doucement ses cheveux...

— Es-tu bien sérieux, Charles, quand tu dis vouloir un enfant ? L'autre matin tu affirmais que...

Le baiser passionné qu'il lui donne, en l'interrompant, est la plus éloquente des réponses. Puis, dans un souffle, il redit :

— Oui, Cécile, j'ai envie d'un enfant. Si... si nous ne pouvons en faire un ensemble, ce n'est pas cela qui va nous empêcher d'être heureux. Je... je ne veux pas te perdre, Cécile. J'ai envie de t'entendre rire, j'ai besoin de savoir que tu es heureuse pour l'être à mon tour. J'aimerais tant sentir des petits bras autour de mon cou et entendre une voix charmeuse qui m'appellerait papa ! Oui, Cécile, j'ai envie d'un enfant. Même si ça va déranger nos habitudes. Tant pis pour le golf, pour le théâtre, pour tout...

Alors Cécile laisse enfin couler les larmes qu'elle retient depuis des heures. Larmes de bonheur qui sont si douces à son âme, lavant toutes celles de tristesse qui ont mouillé sa vie. Le passé n'a brusquement plus d'importance. Il se dilue dans un avenir qui s'annonce plein d'espérance... Curieusement, Cécile ne sent plus le besoin de lui parler. N'a pas l'impression de trahir qui que ce soit en taisant le drame de sa vie. Le silence qui lui est habituellement aussi lourd qu'un reproche, ce même silence se fait tout à coup complice. Les rapproche, les unit. Se coulant contre le corps de son mari, sans pudeur, pour la toute première fois avec lui, Cécile laisse éclater la sensualité naturelle qui est la sienne. Elle a envie de se donner à lui de toute la force de son amour. Se donner corps et âme à celui qu'elle a choisi. Faire ensemble, dans un geste d'abandon total, cet enfant dont ils parlent... Étonnée et heureuse, elle s'aperçoit que Charles répond avec fougue à sa passion. Retrouver cet éclatement de l'être qui vous emporte loin de toute réalité... Elle s'endort le cœur apaisé, un sourire aux lèvres. Et long-temps, dans la nuit grisâtre d'une grande ville trop éclairée, Charles la regarde dormir. Heureux comme il ne pensait pas qu'on puisse l'être...

11
Caen, France, août 1957

Quand Jérôme avait demandé à Don Paulo de lui laisser un peu de temps pour décider ce qu'il allait faire de sa vie, celui-ci avait accepté sans l'ombre d'une hésitation. Il avait compris que, pour Jérôme, la vie reprenait en 1944. Les douze années vécues au monastère n'avaient plus la moindre importance. N'existaient plus. Pour lui, la guerre venait tout juste de finir. Il n'avait plus trente-quatre ans mais bel et bien vingt-deux. C'est hier que son copain était mort dans ses bras. Il avait des parents qui l'attendaient au loin, une fiancée toujours jeune et belle et une fille qui n'était encore qu'un bébé. Jérôme avait besoin de temps pour se faire à l'idée que sa vie venait encore une fois de basculer dans un monde imprévu, dérangeant, terrifiant. Besoin de comprendre les années écoulées sans lui, dans un pays qui était le sien. Loin, si loin de la France...

Oui, sa vie était à nouveau bouleversée dans le temps et dans l'espace. L'homme qui s'était endormi sur une plage de Normandie était avant tout un Canadien. Un jeune de la Beauce, fier de son pays et de tous ceux qu'il avait laissés derrière lui. Oui, c'était un homme qui s'était endormi sur la plage et voilà, qu'au réveil, il ne s'en rappelait plus. Il était revenu à la vie avec un cœur d'enfant. Un enfant qui refusait de céder sa place pour protéger l'homme blessé, caché derrière lui. En retrouvant la mémoire, Jérôme avait laissé renaître l'homme. Involontairement, instinctivement.

D'abord une intuition de ce qu'il était, puis, peu à peu, une certitude. Il n'avait plus besoin de l'enfant craintif pour le défendre. Le petit garçon insécure s'est effacé, s'est fondu à l'homme fort qui sommeillait en lui. Au fil du temps, Jérôme a retrouvé son assurance et sa détermination. Et celui qui se tient devant Don Paulo, aujourd'hui, est à l'image de ce que ce dernier avait toujours imaginé. Un homme de cœur et de droiture... Un homme bouleversé qui ne sait plus où est sa vie. À la demande de Jérôme, Don Paulo a même continué de l'appeler Philippe. Personne, au monastère, ne se doute que l'inconnu, entré chez eux vers la fin de la guerre, a retrouvé la mémoire. Personne...

Mais en retrouvant sa vie, Jérôme en a perdu le sommeil. Depuis plus de neuf mois, comme une lente et difficile gestation, il passe de longues heures à la fenêtre de sa chambre. Scrutant le verger et son avenir. Essayant d'écouter ce que son cœur a à lui dire. Ne sachant s'il doit se fier à tous les tremblements de son âme qui lui répètent qu'il n'a qu'un seul désir. Celui de retrouver les siens. Leur dire qu'il est vivant, en bonne santé. Reprendre la vie là où elle l'avait laissé tomber. Soigner le verger de son père, entailler les érables quand revient le printemps, faire les labours... Mais à chaque fois qu'il sent vibrer cet appel en lui, sa conscience fait objection, se rebiffe. A-t-il le droit de revenir chez lui, comme cela, sans préambule, sans préparation ? Pour lui comme pour tous les siens. Qu'est-elle devenue la vie de ceux qu'il aime tant ? Ont-ils besoin qu'un fantôme reprenne forme pour venir chambarder le cours de leurs existences qui ont dû changer, grandir, évoluer, se placer sans lui ? Inquiet, il passe des heures à marcher dans la nuit, essayant d'imaginer ce que serait son retour. Il revoit sans difficulté la grande maison blanche et rouge, sur le rang du Bois de

Chêne. En pensée, et de tout son cœur, il en fait le tour, admire le champ de grands épis verts et barbus, qu'il appelle maintenant du maïs. Puis son regard se porte au-delà du grand croche, en haut de la butte, et continue son chemin jusqu'au deuxième rang. La grosse roche plate est-elle encore à son poste ? Il passe devant elle et vient s'arrêter devant une maison blanche au toit de tôle noire. Une jeune femme, debout sur la galerie. Cécile... Qu'est-elle devenue ? Est-elle mariée ou l'a-t-elle attendu ? Mais, en se disant cela, il sait bien que personne ne peut croire à un retour après tant d'années. Et Cécile n'est pas une femme à vivre seule. Elle a toujours eu besoin de gens autour d'elle pour être heureuse. Elle a dû le pleurer pendant quelque temps, puis se faire à l'idée d'une vie sans lui. Maintenant, elle doit être mariée et heureuse, entourée d'une ribambelle d'enfants, elle qui rêvait d'en avoir plusieurs... Et, quand il y pense, c'est la peur qui dévisage son inquiétude. En fait un masque terrifiant le faisant reculer devant la vie qu'il souhaiterait plus que tout au monde. Que ferait-il, lui, s'il fallait qu'il retrouve Cécile amoureuse d'un autre ? Il ne pourrait y survivre. Pour l'homme épris qui respire en lui, les douze dernières années n'existent pas. Il est incapable d'envisager de retrouver Cécile comme si elle n'était qu'une bonne amie. Quand il pense à elle, c'est l'homme de vingt ans qui tremble de désir en lui. Jérôme a peur. De lui comme de ce qu'il pourrait découvrir en revenant dans sa Beauce natale. Alors, il laisse le temps s'écouler, graine à graine, péniblement. Si, au moins, il pouvait avoir de leurs nouvelles... Être rassuré, savoir qu'ils sont à nouveau heureux. Même sans lui. Il pourrait peut-être prendre une décision. Peut-être... Et, plus le temps passe, plus il se dit qu'il n'y a qu'une seule avenue qui se présente à lui. Qu'une chose à faire pour éviter les peines et les douleurs. À lui comme aux autres. Mais elle est difficile à emprunter, cette route de l'amour et du respect...

La journée est triste et chaude. D'une chaleur humide, comme il en connaissait souvent dans la Beauce. Un ciel de plomb, lourd et étouffant, laisse deviner l'orage qui se prépare un peu plus loin, au-dessus de la mer. Le travail au verger est fini pour la journée et, sans se presser, Jérôme revient à sa chambre pour se changer. Mais, en cette fin de journée, il n'a pas envie de se retirer dans la fraîcheur invitante de la chapelle pour la prière du soir. N'a pas le goût de prendre encore une fois son repas au bout de la longue table de réfectoire, silencieux, comme s'il n'avait rien à dire. Il y a tant de choses en lui qui dérangent et s'agitent, qui se déplacent sans savoir où se poser. Il voudrait se lever et proclamer haut et fort sa mémoire revenue, sa vie retrouvée... Il aimerait se mêler à la foule de la ville. Marcher au hasard des rues, parler à des inconnus, prendre une bière ou un vin frais dans un café...

Ses pas l'ont amené jusqu'au cimetière militaire. Celui où reposent des centaines de jeunes Canadiens tombés au combat. Depuis l'automne dernier, c'est là que Jérôme se retire quand il a mal. S'assoyant devant la pierre tombale de Pierre Gadbois. C'est avec son copain, en lui parlant comme s'il était là, à ses côtés, que Jérôme arrive à maîtriser son mal du pays. Se rappelant ses jeunes années, revoyant son père et sa mère. Imaginant leur détresse, lui qui était enfant unique. Et quand il pense à eux, l'envie de revenir chez lui se fait plus que tentation. C'est une crampe douloureuse qui le transperce. Puis, invariablement, ses pensées se portent sur Cécile. Alors la douleur s'oblige à être sage. Et tout doucement, en parlant avec Pierre, le calme revient.

Pour elle, pour la savoir heureuse et paisible, Jérôme est prêt à tous les compromis... Il laisse donc l'image de sa fiancée se faire discrète. Il s'oblige à regarder le paysage autour de lui, à regarder la vie qui est sienne depuis plus de dix ans... Et quand il retourne au monastère, à chaque fois, il constate que la campagne de Normandie ressemble étrangement à celle de la Beauce. Peut-être vient-elle de là cette absence de mémoire qui a duré si longtemps. Se sentir à l'abri dans un monde qui lui était familier... Lui qui a invariablement aimé le travail de la terre, il retrouve dans ce paysage la quiétude dont il a toujours eu besoin. Ces vallons qui ondulent contre le ciel bleu, le reflet d'une rivière qui scintille au loin, cette odeur de ferme, cet enivrement des fleurs de pommiers qui revient chaque année... Si ce n'était de la douleur de ne rien savoir des siens, Jérôme pourrait être heureux ici. Tout comme il l'aurait été chez lui, dans la Beauce. De cela, il est convaincu. Jusqu'à un certain point, la vie qu'il mène au monastère correspond à celle qu'il a toujours voulue. Une vie calme, sans problème, qui se déroule au rythme des saisons et de la course du soleil. Une vie proche de la terre dont il n'a jamais perdu le goût. Même quand il était malade, ne sachant pas qui il était. Cette attirance vers ce monde de la campagne, ses odeurs et son labeur... Oui, il pourrait rester ici, sans en souffrir vraiment. Permettant à une partie de son âme d'être véritablement en paix avec lui-même. Mais il y a Cécile... Alors, tout en revenant vers le monastère, il retrouve la déchirure de l'âme. À chaque fois la même. Celle qu'il a de plus en plus de difficulté à dominer. Qui lui donne le vertige... Dieu, qu'il aimerait la revoir, la prendre dans ses bras, lui faire l'amour! Fermant les yeux, il arrive presque à sentir le parfum de soleil dans ses cheveux, sur sa peau douce... Et cela aussi fait partie de ce qu'il est. L'homme passionné qui a sommeillé pendant tant d'années en lui ne veut surtout pas se rendormir. De plus en plus souvent, il rêve d'elle... Mais il n'a plus vingt ans et ne l'a pas quittée la veille. Tant de choses ont dû se passer depuis. Tant de choses et de gens dans sa vie... Ne souffriraient-ils pas, tous les deux, de ce retour que nul n'osait prévoir ? Aujourd'hui, plus que jamais, il est sensible à cette souffrance qui pourrait naître de ses choix et de ses désirs. Alors, passant droit devant l'entrée du monastère, Jérôme continue sa route...

C'est en prenant un verre de vin blanc, assis à la terrasse d'un café que Jérôme s'aperçoit que, malgré lui, les dimensions de sa vie ne sont plus celles qu'elles auraient été en 1944. Même diminué, même sans identité réelle, Philippe était une partie de Jérôme. Tous deux, ils ont partagé un même corps, une même pensée, pendant plus de dix ans. Ils ne peuvent plus se dissocier. C'est ensemble qu'ils ont changé, se sont modifiés au fil des saisons, au gré des gens rencontrés. Il est là, assis sur la terrasse d'un café en France. Un café comme il n'en existe pas dans la Beauce... Autour de lui, les gens rient, s'interpellent, s'amusent et Jérôme ne se sent pas un étranger parmi eux. Grâce à Philippe, ce pays est aussi le sien. Jérôme est bien obligé de l'admettre... Le ciel s'est éclairci, contre toute attente, et le soleil brille à nouveau sur l'horizon, profitant d'une échancrure des nuages. La nuit tombe tout doucement sur Caen. Se calant dans sa chaise, puis allongeant ses longues jambes sous la petite table de fer forgé, Jérôme se surprend à sourire. Il est bien de ces gens autour de lui. De tous ces gens souriants, qui lui envoient la main quand ils reconnaissent en lui le drôle de pensionnaire du monastère. Jérôme comprend que, maintenant, il est un des leurs. Il a pris leurs habitudes, leur parler chantant. Il aime cette terre de France et l'odeur du cidre dans le cellier. Pourquoi risquer de souffrir plus qu'il ne serait capable de supporter ? Pourquoi revenir chez lui ? Mais sachant les siens probablement heureux sans lui, une pointe de jalousie inévitable lui perce le cœur. Eux aussi ils font partie de sa vie, de ses espérances comme de son passé... Pourtant, la douleur serait peut-être moins grande, moins vive, vécue au loin... La peur d'être mortellement blessé obscurcit toute sa pensée. Il ne veut plus avoir mal. Il a eu sa part de tristesse et de souffrance. Tout comme ses parents et Cécile ont dû avoir la leur. Jérôme ne veut surtout pas faire pleurer celle qu'il aime... Les yeux bleus de sa fiancée ont déjà versé beaucoup trop de larmes. Oui, beaucoup trop...

C'est en revenant finalement jusqu'au monastère qu'il prend sa décision. En fait, il n'y a qu'une chose à faire pour être sincère avec tout ce qui a de l'importance à ses yeux. Il sait maintenant vers où diriger ses pas pour être en paix avec lui-même. Et laisser en paix tous ceux qu'il aime... Soulagé de voir la lumière briller dans le bureau de Don Paulo, il se dirige immédiatement vers la pièce plongée dans la lueur paisible d'une lampe de lecture. Il lui faut parler pendant que la douceur du vin lui délie la langue. Sinon, il risque de ne plus avoir de courage.

— Don Paulo ? Je peux vous parler ?

Le directeur relève la tête, étire un large sourire en reconnaissant Jérôme.

— Bien sûr, Philippe. Entrez et fermez la porte...

Comme un rituel entre eux depuis ces derniers mois. Il n'y a que lorsque la porte est refermée sur leur intimité que Don Paulo s'autorise à l'appeler Jérôme. Respectant les volontés de son ami, jamais il n'a parlé de son secret à qui que ce soit. De toute façon, la conversation porte rarement sur les pensées de Jérôme. Don Paulo a compris qu'il pouvait faire confiance à l'intelligence de Jérôme pour prendre une décision qui, finalement, lui appartenait. Se relevant pour l'accueillir, il lance de sa voix joviale :

— Alors, Jérôme, une partie de dames ?

Mais ce dernier ne lui répond pas. Comme s'il ne l'avait pas entendu, Jérôme s'approche de la fenêtre. Celle qui donne vers l'ouest où ne subsiste qu'une faible lueur oran gée se glissant entre deux nuages noirs et un ciel marine. Un restant de jour. Comme une espérance qui disparaît. Un spasme lui serre le cœur.

— Non, Don Paulo. Je n'ai pas envie de jouer aux dames, ce soir. Je... J'aimerais plutôt vous demander quelque chose.

Alors, comprenant à l'intonation de la voix de Jérôme que celui-ci est à un point tournant de son existence, Don Paulo se rassoit.

— Alors, venez prendre place, Jérôme. Dans votre fauteuil...

Mais à nouveau, Jérôme ignore les propos de Don Paulo. Après un bref silence, lui tournant toujours le dos et concentré sur la tombée du jour, il dit d'une voix très douce, très calme :

— Non, Don Paulo, pas Jérôme mais Philippe. Mon nom est et restera Philippe.

Un silence lourd s'abat sur la pièce. Le directeur se demande un instant s'il a bien compris. Qu'est ce qui a bien pu se passer pour que Jérôme désire à nouveau disparaître dans l'ombre ? Il se souvient de la voix angoissée qui appe- lait Cécile dans son délire... Alors, il ose demander :

— Mais pourquoi ? Maintenant que vous...

D'un geste du bras, Jérôme l'interrompt. La décision a été assez difficile à prendre. Il n'a pas envie de se justifier. Pas devant un homme qui a choisi le célibat. Comment Don Paulo pourrait-il savoir ce que c'est que d'aimer une femme plus que soi-même ? Comment pourrait-il accepter que Jérôme choisisse de souffrir loin d'elle plutôt que de mourir lentement près d'elle, témoin d'un bonheur où il serait étranger ? En ce moment, Jérôme n'a besoin que de compréhension et d'amitié pour être capable d'assumer sa décision jusqu'au bout.

— Je vous en prie, Don Paulo. Je vous en prie...

Mais le directeur, malgré tout le respect qu'il porte à Jérôme, ne peut accepter une telle chose sans au moins savoir ce qui la provoque. Il se permet de reprendre, insistant, ignorant la dernière demande de Jérôme :

— Avez-vous pensé à vos parents, Jérôme ? Ils ont le droit de savoir que vous êtes toujours vivant.

À ces mots, Jérôme échappe un soupir. Comme s'il ne pensait pas à eux... Mais le problème n'est pas là. Bien sûr qu'il sait que Gabriel et Mélina Cliche seraient les plus heureux du monde de voir revenir leur fils. Mais, malgré cela, Jérôme ne pourra jamais leur dire qu'il est vivant. Revenir à eux, c'est aussi revenir à Cécile. Et, cela, il est incapable de le faire. Il n'a pas le droit de trahir celle qu'il aime en l'obligeant à des choix qui ne pourraient être que déchirants. Alors Jérôme se répète que si ses parents ont réussi à se faire une vie heureuse en dépit de tout, ils ne souffriront pas de ce qu'ils ne savent pas. Un compromis entre Philippe et Jérôme. Essentiel à la survie de l'homme qu'il est devenu au fil du temps.

— Le droit ? Oui, peut-être. Vous avez raison. Mes

481

parents auraient sûrement le droit de savoir... Et si vous saviez à quel point ils me manquent ! Savoir ce qu'ils deviennent... C'est toute ma vie qui...

Jérôme échappe à nouveau un soupir. Long, bruyant, douloureux. Puis, d'une voix qu'il tente de garder ferme :

— Malheureusement, il n'y a pas qu'eux. Je ne peux retrouver mes parents sans retrouver aussi Cécile. Et cela...

Jérôme s'interrompt à nouveau. Par amour pour cette femme qui lui a donné les plus beaux instants de sa vie, Jérôme taira à jamais son retour à la vie. Oui, du plus profond de son cœur, il est prêt à ce sacrifice. Au sacrifice de sa vie et de sa liberté. Depuis douze ans, Jérôme Cliche est mort pour tous et, ce soir, il a décidé qu'il le restera. Désormais, il s'appellera Philippe. Alors, se retournant enfin, il plante l'éclat décidé de son regard dans celui du directeur.

— Ma décision est prise, Don Paulo. Je désire rester ici avec vous. Je n'ai ni passé ni identité. Je suis Philippe et je veux demander aux autorités françaises de me reconnaître comme un des vôtres.

Sa voix reste ferme malgré l'ombre de la souffrance qui passe dans son regard. Une souffrance plus grande que les mots, plus forte que la pire des douleurs. Alors Don Paulo comprend et accepte. Cette douleur dans le regard porte en elle l'amour le plus sincère qu'il n'ait jamais vu. Qu'il ne reverra jamais. Se relevant, il laisse tomber d'une voix sourde :

— Vous l'aimez donc à ce point ?

Et cette interrogation n'est rien de plus qu'une marque de profond respect. Incapable de répondre, Jérôme se retourne vers la fenêtre, se contentant de hocher la tête. Alors deux larmes glissent le long de son visage anguleux, tremblent un instant sur son menton, avant de venir mourir sur sa poitrine. À l'ouest, là où Jérôme sait que la mer s'efface, là où se trouvent son pays et les siens, la nuit est maintenant aussi noire que de l'encre.

12
Québec, été 1958

Les années se suivent mais ne se ressemblent pas toutes. Depuis août dernier, Cécile a l'impression que sa vie a pris un tournant fulgurant. Un petit Denis est venu bouleverser une existence qu'elle avait toujours trouvée trop calme. Un galopin de quatre ans qui juge que tous ceux qui l'entourent ne sont là que pour son bon plaisir. Un jeune garnement au regard clair comme le ciel après la pluie, au sourire désarmant de candeur. Un amour de petit bonhomme qui donne aux regards entre Cécile et Charles une complicité qui leur fait battre le cœur. Cette chaleur entre eux qui continue de croître... Qui fait du bien. Pourtant, la vie au quotidien ne se déroule pas sans heurt. Tant bien que mal, Cécile a réussi à cumuler son rôle de mère à celui de médecin, conciliant son horaire chargé à celui d'un gamin de quatre ans. Même s'il lui arrive parfois de penser qu'elle se devrait d'être plus présente chez elle, Cécile est incapable de se décider à abandonner la pratique. Une jeune fille s'occupe maintenant de la maison et du jeune homme turbulent qui n'a aucune considération pour les bibelots de sa mère. Mais, comme le dit si bien Charles : « Ce n'est qu'un signe de bonne santé ! » Jamais Cécile n'aurait pu croire que son mari prendrait son rôle de père avec tant de sérieux et d'amour. Lui qui n'était qu'une ombre de passage dans la maison depuis quelques années, se fait un devoir de présider au repas de tous les soirs, amenant même

Denis au golf avec lui. Heureuse, Cécile découvre un tout autre homme. Cette dimension qu'elle recherchait chez Charles et qui lui faisait regretter la fougue de Jérôme, maintenant elle l'a trouvée. Alors, elle mord avec gourmandise dans sa vie. Une vie enfin comblée, paisible dans ses émotions. Même si souvent elle repense à Juliette, la blessure lui semble moins vive. Tout comme au jour où elle avait tenu Gabriel dans ses bras, la présence de Denis a posé un baume sur ses attentes.

Août est là avec sa promesse de vacances pour la famille Dupré. D'un commun accord, Cécile et Charles ont décidé d'aller à la mer avec leur fils. Se réjouissent à l'avance de sa joie d'enfant quand il découvrira les vagues, l'immensité de la plage et de l'océan. C'est même avec cette promesse qu'ils lui ont fait accepter le départ de leurs voisins, les meilleurs amis de Denis, partis pour un mois à leur chalet. Pourtant, le jeune homme trouve les journées longues, surtout que Gaétane, sa jeune gardienne, est meilleure ménagère que copine! Les journées s'enfilent lentement et il lui semble que le chiffre entouré sur le calendrier recule au lieu d'avancer. Quand on nous a promis une plage de sable, le carré dans le fond de la cour nous paraît plutôt insignifiant. D'autant plus qu'il n'y a personne pour partager l'attente avec lui. En prévision de leur absence prochaine, Cécile et Charles reviennent, plus souvent qu'autrement, uniquement à l'heure de son coucher. Et, dans sa logique d'enfant, Denis trouve que sa vie actuelle est moins drôle que celle qu'il connaissait avant. Dans son autre maison, où il y avait tant d'amis pour jouer avec lui. Une maison où il y avait plein de gens, de bruit, de rires. Avec de longs corridors où il faisait bon glisser sur ses bas quand on venait tout juste de les cirer. En soupirant, Denis regarde la cour détrempée et il n'y a que cette image qui lui revient en tête : un long couloir brillant. Il fait une journée toute grise, pleine de pluie et d'ennui. Gaétane est à préparer la lessive et ne veut pas être dérangée car, comme elle lui a dit : « C'est dans quatre dodos que vous partez. Alors, Denis, il va falloir que tu t'occupes tout seul aujourd'hui. Moi, je n'ai pas le temps de jouer avec toi. Va dans ta chambre. »

Mais Denis n'a pas du tout envie de passer encore une fois une journée seul. Il connaît presque par cœur les livres qui alourdissent son étagère et, franchement, jouer avec des blocs sans copains pour partager ses projets, c'est ennuyant. Il n'a pas envie non plus de dessiner ou de faire des casse-tête. Pour un petit garçon actif comme lui, cela n'a aucun attrait. Si seulement Jean-Pierre et Martin étaient là ! Chez eux, on ne s'ennuie jamais. Tout le sous-sol de la maison est à leur disposition. C'est une demeure où l'on peut bouger, crier et courir. Pas comme ici, où il doit toujours faire attention pour ne rien casser. À nouveau, Denis échappe un grand soupir quand il repense au long couloir brillant de son ancienne résidence. Que ne donnerait-il pas pour s'y retrouver, là, maintenant. D'un coup, il se souvient du nom de son copain d'alors. Richard... Oui, il s'appelle Richard. Habite-t-il encore là ? Pourtant, Denis sait fort bien que, maintenant, c'est ici qu'il habite. Que Charles et Cécile sont ses parents et, comme sœur Marie-des-Anges l'a dit, qu'il est un petit garçon bien chanceux de s'être trouvé une belle grande maison pour lui tout seul. Mais sûrement que sœur Marie-des-Anges, en disant cela, ignorait qu'il y avait autant de choses fragiles et qu'il ne fallait pas crier dans cette belle maison. De cela, Denis est convaincu.

Un gros sanglot d'ennui lui gonfle le cœur. Oui, comme

cela, sans motif autre que l'ennui, l'enfant se met à regretter cette vieille religieuse qui était si gentille. Puis aussi son ami Richard, avec qui il a tant et tant joué. Aux billes, aux cow-boys, aux blocs, sur les balançoires grinçantes... C'est la première fois qu'il repense véritablement à eux. Sinon une autre fois, quand son papa l'emmenait avec lui en auto et qu'il avait demandé comment on faisait pour aller à son ancienne demeure. Charles avait eu un drôle de sourire devant sa curiosité. Puis, affectueusement, il avait demandé :

— Tu n'es pas heureux, Denis ? Tu t'ennuies de tes amis ?

— Oui, des fois je m'ennuie. Mais je suis bien pareil avec vous deux, tu sais.

Alors son père était parti à rire et lui avait dit :

— C'est normal... Viens, je vais te montrer ton ancienne place. Tu vas voir, ce n'est pas tellement loin de chez nous.

Et, au bout de quelques instants seulement, la grande bâtisse de briques était apparue aux yeux de Denis. Il n'avait pu retenir un sourire en entendant tous les enfants qui jouaient dans la cour, en ce beau samedi matin. Et en plus, c'était bien vrai, il n'habitait pas vraiment loin de là. Son papa avait dit la vérité. Rassuré, Denis avait tourné son sourire vers Charles.

— C'est bien, maintenant. On peut aller faire les commissions...

Mais Charles avait insisté.

— Tu es certain que tu ne veux pas aller les voir ?

— Non. Ça va... Je voulais juste voir la maison.

Et il n'en avait jamais reparlé, satisfait de voir que la bâtisse était toujours là, que ceux qu'il avait connus l'habitaient encore probablement. Comme une assurance dans son cœur d'enfant. Et c'était pour lui plus que suffisant.

Mais voilà que, ce matin, il repense encore à eux.

Il aimerait bien passer la journée avec ses amis, au lieu de s'ennuyer tout seul dans sa chambre. C'est à cet instant qu'il se décide... Gaétane est à la cave, ses parents ne seront pas là avant le souper, au mieux, et il sait que son ancienne maison n'est pas très éloignée. Alors, il n'en faut pas plus à un petit garçon de « pas-tout-à-fait-cinq-ans » pour être convaincu que son idée est la bonne. Pourquoi rester seul quand toute une bande d'amis va sûrement être heureuse de le revoir ? Pourtant, un curieuse sensation de « pas permis » lui fait descendre l'escalier sur le bout des pieds, enfiler son imperméable et ses bottes sans faire de bruit, refermer la porte comme sa mère aimerait bien qu'il le fasse à chaque fois. Sans hésitation il remonte la rue, comme son père l'avait fait l'autre jour. Puis il tourne à gauche et se rend jusqu'à l'intersection, là où il y a l'épicerie. Mais après... Est-ce à la première rue qu'il faut bifurquer ou à la seconde ? À peine une hésitation. Ça n'avait pris que quelques instants avec papa l'autre matin. C'est sûrement qu'ils avaient pris la première rue. Confiant, Denis attend sagement que la lumière tourne au vert, puis il s'engage dans la première rue venue.

Une heure plus tard, il se retrouve devant le *Dominion*, là où sa mère a l'habitude de faire l'épicerie. Mais la peur de s'être perdu aidant, la crainte d'être grondé dominant sa pensée, Denis ne sait plus s'il doit continuer ou rebrousser chemin pour revenir à la maison. Et c'est tout ce qu'il désire en ce moment : revenir à la maison avant qu'on s'aperçoive de son absence. Il vient de comprendre que ce n'est pas si facile de se retrouver dans un tel dédale de rues. Comment son père s'y est-il pris l'autre jour ? Cela, il l'ignore et ne veut plus du tout le savoir. La crèche et ses longs corridors, les copains et leurs jeux, même sœur Marie-des-Anges et son sourire ne veulent plus rien dire pour lui. Le visage barbouillé de larmes, une crampe dans le ventre et le cœur serré, il n'a qu'un mot en tête : Maman. Maman...

Ce n'est que vers une heure quand Gaétane l'appelle pour dîner, qu'elle s'aperçoit de son absence. Elle avait bien trouvé curieux qu'il soit aussi silencieux mais, heureuse d'avoir la paix pour faire son travail, la jeune fille n'avait pas cherché à savoir ce qu'il faisait dans sa chambre. Tant mieux si pour une fois Denis accepte d'être tranquille... Maintenant, elle se tord les mains d'inquiétude. Pour Denis, qu'elle aime bien malgré tout. Mais aussi pour sa place. Un bon emploi, avec de bonnes gages. Et puis, elle était logée et nourrie... Une place en or comme il y en a peu. Gaétane ne veut surtout perdre son travail. Alors la colère remplace aussitôt son inquiétude. Ce n'est pas à cause d'un petit morveux de quatre ans qu'elle va tout perdre ! Décidée à contrôler la situation avant le retour de ses patrons, elle enfile à son tour son imperméable. Un gamin de cet âge ne peut sûrement pas aller très, très loin... Et, en remontant la rue, elle se promet bien de lui faire la leçon. Assez fort pour qu'il n'ose pas en parler à ses parents...

Mais, deux heures plus tard, après quelques milles à tourner en rond, elle doit admettre qu'il n'y a pas de petit garçon en larmes l'attendant au coin d'une rue. Toute colère tombée, la peur lui creusant un drôle de vide dans l'estomac, Gaétane revient à la maison. L'étrange silence qui l'accueille lui fait regretter les cris habituels de l'enfant. Sans plus hésiter, elle prend l'acoustique du téléphone et signale le numéro de « Madame » qui est habituellement à son bureau à cette heure-là. C'est d'une voix blanche, dénuée de toute expression, que Cécile lui dit qu'elle revient immédiatement.

Jamais Cécile n'aurait pu imaginer qu'elle aurait mal à ce point. La douleur qui lui fouille le cœur est de celle qu'on n'oublie jamais. Denis, son petit garçon, son fils... Rien d'autre n'a d'importance en ce moment. Même toutes les grandes tristesses qui ont traversé sa vie ne sont plus que pâles souvenirs comparé à cette souffrance qui lui laboure le cœur. Un regard glacial a mis un terme aux explications de Gaétane.

— Restez ici, au cas où il reviendrait. Moi, je vais essayer de le retrouver en voiture. Je ne comprends pas que... Tant pis! On en reparlera plus tard... Si je ne le retrouve pas, on appellera la police... et Charles.

À son tour, Cécile arpente les rues autour de la maison. Malgré la pluie qui continue de tomber, elle l'appelle régulièrement par la fenêtre grande ouverte. Sa voix est cassée, modulée des larmes qu'elle s'efforce de retenir pour voir où elle va. Jamais elle n'aurait pu imaginer qu'on pouvait avoir peur comme cela pour quelqu'un. Denis, c'est toute sa vie... C'est sa certitude de vie, ses espoirs et l'apaisement de ses attentes. C'est son petit homme et, en ce moment, elle sacrifierait volontiers sa vie pour la sienne. Pourquoi, pourquoi est-il parti? Où cherchait-il à aller quand il a quitté la maison? Un enfant comme lui ne fait jamais rien pour rien. C'est un enfant intelligent, qui ne cesse de poser des questions, curieux de tout. Il avait certainement un but devant lui, pour se risquer à partir comme cela sans en parler. De tout l'amour qu'elle a pour lui, Cécile tente de trouver dans son intuition de mère. Laisser son instinct lui dicter le chemin. Se calmer. Ne pas permettre à la panique de s'emparer de ses pensées. «Denis, mon petit, mon tout petit garçon...»

C'est en tournant au coin de la rue Belvédère, sur le

chemin Ste-Foy, que l'intuition devient certitude.

— La crèche !

Bien sûr ! Comment se fait-il qu'elle n'y ait pas pensé avant ? Il n'y a que là où Denis ait pu avoir envie d'aller.

D'un seul coup, fulgurant comme l'éclair, Cécile comprend ce que doit vivre un petit homme comme lui, habitué au bruit et aux amis. Leur grande maison doit lui sembler bien lugubre... Comment a-t-elle pu croire qu'il serait heureux avec eux, à de telles conditions ? Est-ce pour cela qu'elle est allée chercher un enfant ? Juste pour calmer sa grande attente devant la maternité ? Pour se faire plaisir ? Brusquement, elle comprend qu'être mère ce n'est pas seulement porter un enfant. C'est surtout l'aimer, essayer de le comprendre, accepter ce qu'il est, trembler pour lui... chercher à le rendre heureux. Elle, si souvent confrontée à la culpabilité, vient de comprendre qu'elle a probablement commis la plus grave erreur de sa vie. On ne va pas chercher un enfant uniquement pour parader à ses côtés. Elle voulait une famille, à elle de s'en occuper. Le bonheur d'un enfant qui ne lui avait rien demandé en dépend. De grosses larmes de regret coulent sur son visage. C'est à ce moment qu'elle aperçoit, à quelques pas devant elle, sur le trottoir, une petite ombre en imperméable un peu trop grand et en bottes noires. Sans attendre, elle stationne son auto le long de la rue puis, à pied, remonte rapidement vers Denis.

— Eh, bonhomme !

C'est un visage souriant à travers ses larmes qui se tourne vers elle. Maman ! Maman est là. Pour Denis, rien d'autre n'a d'importance. Tant pis pour les remontrances, tant pis pour la punition. Brusquement, il est heureux. Totalement, farouchement heureux et soulagé. En courant, il s'élance vers les bras qui se tendent. Maman, *sa* maman est venue le chercher. Il savait bien, tout au fond de lui, qu'elle finirait par le retrouver.

— Mon bonhomme! Mon tout petit bonhomme... Qu'est-ce qui s'est passé, Denis? Pourquoi es-tu parti comme cela?

La voix de Cécile est toute douceur. Comme si l'inquiétude enfin apaisée permettait à l'amour de prendre toute la place. Le petit garçon y puise l'assurance dont il a besoin pour oser dire les choses. Surtout, oui surtout, elle n'a pas l'air fâchée.

— Je m'ennuyais, maman. J'avais juste envie de retrouver mes amis.

Puis, après un bref instant:

— Je serais revenu, tu sais. Je... je t'aime, maman.

Alors, Cécile le serre bien fort contre elle. Tout est dit. Tout est là, à portée de cœur et d'amour. Il y a un enfant, son fils, et elle l'aime. Tout comme elle a aimé Juliette et continuera de l'aimer. Pour Cécile, maintenant, il y a deux enfants dans sa vie. Sa fille et son fils. Aussi importants l'un que l'autre. Chacun à sa manière... Chacun sollicitant une partie de son cœur. Sa vie, désormais, sera à l'écoute de ses émotions. Plus rien d'autre n'a d'importance à ses yeux. Elle vient de rejoindre l'espérance de ses vingt ans. Oui, maintenant, elle a une famille à aimer. N'était-ce pas là le but qu'elle s'était fixée, avoir autour d'elle des êtres à choyer? C'est en se jurant que plus jamais Denis ne s'ennuierait qu'elle revient à son auto. Puis, elle l'installe sur le siège arrière et l'embrasse avant de refermer la portière. Non, plus jamais Denis n'aura envie de quitter sa maison. Il a un père et une mère maintenant. Et toute une vie à remplir de souvenirs joyeux devant lui. À Cécile de voir à ce que son fils et son mari soient heureux.

PARTIE IV

1976 – 1984

13

Québec, mars 1976

Le temps des giboulées est revenu. La saison girouette, comme Cécile s'amuse à décrire le début du printemps. Un matin il fait beau comme un espoir d'été. Puis, le lendemain, le temps a l'air chagrin d'un automne ou il frissonne comme l'hiver. En ce moment, il neige à plein ciel. Un ciel lourd, presque blanc, qui frôle les toits et se fond à la fumée s'échappant des cheminées. Pour un peu, on se croirait à la veille de Noël. Même s'il est déjà huit heures, Cécile doit allumer le plafonnier quand elle entre dans la cuisine pour préparer le déjeuner. En baillant, elle approche machinalement du réfrigérateur pour prendre les oranges... Se demandant sincèrement si elle ne ferait pas mieux, tout compte fait, de retourner dans son lit. Puis, elle pense à Charles et persiste dans son geste. Il se doit d'être à l'hôpital pour neuf heures. Elle entend d'ailleurs le pas de son mari à l'étage. Alors, elle sort le presse-jus de l'armoire...

Charles a quitté la maison en coup de vent. Une réunion importante au laboratoire... Et le labo, comme il dit, c'est ce qu'il y a de plus précieux dans sa vie, ou presque... Cécile se sert un second café, puis elle décide de s'installer au salon. Elle a tout son temps. Rien ni personne n'a besoin d'elle, ce matin. Cédant à un caprice, elle dépose sa tasse de café sur une table basse et va jusqu'au foyer pour allumer une bonne flambée. Le vent butant contre la vitre et la blancheur trop crue du jardin lui donnent le frisson. Elle craque une longue allumette de bois. La bûche résiste, fume un peu, puis se met à crépiter. Quand le feu est bien pris, s'enroulant dans la couverture de laine qu'elle laisse en permanence sur la berceuse, Cécile s'assoit sur le divan. Avec un soupir de contentement, elle s'étire longuement. Puis, elle reprend sa tasse de café à deux mains, pour se réchauffer. Il lui tarde que l'hiver se décide à plier bagage pour de bon. Elle s'ennuie de ses roses, du potager. Pourtant, ce matin, retirée dans le salon, devant un feu qu'elle sera seule à admirer, elle se sent bien. Elle qui jadis se plaignait du silence de sa grande maison, leur fils étant parti pour étudier à Sherbrooke, sait maintenant apprécier tout le confort feutré. Depuis deux ans, elle et Charles ont réappris à vivre à deux. Goûter au plaisir de laisser le temps leur dicter ses volontés sans toujours avoir à concilier les horaires de l'un et de l'autre, avec un enfant à la maison qui faisait trembler vitres et bibelots sur son passage... Souriante, elle se rappelle le jour où Denis est entré dans leur vie...

De retour de Montréal, Charles n'avait pas perdu une minute. Dès le lundi matin, il avait téléphoné à la crèche pour prendre des renseignements. Le lendemain, lui et Cécile se présentaient à la supérieure pour faire une demande d'adoption en bonne et due forme. Saint-Justin avait été remplacée par une autre directrice et Cécile en avait soupiré de soulagement. Malgré ce fait, il lui était impossible de se contenir et elle tremblait de la tête aux pieds. Se retrouver dans ces lieux, revoir ces longs corridors, croiser ces jeunes femmes enceintes... Un tourbillon de souvenirs l'avait emportée loin de la conversation qui s'étirait entre Charles et la religieuse. Toutes ces heures à veiller les petits de six mois, les repas pris au réfectoire en compagnie de plusieurs autres jeunes filles qui, comme elle, attendaient un enfant qu'elles se devaient de cacher... Brusquement, la brume que le temps laisse sur les choses et les souvenirs se dissipait. C'était un peu comme si tout cela avait eu lieu la veille. Elle se rappelait distinctement le visage ingrat de la petite Rolande, sa démarche malhabile d'enfant promenant devant elle un ventre disproportionné pour son âge. Cette tristesse dans le regard, cette répulsion dans la voix... Et, surtout, cette agressivité naturelle devant les gens. Comme une seconde peau qui lui collait au corps et à l'âme à cause de ce besoin permanent de se défendre. Comme elle avait souffert, sa jeune amie! Que la vie avait été cruelle envers elle... Perdue dans ses pensées, Cécile avait vaguement entendu la voix de la religieuse les invitant à la suivre jusqu'à la pouponnière. Comme un avertissement qui la rejoignait dans le brouillard d'idées qui l'enveloppait. Cécile avait sursauté. Brutalement, le présent la rattrapait, se fusionnant à son passé. Elle avait eu un instant de recul. Elle ne voulait pas se retrouver devant la vitre qui avait tracé un trait indélébile sur sa vie. Ce moment unique qui avait divisé le cours de son existence en deux parties si distinctes que l'une d'entre elles était restée secrète, presque illicite... Elle était persuadée qu'elle souffrirait terriblement d'être à nouveau confrontée à l'enfilade des petits lits blancs, tous identiques. N'y chercherait-elle pas encore le nom de sa fille? «Bébé Veilleux...» C'est à contre-cœur qu'elle avait emboîté le pas à son mari. Puis, un soupir de soulagement... Ils se dirigeaient non pas vers la pouponnière de l'hôpital, mais bien vers celle de l'orphelinat. Une pouponnière différente, qui ne l'avait jamais blessée et n'était rien de plus qu'une chambre de bébés comme celle qu'elle croisait tous les jours à l'Hôtel-Dieu...

Alors, les yeux grands ouverts sur son passé, le cœur enregistrant les moindres détails, elle avait suivi Charles dans le dédale des couloirs pour finalement se retrouver devant une autre vitre, grande comme une devanture de magasin. Derrière Cécile, s'allongeait le long corridor où s'ouvraient les salles des enfants plus vieux...

Pendant un moment, elle avait regardé les bébés. Un peu décontenancée, incapable d'être froide et lucide. Et Charles, en bon médecin, qui discutait hérédité avec la sœur! Comment peut-on choisir un enfant comme on choisit une paire de souliers? Sur des critères de bonne santé? Allons donc! Tant d'émotions se disputaient les faveurs de sa pensée et de son cœur. Sa grande envie d'un tout-petit jaillissant comme une fontaine trop longtemps retenue soutenait la douleur d'une enfant à jamais perdue pour elle. L'ambivalence d'un passé qui la poursuivait toujours même si, depuis une semaine, il se faisait plus discret. Conciliant presque les deux parties de sa vie. Mais là, devant ces minois de nouveau-nés, Cécile avait connu, encore une fois, la grande douleur d'être confronté à un choix. Le déchirement de se dire qu'un seul d'entre ces bébés allait avoir la chance d'échapper à la vie d'orphelinat. Mais comment, comment fait-on pour décider quand l'enjeu est si grave, si décisif? Impulsivement, c'est tous les enfants qu'elle aurait voulu emmener avec elle. Leur donner cette chance que la vie leur avait enlevée. Celle de grandir dans une famille normale... C'est à cet instant, écoutant l'amour qui vibrait en elle, que Cécile avait enfin compris que sa fille avait été chanceuse. Dès son premier souffle, elle avait connu l'assurance d'un foyer. Elle n'avait pas été choisie, elle. Sa petite Juliette avait été acceptée, comme on accepte l'enfant que l'on porte. Peu importe qui elle était, qui elle serait, des parents avaient pris la décision de l'accueillir chez eux, avant même sa naissance. Elle avait été doublement attendue et désirée. Un grand vent de douceur avait balayé son cœur. Comme une réconciliation avec la vie... Puis, un grand éclat de rire avait ravivé le présent... Charles venait de se pencher sur un gamin de trois ans qui tirait sur le bord de son pantalon.

— C'est toi, mon papa ?

Un regard entre Cécile et Charles. Un seul regard entre eux et la décision était prise. À son tour, Cécile s'était accroupie pour se mettre à la hauteur du blondinet aux yeux bleus.

— Est-ce que tu aimerais ça, mon bonhomme, que l'on soit ton papa et ta maman ?

Le petit Denis n'avait pas répondu. Mais le sourire qu'il avait lancé à la religieuse avait suffi à ancrer son image dans le cœur de Cécile. Deux semaines plus tard, le gamin venait les rejoindre pour apporter enfin un peu de vie dans la grande maison silencieuse. Et, de ce jour, un ouragan permanent avait régné sur l'univers de Cécile et de Charles. Un ouragan de joie et de rires, de pleurs et de disputes, de revendications et d'amour. Le passage bruyant d'une vie familiale normale... Cécile avait peu à peu abandonné ses patients. Surtout après cette fugue où elle avait compris que Denis était tout pour elle. Maintenant, elle avait un fils. Elle voulait se donner toute entière à son travail de mère. N'était-elle pas là, cette vie qu'elle recherchait tant ? Et les années avaient passé... D'enfant espiègle, Denis s'était transformé en adolescent tapageur, puis en collégien remuant. Malgré cela, il était un élève brillant et le jour où il avait dit à son père qu'il voulait faire sa médecine, comme eux, Charles avait eu une larme d'émotion. Aujourd'hui,

Denis est parti pour l'Université de Sherbrooke. La grande maison ne vibre plus que lors de ses visites... Et maintenant âgée de cinquante-deux ans, Cécile en soupire d'aise. Le repos mérité devant la certitude du devoir accompli. Elle est heureuse de ce calme revenu dans leur vie. Comme elle a été heureuse d'être bousculée par leur fils qui les obligeait sans cesse à se remettre en question. Comme elle a profité de ces folles histoires racontées auprès du feu. Ainsi qu'elle a abusé de ces longues séances de patinage dans la cour, sur le carré de glace que Charles s'entêtait à gratter, arroser et entretenir dès décembre revenu, au détriment d'une pelouse qui refusait de reverdir l'été suivant. De même qu'elle a mordu avec gourmandise dans chacune de ces escapades annuelles au bord de la mer à chercher des coquillages dans les rochers, à jouer des heures durant dans les vagues froides avec son fils qui criait de joie et de plaisir. Oui, Denis a apporté à leur existence cet élan de vie qui leur manquait. Le temps d'un sourire, le temps, surtout, d'une grande inquiétude et le petit garçon au regard d'azur était désormais son fils. Aussi irrévocable dans sa vie que sa fille l'avait été...

Cécile a profité de cette journée de solitude pour se gâter. Ne faire que ce qu'elle aime... Il est quatre heures et le journal vient d'arriver. Chaque jour, elle l'épluche avant le retour de Charles, sachant fort bien que celui-ci en fera sa propriété exclusive dès qu'il posera le pied dans l'entrée. Elle est assise à la cuisine. Le ciel s'est allégé et un rayon timide se glisse jusqu'à elle, lui caresse le dos. Le tic-tac de la pendule égrène le silence de la demeure qui n'est rompu que par le bruit des feuilles de papier que l'on retourne... Puis, brusquement, alors qu'elle s'apprête à refermer la dernière section du journal, c'est le vide dans ses oreilles. Il n'y a plus que le vacarme de son cœur qui emplit toute sa tête. Là, devant elle, accrochée en bas de page, un peu perdue à travers les annonces classées, une nouvelle rubrique lui bouleverse le cœur. L'interpelle jusqu'au fond de son âme, joint implacablement son passé à son présent. «Retrouvailles», titre le quotidien. Une demi-page de petites annonces pour tenter de retracer soit un père, soit une mère, soit un enfant... Avide, Cécile se met à lire tous les avis. Un après l'autre, lentement, n'omettant aucun mot. S'il fallait qu'elle y trouve le nom de sa fille, sa date de naissance, les circonstances de son adoption... D'un coup, plus rien n'a d'importance pour elle. Que l'espérance revenue, née follement d'un article de journal. Que l'attente, dormant en latence au fond de son cœur, qui s'éveille aussi fulgurante qu'au premier jour. N'avait-elle pas promis de tout faire pour retrouver sa fille ? Ne l'avait-elle pas juré à Jérôme dans sa dernière lettre ? Il lui semble que c'est là un signe du destin. Que toutes ces lignes ne sont écrites qu'à son intention. Du bout du doigt, Cécile suit chaque demande, chaque mot. Impatiente, inquiète, tremblante... Mais rien. Il n'y a aucune annonce qui soit susceptible de correspondre à Juliette. Elle a un long soupir. Comme une déception et un soulagement en même temps. Une incroyable bousculade des émotions... Le silence revient dans la cuisine et dans le cœur de Cécile. Alors, le triste craquement de la pendule reprend sa course monotone, pendant que Cécile sent monter des larmes de tristesse. Comment se fait-il que sa fille ne veuille pas la retrouver ? Dans son cœur de mère, qui a déjà tant pleuré, il lui semble impossible que Juliette n'ait pas, elle aussi, envie de la connaître... Le temps qui a fui n'existe plus. Elle a l'impression d'avoir à nouveau dix-huit ans et d'attendre Jérôme pour reprendre leur vie interrompue par la guerre... Assise dans sa cuisine bleue et blanche, accrochée quelque part dans le passé, loin derrière le moment présent, Cécile n'écoute plus que le bruit de la pendule qui marque la course des années. À aucun moment, elle n'a songé à regarder si quelqu'un aurait pu rechercher Denis.

Ce n'est que le lendemain, en retrouvant la même rubrique que Cécile pense à son fils. Avec un sourire amusé. Denis fait tellement partie de sa vie... Elle l'aime depuis toujours, lui semble-t-il. Alors, il lui arrive souvent d'oublier qu'il est adopté. Maintenant, oui, depuis qu'elle a élevé et aimé un fils, Cécile comprend que d'être mère, ce n'est pas uniquement mettre un enfant au monde. Oui, cela elle l'a compris il y a bien des années déjà. Pourtant, malgré cette attitude, il n'y a pas eu une seule journée où elle n'a pas songé à sa fille. Souvent, quand elle était seule, elle ressortait la photo jaunie d'une gamine aux boucles sombres souriant à l'infini. Et, avec elle, Cécile laissait le passé refaire surface. Délicatement, comme on manipule une dentelle fatiguée par le temps. Une douce nostalgie guidait le geste de son doigt caressant l'image de Juliette, courtisait sa pensée quand elle retrouvait à travers elle le sourire de Jérôme. Mais là, devant ces quelques mots qui ne s'adressent pas à elle, c'est le regret pur et dur qui revient l'envahir. Le regret d'une femme qui se retrouve subitement dans la peau d'une adolescente perdue et malheureuse. Le besoin de savoir... L'envie de tenir tout contre elle la chair de sa chair. Si puissant, qu'elle en tremble presque. À nouveau, elle en oublie son fils. Ne voit que les lignes qui ne sont pas écrites pour elle. Et en souffre...

Sur une impulsion, Cécile a pris sa voiture et est venue jusqu'à la rue Saint-Olivier. La grande demeure grise, étroite et austère, est toujours là. Derrière les carreaux du deuxième étage, Cécile imagine le salon de sa tante Gisèle, et un peu plus loin, au bout du couloir, à l'arrière, la cuisine ensoleillée qui sentait toujours bon le repas mis à cuire, la soupe inépuisable qui mijotait sur un rond du poêle. Elle emprunte le long escalier, tourne à gauche, ouvre une porte. Sa chambre... Cécile soupire. Maintenant, ce sont des étrangers qui habitent la maison. Qui l'ont habillée de leurs meubles et de leurs habitudes. Pourtant, Cécile est certaine que l'âme de Gisèle est restée accrochée aux armoires. Qu'elle se cache toujours au fond des placards, soupirant et disputant, ripostant de tout et de rien... Cécile voudrait tant que sa tante soit encore là, capable de la rassurer, de la consoler. Entendre à nouveau sa voix brusque qui disait l'amour, la foi en la vie. Mais Gisèle n'est plus... Et, brusquement, c'est toute une partie de la vie de Cécile qui disparaît avec elle. Cette partie de vie qui, depuis hier, lui fait mal à crier. Pourtant, de se retrouver là, devant cette maison banale un peu délabrée, mais qui a pris tant d'importance dans sa vie, de revoir en mémoire les années qu'elle y a passées, Cécile est apaisée. Le baume du souvenir d'un vieille tante aimante se pose sur sa douleur. Il lui semble entendre à nouveau la voix rauque répétant qu'il n'y a qu'en soi où l'on peut puiser la paix. Où l'on peut trouver la réponse à toutes ses interrogations. Qu'on a simplement à écouter son cœur pour savoir... Assise dans son auto, la tête appuyée contre le dossier, Cécile laisse voguer son regard sur une rue trop longue qu'elle ne voit plus. Devant elle, c'est «ma tante» Gisèle qui se tient, grande et autoritaire. Et sa voix forte lui parvient aussi claire qu'autrefois:

— Ma p'tite fille, je l'dis assez souvent: faut pas chercher midi à quatorze heures. Quand c'est que tu vas comprendre que t'as le droit de laisser parler tes émotions, hein ma poulette ? Si c'est important pour être heureuse de r'trouver ta fille, ben fonce, ma belle !

— Mais Charles, lui ?

— Quoi, Charles ? Arrête de te mettre des bâtons dans les roues, Cécile. Y'est pas là le problème... Pis tu l'sais, à part de ça. C'est pas la gamine de dix-huit ans, qu'y a marié, ton Charles. C'est la femme qui avait souffert et vécu qui l'a séduit. Ça fait que tu devrais arrêter d'avoir peur de lui pis toute y dire. Chus sûre qu'y va comprendre. C'est pas la première fois que j'te l'dis...

Oui, c'est ainsi que Gisèle lui parlerait si elle en était encore capable. De cela, Cécile est persuadée. Gisèle était une femme qui vivait d'émotions, de respect, mais aussi de gros bon sens. Avec elle, toute vérité était bonne à dire en autant qu'elle ne blesse pas gratuitement autour de soi. Cécile est convaincue que « ma tante » Gisèle lui conseillerait de retrouver sa fille, sachant quelle importance elle a toujours eue à ses yeux. Alors...

En entrant dans sa maison ensoleillée, cette maison qui sent bon, elle aussi, la soupe aux légumes et les fleurs que Cécile cultive amoureusement, la mère en elle a pris sa décision. C'est facile, finalement, quand on s'en remet au cœur pour décider. Du plus profond de son âme, elle a envie de voir cette enfant qui est femme maintenant. La connaître, la regarder, lui parler. Lui apprendre l'amour qui existait entre ses parents, malgré les apparences. Et ce désir qu'ils avaient de la garder. Oui, que Juliette sache ce qui a engendré sa vie. Un don d'amour et de confiance en la vie... Avec elle, Cécile voudrait se rappeler Jérôme... Qu'importe si aujourd'hui c'est une femme qu'elle va retrouver. Pour Cécile, elle sera toujours sa petite fille. Sa petite Juliette quel que soit le nom qu'on lui a donné à sa naissance... « Oui, « ma tante » Gisèle, je vais écouter mon cœur. Tu as raison. Je ne laisserai pas le regret envahir à nouveau ma vie. Plus jamais... » Et, en même temps, il y a une autre mère qui parle en elle. C'est la mère de Denis. La mère adoptive qui a peur de voir son fils lui préférer quelqu'un d'autre. Une crampe lui barre l'estomac. Mais rien de plus... Ses émotions se jouent sur deux tableaux et elle les accepte toutes. La peur comme l'espérance. Elle les comprend, maintenant. Avec son fils, Cécile doit être juste. Denis, aussi, a le droit de retrouver ses parents s'il en a envie. Alors, d'un pas décidé, elle se dirige vers le téléphone. Brusquement, il lui est essentiel de parler à son fils avant même de rédiger les quelques lignes qui permettront peut-être de boucler la boucle du bonheur. Et, au souper, elle parlera à Charles. Curieusement, nulle inquiétude ne l'effleure. Maintenant, elle sait que le temps est venu. Le temps de remettre tous les morceaux de sa vie en place. Avec tous ceux qu'elle aime.

* * *

Dominique est à la fenêtre de sa cuisine, regardant les arbres se débarrasser par lourdes galettes de la neige tombée la veille. Hier, en lisant le journal, elle a vu la rubrique « Retrouvailles ». Depuis, elle est songeuse. Un peu triste, même. Dépossédée devant la chance des autres. Nostalgique comme on l'est à l'anniversaire d'un événement malheureux. Toute la journée, elle a été attentive à ses deux enfants comme jamais cela ne lui était arrivé avant. Leurs rires faisaient naître un drôle d'écho dans son cœur. Comme une gratitude de les voir beaux, en santé, heureux et une envie de pleurer en même temps. L'amertume qui avait souligné la révélation concernant sa naissance était revenue, entière, douloureuse, dérangeante. Lui rappelant que sa place à elle aurait pu être tout autre, ailleurs. Pas comme ses deux fils qui n'ont que la destinée qui est la leur. Elle, Dominique, si le hasard l'avait voulu, sa vie aurait pu être tellement différente... Pourtant, jamais elle n'avait pu imaginer que sa vie aurait très bien pu être moins facile, moins belle. Que la différence qui lui sautait aux yeux, lancinante injustice... Elle revoyait son adolescence où elle ne trouvait ni feu ni lieu à sa mesure. Écartelée entre la vie qui était la sienne depuis toujours et le rêve de celle qu'elle essayait de deviner. Que d'agressivité et de révolte avaient marqué cette époque de sa vie! Sa façon à elle de crier le rejet d'une existence qu'on lui avait imposée. Sa manière de dire son incompréhension, sa douleur. Ce besoin grandissant de connaître cette vie qu'on lui avait ravie et ce mal d'être, c'est à Thérèse qu'elle l'imputait. Il en avait fallu du temps avant qu'elle pardonne à Thérèse d'être restée silencieuse si longtemps... Comme une blessure en elle qui refusait de cicatriser, gardant toujours une certaine sensibilité. Et, pour cela, jamais elle n'en avait reparlé avec ses parents. Elle n'aurait pas été à l'aise avec eux. Un jardin secret fleurissait en elle et Dominique en gardait jalousement l'accès. Le monde de ses rêves et de ses déceptions n'appartenait qu'à elle. Qu'auraient-ils pu répondre, de toute façon? Quand elle avait entendu les révélations de celle qui se disait sa mère, un lien avait été dénoué et pendait lamentablement... sans que personne ne sache que faire pour le rattacher. Toute son adolescence s'est passée comme si elle était ballottée par une mer orageuse. À certains moments, elle vivait avec des inconnus qu'elle ne voulait surtout pas connaître. Alors qu'à d'autres occasions, elle avait envie de leur sauter au cou tant elle les aimait, mais ne savait comment le leur dire. Une longue et lente période d'ambivalence et de recherche au creux de ses émotions les plus sensibles qu'elle essayait de débroussailler le mieux possible. Puis, un matin, elle a été mère à son tour... Et ce jour-là restera pour elle le plus éprouvant de sa vie. Connaître à la fois une joie immense et une tristesse infinie. Jamais elle ne s'est sentie aussi proche de celle qui l'avait mise au monde. Pendant de longues heures, tenant son fils blotti contre son cœur, elle avait parlé à Cécile comme si elle était là. Et elle s'était vidée le cœur de toute l'amertume qui maquillait péniblement son existence depuis des années. Cette mère inconnue avait-elle eu le temps de voir sa petite fille avant de mourir ? Avait-elle souffert ? Avait-elle pleuré, sachant ses heures comptées ? Oui, en cet instant où elle connaissait cette joie incroyable de l'être qui efface tout ce qui n'est pas le moment présent, en cet instant unique dans la vie d'une femme, celui où l'on fait connaissance avec son enfant, Dominique pensait à sa mère. Et elle pleurait cette absence que rien ne saurait combler. Morte. Sa mère était morte... À travers les joies de la maternité elle acceptait et pleurait enfin le deuil d'une mère qu'elle aurait tant aimé connaître... Puis, tout doucement, au fil des jours de labeur et des nuits de veille, elle avait compris à son tour. Être mère, c'est tellement plus que ces quelques mois d'attente et ces quelques heures de souffrance... Alors, la paix était revenue entre elle et Thérèse. Elle avait fini par accepter. Par pardonner ce qui n'était finalement qu'un geste de défense fait au nom de l'amour. Oui, elle pouvait comprendre ce qui avait motivé Thérèse à ne pas vouloir parler. Cette angoisse que sa mère ressentait devant ses enfants.

Cette peur qu'elle a encore et toujours de les perdre... Seul le temps avait permis de tirer un trait sur sa tristesse et sa colère. Mais voilà que cet article de journal avait remué ses vieux souvenirs... Cette impression d'injustice face à la vie. Même si elle n'est pas vraiment fondée. Même si René et Thérèse sont les meilleurs parents qu'elle aurait pu souhaiter...

C'est un coup frappé à sa porte qui la tire de sa mélancolie. Son père est là. Comme à tous les soirs avant l'heure du souper. Habitant à quelques maisons de là, il a pris ¿l'habitude de venir voir ses petits-enfants à chaque jour, s'amusant avec eux pendant que Dominique prépare le repas du soir.

— Bonjour Dominique. Les petits sont là ?

La jeune femme se retourne en souriant. C'est vrai que René Lamontagne est le meilleur père qui soit.

— Oui, ils sont dans la salle de jeux. Attends, je vais...

Mais son père ne l'écoute plus vraiment. Il vient d'apercevoir le journal, ouvert à la page des annonces classées. Lui aussi, ce matin, a vu la rubrique. Un peu surpris, un peu inquiet. Alors, il s'est dépêché de cacher le quotidien pour que Thérèse ne le voit pas. Il sait quelle serait son angoisse si elle savait que ses enfants, peut-être... Il ne désire pas davantage savoir si ses enfants recherchent leur mère. Cette vieille blessure en lui quand il se dit qu'ils ne sont pas de son sang. Pourtant... Pourtant, oui, il pourrait comprendre cet appel plus fort que la raison. Alors, il relève le regard vers sa fille, s'approche d'elle.

— Tu as vu ? fait-il en montrant la table du doigt. Est-ce que tu veux... Est-ce que tu as...

Mais Dominique ne le laisse pas terminer. La blessure est encore sensible. Plus qu'elle ne le pensait. Alors elle

cache sa souffrance derrière la révolte. Dominique, l'adolescente, n'est pas si loin, finalement. De toute façon, pourquoi lui pose-t-il une question aussi idiote ? Cela ne fait que
renforcer cette sensation amère qui la guette depuis hier, la
picosse à chaque fois qu'elle y repense. Sa voix est agressive
quand elle répond :

— Mais non ! Pourquoi est-ce que je perdrais mon
temps ? Ma mère est morte, voyons... L'aurais-tu oublié ?

Au tour de René de rester un instant sans voix. Morte ?
Il hésite un moment devant sa fille. Puis l'intuition lui
redonne la parole. Il voudrait se convaincre qu'il s'agit d'un
malentendu. Mais il connaît sa femme... Il sait la hantise
qui est la sienne. Celle de perdre l'affection de Dominique,
de Claude et de Francine. Pourquoi ne veut-elle pas
comprendre qu'elle y gagnerait en respect et en amour
aussi ? Il peut comprendre sa femme, oui. Mais, pour lui, la
vérité est encore plus importante. La justice aussi. Alors,
qu'importe ce qui a pu se passer jadis. Aujourd'hui, il est
temps de rétablir les faits...

— Morte ? Mais qu'est-ce que c'est que cette histoire-là ?
Qui t'as mis une idée pareille en tête ? Elle n'est pas morte.
Pas que je sache, en tout cas...

C'est comme si Dominique venait de recevoir une
décharge électrique. Elle se retourne franchement vers son
père, le dévisage un instant, se demandant si elle a bien
entendu. Sa voix fend l'air quand elle lui répond.

— Pas... Elle n'est pas morte ? Mais... Pourquoi ?

— C'est ta mère, n'est-ce pas, qui...

Dominique ne le laisse pas terminer. Brusquement, elle
a l'impression que son cœur bat tellement fort qu'il va sortir
de sa poitrine. Jamais colère et incompréhension n'ont été
aussi proches de la rage qu'en ce moment. Elle lance un

regard farouche à son père et, d'une voix dure :

— Elle n'est pas morte ? Mais quelle sorte de parents êtes-vous donc ?

À ces mots, René a un soupir. Long, bruyant, douloureux... Puis, d'une voix triste :

— Juste des êtres humains, Dominique. Avec des faiblesses comme tout le monde... Mais peut-être que je peux essayer de me reprendre, tenter de réparer les erreurs du passé ?... Ta mère n'est pas morte. Elle a même demandé de tes nouvelles lorsque tu avais dix ans. Nous... nous lui avons donné une de tes photos quand tu étais bébé. Si je me rappelle bien, ton père était décédé et ta mère voulait être bien certaine que tu ne manquais de rien avant de se marier.

Alors, la dureté de Dominique se transforme aussitôt en colère. Une rage sourde et froide. Pourquoi lui avoir fait tant de mal ? Qu'est-ce que Thérèse visait, en lui mentant de la sorte ? Elle a l'impression que plus rien de son enfance n'a la moindre importance. Comment peut-on croire ceux qui vous ont menti aussi effrontément, sachant qu'ils vous faisaient mal ? Jamais une mère ne pourrait agir ainsi. Jamais elle, Dominique, ne pourrait mentir à ses enfants. Pas ainsi...

— Pourquoi, alors, maman m'a-t-elle dit qu'elle était morte ? C'est... c'est méchant. Je n'aurais jamais pensé cela de vous deux.

À ces mots, René comprend brusquement ce qui avait tant blessé sa fille quand elle avait su. Et, devant la colère contenue de sa fille, il saisit la peur de sa femme. C'est une impulsive, Dominique, malgré sa timidité naturelle. Il comprend que sa femme ait pu avoir des craintes face à leur fille. Il ne l'approuve pas, mais la comprend. Tout d'un coup, il s'en veut terriblement de ne pas être intervenu à l'époque. De ne pas avoir suivi son instinct qui lui soufflait que Dominique était bien plus malheureuse que ce qu'elle aurait dû être. Pris entre l'arbre et l'écorce, c'est vers sa fille qu'il a envie de se tourner. C'est à elle qu'on a menti. Et, cela, il a de la difficulté à l'accepter. Thérèse n'avait pas le droit de se protéger par un mensonge. Personne n'a le droit de faire souffrir un enfant. Surtout un enfant qu'on a promis d'aimer envers et contre tout... Incapable de résister au chagrin mêlé de haine qu'il voit briller dans le regard de sa fille, il fait un pas vers elle, lui tend les bras.

— Dominique, ma petite fille. Jamais je ne pensais que... Ce n'est pas ainsi qu'on aurait dû agir. Je regrette... infiniment...

Dominique a un geste de recul. Une hésitation à comprendre les véritables émotions qui se querellent en son cœur. Mais elle a tant besoin de chaleur, de réconfort... Incapable de résister à l'amour débordant qui s'offre à elle, Dominique se jette dans les bras qui l'invitent. Elle n'est plus mère ni femme. Elle est à nouveau enfant... Elle a besoin d'avoir confiance en cet homme qui lui donne tant depuis sa naissance. Voilà des années qu'elle cherche, autour d'elle, une raison d'avoir confiance. Par-delà son mari et ses enfants, plus fort encore que sa propre famille, celle qu'elle a fondée avec André, demeurent les liens de ses racines. Les racines qu'elle connaît. Celles que Thérèse et René lui ont offertes spontanément, comme on aime l'enfant qui vient de naître. Pourquoi s'entêter à chercher ailleurs ? Elle est là, sa famille. Accessible, disponible, aimante... Mais le besoin de savoir d'où elle vient et le pourquoi restent quand même bien présents dans son âme. Mettre un nom sur ceux qui étaient là avant soi. Tout ce qui a pu engendrer sa vie...

C'est tout cela que Thérèse lui avait enlevé, inconsciemment peut-être. Mais le deuil de Dominique n'en était pas moins réel. Si sa mère lui avait dit la vérité, si elle avait su tout de suite qu'elle avait été abandonnée, peut-être que la pilule aurait été plus facile à avaler. Si on lui avait parlé alors qu'elle était encore toute jeune... Puis, brusquement, son esprit fait volte-face. Une cabriole qui fait oublier le passé et se retourner face à l'avenir. Sa mère est toujours là, bien vivante. Plus rien maintenant ne l'empêche de la retrouver. Alors, essuyant ses yeux envahis de larmes, elle regarde son père avec un sourire tremblant.

— Je peux... je peux donc essayer de la retrouver ?

Jamais René n'aurait pu imaginer que ces quelques mots lui feraient mal à ce point. Un peu comme si sa fille le reniait. Néanmoins, elle n'est pas seule à vouloir toucher ses origines. Il y en a des centaines, juste dans le journal de la petite ville de Québec... Lui le premier, s'il était un enfant abandonné... Alors, il ne laisse rien voir de cette douleur pourtant légitime. Lui faisant un sourire à son tour, il serre Dominique à nouveau dans ses bras.

— Oui ma grande... Si c'est là ton souhait, tu n'as qu'à écrire au journal... Mais je te demanderais de ne rien dire à ta mère. Thérèse serait folle d'inquiétude, si elle savait...

— Mais pourquoi ? Ça ne lui enlève rien, à maman. C'est... c'est juste normal que je...

— Oui, je le sais. C'est un droit que tu as. Mais Thérèse ne le comprendrait pas. Je t'en prie... Je suis certain qu'elle serait vraiment malheureuse de savoir que... S'il t'est difficile de le faire pour elle, je peux le comprendre. Mais alors, fais-le pour moi. Je t'en prie, Dominique, n'en parle pas à ta mère...

C'est ainsi que, deux jours plus tard, paraît l'annonce

tant espérée par Cécile. La sienne, elle ne l'a pas encore envoyée. Indécise, craintive... À cause de la réaction de Denis quand elle l'avait appelé.

— Mais pourquoi veux-tu que je fasse des recherches pour trouver une femme qui n'a pas voulu de moi ?

Ces mots, Cécile avait l'impression que c'est sa fille qui les lui disait. Le reproche qu'elle entendait dans ces quelques paroles. Elle était blessée jusqu'au fond de l'âme. Brusquement, il lui fallait expliquer, faire comprendre. Pour elle, tout autant que pour l'inconnue qui avait donné la vie à Denis.

— Mais voyons, Denis ! Ne parle pas comme cela... Tu ne sais pas ce qui s'est produit. Ta mère n'avait peut-être pas le choix. À cette époque, il y...

Mais Denis l'avait interrompue.

— Peu importe... Je n'ai qu'une mère et c'est toi. La seule qui a voulu de moi et celle que je veux... Je t'aime, tu sais. Alors, ne m'en parle plus. S'il te plaît...

Cécile avait raccroché en lui disant qu'elle l'aimait beaucoup. Les yeux pleins d'eau... Le cœur tellement serré, comme au jour de la naissance de son enfant... Et si sa fille pensait la même chose ? « Juliette, si tu savais comme je t'aime. Si tu savais... » Alors, elle n'avait pas parlé à Charles. Ayant peur de blesser maintenant autant son fils que son mari. Craignant de souffrir davantage. Pourtant, elle avait continué d'attendre le quotidien avec anxiété. N'épluchant désormais, depuis quelques jours, que les dernières pages, le cœur aux abois. Ne sachant trop s'il espère un signe ou préfère le silence. Et voilà qu'elle est là, cette annonce... Les mains de Cécile se sont mises à trembler et son regard s'est embué. « Née le 11 janvier 1943, à l'hôpital de la Miséricorde. Adoptée et baptisée le même jour à la crèche

Saint-Vincent de Paul, sous le nom de Dominique Lamontagne.» Plus de dix fois, elle a relu les quelques lignes qui permettraient de mettre fin à l'attente durant depuis tant d'années. Cécile sait qu'il s'agit de sa fille. Son instinct lui crie haut et fort que c'est elle. Combien de bébés, nés cette journée-là, ont quitté la crèche le même jour? Il n'y a aucun doute. Pourtant, elle reste prostrée pendant un moment. «Dominique. Elle s'appelle Dominique...» Pendant trente-trois ans, elle a imaginé cet instant. De mille et une façons, avec des rires et des larmes de joie. Et voilà que, maintenant qu'il est à portée d'un simple coup de téléphone au mouvement Retrouvailles, elle ne sait plus. Elle a peur... Et si elle n'était pas à la hauteur des attentes de Dominique? Si sa fille était déçue de voir quel genre de femme était sa mère? D'un coup, elle a l'impression d'être assise sur un nid d'épines. Cécile se relève, monte à sa chambre. Dans le coin d'un tiroir, elle retrouve la photo qui date maintenant de trente ans. Cette frimousse souriante d'enfant heureuse... Elle n'était alors qu'un bébé. Pourtant, Cécile est convaincue que sa fille ressemble encore et toujours à Jérôme. «Dominique... Juliette s'appelle Dominique...» Il n'y a que ces mots qui s'acharnent à détruire toute autre pensée dans sa tête. Qu'une spirale folle qui l'emporte loin. Si loin de sa chambre, de sa maison, de sa ville... En ce moment, elle renierait toute sa vie pour avoir Jérôme à ses côtés. Quelle serait grande leur joie, si c'est lui qui était là, avec elle! Alors, c'est la nostalgie qui lui gonfle le cœur. Elle ne peut résister à la tentation de revenir dans le temps. Impatiente, elle fouille sous ses vêtements pour retrouver la lettre qu'elle avait envoyée à son fiancé alors qu'on le croyait disparu. Cette lettre qui lui était revenue quelques années plus tard, quand l'armée avait finalement remis tous les effets de Jérôme à ses parents. Tremblante, elle l'ouvre, reconnaît son écriture de jeune fille avec émotion. Que de temps passé, depuis! Que d'eau coulée sous les ponts! Elle se revoit, assise sur la Terrasse, confiant ses espoirs et ses craintes à ce même papier qui allait traverser la mer pour rejoindre celui qu'elle n'oublierait jamais. Et cette phrase qu'elle avait écrite : « Et, à mon tour, je te dis que nous allons fouiller le monde pour la retrouver. » Cette promesse faite au nom de l'amour… Cette attache qui la relie toujours à Jérôme. Oui, sa petite fille, Dominique, avait traversé le temps avec elle. Presque toute une vie… Elle est enracinée dans ses souvenirs comme dans son âme. Alors, pourquoi ne veut-elle plus la connaître? Comment expliquer ce tremblement du cœur qui l'angoisse? Lentement, elle relit la lettre en entier, s'attarde sur ses ambitions de jeune fille. Cette vie qu'elle voulait réussir, pour que Jérôme et Juliette soient fiers d'elle. Ne l'avait-elle pas finalement bien menée? Sur ce point, elle n'a pas à rougir de ce qu'elle est. Elle peut se présenter la tête haute et le cœur fier. Mais que pourrait-elle offrir de plus à sa fille? Est-ce cela que Dominique espère trouver en la cherchant? Que veut-elle découvrir, sinon un cœur entièrement libre de l'aimer comme elle le mériterait? Et c'est en se disant cela que Cécile referme les bras sur sa poitrine, sur ce cœur qui n'ose pas tout dévoiler. Ce cœur qui craint d'être jugé et condamné. Qui a peur de faire mal à deux êtres qui ne le méritent pas. Qui tremble devant l'espérance enfin comblée, mais qui ne sait comment l'accueillir. Ce cœur de mère qui a tant pleuré qu'il ne sait plus, maintenant, comment on fait pour se réjouir. Pourtant, il suffirait de si peu… Oui, de si peu pour être pleinement heureuse…

Pendant près de une heure, elle est restée immobile recroquevillée dans la berceuse de sa chambre. Inconsciente des minutes qui filent. En ce moment, c'est toute sa vie qui se crée et se recrée devant ses yeux fatigués. La grande maison blanche au toit de tôle noire, ses frères et sœurs... Jeanne, sa mère, si douce, silencieuse... Eugène, son père, autoritaire et froid, qui savait si bien cacher sa sensibilité... Brusquement, elle se revoit, assise sur la grosse roche plate à la croisée du deuxième rang et du rang du Bois de Chêne. Le soleil tape fort, mais elle ne le sent pas, tellement elle a envie de crier de douleur. Son gémissement monte lentement dans l'air poudré d'or. Son père vient de lui apprendre qu'elle doit partir pour la ville. Jamais un enfant illégitime ne viendra salir le nom des Veilleux. Jamais! Même si Cécile et Jérôme veulent se marier. Que diraient les gens du village dans six mois? Eugène, tout comme Cécile, serait la risée de toute la paroisse...

Impulsivement, Cécile remonte les genoux entre ses bras. Se referme sur ce ventre qui, finalement, n'aura porté qu'un enfant. Elle qui rêvait d'une ribambelle de gamins... Les douleurs de l'enfantement lui reviennent avec tant de précision qu'elle échappe un cri. Oui, elle avait souffert pour mettre sa fille au monde. Comme toutes les femmes. Mais, à elle, on avait interdit la joie qui fait oublier la douleur. Jamais elle n'avait pu tenir son bébé dans ses bras. Jamais elle n'avait pu la voir. Qu'un petit frère qui avait créé l'illusion de cet enfant qui était le sien. Le petit Gabriel, que sa mère lui avait confié en mourant. Lui aussi avait été important dans sa vie. Si important, qu'il en avait changé tout le cours... Jérôme partant pour l'armée, se désignant volontaire pour aller se battre, disparaissant en Normandie... Là, présentement, Cécile ressent en elle cette impulsion qui lui a si longtemps suggéré que Jérôme n'était pas mort. Un vertige fort et intense lui fait tourner la tête. Lui emprisonne le cœur dans un étau de souffrance. Non, Jérôme n'est pas disparu de ses pensées. Et c'est probablement pour cela qu'elle hésite à parler de sa fille à Charles. Lui dévoiler l'existence de Dominique, c'est en même temps lui dire l'amour qu'il y aura toujours en elle pour son fiancé perdu. Et Charles ne mérite pas cela. Pas après tant d'années de bonheur à deux… Car, nul doute pour Cécile : elle aime son mari. Profondément, sincèrement. Mais d'une autre façon… Et si jamais Jérôme revenait, là, maintenant, elle a l'honnêteté de se dire qu'elle serait incroyablement bouleversée, déchirée dans ses rêves les plus secrets comme dans le choix qu'elle a fait pour sa vie.

Elle sait que tout son être serait porté à choisir Jérôme. Malgré le temps passé… Malgré les différences engendrées par le passage de la vie. Mais Cécile est aussi une femme de paix et de sagesse. Alors, par respect pour Charles, elle sait aussi qu'elle lui serait fidèle. Même en étant profondément malheureuse pour le reste de ses jours. Cela, elle le réalise. Les yeux perdus dans le vide, Cécile essaie de comprendre tout ce que son cœur a à lui dire. Peut-on aimer deux hommes à la fois ?

Quand Charles revient de l'hôpital, il la retrouve toujours assise dans leur chambre. Le regard sec et vague. À des lieux de leur demeure… Elle n'a même pas entendu la porte qui se refermait sur son mari. N'a pas entendu le son de ses pas lourds montant l'escalier, sa voix qui l'appelait. Cécile n'est pas là. La femme que Charles retrouve est en train d'arpenter inlassablement une plage de Normandie en appelant un fiancé qui n'est plus. À ses côtés, une petite fille de trois ans gambade en souriant de toutes ses dents…

Quand il s'approche d'elle, lui entourant les épaules de son bras, Cécile sursaute. Clignote des paupières comme au sortir du sommeil. Puis, elle a un sourire. Triste et las. Oui, maintenant, c'est Charles qui partage sa vie. Depuis bien plus longtemps que tout ce qu'elle a vécu avec Jérôme. Et elle l'aime. En croisant son regard, à la fois tendre et anxieux, un grand calme se fait en elle. Comme lorsqu'on revient d'un long voyage et que l'on retrouve avec contentement le confort rassurant de sa maison. Oui, Cécile revient de loin. De très loin... En imaginant cette plage de France, en recherchant quelqu'un qui n'y est plus, Cécile a enfin fait la paix avec ses souvenirs. Jérôme est mort depuis tant d'années maintenant... Et de savoir que leur fille est ici, à portée d'espérances, permet à Cécile, enfin, de respirer librement. Oui, elle se sent libérée. Comme une acceptation de ce qu'elle est et a été. C'est son passé qui a façonné son présent et la femme qu'elle est devenue. Une femme qui se sait aimée par l'homme généreux qui se tient, inquiet, à ses côtés. Alors, Cécile refait un sourire pour Charles. Le temps de parler est venu. Péniblement, comme on ressent et accepte les douleurs de l'enfantement, elle a fini par admettre qu'il est important pour elle de retrouver sa fille. Dans le dédale incroyable de ses émotions, de ses souvenirs et de ses peurs, Cécile a compris et accepté la nécessité pour elle de voir son enfant. Elle ne peut tourner le dos à une impulsion aussi vive, aussi vraie, aussi viscérale. Ne pas le faire serait une trahison à ce qu'elle est. Une trahison à l'amour que Charles lui porte. Cécile serait incapable de traduire clairement ce qu'elle ressent, mais elle sait qu'elle doit être sincère. Elle doit aller jusqu'au bout de ce qu'elle s'est toujours promis. Retrouver sa fille. Lui dire qu'elle l'aime.

* * *

Assise dans une salle de conférences blanche, froide et impersonnelle, Cécile attend. Elle attend le moment le plus important de sa vie. Celui qu'elle espère depuis trente ans... Dans quelques minutes, sa fille doit venir la rejoindre. À ses côtés, Charles se tient droit comme un piquet, aussi nerveux qu'elle. Quand elle lui a parlé, il n'a été que tendresse, chaleur et compréhension. Lui reprochant simplement le si long silence. Essayant, du mieux qu'il pouvait, de la consoler, la réconforter. Lui montrant qu'il ne l'aimait que mieux, maintenant qu'il comprenait ses regards tristes et ses silences. C'est même lui qui, enthousiaste, avait pris l'initiative d'entrer en communication avec le mouvement Retrouvailles. Et voilà qu'en cet instant, il attend presque aussi anxieux que Cécile, le moment où la porte s'ouvrira sur une femme qui est la fille de celle qu'il aime...

Puis, la porte bouge un peu. Des voix dans le corridor, des pas qui se rapprochent. Cécile est incapable de se relever... Ses jambes n'existent plus, son sourire est figé, plus proche des larmes que du rire, à peine perceptible. Il ne reste que son cœur qui bat fort, si fort dans sa poitrine et ses oreilles... Le battant de métal gris s'entrouvre sur la travailleuse sociale qu'elle a déjà rencontrée. La jeune femme lui sourit.

— Vous êtes prête ?

Cécile est incapable de répondre. Elle se contente de hocher la tête en avalant péniblement sa salive. Puis, le temps s'arrête... Dans l'embrasure de la porte, une grande femme aux cheveux bruns, au regard d'azur, au sourire un peu timide... Personne n'a besoin de dire à Cécile qu'il s'agit de sa fille. Car, devant elle, c'est Jérôme et Cécile qui se tiennent ensemble, unis pour toujours dans les yeux de cette femme... Un long silence réunit les deux femmes pendant un moment. Un silence où deux regards se cherchent, se trouvent et reconnaissent leur unique expression. Dominique a les mêmes yeux que sa mère. Cette étincelle malicieuse, cette sagesse, cette couleur d'océan par temps calme... Cécile savait bien qu'elle saurait distinguer sa fille entre mille. Et voilà que l'instant espéré du plus profond du cœur devient réalité... Juliette ou Dominique, qu'importe ? Sa fille, son bébé est avec elle. Jamais Cécile ne pensait qu'elle pourrait être aussi heureuse sans en mourir. Impulsivement, elle se relève, tend les bras malgré sa timidité naturelle. Dominique fait un pas vers celle qu'elle se languissait tant de connaître. Pourtant, en elle, quelque chose résiste. Comme si la place occupée par Thérèse était justement trop bien remplie. Tout d'un coup, Dominique comprend les réticences de sa mère adoptive. Cet appel qu'elle ressent en elle, en même temps que cette impression de désertion. Et puis, par-dessus tout, sa mère naturelle est tellement différente de tout ce qu'elle aurait pu imaginer. Toute petite, si blonde, alors qu'elle-même se cache sous une cascade de boucles noires... Mais il y a ce regard... Le même que celui retrouvé dans la glace, chaque matin... Oui, Dominique a un instant de déception. Si bref, qu'elle en est à peine consciente. Qu'un instant d'hésitation en découvrant le vrai visage de sa mère. Est-ce bien elle ? Cette femme encore blonde, toute menue, alors qu'elle-même est si grande. À l'image de Thérèse... Un léger flottement pose son malaise sur la salle de conférences. Puis, d'un élan, Dominique et Cécile se retrouvent dans les bras l'une de l'autre...

Et, en tenant Dominique tout contre elle, Cécile ferme les yeux sur l'image de Jérôme. Comme sa fille lui ressemble... Comme tout ce qu'elle avait imaginé au fil du temps ressemble à ses espérances! Que la vie est belle et bonne, finalement.

Pendant cette première rencontre, elles ne parlent presque pas. Que des regards, à la dérobée, qui disent l'envie de mieux se connaître. Que des mots sur la banalité de leurs vies actuelles. Puis, avant de se quitter, l'échange de leurs numéros de téléphone et la promesse de se revoir. Cécile est revenue chez elle sur un nuage. Silencieuse, enfin comblée... Puis, brusquement en entrant dans sa maison, elle se retourne vers Charles qui est demeuré presque silencieux pendant le trajet. Ému, discret, conscient soudainement de ce que cette révélation cachait pour lui. Cette enfant que Cécile avait mise au monde, alors qu'ensemble... Pourtant, Cécile ne remarque pas son regard fiévreux, déçu. Maintenant, elle a envie de parler. Parler comme un moulin qui tourne. Elle fait un pas dans l'entrée, pirouette sur elle-même, s'arrête devant le miroir qui lui renvoie l'image d'une femme souriante, aux joues rougies par la joie. Subitement, elle comprend que ce grand bonheur c'est à son mari qu'elle le doit. Seule, elle n'aurait probablement jamais osé. Elle se connaît assez pour savoir que la peur l'aurait paralysée devant le geste à poser. Oui, Charles vient de lui faire le plus beau cadeau qui soit. Le cadeau d'un amour sincère, débordant les frontières de l'égoïsme naturel qui fait que l'on cherche d'abord et avant tout son propre bonheur. Elle revient à lui, passe les bras autour de son cou. Et ce geste de complicité amoureuse permet à Charles de revenir à la joie du moment. D'oublier ce qui l'attristait un instant plus tôt.

— Si tu savais comme je suis soulagée... Ça fait trente ans que j'espère ce moment. Trente ans avant de savoir si mon enfant était beau et en santé. Te rends-tu compte de ce que ça veut dire ? C'est... c'est grâce à toi, Charles, si je suis aussi heureuse. Sans toi, je ne sais pas si j'aurais eu le courage de... Merci. Du fond du cœur, merci. Je... je t'aime tant...

Alors Charles se penche sur elle, effleure ses cheveux d'un baiser léger, ferme les yeux sur son parfum. Il a eu la chance de partager sa vie avec une femme si merveilleuse... Une femme de cœur et d'émotions qui a gardé pour elle son lourd secret par respect pour lui. Il en est certain. Si Cécile n'a pas parlé plus tôt, c'est en grande partie à cause de lui. Jamais il n'aurait pu croire que Cécile l'aimait à ce point. Jamais il n'a été aussi heureux qu'en ce moment.

— Moi aussi, je t'aime. Et c'est moi qui ai envie de te dire merci, Cécile. Merci pour notre vie que tu sais rendre belle. Merci pour notre fils dont je suis si fier. Merci aussi pour cette belle grande fille que tu avais cachée si longtemps. Mais je ne t'en veux pas. C'est la vie, c'est notre vie qui voulait que ce soit ainsi. Et ça n'a pas d'importance...

Puis, après une brève hésitation :

— Je crois... je crois que tu as gardé silence par amour pour moi, n'est-ce pas ?

Cécile se coule encore plus étroitement contre Charles, sans répondre. Entre eux, les mots sont inutiles. Il a fort bien compris pourquoi Cécile avait tant hésité à lui parler. Cette vérité qui lui aurait éclaté dans le cœur, éclaboussant sa fierté, s'il avait connu avant sa stérilité... Aujourd'hui, l'âge et la raison font en sorte qu'il peut accepter. Mais, plus jeune, Charles sait très bien quelle aurait été sa réaction. Et Cécile l'avait si bien deviné... Cette délicatesse, découlant d'un amour sincère, lui fait monter les larmes aux yeux. C'est tout cela qui fait qu'ils sont bien ensemble...

Longtemps, ils restent enlacés dans l'entrée d'une grande maison silencieuse où le tic-tac de la pendule sonne les secondes d'un bonheur presque insoutenable tant il est grand.

14

Cécile et Dominique ont pris l'habitude de se voir une fois par semaine. Parfois seules, parfois en compagnie de leurs maris. Jamais très longtemps à la fois. Toujours en des endroits impersonnels, qui n'engagent que le moment présent. Un restaurant, un parc... Elles doivent apprendre à se connaître. Prendre le temps, ne rien brusquer. Même si elles sont du même sang, la vie s'est amusée à en faire des inconnues. Elles doivent s'apprivoiser tout doucement. D'une semaine à l'autre, elles découvrent les mille et une facettes de leur personnalité. Parfois surprise, parfois déception. Pourtant, rien ne pourrait les séparer désormais. Comme une soif enfin désaltérée. Chacune à sa manière... Et, curieusement, la nostalgie de ce qui aurait pu être n'existe pas. Cécile n'arrive plus à imaginer sa vie ailleurs qu'à Québec, avec un autre que Charles. Cette vie à la campagne qu'elle voyait comme une réalité n'était en fait qu'un mirage dilué par le départ de Jérôme. Et cette vie-là n'existe plus depuis qu'elle a retrouvé Dominique. Même le nom de Juliette ne sonne plus comme autrefois à ses oreilles. Le présent lui apporte assez de joie pour ne pas avoir envie du passé. Enfin, Cécile s'est réconciliée avec sa vie. Même qu'à certains matins, elle sent resurgir le désir de retourner à l'hôpital. Elle est encore assez jeune pour être utile... Pourtant, il y a une ombre au tableau : deux êtres qui ont le droit de partager son bonheur. Et ce sont les parents de

Jérôme... Pour eux aussi, cela permettrait sans doute de refermer une plaie qui doit être très souffrante, à l'occasion. Elle en a parlé avec Charles et il est d'accord avec elle : Mélina et Gabriel Cliche seront sûrement heureux de connaître leur petite-fille. Pourtant, quand Cécile a demandé à Dominique si elle aimerait aller en Beauce avec elle, celle-ci a refusé. Pour Dominique, ce qui importait c'était de retrouver sa mère. Peut-être un père, aussi. Mais certes pas toute une famille... Sa famille, c'est Thérèse et René avec Claude et Francine. Ce sont là les liens indispensables à son équilibre. Indissociables de ses souvenirs les plus heureux. Ceux de l'enfance... Curieusement, depuis qu'elle connaît Cécile, Dominique se sent plus proche de Thérèse qu'elle ne l'a jamais été. L'hérédité est devenue pour elle une question d'habitudes communes que l'on retrouve avec plaisir, avec assurance. Cette complicité que la vie a tissé entre des êtres qui n'avaient rien en commun au départ... Cette attitude face aux gens et aux choses qu'elle tient de ses parents. Cet amour qu'elle comprend mieux maintenant et qu'elle a envie de partager. Alors, quand elle entend Cécile lui parler des parents de son père, elle lui répond qu'elle n'est pas prête. Pas encore... Peut-être même jamais. Elle n'a pas envie de renouer avec des êtres qui lui sont étrangers, aussi gentils soient-ils.

Cécile est revenue de cette rencontre le cœur lourd. Elle désirerait tant que l'univers entier partage son trop-plein de bonheur. Pourtant, elle peut comprendre ce qui retient Dominique. La vie de sa fille a des droits que même la présence de Cécile ne peut détruire ou atténuer. Ses parents, finalement, ce sont Thérèse et René Lamontagne. Cela Cécile l'accepte et elle ne veut surtout pas que Dominique l'oublie. Alors, si pour elle de retrouver des grands-parents ne veut rien dire, Cécile va devoir s'y faire. Entre elle et Dominique, ce sera d'abord et avant tout une relation d'amitié. Ce matin, en se promenant dans le jardin de Jeanne d'Arc, sur les Plaines, Cécile l'a compris. Une belle amitié partagée avec Charles. Partagée aussi avec André, le mari de Dominique, qui a accueilli Cécile à bras ouverts. Partagée, en plus, avec deux petits-fils qu'elle ne connaît pas encore mais qu'elle a hâte de serrer tout contre elle. Pourtant, en ce moment, Dominique hésite. Thérèse ignore toujours que sa fille a retrouvé sa mère et celle-ci a peur que ses gamins soient incapables de garder un tel secret. Il reste aussi Denis à mettre dans la confidence. Mais Charles a promis à Cécile qu'ils se parleraient entre hommes. Lui a simplement dit de ne pas s'en faire. Denis est un garçon droit et fier. Un garçon solide. Il va comprendre...

Et, devant tout cela, Cécile s'aperçoit finalement que tout se passe bien. Elle sait par certains reportages à la télévision et dans les revues, que plusieurs parents et enfants sont déçus par des retrouvailles qui ne ressemblent en rien à ce qu'ils avaient espéré. Alors, elle se compte chanceuse de pouvoir continuer à créer des liens avec Dominique. Une seule chose aurait encore de l'importance pour que sa joie soit complète. Mais Cécile devine que Dominique ne serait pas d'accord. Elle garde donc pour elle cette envie qu'elle aurait de connaître les parents adoptifs qui ont su si bien aimer sa fille. Qui ont permis à l'enfant qu'elle chérissait de grandir, de s'épanouir. Elle aurait tout simplement envie de leur dire merci.

* * *

Les semaines ont passé. L'automne bat même de l'aile, résistant de moins en moins souvent aux assauts d'un hiver qui s'annonce rude et arrogant. Bientôt ce sera Noël et Cécile aimerait tant réunir tous ceux qu'elle aime autour d'une même table. Mais, conforme à ce qu'elle est, elle n'a pas encore ouvert son cœur à sa fille. Ses aspirations à rencontrer Thérèse et René Lamontagne sont restées un secret qu'elle ne partage avec personne. Comme une habitude chez elle de taire ses émotions. De craindre la réaction des autres...

Pourtant, c'est Dominique qui a fait les premiers pas. Elle aussi aimerait réunir tous ceux qu'elle aime. Et elle se dit que Noël serait l'excuse idéale pour le faire. Le prétexte qui permet de rejoindre les gens dans ce qu'ils ont de plus sensible, sans trop faire mal. C'est René qui le lui a fait remarquer. Plus elle y pense, plus Dominique est convaincue qu'il a raison. En riant, elle admet que, encore une fois, René a su lire en elle comme dans un livre ouvert. Oui, plus le temps passe et plus Dominique a envie de lever le voile sur toutes ses joies. Les partager avec Thérèse, comme elle apprend à les vivre avec Cécile. Il y a eu trop de cachettes dans sa vie. Désormais, elle a envie de vivre au grand jour face à tous ceux qu'elle aime.

— Cécile, que dirais-tu si je t'invitais à rencontrer mon père ?

Elles sont dans un restaurant. La foule est bruyante autour de leur table. Enveloppe la demande de Dominique d'un voile de surprise. Cécile reste un instant silencieuse. Étonnée, heureuse. Contrite, aussi, d'avoir tant hésité, alors que Dominique partageait un même besoin. Combien elles se ressemblent, toutes les deux, finalement ! Cette pudeur devant les sentiments, ce respect devant les gens. Toutes ces petites choses qu'elles découvrent l'une de l'autre et qui les rapprochent. Cécile fait finalement un grand sourire.

— Il n'y a rien qui me ferait plus plaisir. Ça... ça fait des mois que je n'ose te le demander. J'étais gênée, ou je ne sais trop... Mais pourquoi ton père ?

Au tour de Dominique de sourire. Si Cécile connaissait ses parents, jamais elle n'aurait posé une telle question.

— Parce que mon père sait que je t'ai rencontrée. C'est même lui qui m'a aidée à rédiger la demande pour le journal. Tu vois, mes parents sont... Comment dire ? Mon père est plus ouvert que ma mère sur ce sujet-là. Dans le fond, je crois que ça aurait été préférable que ce soit lui qui m'apprenne que... Mais qu'importe ! Quand j'ai su que j'étais adoptée, on aurait dit que ma mère avait peur de m'en parler. Qu'elle avait peur que je cesse de l'aimer. C'est complètement ridicule, mais je lui en ai voulu pendant des années pour la façon dont elle m'avait prévenue. Puis, dès que je t'ai vue, j'ai compris ce qu'elle avait dû ressentir. Cette hantise de tous les jours... Je n'ai pas été une adolescente facile, tu sais. Juste à cause de cela... Je n'arrêtais pas de me répéter que la vie était injuste. Que mes parents n'étaient pas mes parents. J'en ai tellement souffert... Mais, en même temps, ma mère aussi souffrait terriblement de ma réaction. Je refusais carrément tout l'amour qui avait pu exister entre elle et moi... pendant des années. Maintenant, oui, je la comprends. Alors, de lui dire que je t'ai retrouvée, elle ne pourrait l'accepter. Ce serait comme revenir à cette époque où tout dialogue était impossible entre nous. Et je ne le veux pas. Ça me peine, mais c'est comme cela et je n'y peux rien... Mais, pour papa, c'est différent. Il sait bien que, dans le fond, ça ne lui enlève rien. Il a compris que ce qui existe entre lui et moi restera toujours aussi fort, aussi solide.

Puis, après un rire, presque confuse, le rouge lui montant aux joues :

— En fait, je dois te dire la vérité. C'est lui qui m'a confié qu'il aimerait te rencontrer. Moi, je crois que jamais je n'aurais osé... C'est idiot, n'est-ce pas ?

— Non, ce n'est pas idiot. Je... J'aurais fait la même chose...

Ensemble, elles éclatent de rire. Un regard entre elles. Une compréhension des états d'âme. Oui, comme elles se ressemblent ! Malgré la vie, malgré l'absence, malgré tout ce qui les a séparées pendant si longtemps.

Mais, René Lamontagne réserve une surprise à sa fille comme à Cécile. Quand il a su que cette dernière acceptait avec plaisir de le rencontrer, il a décidé qu'il était temps que sa femme comprenne qu'elle se refusait probablement la plus belle joie qui soit. Celle de pouvoir dire de vive voix ce qu'elle avait toujours gardé dans son cœur. Dire merci à celle qui lui avait permis d'être mère. Tout comme lui a envie de le faire. Ce n'est que pour cette raison qu'il veut enfin connaître celle que Dominique lui décrit comme étant une femme calme. Une femme de douceur et de demi-teinte. Une femme de nuances et d'émotions. Et à écouter sa fille, il comprend mieux l'enfant et l'adolescente qu'elle a été. Cette enfant réservée et rieuse en même temps. Impulsive et secrète... C'est cela qu'il a tenté de faire comprendre à Thérèse. Et, contre toute attente, celle-ci n'a pas refusé. Longtemps elle a gardé silence, puis elle a levé les yeux sur lui.

— Comme cela, Dominique a fini par... Je m'en doutais un peu, vois-tu... C'est fou ce qui a pu se passer entre nous deux... Jamais Claude et Francine n'ont eu de réactions aussi vives, aussi emportées que leur sœur. Ils ne voyaient que la chance qu'ils avaient eue de ne pas habiter à l'orphelinat.

Puis, après un rire :

— Tu avais beau essayer de cacher le journal, j'avais vu l'annonce du mouvement Retrouvailles. Francine aussi m'en a parlé. Pour me dire de ne pas m'inquiéter. Qu'elle et Claude n'avaient aucune envie de retrouver leur mère.

René s'est approché d'elle, l'a prise dans ses bras.

— Pour Claude et Francine, c'est bien différent. Ils sont deux. Ensemble, ils forment une famille de sang bien réelle. Ils ont des attitudes qui leur sont propres. Des points de repère... Alors que pour Dominique, il n'y avait personne à qui se rattacher. Je n'ai jamais mis en doute l'affection qu'elle a pour son frère et sa sœur, mais je suis certain que, par moments, elle devait être jalouse de leur intimité. Surtout qu'elle croyait sa mère décédée...

À ces mots, Thérèse se met à rougir. S'il y a une chose qu'elle regrette, c'est bien celle-là.

— Oui, une belle erreur n'est-ce pas ? Comment ai-je pu être à ce point idiote ? Je n'arrive même plus à comprendre ce qui a pu me pousser à faire un mensonge aussi énorme. J'avais si peur de la perdre, ma petite fille ! Je... je crois que je pensais qu'en sachant sa mère morte, elle se dirait qu'elle avait eu de la chance d'être avec nous...

Puis, après un soupir :

— C'est exactement le contraire qui s'est produit. Ça l'a éloignée de nous. J'en ai si souffert, René. Je m'en suis tellement voulu... Mais, malgré cela, je n'arrivais pas à faire marche arrière et à lui dire la vérité. Pourtant je l'aime, ma Dominique...

René referme les bras autour des épaules de sa femme. Il le sait bien, lui, que Thérèse n'a jamais voulu de mal à qui que ce soit.

— Et cela nous le savons tous... S'il y a une chose que notre fille n'a jamais remis en question, c'est bien celle-là. Alors, tu es prête ? Je peux dire à Dominique que nous voulons rencontrer sa mère ?

Thérèse lève un regard inquiet vers son mari. Bien sûr qu'elle irait jusqu'au bout ! Mais la crainte d'être comparée dans ses qualités de mère lui fait battre le cœur. Si cette Cécile était meilleure qu'elle ? C'est en se répétant que c'est complètement idiot qu'elle acquiesce silencieusement. Puis, René a eu une phrase. Imprévue, rassurante...

— Tu sais, la mère de Dominique doit connaître les mêmes craintes que nous. Elle aussi a adopté un enfant. Un fils...

Alors, Thérèse se permet de sourire. Peut-être bien, après tout, que cette rencontre va bien se passer. Ce qu'elle veut, surtout, c'est faire plaisir à sa fille. Lui prouver qu'elle l'aime envers et contre tout. Qu'elle l'a toujours aimée. Malgré ses maladresses et ses erreurs...

C'est par un après-midi pluvieux et froid que la rencontre doit avoir lieu. Chez Dominique. Un souper du dimanche soir, tous ensemble partageant un même repas. Et, pour Cécile, l'événement est doublement important. Elle va enfin connaître ses deux petits-fils... Jamais elle n'a été aussi nerveuse. Combien de fois dans sa vie a-t-elle essayé d'imaginer cette femme qu'elle voyait un peu comme une rivale ? Celle qui lui avait volé sa place auprès de sa fille. Certes, aujourd'hui elle ne la considère plus comme une ennemie. Bien au contraire... Elle est pleinement consciente de la chance de Dominique d'avoir une telle famille pour y vivre. Mais la crainte reste bien réelle en elle. C'est le cœur battant à tout rompre qu'elle se présente chez sa fille. Charles, toujours aussi droit et fier, cache bien son jeu. Pourtant, il n'en mène guère plus large que sa femme. Il devine ce qu'elle doit vivre en ce moment et il a peur pour elle. Peur de la déception qui pourrait être la sienne si la communication s'avérait impossible avec Thérèse. Cécile est une femme de paix, une femme de compromis. Elle serait profondément malheureuse et blessée si cette rencontre était un fiasco. Quand Dominique leur ouvre la porte, il s'aperçoit que celle-ci est au moins aussi anxieuse que Cécile. Mais personne ne montre rien. Sinon les sourires qui sont un peu plus larges, un peu plus tendus qu'ils ne devraient l'être. Puis, brusquement, c'est l'invasion... François et Frédérik viennent d'arriver dans le salon. Et eux, ils ne sont nullement embarrassés par la situation. Seule l'excitation de savoir qu'ils ont une grand-mère de plus a de l'importance. À six et quatre ans, on ne s'encombre pas de politesse, de manières et de façade. Allant droit au but, ils s'approchent de Cécile. La regardent franchement, sans méfiance. Et, après un clin d'œil entre eux, lui offrent leur plus beau sourire.

— Ainsi, c'est toi, notre nouvelle grand-mère ? T'es belle. Pis t'as l'air gentille... Est-ce qu'on va aller chez toi, aussi, le dimanche ?

François se tait ensuite. N'écoutant pas la réponse que Cécile est en train de lui donner, il essaie de se rappeler les recommandations que sa mère lui a faites. Puis, brusquement, jugeant son intervention permise, il ajoute :

— Nous deux, les bonbons qu'on préfère ce sont les « Smarties ».

Tout le monde éclate de rire dans le salon. Alors, rouge comme une tomate, le petit François s'empresse de déguerpir en direction de sa chambre. Suivi de près par Frédérik qui, lui, n'a rien compris, sinon que maintenant ils auront droit à leurs bonbons préférés chez leurs deux grands-mères. Quelle aubaine !

Et, quelques instants plus tard, ce sont encore les deux gamins qui permettent à tout le monde d'être à l'aise. Presque détendus... Cette merveilleuse franchise de l'enfance. Quand la sonnerie de l'entrée se fait entendre, Frédérik s'empresse d'aller ouvrir. Puis, tirant sa grand-mère Thérèse par la main, avant même qu'elle ait pu enlever son manteau, il lance sans cérémonie :

— Regarde, mamie... Maintenant, on a une autre grand-maman comme toi. Pis elle sait qu'on aime les « Smarties ». Elle aussi, on va aller souper des fois chez elle le dimanche. Toi, mamie, tu vas venir avec nous ?

La tension tombe d'un coup. C'est en riant que Dominique fait les présentations. Et Thérèse doit admettre que Cécile n'est pas du tout la femme qu'elle imaginait. Toute petite, l'air si doux, le sourire si lumineux... Elle lui tend une main franche. Ne partagent-elles pas ce qu'il y a de plus important dans leur vie ? Ne sont-elles pas les femmes qui ont tenu les rôles les plus déterminants dans celle de Dominique ? Puis, alors que tout le monde se rassoit, Cécile, elle, se relève, vient jusqu'à Thérèse et, la regardant droit dans les yeux, lui dit tout doucement :

— Merci, madame. Souvent, dans ma vie, j'ai pensé à un moment qui ressemblerait à celui-ci. Sans vraiment oser y croire... Mais, aujourd'hui, je suis heureuse d'avoir la chance de vous voir. Et de vous dire merci d'avoir aimé Dominique à ma place.

La timidité naturelle de Cécile n'a pu résister à cet appel du cœur. Cette femme... aussi brune que sa fille l'est, aussi grande aussi. Comme si le ciel avait permis cette ressemblance entre elles pour rendre la vie plus normale. Un curieux hasard qui a probablement bien fait les choses. Mais, maintenant qu'elle a dit ce que son cœur lui suggérait, elle se met à rougir. Les larmes lui montent aux yeux. Il y a trop d'émotions en elle pour qu'elle arrive à toutes les contrôler. De toute façon, Cécile a toujours été incapable de cacher ses sentiments. Alors, deux grosses larmes de joie glissent sur ses joues, tremblantes. Larmes de joie et de regret aussi, quand elle pense que c'est cette autre femme qui a profité de chacun des sourires de son bébé, de ses premiers mots, ses premiers pas... Comme une dernière flèche que sa lente et pénible quête au creux des souvenirs lui imposerait... Devant ce visage bouleversé, René se lève, et, se rapprochant d'elle, lui place une main sur l'épaule. Oui, il comprend ce qui doit se passer dans l'âme de Cécile en ce moment. Les émotions qu'il lit dans ce regard de mère rejoignent si bien les siennes! Alors, d'une voix sourde, il ajoute:

— Et nous aussi nous vous disons merci. Si Dominique est ce qu'elle est, ce n'est pas uniquement à cause de l'amour que nous lui avons donné. C'est aussi grâce à ce que vous lui avez légué à sa naissance. Alors, merci pour la vie qui a été la nôtre... C'est grâce à vous que nous avons pu être heureux...

Et Thérèse, incapable de parler, la gorge serrée sur sa joie et le soulagement, se contente de prendre la main de Cécile. Et de la serrer fort, très très fort dans les siennes...

ÉPILOGUE

MAI ET JUIN 1984

« Il y aura toujours nous deux,
à quelque part dans le monde. »

Cécile, juin 1943

Québec et France, printemps 1984

É puisée, Cécile se laisse retomber, accroupie sur les talons. Met une main sur ses reins en grimaçant.

— On n'a plus vingt ans, marmonne-t-elle.

Pourtant, elle continue de sourire. Ça fait plus de deux heures qu'elle est à quatre pattes, sarclant et plantant quelques boîtes de fleurs annuelles qui embelliront le terrain du cimetière pendant tout l'été. Depuis que Charles est décédé, elle vient chaque année passer quelques heures en compagnie de celui-ci. Elle lui parle, tout en travaillant, comme s'il était bien présent. Et, quand elle retourne à la maison, éreintée mais heureuse, elle a l'impression qu'il était là, pas trop loin, la regardant faire et y prenant plaisir.

Le soleil est bien présent, lui aussi. Mais Cécile ne s'en plaint pas. Elle aime sentir sa chaleur sur son gilet, comme le ferait un bras autour de ses épaules. Maintenant que les deux hommes de sa vie se sont retrouvés, quelque part dans l'au-delà, elle peut enfin penser à eux en paix, sachant que sa vie n'aurait pu se dérouler autrement. Deux fois par année, au printemps et en automne, elle vient travailler au cimetière Belmont et s'offre ces quelques heures de bonheur auprès de Charles, se permettant parfois de glisser un mot à Jérôme dans le fil de ses pensées. Elle mord avec gourmandise dans le bonheur de ses souvenirs, comme elle laisse couler l'envie de leur parler de ses projets. Cécile a toujours eu besoin qu'on la conseille, qu'on l'approuve dans ses décisions. Alors, elle est bien de ces moments où elle partage ses espoirs et ses joies avec Charles. C'est toujours vers lui, finalement, qu'elle se retourne pour avoir un conseil. C'est lui qui a partagé sa vie… Elle revient à chaque fois de sa visite au cimetière, le cœur léger et l'âme heureuse. Surtout qu'elle sait que son mari est mort sans souffrance, dans son laboratoire, penché sur une boîte de Pétri. Un arrêt cardiaque que rien n'avait annoncé. Aussi foudroyant que décisif. Et, comme médecin, Cécile sait qu'il n'y a pas de plus belle mort… Après une période de larmes et de tristesse, elle avait repris sa vie en main. Vendre la grande maison, se trouver un appartement à sa convenance, changer d'auto… Oui, lentement, elle avait réussi à se refaire une existence belle et bonne. Denis habitant maintenant Québec, avec femme et enfants, Cécile partage son temps entre l'hôpital, où elle agit à titre de consultante, et ses deux enfants, Dominique et Denis. Puis il y a Gérard, qui habite toujours Montréal, mais qu'elle visite de plus en plus souvent. Et aussi les cousins Fernand et Raoul avec qui elle voyage l'hiver… Oui, Cécile a réussi à se créer une vie à sa mesure, qui sait la satisfaire.

C'est en se relevant pour ramasser ses outils de jardinage que Cécile a un instant de clairvoyance. Bref, précis, mais vite envolé. Comme une idée qui traverse son esprit, ne laissant derrière elle qu'une vague présence. Elle vient de vivre deux heures de joie en compagnie de son mari. Parlant à l'occasion à Jérôme quand elle pense à Dominique. Puis, brusquement, l'idée obscure se fait précise. Qui fleurit la tombe de Jérôme ? Personne. Il n'y a personne pour venir se recueillir sur ses souvenirs… Et, en se précisant, l'idée se fait tentation. Pourquoi n'irait-elle pas en France ? Elle qui avait toujours dit qu'elle ne mettrait les pieds dans ce pays que le jour où elle pourrait librement se pencher sur son passé. Ne serait-il pas venu, ce jour qu'elle espérait ? Mais, comme toujours, Cécile hésite. Finalement, c'est ce qu'elle trouve de plus pénible dans sa solitude forcée. Prendre seule des décisions d'importance. Doit-elle ou non aller en France ? Ne risque-t-elle pas de souffrir devant une tombe où nul nom ne rappelle Jérôme ? Que la mention de soldat inconnu. Probablement... Elle revient à sa voiture à pas lents, toute concentrée sur cette idée qu'elle n'est plus sûre de trouver si bonne. Pourtant, elle se connaît et sait pertinemment qu'elle ne sera soulagée qu'à l'instant où elle aura vraiment fait le tour de la question.

Après deux jours de discussions avec elle-même, de volte-face et de reculs, Cécile se décide enfin à appeler Dominique. Ne s'agit-il pas de son père, après tout ? Celle-ci, contre toute espérance, se montre enthousiaste au projet de sa mère.

— Tu veux aller en France ? Mais pourquoi pas ? C'est une bonne idée. Et puis, tu sais, il n'y a pas qu'un cimetière à visiter en France. C'est un merveilleux pays à découvrir...

— Oui, sûrement. Mais seule, je ne...

Dominique ne la laisse pas terminer sa phrase. Elle se doute bien de ce que sa mère essaie, selon son habitude, de lui demander sans trop en avoir l'air. Comme elle sait aussi l'importance que Jérôme a toujours eu dans la vie et les pensées de Cécile. Alors, elle s'empresse de la rassurer.

— Comment, seule ? Tu ne veux pas que je t'accompagne ? lance-t-elle malicieuse...

C'est ainsi qu'à la fin de mai, elles s'embarquent toutes deux dans l'avion qui permettra à Cécile de voir enfin cette plage de Normandie. Marcher sur le sol qui a reçu l'empreinte des derniers pas de l'homme qu'elle a le plus aimé dans sa vie. Maintenant, plus rien ne bâillonne cet amour qui a traversé le temps. Elle admet que, sans Charles, elle n'aurait été que l'ombre de ce qu'elle est. Mais, par-delà cette certitude, il lui reste la conviction que Jérôme a toujours été celui qui a eu la plus belle part de son cœur. Cet abandon sans limite, ce don total de l'être...

Elles commencent leur voyage par quelques jours à Paris. La ville éblouit Cécile et transporte Dominique. Puis, c'est le retour dans le temps... Dans le train qui les emmène en Normandie, Cécile laisse les souvenirs refaire surface. Elle n'a plus à les contenir et peut se repaître sans réserve de leur présence douce-amère. Les yeux brillants de larmes contenues, elle découvre un paysage qui ressemble étrangement à la Beauce. « Dommage que Jérôme n'ait pas eu le temps de le voir, pense-t-elle attristée. Il aurait sûrement aimé ce coin du monde. » Tous ces vallons qui se courtisent, cette mer qui brille au loin, comme la rivière Chaudière de son enfance, ces vergers odorants qui se multiplient, clôturés ici de haies plutôt que de perches de cèdre... Oui, la Normandie plaît immédiatement à Cécile qui y retrouve une senteur propre à faire vivre ses plus beaux souvenirs. Ceux du temps où, amoureux, elle et Jérôme avaient promis de tout faire pour être heureux ensemble. Maintenant, elle est une femme vieillissante, qui en a plus long derrière elle que devant. Pourtant, en ce moment, le nez écrasé contre la vitre du train, Cécile a de nouveau vingt ans. Toute sa vie avec Charles s'estompe comme un rêve merveilleux qui se devait de finir. C'est son cœur de jeune fille qui bat en elle. Ses émotions de jeune femme qui font trembler ses mains. Le jour du départ de Jérôme, elle lui avait promis qu'ils vieilliraient ensemble et c'est exactement ce qu'elle s'apprête à faire. En venant en France, c'est le fiancé qu'elle vient retrouver. Celui qui l'a suivie dans l'ombre pendant toute sa vie et que, désormais, elle a envie de présenter au grand jour. Sans masque, sans faux-fuyant. Aujourd'hui, elle sait que l'on peut aimer deux hommes dans une vie. Avec une égale ferveur. Sans être malhonnête, sans mentir ni tricher. Son seul regret, en ce moment, c'est que Mélina Cliche ne puisse être avec elle. Elle aussi, elle a traversé la vie avec la présence de Jérôme dans son cœur, dans le creux de chacune de ses émotions. Âgée de plus de quatre-vingts ans et veuve depuis peu, celle-ci lui a remis une lettre quand Cécile est allée la voir avant de partir.

— T'es ben chanceuse de pouvoir faire ce voyage-là, ma Cécile. Moi, j'suis ben que trop vieille, astheure. Mais c'est pas grave... J'vas penser à toi. Ben ben fort. Pis j'ai préparé une lettre pour mon Jérôme. Pour y présenter sa sœur. Tu la mettras sur la tombe du soldat inconnu. Moi pis toi on sait qui c'est le soldat inconnu... Pis si moi j'peux pas y aller, Gaby va t'accompagner, lui. Tu peux être sûre de ça. J'y ai parlé avant de dormir hier, pis sa pensée va rester avec toi.

Oui, dans son cœur, Cécile porte tous ceux qui ont connu et aimé Jérôme. Et, à ses côtés, il y a Dominique. Cécile a tenu promesse. Elle a retrouvé leur fille comme ils rêvaient de le faire.

Pendant deux jours, Cécile et Dominique ont visité Caen. Les abbayes, les églises de Saint-Pierre, Saint-Nicolas et de Saint-Étienne épargnées par la guerre. Caen est une ville curieuse, reconstruite après le conflit où le modernisme est tempéré par ces clochers anciens. Où l'on sent la proche présence des vergers. Cette odeur de cidre, de camembert et de calvados qui enivre aussitôt Cécile. Et ces cafés où tout le monde semble se connaître, cette langue mélodieuse qui chante, cette senteur de mer qui s'infiltre à travers les conversations... Si Cécile avait à choisir, c'est dans une ville comme celle-ci qu'elle aimerait vivre...

Pendant de longues heures, Cécile et Dominique ont marché sur la plage de Bernières-sur-mer. Celle qui portait le nom de code de Juno au moment du débarquement. Silencieuses. Puis, le six juin au matin, Cécile s'est présentée au cimetière militaire. Exactement quarante ans plus tard. À la main, elle a une gerbe de roses rouges. Comme elle en aurait eu une, si elle avait épousé Jérôme. Il y a plusieurs personnes dans le cimetière. Des Français reconnaissants qui se rappellent. Qui n'oublieront jamais. D'autres femmes, aussi, de son âge, recueillies devant une tombe. Peut-être des Canadiennes, tout comme elles. Des veuves... Toutes ces plaques blanches, identiques, qui portent un nom, deux dates... Brusquement, Cécile revoit la pouponnière avec ses rangées de petits lits blancs, tous pareils... Lentement, elle fait le tour du cimetière, Dominique se tenant à quelques pas derrière elle, respectant le silence de sa mère. Puis, doucement, cette dernière ralentit le pas, fronce les sourcils en reconnaissant un nom. « Pierre Gadbois, 1921 – 1944. » Cécile se rappelle que Jérôme lui en avait parlé dans sa dernière lettre. Étaient-ils morts ensemble? Qu'avaient-ils vécu dans ces derniers instants, loin de leur pays, loin de tous ceux qui les aimaient? Jérôme avait-il eu le temps de penser à sa Cécile? Brusquement, elle souhaite que non. Surtout qu'il n'ait pas souffert. Ni dans son corps, ni dans le regret de ce qui aurait pu être. Cécile s'arrête, se retourne, cherche Dominique du regard.

— Regarde, Dominique... C'est la tombe d'un ami de

ton père. Jérôme m'avait écrit qu'il était heureux de l'avoir retrouvé en Angleterre. Que, grâce à lui, il se sentait un peu moins seul. Je… J'ai envie d'y laisser mes fleurs. Dans le fond, le corps de ton père n'est à nulle part ici. On ne l'a jamais retrouvé. De donner mes fleurs à celui qui a partagé ses derniers instants, c'est comme si je les offrais à Jérôme, n'est-ce pas ?

Dominique s'est approchée de sa mère. Elle entoure ses épaules d'un bras affectueux.

— C'est une excellente idée, ça, Cécile. Je…

Pendant un moment, Dominique reste perdue dans ses pensées. Elle aussi, elle est bouleversée par tout ce que sous-entend cette visite. Jamais elle n'a été aussi proche de ce que sa vie aurait pu être si le destin en avait décidé autrement. Là, tout près d'elle, il y a sa mère. Cette femme qu'elle aime dans ce qu'elle a de doux et de tendre. Une femme qui a eu à se battre pour arracher un peu de bonheur à la vie. Une femme que le destin n'a pas épargnée et qui, malgré cela, n'a toujours voulu que le meilleur pour ceux qui l'entourent. Maintenant, c'est à son tour de se faire parler d'amour. Alors, s'assoyant dans l'herbe, devant une pierre tombale au nom de l'ami de son père, Dominique laisse tomber d'une toute petite voix :

— Assieds-toi, maman. Viens déposer les fleurs qu'on a apportées pour papa. Et la lettre que sa mère t'a donnée…

À travers ses larmes, Cécile laisse fleurir un sourire. Aussi franc, aussi éclatant que les roses qu'elle tient à la main. C'est la première fois que Dominique l'appelle maman. Jamais elle n'aurait pu penser être à ce point heureuse… Silencieusement, main dans la main, elles restent là, assises, accrochées à leurs rêves qui doivent certainement se rejoindre quelque part dans le temps et l'espace…

Elle n'ont pas vraiment remarqué le bruit des pas feutrés qui se sont arrêtés à quelques pieds d'elles. Il y a tant de gens, ici, ce matin. Pourtant, surpris sans vraiment l'être, un vieil homme voûté attend que les deux femmes se retirent pour venir se recueillir sur la tombe de son ami. C'est la première fois qu'il aperçoit quelqu'un devant l'épitaphe de Pierre. Peut-être est-ce une cousine? Ou peut-être est-ce cette fiancée dont son ami avait parlé? Comment s'appelait-elle encore? Germaine? Gilberte? Gertrude? Incapable de se souvenir, Philippe reste un moment en retrait. Il n'aime pas tellement parler avec des étrangers. Sa vie au monastère l'a amené à être de plus en plus discret au fil des années. Cette vie de silence qui a été la sienne. Cette vie de recueillement au creux des souvenirs... Mais, voyant que les deux dames ne semblent nullement pressées de s'en aller, Philippe se décide à venir tout près d'elles.

C'est à cet instant que Cécile relève la tête et remarque l'homme qui se tient à quelques pas derrière, regardant fixement la plaque où est inscrit le nom de Pierre. «Probablement quelqu'un qui l'a connu juste avant qu'il ne meure», songe-t-elle aussitôt. Puis, son esprit s'emballe. Peut-être a-t-il connu Jérôme? Pourquoi pas? Impulsivement, elle se relève, vient à lui.

— Monsieur? Je... Je ne sais trop comment... Je vous vois là, devant cette tombe. Euh... Est-ce que vous connaissiez ce jeune soldat?

Philippe hésite un instant. S'il fallait que ce soit la fiancée de Pierre? Comment dire qu'il le connaît sans se faire reconnaître à son tour? Pourtant, aussitôt, il répond, envoûté par cette voix douce à l'accent du Québec, qui lui parle au cœur comme une pluie fait reverdir un jardin.

— Oui, madame, je l'ai connu. Pierre est mort dans mes bras, sur la plage...

Puis, retombant dans son mutisme, il recule d'un pas. Mais Cécile ne veut pas s'en tenir à cela. Il lui semble que cet homme a aussi connu Jérôme. Qu'il pourrait peut-être enfin mettre un terme à tant d'incertitude. Elle revient vers lui, insistante.

— Vous... vous êtes Français ? Je... Je veux dire... Vous faisiez partie de la Résistance ? Probablement, à votre accent... Je... Mon Dieu que c'est difficile à dire...

Philippe hausse les épaules. Il peut parler sans se compromettre. Que cette femme soit une cousine ou une amie, elle ne pourra jamais le reconnaître. Et puis, qu'importe maintenant ? La vie suit son cours. La sienne comme celle des autres. Pourtant, au fond de lui, vibre l'envie de l'entendre à nouveau lui dire quelque chose. Il aime ce parler qui le ramène un peu vers les siens.

— Oui, je suis de nationalité française. J'étais sur la plage, il y a quarante ans.

Puis, levant les yeux vers le ciel, il ajoute :

— Une journée qui ressemblait étrangement à celle-ci. Mais en même temps tellement, tellement différente... Tous ces cris, ces bruits d'armes...

C'est la première fois qu'il reparle de cette matinée d'enfer où sa vie a pris un cours imprévu. Brusquement, il aurait envie de dire qui il est. Partager ses peurs et ses espoirs avec cette femme à l'accent de chez lui. Jamais le mal du pays ne l'a tant fait souffrir. Alors, il se permet de raconter. Autant par besoin que par délicatesse, pour celle qui semble tant vouloir savoir. Tout raconter sans rien dire, finalement.

— Oui, j'étais là ce matin de juin 44. Le jour venait de se lever, mais la plage disparaissait dans la brume et la fumée de l'artillerie allemande. L'eau était froide, glaciale. Pierre était là, étendu sur le sable mouillé, abattu par une rafale de mitrailleuse... Rassurez-vous, il n'a pas eu le temps de souffrir. Qu'un instant de surprise et de rage. Puis il est mort, en pensant à sa fiancée... Peut-être est-ce ? Qu'importe... Vous le connaissiez, n'est-ce pas ? Seul cela a du sens. Il y a tant d'années, maintenant. Un tel silence autour de cela...

Cécile n'a rien dit. Elle l'écoute, attendant presque l'instant où le vieil homme français va lui dire qu'il a aussi retrouvé Jérôme. Puis, voyant qu'il se tait, elle hausse les épaules. Ce n'était qu'un beau rêve... Mais, alors qu'elle s'apprête à revenir sur ses pas pour rejoindre Dominique qui l'attend toujours assise sur la pelouse, le vieil homme poursuit :

— Si cela peut vous intéresser, j'ai gardé un souvenir de ce matin-là...

Impulsivement, il lui faut partager sa vie avec cette femme qui semble heureuse de l'entendre parler. Lui dévoiler une partie de ses souvenirs et de ses espérances. Elle pourra ainsi en emmener une partie dans ses bagages et les laisser s'envoler dans le ciel de son pays. Et puis, que veulent dire les souvenirs d'un étranger ? Elle ne se doutera jamais et lui sera heureux d'avoir parlé de ses rêves les plus secrets. Plongeant une main dans sa poche, il poursuit :

— C'est tout ce qui me reste du débarquement...

Et, tendant la paume, il offre, comme un présent, un petit bout de ruban de satin blanc. Cécile sent sa gorge se serrer. Son intuition ne l'avait pas trompée. Cet homme a connu Jérôme. Mais les mots refusent de dépasser son émotion. Elle reste là, immobile et les bras ballants, les yeux agrandis par la joie et la souffrance entremêlées.

C'est à cet instant que Dominique s'approche. Un regard sur sa mère, sur l'homme. Puis, doucement :

— Qu'est-ce qui se passe, maman ? Tu es si pâle tout à coup...

Alors, Cécile se retourne vers elle.

— Je... je crois que cet homme a connu ton père. Regarde ce qu'il tient. Ce... ce ruban... C'est... c'était...

— C'est ce bout de satin dont tu m'avais parlé ?

Puis, devant la blancheur cireuse de Cécile, elle se permet de hausser la voix. Elle n'aime pas voir sa mère dans un tel état. A peur du tour que des émotions trop fortes pourraient lui faire. Elle dit donc froidement :

— Voyons, Cécile, il faut te ressaisir. C'est peut-être une chance de sav...

Cécile ? C'est au tour de Philippe de perdre ses couleurs. Cette belle grande femme l'a-t-elle vraiment appelée Cécile ? C'est à cet instant que Philippe la reconnaît, confus de ne pas l'avoir fait plus tôt. Et c'est à ce même instant que Philippe s'efface à jamais dans le cœur de Jérôme. Il n'entend plus, maintenant, que cette voix douce qui lui chante à l'oreille. C'est la même qu'il retrouve dans ses rêves les plus fous. Ce regard, aussi, d'océan au lever du jour. Comment, comment se fait-il qu'il ne l'ait pas reconnue au premier regard ? La main tendue avec le ruban au creux de sa paume se met à trembler... Et cette femme qui l'a appelée maman. Serait-ce Juliette ? Le cœur débattant comme un fou, il ose un nom. Un seul.

— Cécile ?

Des yeux emplis de larmes se lèvent vers lui. Cherchent fébrilement son regard noisette.

— Jérôme ?... Mais non, c'est impossible. Jérôme est mort depuis si longtemps...

Pourtant, cette attente folle qui n'avait jamais vraiment réussi à être sage se pose en conquérante et l'envahit d'un coup. Cette certitude en elle que tous avaient cherché à éteindre. Cet instinct qui lui disait, envers et contre tout, que peut-être... Et ce regard qui s'illumine, que jamais Cécile n'avait oublié. Ce sourire qui lui rappelle la folie de ses dix-huit ans.

— Jérôme ? Est-ce bien toi ? C'est impossible... Pourtant oui, c'est ton regard. Mon Dieu, je rêve... Dominique, dis-moi que je rêve...

Mais ce n'est pas Dominique qui lui répond. Jérôme s'approche d'elle, se retient pour ne pas la prendre contre lui et la serrer de toute la force de son attente à lui. La raison de sa présence ici, ce matin, n'a plus la moindre importance. Elle est là. Jérôme ne voit plus ses cheveux blancs, ni les rides qui ont marqué son visage. Il n'y a que son regard qui s'accroche au sien, comme au matin où ils se sont quittés sur le quai de la gare.

— Non, on ne rêve pas Cécile. C'est moi. C'est bien moi...

Cécile frissonne. Elle a de la difficulté à reconnaître en lui le fiancé qu'elle a tant espéré. Cette intonation de la voix... Cet accent qui lui est étranger. Pourtant, elle sait qu'elle ne rêve pas. Mais, malgré cela, elle est loin de ressentir la joie qui devrait être la sienne. Elle a peur de savoir. Peur de connaître la vie de celui qu'elle avait fini par croire mort. Jérôme est mort. Sa tante l'a dit, son père aussi. Et même l'armée... Elle s'obligeait même à le répéter inlassablement quand son instinct lui faisait faux bond et revenait la harceler en chuchotant que jamais son corps n'avait été retrouvé... Que s'est-il passé pour que Jérôme, son Jérôme, reste ici ? Pourquoi n'avoir jamais donné de ses nouvelles? Une curieuse douleur la fait reculer d'un pas. Elle ne sait plus si elle est heureuse, si elle doit lui faire confiance. Trop d'émotions contradictoires se disputent en elle le peu de logique qu'il lui reste.

— Pourquoi? Pourquoi?

C'est le seul mot qui lui vient à l'esprit. Le seul qui sache dire à la fois la joie, la douleur, la surprise, l'incompréhension, l'injustice. Pourquoi ce silence? Et, devant son visage blême, Jérôme comprend. Il a le silence de toute une vie à expliquer. À combler...

— Je crois que j'ai bien des choses à raconter... Mais... mais sache que jamais je n'ai voulu te faire de peine. Bien au contraire... Je... Viens. Viens avec moi au monastère. Je vais t'expliquer.

— Au monastère?

— Oui, ce sont eux qui m'ont recueilli sur la plage. Je... J'ai été blessé et, quand je suis revenu à moi, j'avais perdu la mémoire. Pendant plus de dix ans, j'ai essayé de me rappeler ce qu'était ma vie avant, mais c'était le noir absolu. Accompagne-moi, je vais te présenter à Don Paulo.

Alors, sans vraiment bien comprendre, Cécile devine que Jérôme n'y est pour rien dans ce silence. Que lui aussi a probablement souffert de l'absence tout autant qu'elle. Intimidée, elle s'approche quand même de lui. D'une main tremblante, elle saisit la sienne.

— Avant, il faut que je te présente quelqu'un... Jérôme, c'est Juliette, notre fille. Elle... elle s'appelle Dominique.

La jeune femme s'est approchée d'eux. Fait un sourire à cet homme qui lui ressemble, maintenant qu'elle le regarde bien. Puis, comme si la tension tombait d'un seul coup, Cécile se met à rire. Un bref instant avant de retomber dans le silence. C'est la vie qui est en train de les rattraper. Leur vie. Celle qu'ils avaient envie de bâtir à deux. Brusquement, peu lui importe ce qui a pu se passer. L'homme qui se tient à côté d'elle a le même regard franc qu'autrefois. Et c'est cela qui a de l'importance. Cet amour qu'elle y lit encore. Le même qu'il y a quarante ans. Comme si, loin l'un de l'autre, les saisons n'avaient pu l'user. À l'avance, elle sait qu'elle va comprendre ce qui s'est réellement passé. Alors, s'approchant encore plus de lui, elle ose poser la tête contre son épaule. Cette confiance l'un dans l'autre qui a su défier le temps...

— Te souviens-tu Jérôme de ce que je t'ai dit quand tu es parti pour l'armée ? Qu'il y aurait toujours nous deux à quelque part dans le monde. Eh bien, je crois que j'avais raison. Même... même si tu étais mort, tu aurais continué de vivre en moi. Jamais je ne t'ai oublié...

Cécile laisse le silence faire son nid entre eux. Elle sent la main de Jérôme qui tremble dans la sienne. Il y a tant de choses qui auront à être dites et confiées. Tant de mots à mettre sur ces quarante ans d'absence. Alors, il faut laisser les jours décanter les émotions. C'est un peu comme si la vie leur donnait une seconde chance. Comme s'ils avaient à nouveau vingt ans et le monde entier devant eux. Levant le front vers lui, elle ajoute :

— Tu m'avais promis de revenir, Jérôme. Je crois qu'il est temps de tenir ta promesse... Je... Moi aussi j'ai bien des choses à te dire. Maintenant, on a deux vies à mettre en commun... Jamais je n'ai cessé de penser à toi... Puis, tu sais, ta mère est toujours là. Reviens, Jérôme. Reviens chez nous...

Dominique s'approche de ses parents et, posant la tête sur l'épaule de Cécile, elle fait un sourire à Jérôme. Elle comprend maintenant d'où lui viennent ses cheveux si frisés et ses grandes jambes. Au-dessus d'eux, une famille d'hirondelles cabriole dans le ciel de France. Un ciel au bleu délavé, presque gris, comme souvent il l'est dans la Beauce.

À suivre...